POETARUM LESBIORUM
FRAGMENTA

POETARUM LESBIORUM FRAGMENTA

EDIDERUNT

EDGAR LOBEL

ET

DENYS PAGE

OXFORD
AT THE CLARENDON PRESS

Oxford University Press, Great Clarendon Street, Oxford OX2 6DP

Oxford New York

Athens Auckland Bangkok Bogota Bombay
Buenos Aires Calcutta Cape Town Dar es Salaam
Delhi Florence Hong Kong Istanbul Karachi
Kuala Lumpur Madras Madrid Melbourne
Mexico City Nairobi Paris Singapore
Taipei Tokyo Toronto Warsaw

and associated companies in
Berlin Ibadan

Oxford is a trade mark of Oxford University Press

Published in the United States by
Oxford University Press Inc., New York

First published by Oxford University Press 1955
Reprinted 1963
Special edition for Sandpiper Books Ltd., 1997

British Library Cataloguing in Publication Data
Data available

ISBN 0-19-814137-8

3 5 7 9 10 8 6 4

Printed in Great Britain by
Bookcraft Ltd
Midsomer Norton, Somerset

PRAEFATIO

CARMINUM Lesbiorum fragmenta in libris Σαπφοῦς μέλη anno p.C. mcmxxv, Ἀλκαίου μέλη mcmxxvii edita ita denuo edenda suscepimus ut papyros quas in manuscriptorum catalogo numeris Sapphus 1, 3, 5–7, 9–13, 16–18, Alcaei 1–2, 5, 7–19, 21–22, incerti auctoris 1 notavimus, omnes identidem perscrutati fragmenta omnia quae publici iuris facta sint indicibus verborum additis componeremus.

Editionis secundae occasionem nacti typothetarum errores perpaucos inventos correximus, fragmenta quae recens innotuerunt in fine libri addidimus.

E. L.

D. L. P.

SUMMARIUM

SUMMARIUM

MANUSCRIPTORUM CATALOGUS

Innotuerunt textus Sapphici ut videntur xv papyracei (quorum iii commentarii), ii membranacei, i in ostraco scriptus; Alcaici xxii papyracei (quorum ii commentarii); incertum utrius auctoris ii papyracei:

SAPPHUS

1. P. Oxy. 2288 saec. ii (p. pr.) p.C.: ed. Lobel, Oxy. P. xxi 1952: ā 1.
2. Ostracon saec. iii a.C.: ed. Norsa, Annali d.R. Scuola n.s. di Pisa, vi 1937 fasc. i/ii pp. 8 seqq.: ā 2.
3. P. Oxy. 424 saec. ii/iii p.C.: ed. Grenfell & Hunt, Oxy. P. iii 1903: ā 3.
4. P. Berol. 5006 membranaceum saec. vii p.C.: post Blass ed. Schubart, Berliner Klassikertexte v (2) 1907 p. 9 seq.: ā 3, 4.
5. P. Oxy. 7 saec. iii p.C.: ed. Grenfell & Hunt, Oxy. P. i 1898: ā 5.
6. P. Oxy. 2289 saec. ii (p. post.) p.C.: ed. Lobel, Oxy. P. xxi 1952: ā 6–14.
7. P. Oxy. 1231 saec. ii p.C.: ed. Grenfell & Hunt, Oxy. P. x 1914; eiusdem p. frr. postmodo reperta ed. Hunt, Oxy. P. xvii 1927, 2081 (c), et Lobel, Oxy. P. xviii 1941, xxi 1952, 2166 (a): ā 15–30.
8. P. S. I. 123 saec. ii/iii p.C. (ex Oxyrrhyncho): ed. Vitelli, Papiri Greci e Latini ii 1913: ā 17.
9. P. Oxy. 1232 saec. iii (p. pr.) p.C.: ed. Grenfell & Hunt, Oxy. P. x 1914: β 1, 2.
10. P. Oxy. 2076 saec. ii (p. pr.) p.C.: ed. Hunt, Oxy. P. xvii 1927 (iam ediderat Lobel, Σμ. 1925 Addendum p. 78): β 2.
11. P. Oxy. 1787 saec. iii p.C.: ed. Grenfell & Hunt, Oxy. P. xv 1922; eiusdem p. frr. postmodo reperta ed. Lobel, Σμ. δ 1, 6 (a), (b), 7ᴬ (a), (b), (c), 9 (a), 13 (b), 14 (a), (c), 15 (b), (c), 17 (c), 19, 25 (d), et Oxy. P. xviii 1941, xxi 1952, 2166 (d): δ 1–30.
12. P. Oxy. 2290 saec. ii/iii p.C.: ed. Lobel, Oxy. P. xxi 1952: [δ] 31.
13. P. Oxy. 2293 saec. ii p.C.: commentarium (in lib. δ) ed. Lobel, Oxy. P. xxi 1952: δ 33.
14. P. Berol. 9722 membranaceum saec. vii p.C.: ed. Schubart, Sitzb. d. Berl. Akad. 1902 pp. 195 seqq.; denuo ed. Schubart & von Wilamowitz-Moellendorff, Berliner Klassikertexte v (2) 1907 pp. 10 seqq. (= ε 1–5); eiusdem membranae fr. alterum ed. Schubart & Lobel, Σαπφοῦς μέλη 1925 Addendum pp. 79 seq.; etiam alterum ed. Zuntz, Mnemosyne ser. iii vol. vii 1938 p. 109, cum aliqua iam dedisset Diehl, Anth. Lyr.², 1935 Appendicula addenda pp. 225 seq. (= ε 6).
15. P. Haun. 301 saec. iii/ii a.C.: ed. Vogliano, Sappho: una nuova ode della poetessa, Ariel, Milano 1941; eiusdem p. fr. alterum Mediolanense ed. Vogliano, Philologus xciii 1939 pp. 277 seqq.: ε 7.

16. P. Oxy. **2291** saec. iii p.C.: ed. Lobel, Oxy. P. xxi 1952: $\bar{\epsilon}$ 8.
17. P. Oxy. **2294** saec. ii (med.) p.C.: carminum catalogum ed. Lobel, Oxy. P. xxi 1952: $\bar{\eta}$ 1.
18. P. Oxy. **2292** saec. ii p.C.: commentarium ed. Lobel, Oxy. P. xxi 1952: fr. 213.

ALCAEI

1. A = P. Oxy. **1789** saec. i p.C.: ed. Grenfell & Hunt, Oxy. P. xv 1922; eiusdem p. frr. postmodo reperta ed. Lobel, Oxy. P. xviii 1941 et xxi 1952, **2166** (*e*).
2. B = P. Oxy. **1233** saec. ii p.C.: ed. Grenfell & Hunt, Oxy. P. x 1914; eiusdem p. frr. postmodo reperta ed. Hunt, Oxy. P. xvii 1927, **2081** (*d*), et Lobel, Oxy. P. xviii 1941, xxi 1952, **2166** (*b*).
3. B 6^B = P. Heidelberg. saec. ii/iii p.C.: ed. Diehl, Anth. Lyr.^{2} 1935, Appendicula addenda p. 227; denuo ed. Gerhard, Gr. Pap. Heidelb. 1938 p. 17 seq.
4. C = P. Berol. **9810** saec. ii p.C.: ed. Schubart & von Wilamowitz-Moellendorff, Berliner Klassikertexte v (2) 1907, pp. 6 seqq.
5. D = P. Oxy. **1234** saec. ii p.C.: ed. Grenfell & Hunt, Oxy. P. x 1914; eiusdem p. frr. postmodo reperta ed. Grenfell & Hunt, Oxy. P. xi 1915, **1360**; Lobel, *Ἀμ*. D 14, Oxy. P. xviii 1941, xxi 1952, **2166** (*c*).
6. E = P. Berol. **9569** saec. i p.C.: ed. Schubart, Sitzb. d. Berl. Akad. 1902 pp. 195 seqq.; denuo ed. Schubart & von Wilamowitz-Moellendorff, BKT v (2) 1907 pp. 3 seqq.; eiusdem p. fr. alterum ed. Reinach, Rev. Ét. Gr. xviii 1905, p. 413, denuo ed. Lobel, *Ἀμ*. E 1, mox Turner, Catal. Gk. & Lat. Papyri, Aberdeen 1939, 7.
7. F = P. Oxy. **1788** saec. ii (p. post.) p.C.: ed. Grenfell & Hunt, Oxy. P. xv 1922; eiusdem p. frr. postmodo reperta ed. Lobel, *Ἀμ*. F 1, 2, 7, 10, 12, et Oxy. P. xxi 1952 Addenda pp. 140 seqq.
8. G = P. Oxy. **2165** saec. ii (p. pr.) p.C.: ed. Lobel, Oxy. P. xviii 1941; haec non nulla cum D communia continet.
9. H = P. Oxy. **2295** saec. i p.C.: ed. Lobel, Oxy. P. xxi 1952.
10. I = P. Oxy. **2296** saec. ii/iii p.C.: ed. Lobel, Oxy. P. xxi 1952.
11. K = P. Oxy. **2297** saec. ii (p. post.) p.C.: ed. Lobel, Oxy. P. xxi 1952.
12. L = P. Oxy. **2298** saec. i a.C./i p.C.: ed. Lobel, Oxy. P. xxi 1952.
13. M = P. Oxy. **2299** saec. i (med.) p.C.: ed. Lobel, Oxy. P. xxi 1952.
14. N = P. Oxy. **2300** saec. ii/iii p.C.: ed. Lobel, Oxy. P. xxi 1952.
15. O = P. Oxy. **2301** saec. ii (p. post.) p.C.: ed. Lobel, Oxy. P. xxi 1952.
16. P = P. Oxy. **2302** saec. ii/iii p.C.: ed. Lobel, Oxy. P. xxi 1952.
17. Q = P. Oxy. **2303** saec. i p.C.: ed. Lobel, Oxy. P. xxi 1952.
18. R = P. Oxy. **2304** saec. ii (p. post.) p.C.: ed. Lobel, Oxy. P. xxi 1952.
19. S = P. Oxy. **2305** saec. ii/iii p.C.: ed. Lobel, Oxy. P. xxi 1952.
20. T = P. Fouad **239** saec. ii/iii p.C.: ed. Lobel & Page, Class. Quart. xlvi (n.s. ii) 1952 pp. 1 seqq.

21. V = P. Oxy. 2306 saec. ii p.C.: commentarium ed. Lobel, Oxy. P. xxi 1952.
22. X = P. Oxy. 2307 saec. ii p.C.: commentarium ed. Lobel, Oxy. P. xxi 1952.

INCERTUM UTRIUS AUCTORIS

1. P. Oxy. 2308 saec. ii/iii p.C.: ed. Lobel, Oxy. P. xxi 1952; = inc. auct. 26.
2. P. Graec. Vindob. 29777 saec. iv p.C. (ex Hermupoli): ed. Oellacher, Mitteilungen aus der Papyrussammlung Wien (Papyrus Erzherzog Rainer) 1932 p. 88; = inc. auct. 27.

NUMERORUM TABULAE

I. EDITIO NOSTRA CUM LOBELIANA PRIORE ($\Sigma\mu.$, $'A\mu.$), BERGKIANA, DIEHLIANA, COMPARATA

I

(a) SAPPHO

LP	$\Sigma\mu.$	Bergk	Diehl
1	ā 1 App.	1	1
2	ā 6 App., inc. lib. 6	4, 5	Suppl., p. 30
3	ā 1	—	23
4	ā 2	—	24
5	ā 3	—	25
6–14	—	—	—
15	ā 4	—	26
16	ā 5	—	27
17	ā 6	—	28
18	ā 7	—	29
19	ā 8	—	30
20	ā 9	—	31
21	ā 10	—	32
22	ā 11	—	33+36
23	ā 12	—	35
24	ā 13	—	34
25	ā 13ᴬ	—	—
26	ā 14	—	37
27	ā 15	—	38
28	ā 16ᴬ	—	—
29	—	—	—
30	ā 16	—	39
31	ā 2 App.	2	2
32	ā 3 App.	10	10
33	ā 4 App.	9	9
34	ā 5 App.	3	4
35	ā 7 App.	6	7
36	ā 8 App.	23	20
37	ā 9 App.	17	14
38	ā 10 App.	1.15	19
39	ā 11 App.	19	17
40	ā 12 App.	7	8
41	ā 13 App.	14	12
42	ā 14 App.	16	13
43	β 1	—	54
44	β 2	—	55
45	β 1 App.	25	44
46	β 2 App.	50+81	42

LP	Σμ.	Bergk	Diehl
47	β 3 App.	42	50
48	β 4 App.	—	48
49	β 5 App.	33+34	40+41
50	β 6 App.	101	49
51	β 7 App.	36	46
52	β 8 App.	37	47
53	γ̄ 1 App.	65	57
54	γ̄ 2 App.	64	56
55	γ̄ 3 App.	68	58
56	γ̄ 5 App.	69	60
57	γ̄ 6 App.	70	61
58	δ 1	79	65ᴬ
59	δ 2	—	65ᴮ
60	δ 3	—	84
61	δ 3ᴬ	—	—
62	δ 4	—	66
63	δ 5	—	67
64	δ 6	—	—
65	δ 7	—	68
66	δ 7ᴬ	—	—
67	δ 8	—	69
68	δ 9	—	71
69	δ 10ᴬ	—	—
70	δ 10	—	76
71	δ 11	—	70
72	δ 12	—	—
73	δ 13	—	74
74	δ 14	—	—
75	δ 15	—	—
76	δ 16	—	75
77	δ 17	—	79
78	δ 18	—	73
79	δ 19	—	—
80	δ 20	—	77ᵇ
81	δ 21	—	80
82 (a)	δ 22 (a)	76	63
82 (b)	δ 22 (b)	—	63 adn.
83	δ 23	—	81
84	δ 24	—	82
85	δ 25	—	83
86	—	—	Rhein. Mus. 1944
87 (1)	ante δ 1	—	—
87 (2)	—	—	77ᵃ
87 (3)–(23)	—	—	—
88	—	—	—
[89 vacat]	—	—	—
90	—	—	—
91	δ 1 App.	77	64
92	ε̄ 1	—	95
93	ε̄ 2	—	—

LP	$\Sigma\mu$.	Bergk	Diehl
94	$\check{\epsilon}$ 3	—	96
95	$\check{\epsilon}$ 4	—	97
96	$\check{\epsilon}$ 5	—	98
97	—	—	App., p. 225
98	—	—	Suppl., pp. 39, 70
99	—	—	—
100	$\check{\epsilon}$ 1 App.	89	85
101	$\check{\epsilon}$ 2 App.	44	99
102	ζ 1 App.	90	114
103	—	—	—
104	'Επιθαλ. 1 App.	95+133	120+133
105	,, 2 App.	93	116 et 117
106	,, 3 App.	92	115
107	,, 4 App.	102	53
108	,, 5 App.	93 adn.	116^A
109	,, 6 App.	97	122
110	,, 7 App.	98	124
111	,, 8 App.	91	123
112	,, 9 App.	99+100	128$_{1-5}$
113	,, 10 App.	106	130
114	,, 11 App.	109	131
115	,, 12 App.	104	127
116	,, 13 App.	105	128$_6$
117	,, 14 App.	103	129
118	Inc. Lib. 1	45	103
119	,, 2	116	153
120	,, 4	72	108
121	,, 5	75	100
122	,, 7	121	111
123	,, 8	18	15
124	,, 9	82	155
125	,, 10	73	101
126	,, 11	83	134
127	,, 12	84	154
128	,, 13	60	90
129	,, 14	21+22	146+18
130	,, 15	40	137
131	,, 16	41	137
132	,, 17	85	152
133	,, 18 et 18^A	58+59	144^{ab}
134	,, 19	87	87
135	,, 20	88	86
136	,, 21	39	121
137	,, 22	28	149
138	,, 23	29	151
139	,, 24	—	156^B
140	,, 25	62	107
141	,, 26	51	135 et 136
142	,, 27	31	119
143	,, 28	30	118

LP	Σμ.	Bergk	Diehl
144	Inc. Lib. 29	48	143
145	" 30	114	113
146	" 31	113	52
147	" 32	32	59
148	" 33	80	92
149	" 34	43	125
150	" 35	136	109
151	" 36	57	106
152	" 37	20	142
153	" 38	61	91
154	" 39	53	88
155	" 40	86	150
156	" 41	122+123	138
157	" 42	153	16
158	" 43	27	126
159	" 44	74	110
160	" 45	11	11
161	—	—	130^A
162	" 46	168	156^A
163	" 47	126	147
164	" 48	117	112
165	" 49	111	3
166	" 50	56	105
167	" 51	112	139
168	" 52	63	21
169	" 53	159	—
170	" 54	131	—
171	" 55	149	—
172	" 56	125	—
173	" 57	150	—
174	" 58	151	—
175	" 59	152	—
176	" 60	154	—
177	" 61	155	—
178	" 62	47	104
179	" 63	156	—
180	" 64	157	—
181	" 65	158	—
182	" 66	159	—
183	" 67	160	—
184	" 68	161	—
185	" 69	129	—
186	" 70	162	—
187	" 71	164	—
188	" 72	125	—
189	" 73	165	—
190	" 74	166	—
191	" 75	128	—
192	" 76	170	133^A
193	" 77	10 adn.	—

LP	Σμ.	Bergk	Diehl
194	Inc. Lib. 78	93 adn.	—
195	„ 79	124	—
196	„ 80	127	—
197	„ 81	130	—
198	„ 82	132	—
199	„ 83	134	—
200	„ 84	135	—
201	„ 85	137	—
202	„ 86	138	—
203	„ 87	139	—
204	„ 88	141–2	—
205	„ 89	143	—
206	„ 90	144	—
207	„ 91	145	—
208	„ 92	147	—
209	„ 93	148	—
210	„ 94	167	—
211	„ 95	140	—
212	„ 96	—	—
213	—	—	—

(b) ALCAEUS

LP		Åμ.	Bergk	Diehl
A	1	1 A 1	—	122ᴬ
	2	2 A 2	—	—
	3	3 A 3	—	—
	4	4 A 4	—	—
	5	5 A 5	—	118
	6	6 A 6	19, 104	119, 120, 122, 130
	7	7 A 7	—	121
	8	8 A 8	—	—
	9	9 A 9	—	—
	10	10 A 10	59, 97, 98	123
	11	11 A 11	—	—
	12	12 A 12	—	—
	13–32	— †	—	—
B	1 (a)	13, 14 B 1, 2	—	81
	1 (b)	16 B 4 (a)	—	84ᴬ
	1 (c)	15 B 3	—	84
	1 (d)	16 B 4 (b)	—	—
	2 (a)	17 B 5	—	78
	2 (b), (c)	18 B 6	—	79ᵃᵇ
	3	19 B 7	—	85
	4	20 B 8	—	71
	5	21 B 9	—	72
	6ᴬ	22 B 10	—	73

† *LP* A 16ᴮ = Åμ. ante A 5.

LP	Ἀμ.		Bergk	Diehl
B 6ᴮ	—		—	p. 227
7	23	B 11	—	80
8	24	B 12	—	—
9	25	B 13	—	83
10	26	B 14	—	74
11	27	B 15	—	75
12	28	B 16	—	76
13	29	B 17	cf. 109	77
14	30	B 18	—	—
15	31	B 19	—	—
16	32	B 20	—	82
17	33	B 21	—	—
18	34	B 22	42	86
19	35	B 23	—	—
20–25	—		—	—
C 1	36	C 1	—	70
D 1 (a)	39	D 3 (b)	—	—
1 (b)	37	D 1	—	—
1 (c), (d)	—		—	—
2	38	D 2	—	—
3	40	D 4 (b)	—	—
4 (a)	40	D 4 (a)	—	—
4 (b, c, d)	—		—	—
5	41	D 5	—	42 adn.
6	42	D 6	—	28
7	43	D 7	—	—
8	44	D 8	—	25
9	45	D 9	—	26
10	46	D 10	—	41
11	47	D 11	—	42
12	48	D 12	—	43
13	49	D 13	—	44
14	50	D 14	—	45
15	51	D 15	—	46ᴮ
16	52	D 16	—	27
17	53	D 17	—	48
18	54	D 18	—	47
19–53	—		—	—
E 1	55	E 1	v. 10 = 23	35
2	56	E 2	—	36
3	57	E 3	—	37
F 1 (a)	58	$F\,1_{1\text{-}11}+$	—	106, 112, 113
	68	F 11		
1 (b)	58	$F\,1_{12\text{-}16}$	—	—
1 (c)	—		—	—
1 (d)	59	F 2	—	—
2	60	F 3	—	—
3 (a)	—		—	—
3 (b)	61	F 4	—	109, 110
3 (c)	—		—	—

	LP		*Aμ.*		*Bergk*	*Diehl*
	4	62	F	5	—	116
	5	63	F	6	—	117
	6	64	F	7	—	107
	7	65	F	8	—	108
	8	66	F	9	—	114
	9	67	F	10	—	—
	10	69	F	12	—	111
	11	70	F	13	—	115
	12	71	F	14	—	—
	13, 14	—			—	—
G	1–11	—			—	Rhein. Mus. 1944, pp. 1 seqq.
H	1	cf. 119 Inc. Lib. 34			cf. 15	cf. 54
	2	129 Inc. Lib. 44			25	31
	3–60	—			—	—
I	1–3	—			—	—
	4	cf. 119 Inc. Lib. 34			cf. 15	cf. 54
K	1–45	—			—	—
L	1				Scol. anon. 15	Scol. anon. 8
	2–3	—			—	—
M	1–31	—			—	—
N	1–3	—			—	—
O	1–9	—			—	—
P	1–3	—			—	—
Q	1–4	—			—	—
R	1	—			—	—
S	1	—			—	—
T	1 : col. i 5 =	*Σμ.* Inc. Lib. 3			Sappho 96	Sappho 102
V	1	—			—	—
X	(1)–(80)	—			—	—
$\bar{a}$	1	72	$\bar{a}$	1	1–4	1
$\bar{a}$	2	73	$\bar{a}$	2	5–7	2
$\bar{a}$	3	74	$\bar{a}$	3	13ᴬ	13
$\bar{a}$	4	75	$\bar{a}$	4	14	5
$\bar{a}$	5	76	$\bar{a}$	5	74	6
β	1	77	β	1	141	—
β	2	78	β	2	73	16
$\bar{\gamma}$	1	79	$\bar{\gamma}$	1	80	17
δ	1	80	δ	1	100	18
δ	2	Addenda			—	18ᴬ
ζ	1	81	ζ	1	87, 101	19, 20
$\bar{\eta}$	1	82	$\bar{\eta}$	1	103	21
$\bar{\theta}$	1	83	$\bar{\theta}$	1	16	22
$\bar{\theta}$	2	84	$\bar{\theta}$	2	76	23
$\bar{\theta}$	3	Addenda			—	—
ι	1	85	ι	1	43	24
ι	2	Addenda			—	—
ι	3	Addenda			—	—
Z	1	86	Inc. Lib.	1	9	3
	2	87	„	2	18	46ᴬ

LP	Aμ.			Bergk	Diehl
Z 3	88	Inc. Lib.	3	13[B]	8
4	89	"	4	69	4
5	90	"	5	—	58[A]
6	91	"	6	31	62
7	92	"	7	21	29
8	93	"	8	20	39
9	94	"	9	53	104
10	95	"	10	26	51
11	96	"	11	35	91
12	97	"	12	68	125
13	98	"	13	65	124
14	99	"	14	34	90
15	100	"	15	71	129
16	101	"	16	86	136
17	102	"	17	83	134
18	103	"	18	44	97
19	104	"	19	85	11
20	105	"	20	—	89
21	106	"	21	84	135
22	107	"	22	41	96
23	108	"	23	39	94
24	109	"	24	37[A]	87
25	110	"	25	12, 11, 75, 124, Sappho 66	9
26	111	"	26	81	131
27	112	"	27	33	50
28	113	"	28	82	33
29	114	"	29	40	95
30	115	"	30	88	137
31	116	"	31	48[B]	14
32	117	"	32	17	55
33	118	"	33	64	56
34	119	"	34	15	54
35	120	"	35	50	102
36	121	"	36	51	103
37	122	"	37	49	101
38	123	"	38	77	38
39	124	"	39	36	92
40	125	"	40	78	145
41	126	"	41	92	142
42	127	"	42	93	32
43	128	"	43	57	66
44	130	"	45	45	98
45	131	"	46	46	99
46	132	"	47	47	100
47	133	"	48	105[B]	141[B]
48	134	"	49	104	130
49	135	"	50	29	60
50	136	"	51	26	53
51	137	"	52	56	65

LP	Aμ.		Bergk	Diehl
Z 52	138	Inc. Lib. 53	102	64
53	139	" 54	52	34
54	140	" 55	95	146
55	141	" 56	72	132
56	142	" 57	—	128
57	143	" 58	60	68
58	144	" 59	90	10
59	145	" 60	66	7
60	146	" 61	94	40
61	147	" 62	55	63
62	148	" 63	79	144
63	149	" 64	62	12
64	150	" 65	48^A	15
65	151	" 66	22	58
66	152	" 67	p. 194	148
67	153	" 68	—	2^A
68	154	" 69	96	147
69	155	" 70	89	138
70	156	" 71	99	140
71	157	" 72	105^A	141^A
72	158	" 73	—	57
73	159	" 74	67	126
74	160	" 75	61	69
75	161	" 76	153	149
76	162	" 77	154	—
77	163	" 78	30	61
78	164	" 79	54^{AB}	105
79	165	" 80	120	—
80	166	" 81	121	—
81	167	" 82	123	—
82	168	" 83	127	—
83	169	" 84	129	—
84	170	" 85	130	—
85	171	" 86	131	—
86	172	" 87	132	—
87	173	" 88	149	—
88	175	" 90	134	—
89	176	" 91	135	—
90	177	" 92	136	—
91	178	" 93	137	—
92	179	" 94	138	—
93	180	" 95	—	—
94	181	" 96	139	—
95	182	" 97	142	—
96	183	" 98	144	—
97	184	" 99	145	—
98	185	" 100	147	—
99	186	" 101	148	—
100	188	" 103	152	—
101	187	" 102	155	—

LP	Ἄμ.		Bergk	Diehl
Z 102	190 Inc. Lib.	105	10	3 adn.
103	191 "	106	23	—
104	192 "	107	24	35 adn.
105	193 "	108	32	49
106	194 "	109	37^B	—
107	195 "	110	58 adn.	—
108	196 "	111	58 adn.	—
109	197 "	112	106	—
110	198 "	113	107	—
111	199 "	114	108	—
112	200 "	115	110	—
113	201 "	116	111	—
114	202 "	117	112	—
115	203 "	118	113	—
116	204 "	119	114	—
117	205 "	120	115	—
118	206 "	121	116	—
119	207 "	122	117	—
120	208 "	123	118	—
121	209 "	124	119	—
122	210 "	125	146	—
123	211 "	126	151	143
124	212 "	127	8	—
125	213 "	128	—	—

II. MANUSCRIPTORUM EDITIONES CUM NOSTRA COMPARATAE

(a) SAPPHO

P. Oxy. 7	5	10	21
P. Oxy. 424	3_{6-18}	11	29 (5)
P. Oxy. 1231		12	22_{1-9}
I i $_{1-12}$	15 (b)	13	24 (a)
I i$_{13-34}$	16_{1-22}	14	23
I ii$_1$	16_{32}	15	22_{9-19}
I ii$_{2-21}$	17	16	26
I ii$_{22-27}$	18	17	24 (b)
2	19	18	25
3	15 (a)	19	29 (6) (a) $_{1-8}$
4	29 (1)	20	29 (7)
5	29 (2)	21	28 (a)
6	29 (3)	22	24 (c)$_{6-8}$
7	29 (4)	23	29 (8)
8	prob. non	24	non huius p.
	huius p.	25	24 (c) $_{1-6}$
9	20	26	28 (b)

P. Oxy. 2166 (a)		8	12
11	29 (29)	9	17_{4-8}
12	29 (30)	10	13
13	29 (31)	11	14
14	29 (32)	P. Oxy. 2290	88
15	29 (33)	P. Oxy. 2291	99
16	29 (34)	P. Oxy. 2292	213
17	29 (35)	P. Oxy. 2293	90 (1)–(17)
P. Oxy. 2166 (d) =		P. Oxy. 2294	103
1787 frr. post-		P. Oxy. 1787 frr.	
modo edita		Σαπφοῦς Μέλη	
2166 (d)		primo edita Σμ. δ	
1	86	1	58 pars
2	87 (12)	6 (a)	64 (a) pars
3	87 (13)	6 (b)	64 (b)
4	87 (14)	$7^{\wedge}$ (a) (b) (c)	66 (a) (b) (c)
5	87 (15)	9 (a)	68 (a) pars
6	87 (16)	13 (b)	73 (b)
7	87 (17)	14 (a) (c)	74 (a)$_{1-3}$ (b)
8	87 (18)	15 (b) (c)	75 (c) (d)
9	87 (19)	17 (c)	77 (c)
10	87 (20)	19	79
11	87 (21)	25 (d)	85 (c)
12	87 (22)	P. Berol. 5006	3, 4
13	87 (23)	P. Berol. 9722	92–97
P. Oxy. 2288	1	P. Haun. 301	98 (a)
P. Oxy. 2289		P. Mediol.	98 (b)
1–5	6–10	P. S. I. 123_{1-2}	16_{31-32}
6	5_{15-18}	$_{3-13}$	17_{1-10}
7	11	Ostracon	2

(b) ALCAEUS

P. Oxy. 1233		10	B 1 (a)
1 i	B 4	11	B 16
1 ii$_{1-7}$	B 5	12	B 9_{13-21}
1 ii$_{8-20}$	B 6	13	B 1 (c)
2 i$_{10-13}$	B 9_{10-13}	14	B 3
2 i$_{22-29}$	B 9_{5-12}	15	B 9_{1-4}
2 ii$_{1-16}$	B 10	16	B 1 (b)$_{3-6}$
2 ii$_{17-23}$	B 11	17	B 14_{1-7}
3_{1-7}	B 12_{2-8}	18	B 13_{1-5}
3_{8-15}	B 13	19	B 20
4	B 2 (a)	20	B 7 (b)
5	B 2 (b)$_{1-12}$	21	B 14_{7-10}
6	B 2 (b)$_{8-12}$	22	B 1 (d)$_{5-8}$
7	B 2 (c)$_{10-13}$	23	B 9_{7-9}
8	B 7 (a)	24	B 25_{1-3}
9_{1-8}	B 12_{1-8}	25	B 21_{1-3}
9_9	B 13_1	26	B 2 (b)$_{12-13}$

P. Oxy. 1789		2 ii$_{2\text{-}6}$	G 3
10	A 2 (b)	3	G 4
11	A 2 (a)$_{10\text{-}12}$	4	G 5
12	A 6$_{24\text{-}31}$	5	G 6
13	A 8 (a)	6	G 7
14	A 15	7	G 8
15	A 8 (b)$_{3\text{-}4}$	8	G 9
16	A 10$^{B}_{7}$	9	G 10
17	A 8 (b)$_{1\text{-}2}$	10	G 11
18	A 16^{A}	**P. Oxy. 2166 (b) =**	
19	non huius p.	1233 frr. post-	
20	A 4 (b)	modo edita	
21	A 4 (a)	2166 (b)	
22	A 16^{B}	1	B 6$^{A}_{7\text{-}12}$
23	A 17	2	B 13$_{8}$
24	A 1$_{1\text{-}4}$	3	B 2 (a)$_{5\text{-}7}$
25	A 1$_{6\text{-}11}$	4	B 21$_{4\text{-}7}$
26	A 1$_{4\text{-}8}$	5	B 22
27	A 18	6	B 1 (b)$_{1\text{-}5}$
28	A 9 (a)	7	B 23
29	A 10^{A}, $^{B1\text{-}6}$	8†	B 24
30	A 9 (b)	9	B 2 (a)$_{1}$
31	A 11	10	B 2 (b), (c)
32	A 19	11	B 1
33	A 20	12	B 2$_{5}$
34	A 1$_{3}$	**P. Oxy. 2166 (c) =**	
35	A 21	1234+1360 frr.	
36	A 22	postmodo edita	
37	A 23	2166 (c)	
38	A 24	1	D 10$_{3\text{-}6}$ et D 11$_{1,11}$
39	A 25	1^{A}	D 2 (a) schol.
40	A 7$_{12}$	2	D 19^{A}
41	A 26	2^{a}	D 19^{A} i (a)$_{16\text{-}17}$ schol.
P. Oxy. 2081 (d) =		3	D 19^{A} i (b)
1233 frr. post-		4	D 19^{A} i (d)
modo edita		5	D 19^{B} (a) incl. G 1
2081 (d)		6	D 1 (c)
1	B 4$_{10\text{-}11}$	7	D 1 (d)
2	B 9$_{1}$	8	D 22$_{1\text{-}3}$
3	B 1 (d)$_{1\text{-}4}$	9	D 3 (a)$_{8\text{-}15}$
4	B 25$_{3\text{-}5}$	10	D 3 (a)$_{7\text{-}8}$
5	B 2 (c)$_{14\text{-}17}$	11	D 23$_{1\text{-}6}$
6	non huius p.	12	D 3 (a)$_{11\text{-}15}$
P. Oxy. 2165		13	D 3 (a)$_{17\text{-}21}$
1 i$_{1\text{-}32}$	G 1	14	D 4 (b)
1 i$_{33\text{-}39}$	G 2$_{1\text{-}7}$	15	D 3 (a)$_{18\text{-}16}$
1 ii$_{1\text{-}32}$	G 2$_{8\text{-}39}$	16	D 4 (c)
1 ii$_{33\text{-}39}$	G 3	17	
2 i	G 2$_{3\text{-}5}$		
2 ii$_{1}$	G 2$_{39}$		

† hucusque P. Oxy. vol. xviii, sequentia 9–12 vol. xxi.

P. Oxy. 2166 (c)		6	A 28
18	D 30	7	A 29
19	D 31	8	A 30
20	D 32	9††	A 5_{1-2}
[21 =	2166 (c) 33]	10	A 5_{1-7}
22	D 33	11	A 12_{5-6}
23	D 4 (d)	12	A 10^B_{6-7}
24	D 34	13	A 1_{12-14}
25	D 35	14	A 31
26	D 36	15	A 32
27	D 37	P. Oxy. 2295	
28	D 38	1–39	H 1–39
29	D 39	40^A	H 41
30	D 14_{2-4}	40–44	H 40, 42–45
31	D 16_{1-4}	45	incl. I 1
32	D 3 $(a)_2$	46	„
33	D 20_{4-6}	47–49	H 46–48
34	D 40	50	incl. I 1
35	D 3 $(a)_{12-15}$	51	H 49
36	D 19^A i_{12-14}	[52	vacat]
37	D 41	53–63	H 50–60
38	D 10_{1-2}	P. Oxy. 2296	
39†	D 42	1–4	I 1–4
40	D 10_{1-2}	P. Oxy. 2297	
41	D 13 schol.	1–4	K 1–4
42	D 3	5	K 5 (a) col. ii
43	D 23	6	K 5 (a) col. i
44	D $19^A{}_7$ schol.	7	K 6
44^A	D 42_{1-6}	8	K 7
45	D 43	9	K 5 (c), (d)
46	D 44	10–41	K 8–39
47	D 45	42	prob. non
48	D 46		huius p.
49	D 47	43–48	K 40–45
50	D 48	P. Oxy. 2298	
51	D 49	1–3	L 1–3
52	D 50	P. Oxy. 2299	
53	D 51	1–31	M 1–31
54	D 52	P. Oxy. 2300	
55	D 53	1–3	N 1–3
P. Oxy. 2166 (e) =		P. Oxy. 2301	
1789 frr. post-		1	O 1
modo edita		2	O 2 (a)
2166 (e)		3	O 2 (b)
1		4–10	O 3–9
2	A 5_{5-7}	P. Oxy. 2302	
3	A 12_{3-5}	1	P 1 (a)
4	A 8 $(a)_{1-3}$	2	P 1 (b)
5	A 6 (b)	3	P 1 (c)
	A 27		

† hucusque P. Oxy. vol. xviii, sequentia 40–55 vol. xxi.
†† 10–15 vol. xxi.

P. Oxy. 2302		p. 142	F $4_{1\text{-}2}$
4	P 2	p. 143	F $5_{6\text{-}7}$
5	P 3	p.143–5 = 1788	
P. Oxy. 2303		frr. 16–20, vid.	
1–4	Q 1–4	sub 1788 supra	
P. Oxy. 2304		**P. Oxy.** 1234 et	
1	R 1	1788 frr. Ἀλ-	
P. Oxy. 2305		καίου Μέλη D,	
1	S 1	F, prim. edita	
P. Oxy. 2306		1234: Ἀμ. D 14	D 14 pars
1	V 1	1788: Ἀμ. F $I_{1\text{-}4}$	F 1 $(a)_{1\text{-}4}$
P. Oxy. 2307		„ „ F $I_{12\text{-}17}$	F 1 (b)
1–59	X 1–59	„ „ F 2	F 1 (d)
[60	vacat]	„ „ F 7	F 6
61–65	X 60–64	„ „ F 10	F 9
[66	vacat]	„ „ F 12	F 10 pars
67–82	X 65–80	P. Berol. 9569 1	
P. Oxy. xxi Ad-		$i_{1\text{-}18}$+P. Aber-	
denda pp. 140		don. 7	E 1
seqq. = 1788 frr.		9569 1 $ii_{1\text{-}9}$	E 2
postmodo edita		„ 1 $ii_{10\text{-}23}$	E 3
p. 140	F 3 $(b)_{1\text{-}18}$	P. Berol. 9810	C 1
p. 141	F 3 $(b)_{27\text{-}28}$	P. Fouad 239	T 1
p. 141	F 3 $(b)_{33\text{-}36}$	P. Heidelb.	B 6^{B}
p. 142	F 3 (b) 40, 40^{abc}		

Incertum utrius auctoris: **P. Oxy.** 2308 = Incert. 26.
P. Vindob. 29777 = Incert. 27.

III. EDITIONES LOBELIANAE PRIORES
(Σμ., Ἀμ.) CUM NOSTRA COMPARATAE

Σμ.	LP	Σμ.	LP
ā 1	3	ā 1 App.	1
ā 2	4	ā 2 App.	3^{1}
ā 3	5	ā 3 App.	3^{2}
ā 4	15	ā 4 App.	33
ā 5	16	ā 5 App.	34
ā 6	17	ā 6 App.	$2_{13\text{-}16}$
ā 7	18	ā 7 App.	35
ā 8	19	ā 8 App.	36
ā 9	20	ā 9 App.	37
ā 10	21	ā 10 App.	38
ā 11	22	ā 11 App.	39
ā 12	23	ā 12 App.	40
ā 13	24	ā 13 App.	41
ā 13^{A}	25	ā 14 App.	42
ā 14	26	β 1	43
ā 15	27	β 2	44
ā 16^{A}	28	β 1 App.	45
ā 16	30	β 2 App.	46

$\Sigma\mu$.	LP	$\Sigma\mu$.	LP
β 3 App.	47	'Επιθαλ. 1 App.	104
β 4 App.	48	„ 2 App.	105
β 5 App.	49	„ 3 App.	106
β 6 App.	50	„ 4 App.	107
β 7 App.	51	„ 5 App.	108
β 8 App.	52	„ 6 App.	109
$\bar{\gamma}$ 1 App.	53	„ 7 App.	110
$\bar{\gamma}$ 2 App.	54	„ 8 App.	111
$\bar{\gamma}$ 3 App.	55	„ 9 App.	112
$\bar{\gamma}$ 4 App.	Alc. Z 25 (b)	„ 10 App.	113
$\bar{\gamma}$ 5 App.	56	„ 11 App.	114
$\bar{\gamma}$ 6 App.	57	„ 12 App.	115
δ ante 1	87 (1)	„ 13 App.	116
δ 1	58	„ 14 App.	117
δ 2	59	Inc. Lib. 1	118
δ 3	60	„ 2	119
δ 3^	61	„ 3	Alc. T 1
δ 4	62	„ 4	120
δ 5	63	„ 5	121
δ 6	64	„ 6	2_{5-8}
δ 7	65	„ 7	122
δ 7^	66	„ 8	123
δ 8	67	„ 9	124
δ 9	68	„ 10	125
δ 10	70	„ 11	126
δ 10^	69	„ 12	127
δ 11	71	„ 13	128
δ 12	72	„ 14	129
δ 13	73	„ 15	130
δ 14	74	„ 16	131
δ 15	75	„ 17	132
δ 16	76	„ 18	133
δ 17	77	„ 19	134
δ 18	78	„ 20	135
δ 19	79	„ 21	136
δ 20	80	„ 22	137
δ 21	81	„ 23	138
δ 22	82	„ 24	139
δ 23	83	„ 25	140
δ 24	84	„ 26	141
δ 25	85	„ 27	142
δ 26	om.	„ 28	143
δ 1 App.	91	„ 29	144
$\bar{\epsilon}$ 1, 2	92, 93	„ 30	145
$\bar{\epsilon}$ 3	94	„ 31	146
$\bar{\epsilon}$ 4	95	„ 32	147
$\bar{\epsilon}$ 5	96	„ 33	148
$\bar{\epsilon}$ 1 App.	100	„ 34	149
$\bar{\epsilon}$ 2 App.	101	„ 35	150
ζ 1 App.	102	„ 36	151

Σμ.	LP	Σμ.	LP
Inc. Lib. 37	152	Inc. Lib. 79	195
" 38	153	" 80	196
" 39	154	" 81	197
" 40	155	" 82	198
" 41	156	" 83	199
" 42	157	" 84	200
" 43	158	" 85	201
" 44	159	" 86	202
" 45	160	" 87	203
" 46	162	" 88	204
" 47	163	" 89	205
" 48	164	" 90	206
" 49	165	" 91	207
" 50	166	" 92	208
" 51	167	" 93	209
" 52	168	" 94	210
" 53	169	" 95	211
" 54	170	" 96	212
" 55	171		
" 56	172	Inc. Auct. 1	Incert. 2
" 57	173	" 2	" 3
" 58	174	" 3	" 4
" 59	175	" 4	" 5
" 60	176	" 5	Sappho 178
" 61	177	" 6	om.
" 62	178	" 7	Incert. 10
" 63	179	" 8	" 11
" 64	180	" 9	" 13
" 65	181	" 10	" 14
" 66	182	" 11	Alc. F 3 $(b)_{34}$
" 67	183	" 12	Incert. 16
" 68	184	" 13	" 22
" 69	185	" 14	" 17
" 70	186	" 15	" 21
" 71	187	" 16	" 18
" 72	188	" 17	" 19
" 73	189	" 18	om.
" 74	190	" 19	om.
" 75	191	" 20	Incert. 23
" 76	192	" 21	Alc. Z 23 (b)
" 77	193	" 22	Incert. 24
" 78	194	" 23	" 25

Αμ.	LP	Αμ.	LP
1 A 1	A 1	5 A 5	A 5 + 16[B]
2 A 2	A 2	6 A 6	A 6
3 A 3	A 3	7 A 7	A 7
4 A 4	A 4	8 A 8	A 8

NUMERORUM TABULAE

	$\mathcal{A}\mu.$	LP		$\mathcal{A}\mu.$	LP
9	A 9	A 9	51	D 15	D 15
10	A 10	A 10	52	D 16	D 16
11	A 11	A 11	53	D 17	D 17
12	A 12	A 12	54	D 18	D 18
13	B 1	B 1 $(a)_{1-2}$	55	E 1	E 1
14	B 2	B 1 $(a)_{3-10}$	56	E 2	E 2
15	B 3	B 1 (c)	57	E 3	E 3
16	B 4 (a)	B 1 $(b)_{3-6}$	58	F 1$_{1-11}$	F 1 $(a)_{1-11}$
,,	B 4 (b)	B 1 (d)	58	F 1$_{12-17}$	F 1 (b)
,,	B 4 (c)	B 2 $(b)_{12-13}$	59	F 2	F 1 (d)
17	B 5	B 2 (a)	60	F 3	F 2
18	B 6 (a)	B 2 $(b)_{1-6}$	61	F 4	F 3 (b)
,,	B 6 (b)	B 2 $(b)_{8-12}$	62	F 5	F 4
,,	B 6 (c)	B 2 $(c)_{10-13}$	63	F 6	F 5
,,	B 6 (d)	B 2 1$_{1-3}$	64	F 7	F 6
,,	B 6 (e)	B 2 $(c)_{14-17}$	65	F 8	F 7
19	B 7	B 3	66	F 9	F 8
20	B 8	B 4	67	F 10	F 9
21	B 9	B 5	68	F 11	F 1 $(a)_{10-25}$
22	B 10	B 6ᴬ	69	F 12	F 10
23	B 11	B 7	70	F 13	F 11
24	B 12	B 8	71	F 14	F 12
25	B 13	B 9	72	$\bar{a}$ 1	$\bar{a}$ 1
26	B 14	B 10	73	$\bar{a}$ 2	$\bar{a}$ 2
27	B 15	B 11	74	$\bar{a}$ 3	$\bar{a}$ 3
28	B 16	B 12	75	$\bar{a}$ 4	$\bar{a}$ 4
29	B 17	B 13	76	fort. $\bar{a}$ 5	$\bar{a}$ 5
30	B 18	B 14	77	β 1	β 1
31	B 19	B 15	78	β 2	β 2
32	B 20	B 16	79	$\bar{\gamma}$ 1	$\bar{\gamma}$ 1
33	B 21	B 17	80	δ 1	δ 1
34	B 22	B 18	81	ζ 1	ζ 1
35	B 23	B 19	82	$\bar{\eta}$ 1	$\bar{\eta}$ 1
36	C 1	C 1	83	$\bar{\theta}$ 1	θ 1
37	D 1	D 1 (b)	84	θ 2	θ 2
38	D 2	D 2	85	$\bar{\iota}$ 1	$\bar{\iota}$ 1
39	D 3 (a)	incl. G 1	86	Inc. Lib. 1	Z 1
,,	D 3 (b)	D 1 (a)	87	,, 2	Z 2
40	D 4 (a)	D 4 (a)	88	,, 3	Z 3
,,	D 4 (b)	D 3 $(a)_{1-8}$	89	,, 4	Z 4
41	D 5	D 5	90	,, 5	Z 5
42	D 6	D 6	91	,, 6	Z 6
43	D 7	D 7	92	,, 7	Z 7
44	D 8	D 8	93	,, 8	Z 8
45	D 9	D 9	94	,, 9	Z 9
46	D 10	D 10	95	,, 10	Z 10
47	D 11	D 11	96	,, 11	Z 11
48	D 12	D 12	97	,, 12	Z 12
49	D 13	D 13	98	,, 13	Z 13
50	D 14	D 14	99	,, 14	Z 14

Aμ.		LP	Aμ.		LP
100	Inc. Lib. 15	Z 15	150	Inc. Lib. 65	Z 64
101	" 16	Z 16	151	" 66	Z 65
102	" 17	Z 17	152	" 67	Z 66
103	" 18	Z 18	153	" 68	Z 67
104	" 19	Z 19	154	" 69	Z 68
105	" 20	Z 20	155	" 70	Z 69
106	" 21	Z 21	156	" 71	Z 70
107	" 22	Z 22	157	" 72	Z 71
108	" 23	Z 23	158	" 73	Z 72
109	" 24	Z 24	159	" 74	Z 73
110	" 25	Z 25	160	" 75	Z 74
111	" 26	Z 26	161	" 76	Z 75
112	" 27	Z 27	162	" 77	Z 76
113	" 28	Z 28	163	" 78	Z 77
114	" 29	Z 29	164	" 79	Z 78
115	" 30	Z 30	165	" 80	Z 79
116	" 31	Z 31	166	" 81	Z 80
117	" 32	Z 32	167	" 82	Z 81
118	" 33	Z 33	168	" 83	Z 82
119	" 34	Z 34	169	" 84	Z 83
120	" 35	Z 35	170	" 85	Z 84
121	" 36	Z 36	171	" 86	Z 85
122	" 37	Z 37	172	" 87	Z 86
123	" 38	Z 38	173	" 88	Z 87
124	" 39	Z 39	174	" 89	incl. K 1$_{6}$
125	" 40	Z 40	175	" 90	Z 88
126	" 41	Z 41	176	" 91	Z 89
127	" 42	Z 42	177	" 92	Z 90
128	" 43	Z 43	178	" 93	Z 91
129	" 44	incl. H 2$_{3-4}$	179	" 94	Z 92
130	" 45	Z 44	180	" 95	Z 93
131	" 46	Z 45	181	" 96	Z 94
132	" 47	Z 46	182	" 97	Z 95
133	" 48	Z 47	183	" 98	Z 96
134	" 49	Z 48	184	" 99	Z 97
135	" 50	Z 49	185	" 100	Z 98
136	" 51	Z 50	186	" 101	Z 99
137	" 52	Z 51	187	" 102	Z 101
138	" 53	Z 52	188	" 103	Z 100
139	" 54	Z 53	189	" 104	incl. G 2$_{21}$
140	" 55	Z 54	190	" 105	Z 102
141	" 56	Z 55	191	" 106	Z 103
142	" 57	Z 56	192	" 107	Z 104
143	" 58	Z 57	193	" 108	Z 105
144	" 59	Z 58	194	" 109	Z 106
145	" 60	Z 59	195	" 110	Z 107
146	" 61	Z 60	196	" 111	Z 108
147	" 62	Z 61	197	" 112	Z 109
148	" 63	Z 62	198	" 113	Z 110
149	" 64	Z 63	199	" 114	Z 111

$\mathcal{A}\mu.$		LP	$\mathcal{A}\mu.$		LP	
200	Inc. Lib. 115	Z 112	214	Inc. Auct. 1	Incert.	6
201	„ 116	Z 113	215	„ 2	„	16
202	„ 117	Z 114	216	„ 3	„	22
203	„ 118	Z 115	217	„ 4	om.	
204	„ 119	Z 116	218	„ 5	om.	
205	„ 120	Z 117	219	„ 6	Incert.	7
206	„ 121	Z 118	220	„ 7	om.	
207	„ 122	Z 119	221	„ 8	Incert.	4
208	„ 123	Z 120	222	„ 9	„	12
209	„ 124	Z 121	223	„ 10	„	8
210	„ 125	Z 122	224	„ 11	„	15
211	„ 126	Z 123	225	„ 12	„	20
212	„ 127	Z 124				
213	„ 128	Z 125				

IV. EDITIO BERGKIANA CUM NOSTRA COMPARATA

(a) SAPPHO

Bergk	LP	Bergk	LP	Bergk	LP
1	1	26	om.	51	141
2	31	27	158	52	om.
3	34	28	137	53	154
4	2_{5-8}	29	138	54	Incert. 16
5	2_{13-16}	30	143	55	Incert. 5_3
6	35	31	142	56	166
7	40	32	147	57	151
8	Incert. 13	33	49_1	57^{A}	Incert. 23
9	33	34	49_2	58	133_1
10	32	35	Incert. 5_1	59	133_2
11	160	36	51	60	128
12	26_{2-4}	37	52	61	153
13	16_{3-4}	38	Incert. 25	62	140
14	41	39	136	63	168
15	26_{11-12}	40	130	64	54
16	42	41	131	65	53
17	37	42	47	66	Alc. Z 25 (b)
18	123	43	149	67	44_{8-10}
19	39	44	101	68	55
20	152	45	118	69	56
21	129_1	46	94_{15-16}	70	57
22	129_2	47	178	71	Incert. 11
23	36	48	144	72	120
24	om.	49	94_{19-20}	73	125
25	45	50	46_{1-2}	74	159

Bergk	LP	Bergk	LP	Bergk	LP
75	121	106	113	140	211
76	82 (a)	107	Incert. 24	141	204
77	91	108		142	
78	81 (b)	109	114	143	205
79	$58_{25\text{-}26}$	110	Incert. 5_2	144	206
80	148	111	165	145	207
81	46_2	112	167	146	om.
82	124	113	146	147	208
83	126	114	145	148	209
84	127	115	38	149	171
85	132	116	119	150	173
86	155	117	164	151	174
87	134	121	122	152	175
88	135	122	156	153	157
89	100	123		154	176
90	102	124	195	155	177
91	111	125	172 et 188	156	179
92	106	126	163	157	180
93	105 (a)	127	196	158	181
94	105 (c)	128	191	159	169 et 182
95	104 (a)	129	185	160	183
96	Alc. T 1 i_5	130	197	161	184
97	109	131	170	162	186
98	110 (a)	132	198	163	44_{30}
99	$112_{1\text{-}2}$	133	104 (b)	164	187
100	112_4	134	199	165	189
101	50	135	200	166	190
102	107	136	150	167	210
103	117	137	201	168	162
104	115	138	202	169	58_{12}
105	116	139	203	170	192

(b) ALCAEUS

Bergk	LP	Bergk	LP	Bergk	LP
1	$\bar{a}$ 1 (a)	16	θ 1	28	Incert. 6
2, 3, 4	$\bar{a}$ 1 (b) (c)	17	Z 32	29	Z 49
	(d)	18	Z 2	30	Z 77
5, 6, 7	$\bar{a}$ 2	19	A $6_{1\text{-}3}$	31	Z 6
8	Z 124	20	Z 8	32	Z 105
9	Z 1	21	Z 7	33	Z 27
10	Z 102	22	Z 65	34	Z 14
11	Z 25 (a)	23	E $1_{10,}$	35	Z 11
12	Z 25		Z 103	36	Z 39
13[A]	$\bar{a}$ 3	24	Z 104	37[A]	Z 24
13[B]	Z 3	25	H $2_{3\text{-}4}$	37[B]	Z 106
14	$\bar{a}$ 4	26	Z 10+50	38	Incert. 22
15	Z 34	27	Incert. 10	39	Z 23

Bergk	LP	Bergk	LP	Bergk	LP
40	Z 29	82	Z 28	125	Incert. 7
41	Z 22	83	Z 17	126	G 2_{21}
42	'B 18_{1-3}	84	Z 21	127	Z 82
43	ī 1	85	Z 19	128	om.
44	Z 18	86	Z 16	129	Z 83
45	Z 44	87	ζ 1	130	Z 84
46	Z 45	88	Z 30	131	Z 85
47	Z 46	89	Z 69	132	Z 86
48^A	Z 64	90	Z 58	133	incl. K 1_6
48^B	Z 31	91	om.	134	Z 88
49	Z 37	92	Z 41	135	Z 89
50	Z 35	93	Z 42	136	Z 90
51	Z 36	94	Z 60	137	Z 91
52	Z 53	95	Z 54	138	Z 92
53	Z 9	96	Z 68	139	Z 94
54^{AB}	Z 78	97	A 10^B_5	140	om.
55. 1	Z 61	98	A 10^B_4	141	β 1
55. 2	Sappho	99	Z 70	142	Z 95
	137_1	100	δ 1	143	om.
56	Z 51	101	ζ 1	144	Z 96
57	Z 43	102	Z 52	145	Z 97
58	om.	103	η̄ 1	146	Z 122
59	A 10^B_1	104	Z 48	147	Z 98
60	Z 57	105^A	Z 71	148	Z 99
61	Z 74	105^B	Z 47	149	Z 87
62	Z 63	106	Z 109	150	om.
63	Sappho	107	Z 110	151	Z 123
	21_{12-13}	108	Z 111	152	Z 100
64	Z 33	109	B 13	153	Z 75
65	Z 13	110	Z 112	154	Z 76
66	Z 59	111	Z 113	155	Z 101
67	Z 73	112	Z 114	p. 194	Z 66
68	Z 12	113	Z 115	Alcman	
69	Z 4	114	Z 116	115	Incert. 15
70	om.	115	Z 117	Adesp. 51	" 21
71	Z 15	116	Z 118	" 52	" 17
72	Z 55	117	Z 119	" 56	Sappho 3
73	β 2	118	Z 120	" 57	Incert. 19
74	ā 5	119	Z 121	" 58	" 3
75	Z 25 (c)	120	Z 79	" 60	" 14
76	θ̄ 2	121	Z 80	" 61	" 4
77	Z 38	122	om.	" 63	" 12
78	Z 40	123	Z 81	" 65	cf. F 3 $(b)_{35}$
79	Z 62	124	incl. Z	" 66	Incert. 2
80	ȳ 1		25 (b)	" 77	" 8
81	Z 26				

V. EDITIO DIEHLIANA CUM NOSTRA COMPARATA

(a) SAPPHO

Diehl	LP	Diehl	LP	Diehl	LP
I	I	45	Incert. 5	87	134
2	31	46	51	88	154
3	165	47	52	89	Alc. Z 23(b)
4	34	48	48	90	128
5	2₅₋₈	49	50	91	153
6	2₁₃₋₁₆	50	47	92	148
7	35	51	Incert. 25	93	Incert. 16
8	40	52	146	94	om.
9	33	53	107	95	92
10	32	54	43	96	94
11	160	55	44	97	95
12	41	56	54	98	96
13	42	57	53	99	101
14	37	58	55	100	121
15	123	59	147	101	125
16	157	60	56	102	Alc. T I i₅
17	39	61	57	103	118
18	129	62	Incert. 11	104	178
19	38	63	82	105	166
20	36	64	91	106	151
21	168	65ᴬ	58	107	140
22	om.	65ᴮ	59	108	120
23	3	66	62	109	150
24	4	67	63	110	159
25	5	68	65	111	122
26	15	69	67	112	164
27	16	70	71	113	145
28	17	71	68	114	102
29	18	72	om.	115	106
30	19	73	78	116	105 (a)
31	20	74	73	116ᴬ	108
32	21	75	76	117	105 (c)
33	22	76	70	118	143
34	24	77ᵃ	87 (2)	119	142
35	23	77ᵇ	80	120	104 (a)
36	22	[78	vacat]	121	136
37	26	79	77	122	109
38	27	80	81	123	111
39	30	81	83	124	110
40 } 41 }	49	82	84	125	149
		83	85	126	158
42	46	84	60	127	115
43	om.	85	100	128	112+116
44	45	86	135	129	117

Diehl	LP	Diehl	LP	Diehl	LP
130	113	139	167	149	137
130^A	161	140	Incert. 5_3	150	155
131	114	141	Incert. 5_2	151	138
132^ab	Incert. 24	142	152	152	132
133	104 (b)	143	144	153	119
133^A	192	144	133	154	127
134	126	145	Incert. 23	155	124
135, 136	141	146	129	156	om.
137	131	147	163	156^A	162
138	156	148	Incert. 21	156^B	139

(b) ALCAEUS

Diehl	LP	Diehl	LP	Diehl	LP
1	ā 1 (a)	[30	vacat]	61	Z 77
2	ā 2	31	H 2	62	Z 6
2^A	Z 67	32	Z 42	63	Z 61
3	Z 1	33	Z 28	64	Z 52
4	Z 4	34	Z 53	65	Z 51
5	ā 4	35	E 1	66	Z 43
6	ā 5	36	E 2	[67	vacat]
7	Z 59	37	E 3	68	Z 57
8	Z 3	38	Z 38	69	Z 74
9	Z 25 (a)	39	Z 8	70	C 1
9^A	Z 25 (b)	40	Z 60	71	B 4
9^B	Incert. 8	41	D 10	72	B 5
9^C	Z 25 (c)	42	D 11	73	B 6
10	Z 58	43	D 12	74	B 10
11	Z 19	44	D 13	75	B 11
12	Z 63	45	D 14	76	B 12
13	ā 3	46^A	Z 2	77	B 13
14	Z 31	46^B	D 15	78	B 2 (a)
15	Z 64	47	D 18	79^a	B 2 (b)
16	β 2	48	D 17	79^b–d	B 2 (b) (c)
17	γ̄ 1	49^A	Z 105 (a)	80	B 7 (a)
18	δ 1	49^b	Z 105 (b)	81	B 1 (a)
18^A	δ 2	50	Z 27	82	B 16
19	ζ 1_1	51	Z 10	83	B 9
20	ζ 1_2	52	Incert. 10	84	B 1 (c)
21	η̄ 1	53	Z 50	84^A	B 1 (b)
22	θ̄ 1	54	Z 34	85	B 3
23	θ̄ 2	55	Z 32	86	B 18
24	ι 1	56	Z 33	87	Z 24
25	D 8	57	Z 72	88	om.
26	D 9	58	Z 65	89	Z 20
27	D 16	58^A	Z 5	90	Z 14
28	D 6	59	Incert. 6	91	Z 11
29	Z 7	60	Z 49	92	Z 39

Diehl	LP	Diehl	LP	Diehl	LP
93	Incert. 22	114	F 8	[133	vacat]
94	Z 23	115	F 11	134	Z 17
95	Z 29	116	F 4	135	Z 21
96	Z 22	117	F 5	136	Z 16
97	Z 18	118	A 5	137	Z 30
98	Z 44	119, 120,	A 6	138	Z 69
99	Z 45	122		[139	vacat]
100	Z 46	121	A 7	140	Z 70
101	Z 37	122ᴬ	A 1	141ᵃ	Z 71
102	Z 35	123	A 10ᴮ	141ᵇ	Z 47
103	Z 36	124	Z 13	142	Z 41
104	Z 9	125	Z 12	143	Z 123
105	Z 78	126	Z 73	144	Z 62
106	F 1 (a)	127	om.	145	Z 40
107	F 6	128	Z 56	146	Z 54
108	F 7	129	Z 15	147	Z 68
109, 110	F 3 (b)	130	Z 48	148	Z 66
111	F 10	131	Z 26	149	Z 75
112, 113	F 1 (a)	132	Z 55		

EXPLICANDA

h.v. = hasta verticalis
h.h. = hasta horizontalis
inf(erior), sup(erior), med(ius), dext(er), sin(ister)
summis (mediis) litteris adaequatum = anglice 'level
    with the tops (middles) of the letters'.
* (asteriscus in app. crit.) = paraphrasis

CARMINUM SAPPHICORUM
FRAGMENTA

ΣΑΠΦΟΥΣ ΜΕΛΩΝ Ā

1

2288

I

πο]ικιλόθρο[ν' ἀθανάτ Ἀφρόδιτα,
παῖ] Δ[ί]ος δολ[όπλοκε, λίσσομαί σε,
μή μ'] ἄσαισι [μηδ' ὀνίαισι δάμνα,
4 πότν]ια, θῦ[μον,
—]
ἀλλ]ὰ τυίδ' ἔλ[θ', αἴ ποτα κἀτέρωτα
τὰ]ς ἔμας αὔ[δας ἀίοισα πήλοι
ἔκ]λυες, πάτρο[ς δὲ δόμον λίποισα
8 χ]ρύσιον ἦλθ[ες
—]
ἄρ]μ' ὐπασδε[ύξαισα· κάλοι δέ ς' ἆγον
ὤ]κεες στροῦ[θοι περὶ γᾶς μελαίνας
πύ]κνα δίν[νεντες πτέρ' ἀπ' ὠράνωἴθε-
12 ρο]ς διὰ μέσσω·
—]
αἶ]ψα δ' ἐξίκο[ντο· σὺ δ', ὦ μάκαιρα,
μειδιαί[σαισ' ἀθανάτωι προσώπωι
ἤ]ρε' ὄττ[ι δηὖτε πέπονθα κὤττι
16 δη]ὖτε κ[άλ]η[μμι
—]
κ]ὤττι [μοι μάλιστα θέλω γένεσθαι
μ]αινόλαι [θύμωι· τίνα δηὖτε πείθω
.].σάγην [ἐς σὰν φιλότατα; τίς ς', ὦ
20 Ψά]πφ', [ἀδικήει;
—]
κα]ὶ γ[ὰρ αἰ φεύγει, ταχέως διώξει,
⟨αἰ δὲ δῶρα μὴ δέκετ', ἀλλὰ δώσει,⟩
⟨αἰ δὲ μὴ φίλει, ταχέως φιλήσει⟩
24 ⟨κωὖκ ἐθέλοισα.⟩
—]
⟨ἔλθε μοι καὶ νῦν, χαλέπαν δὲ λῦσον⟩
⟨ἐκ μερίμναν, ὄσσα δέ μοι τέλεσσαι⟩
⟨θῦμος ἰμέρρει, τέλεσον, σὺ δ' αὔτα⟩
28 ⟨σύμμαχος ἔσσο.⟩
—]

2

(i) P. Oxy. **2288**, suppl. ex: (ii) Dion. Hal. *comp.* 173–9 (vi 114–16 Us.-Rad.); (iii) eiusdem *epitom.* 114–16 (ibid. 185–6); (iv) Heph. *Ench.* xiv 1 (pp. 43 seq. Consbr.); (v) Schol. A in Heph. *Ench.* xi (p. 146 Consbr.) et xiv (p. 151 Consbr.); (vi) Choerob. in Heph. *Ench.* xi (p. 244 Consbr.) et xiv (pp. 249–53 Consbr.); (vii) Herodian. π.μ.λ. β 42 (ii 948 Lentz); (viii) Et. Mag. 485. 42; (ix) Et. Gud. 294. 39; (x) Priscian. *Inst. Gr.* i 37 (ii 28 Keil); (xi) Hesych. in ὠκέες cτρουθοί et κατέροτα.
Cf. *Athen. ix 391f (ii 354 Kaibel), *Ap. Dysc. π. ἐπιρρ. i 194. 5 Schn.

1]ικιλοθρο̣[**p**, ποικιλόθρον· (iii) cod. V, (iv) cod. A (bis), ποικιλόθρον (ii) codd. F, P, ποικιλόφρον (iii) codd. M, R, (vi) cod. U (bis : ποιλλόφρον suprascr. κι et ποικιλλόφρον), ποικιλόφρων (iii) codd. D, (vi) cod. K (ter). var. lect. fuisse videtur 2].[.]..δ.λ[**p** 3]αϲαιϲι[**p** 4]ιαθῦ[**p** 5]ατυιδέλ[**p** verum praebent (iv) cod. A, (vi) cod. U (semel) 6]cέμα-cάυ[**p** αὐδὰc ἀίοιc· ἀπόλυ (iii) codd. R, D, V, et (ἀπόλι) M αὐδῶc, ἀίοιc ἀπόλυ (ii) cod. P, αὐδεcαι· οἰcᾶπηλοί (ii) cod. F πηλυι habuit Priscian., formam πήλοι commendat Ap. Dysc. π. ἐπιρρ. 610. 32 (i 197 Schn.) 7]λυεc· πατρο[**p** 8]ρυcιον·ηλθ[**p** 9]μυπαcδε[**p** ἄγον dubitanter scripsimus, quanquam accentum ἄγ- praebent (ii) cod. P (δέ c' ἄγων), (ii) cod. F (δ' ἐcάγον), (iii) codd. omnes (δέ c' ἄγον), (vii) cod. H (δὲ ἐcάγον) 10]κεεϲcτροῦ[**p** 11]κναδίψ[**p**, i.e. διν[ν- sicut (ii) cod. F, ubi tamen perperam -ῆντεc διν̄ηντεc (ii) cod. P, δινεῦντεc (iii) codd., correxerat Fick reliqua et hic et prox. v. correctius praebent (iii) codd. quam (ii) 12]cδια-μεϲϲω[**p** 13]ψαδεξϊκο[**p** 14]μειδιαι[**p** : -αιc-, non -αc-, recte etiam (ii) cod. F 15]ρεοττ[**p** δηῦτε : δ' ἦν τό (ii) cod. P, om. (ii) cod. F, δ' ἦν τό (iii) codd., corr. Hermann 16]υτεκ[..]η[**p** δ' ηυτε (ii) cod. P, δεῦρο (ii) cod. F, (iii) codd. 17]ωττί[**p** κ' ὄττ' ἐμῶι (ii) cod. P, κωττε μω (ii) cod. F, κῶτι γ' ἐμῶ (iii) codd. 18]αιγόλαι[**p** τινα δ' εὐτεπεί θω (ii) cod. P, τινα δηῦτε πειθω (ii) cod. F, τινα δηῦτε πειθὼ (iii) cod. R; Πείθω ci. Seidler 19 .]..ἄγη.[**p** : .], spatium ut vid. unius litt. non amplius].., primo hastae apex in altum surgentis, ψ sive φ; sequitur ut vid. litt. c arcus superior, infra in linea punctulum (signo interpunctionis simile) η ex ει ut vid. factum .[, h.v., apicis ad sinistram atramenti vestigium; ν possis, quanquam non adeo prompte in mentem venit itaque .]ψ c. ἄγην[, unde ἄψ c' ἄγην possis, quanquam hac lectione nec punctum post c explicatur neque accentus nec signi ἄ ratio redditur μαι (μ delet. caud. in β corr.) cαγηνεccαν (ii) cod. P, και cαγήνεc-cαν (ii) cod. F (qui μαινο super. v. om.), καὶ c. (iii) codd. 19–20 τιc cω-(ii) cod. P, τιc ω (ii) cod. F, τίc ὦ (iii) codd. ὦψαφ' ἀδικήη (viii) cod. D, ὦψα δαδικὴν (viii) cod. M, ὄψαθ' ἀδικίη (ix) cod. w, -ωψαπφα δίκη (ii) cod. P, ὦ ψαπφα δίκηc· (ii) cod. F, ὦ cαπφὼ δίκη] (iii) codd. (ὦ ca̅πφὼ cod. V), corr. Gaisford 20]πφ[**p** 21]ιγ[**p** 23 om. (ii) cod. F 24 κωϋ κεθέλουcα (ii) cod. F, κ' ὤυκ' ἐθέλοιc. (ii) cod. P, κῶ εἰ καὶ θέλειc (iii) codd. R, D, V fort. κωϋκὶ θέλοιca sive κωῦ κε θέλοιca scribendum 27 αὐτὰ (ii) cod. F, αυτὰ (ii) cod. P, αὐτᾶ (iii) codd. D, M, V, αὐτῆ (iii) cod. R, unde αὖται ci. Ahrens 28 ἔccο (iii) cod. D, ἔcο· (ii) cod. F, (iii) codd. R, M, V (ἔcτω) : compendio (ii) cod. P

3

2

2

Ostracon (vid. praef. p. ix)

1ª   .ρανοθενκατιου[

1   δευρυμμεκρητας.π[

    .ναυγοναγνον οππ[

    χαριενμεναλcoc μαλι[

    .ωμοιδεμιθυμιαμενοι[

5   .ανωτω εντυδωρψυχρο[

    ..λατιδιδυςχωνμαλιαν [

    βροτοιcoτεπεcoχωροcκιcκι[

    αcταιθυccoμενωνδεφυλλων[

    κωμακαταγριον ενδελειμων[

10   ιπποβοτοcτεθαλετωτ...ιριν[

    νοιcανθεcιναιααιηταιμελλι[

    χαπνεριcιν ενθαδηcυc.εμ[

    ελοιcακυπριχρυcεαιcενκυ [

    λικεccινακρωc..μει[

15   χμενονθαλιαιcον [

    ..κ..ρωνοχοαιcον[

1ª ορρανοθεν leg. Norsa 1 seq. δεῦρύ μ' ἐκ Κρήτας ἐπ[ὶ τόνδ]ε ναῦον interpr.
et suppl. possis 2 suppl. Lobel (ὄππ[αι δή, τοι, possis) 3 suppl.
Lobel δὲ τεθυμ. coni. e.p., δ' ἐπιθυμ. Diehl 4 λ][ι]βαν- ostr. sec. Snell
(teste Siegmann), | .ιανωτω e.p. -τωι pro -τω Turyn
5–8 suppleta et correcta ex Hermog. π. ἰδ. β 4 (p. 331 Rabe); Syrian. in
Hermog. π. ἰδ. ᾱ 1 (i 15 Rabe); Max. Plan. in Hermog. π. ἰδ. β 4 (v 534 Walz);
Ft. Vindob. 205 f. 109 (ap. Bergk) (= Σμ. inc. lib. 6 ἀμφὶ δὲ ὕδωρ ψυχρὸν
κελάδει δι' ὔcδων μαλίνων καὶ (καὶ et sequentia solo in Hermog. π. ἰδ. β4) αἰθυccομένων δὲ φύλλων κῶμα (κῦμα cod. Ba) καταρρεῖ); An.Ox. Cramer iii 240. 1 παῖc ὁ
χῶροc.
5 fort. potius υcδων quam υcχων (quod v.l. potest esse, vid. LSJ s.vv. ὄcχοc,
ὠcχόc) 6–7 -τοιcoτεπεcoχωροcκιcκι- ostr., corr. e.p., Vogliano, Pfeiffer
8 κατάγρει ut vid. voluit 10 inter τεθαλε et ριν lectio incerta, utique

4

2

2

1ᵃ   .ρανοθεν κατιου[c-

1   δευρυμ†μεκρητας.π[   ]. ναῦον
    ἄγνον ὄππ[αι   ] χάριεν μὲν ἄλcοc
    μαλί[αν], βῶμοι †δεμιθυμιάμε-
    νοι [λι]βανώτωι·

5   ἐν δ' ὔδωρ ψῦχρον κελάδει δι' ὔcδων
    μαλίνων, βρόδοιcι δὲ παῖc ὀ χῶροc
    ἐcκίαcτ', αἰθυccομένων δὲ φύλλων
    κῶμα †καταγριον·

9   ἐν δὲ λείμων ἱππόβοτοc τέθαλε
    †τωτ...ριννοιc† ἄνθεcιν, αἰ δ' ἄηται
    μέλλιχα πνέοιcιν [
    [   ]

13   ἔνθα δὴ cὺ cτέμ⟨ματ'⟩ ἔλοιcα Κύπρι
    χρυcίαιcιν ἐν κυλίκεccιν ἄβρωc
    ὀμ⟨με⟩μείχμενον θαλίαιcι νέκταρ
    οἰνοχόαιcον

corrupta : τωτιτον(ριν-) possis   fort. ἠρίνοιcιν voluit, quod coni. Vogliano,
Schubart   αἰ δ' ἄηται scripsimus; fort. aut αἰ δ' ἄηται μέλλιχαι aut ἐν δ'
ἄηται μέλλιχα scribendum   13 inter cτεμ| et |ελοιcα nihil scriptum
13–16 correcta ex Athenaeo xi 463e = Σμ. ᾱ 6 App. ἔλθε Κύπρι χρυcείαιcιν
(corr. Neue) ἐν κυλίκεccιν ἀβροῖc (corr. Bergk) cυνμεμίγμενον θαλίαιcι νέκταρ
οἰνοχοοῦcα τούτοιcι τοῖc ἑταίροιc ἐμοῖc γε καὶ cοῖc
  15 inter ωc et μει[lectio incerta : εμμει[Schubart, fere eadem e.p., sed post
ωc non sequitur litt. ε   16 ων- : οιν- legerant priores   -χοαιc- recte leg.
Theiler & V. d. Mühll, -χοειc- priores   fin. ut vid. cοⱽ i.e. cον, cf. fin. voc.
θαλιαιcον supra, litt. ν in vocc. φύλλων, λείμων, αἰθυccομένων

3

3

Duo fragmenta conflata, alterum membranaceum, P. Berol. 5006 BKT. v (2) p. 9, alterum papyraceum, P.Oxy. iii **424** (nunc P. Graz I 1926). Illud (vv. 1–10) siglo B, hoc (vv. 6–18) siglo G notavimus

. . . .

  —]δώσην
      ]ύτων μέντ' ἐπ[
      κ]άλων κᾰ‹λων, ς[
      '.]λοις, λύπηις τέμ[
 5 —]μ' ὄνειδος
      ]οιδήσαις . ἐπιτ.[
      ]'αν, ἄσαιο . τὸ γὰρ .[
      ]μον οὐκ οὕτω μ[
 9 —] διάκηται,
      ]μηδ[ ].αζε, [
      ]χις, ϲυνίημ[
      ].ης κακότατο[ς
 13 —]μεν
      ]ν ἀτέραις με[
      ]η φρένας, εὖ[
      ]ατοις μακα[
 17 —]
       ]ᾳ[

. . .

2 μέντ' B, τ fort. alt. man. 3 suppl. Blass]άλωνκᾰλων· B pro ς[litt. ε[vel θ[possis, Blass 4 '.]λοις·λύπηςτέ B (τε Schubart, accent. in tab. ap. Wharton, Sappho, p. 180, ut videtur) 5]μ'όν B 6 δήσαις.επ B αισεπ G τα[, Blass 7]'αν·άσαιο. B ult. litt. μ, ν, π, γ vel κ, Schubart 8 κ'όν B, κου G 9]διάκηται· B]αι G 10 incert. quod post μηδ intervall. sit statuend.].αζε· G 11]χις· G 14 τέρ G 15 ας·έυ G

4

4

Ex altero latere eiusdem membranae qua ᾱ 3 prima pars continetur

```
                    ]θε θῦμον
                    ]μι πάμπαν
                    ] δύναμαι,
    4 __            ]
                    ]ας κεν ἦι μοι
                    ]ϲαντιλάμπην
                    ]λον πρόϲωπον.
    8 __            ]
                    ]γχροΐϲθειϲ,
                         ][..]ροϲ
```

2 πάμπαν   3]δύναμαι· ut vid.   5 ῆ   7 πρόϲωπον.   9 ΐϲθειϲ·

7

5   5

7: vv. 15, 17–18 accedit eiusdem carminis fr. 2289. 6

>   Κύπρι καί] Νηρήιδες ἀβλάβη[ν μοι
>   τὸν κασί]γνητον δ[ό]τε τυίδ' ἴκεσθα[ι
>   κὥσσα ϝ]ο̣ι θύμωι κε θέληι γένεσθαι
> 4   πάντα τε]λέσθην,
>   ὄσσα δὲ πρ]όσθ' ἄμβροτε πάντα λῦσα[ι
>   καὶ φίλοις]ι ϝοῖσι χάραν γένεσθαι
>   . . . . ἔ]χθροισι, γένοιτο δ' ἄμμι
> 8   . . . . μ]ηδ' εἶς·
>   τὰν κασιγ]νήταν δὲ θέλοι πόησθα̣ι
>   ]τίμας, [ὀν]ίαν δὲ λύγραν
>   ]οτοισι π[ά]ροιθ' ἀχεύων
> 12   ]. να
>   ]. εισαίω[ν] τὸ κέγχρω
>   ]λεπαγ[. .(́.)]αι πολίταν
>   ]λλως[. . .]νηκε δ' αὖτ' οὐ
> 16   ]κρω[ ]
>   ]οναικ[   ]εο[   ]. ι
>   ]. . [.]ν· cὺ [δ]ὲ̣ Κύπ[. .] . . [. . .(.)]να
>   ]θεμ[έν]α κάκαν [
> 20   ]ι.

1 Κύπρι καί] suppl. Earle (sec. H. W. Smyth)   νήρηϊδες   [ν suppl.
e.p., μοι Diels, Wilamowitz   2 τὸν suppl. Diels, Wilamowitz, reliqua
e.p. τυΐδ   3 suppl. e.p.   ]ν pro]οι possis, itaque fort. μὲ]ν supplendum
μω   λη   θαι·   4 πάντα suppl. Jurenka, τε] e.p.   θην·   5 suppl.
e.p.]οσθ' πάν   λῦσα[ι Diels   6 καί suppl. Diels, φίλοις] e.p.   χάρ
8 μηδάμα μ] (μ) suppl. e.p.) possis, coll. Alc. G 1. 16, μηδάμα μηδένα; μηκέτι
Blass, μήποτα e.p.   εἶς· (ς 1 m. postmodo, ut vid., addit.)   9 τὰν
suppl. Diels, Wilamowitz, κασιγ] e.p.   πόη   10 ἔμμορον] suppl.
Wilamowitz   [ὀν] suppl. e.p.   λύγ   11 suppl. e.p.   post -οιθ
signum elisionis deest   12]μνα e.p., sed μ incert. sicut ν, η, π   13
litt. pr. dub., μ e.p.   ]λ' εἶσα- vulgo, sed alia possis; incertum an signum
elisionis scriptum sit   [ν] suppl. e.p.   minus veri sim. τό κ' ἐγ χρῶι
(post ω vestig. atramenti sed non ut vid. litt. ι pars) divid., nam signum
elisionis nullum   14 [λαί] suppl. e.p., sed vix sufficit spatium   ἐπαγ[ορί]αι possis, coll. Pind. fr. 122. 6 (ubi ἐπαγορίας ex ἀπ. corr. Meineke)
et Hesych. in ἐπαγορίαν ἔχει, all.   ]ᾶι   15]νη[2289. fr. 6.   δ' αυτ'
16 μά] suppl. e.p.   ]εο[tantum in 2289. fr. 6   ante ι litt.]ο,]ε,]ς,]θ
possis   18 in 2289 fr. 6 tantum]. κύ.[, ubi]ϝκύπ[possis   in 7
]. . [.]ν·cυ[. .]κυ[.(.)] . . [. . .(.)]να: init.]., h.v. apex (].ψ[leg. Milne)   post

8

κυ, h.v. pars inf., π, γ, ν simm. possis : Κύπ[ρι]　　]..[, primo h.v. pars med.
et inf. dextrorsum inclinatae, deinde ut vid. vestigia anguli sin. inf. in linea,
ε, c possis　　19 [ἐν] suppl. e.p.　　κακᾶν (nisi κάκᾶν erat)　　20 fort. ult. v.
carm.

6　　　　　　　　　　　　　　　　6

2289 fr. 1 (a)+(b)

    (a)　　] ωϲδα.[
        ] κα̣κ̣κ[
        ] Γ ατρι[
        ]ξ̣ κτα̣.[
  5　(b)　　] [/].[
        ].⸗ θά[
        ] ⸗ ϲτεῖχ[
        ] ὢϲιδῳ[
        ] τὰϲετ.[
  10　　] ποτνια.[
        ]χρυϲοπ̣[
        ]κᾰππο[
        ].ανμ[
        ]κᾶρα.[
  15　　　　].[
     .　.　.

certum est fr. (a) directa sup. fr. (b) stetisse. paulo infra litt. ξ̣ v. 4 contigua fuisse veri simile est ; sed spatii aliquid interesse non omnino negandum
1 .[: in linea vestigium, fort. initium hastae dextrorsum asc.　　3 τρ ex
alio, fort. litt. π, factum　　4 litterae α tantum vestigia apicis sup. sin. ;
atramentum quod sequitur ex superiore strato iam perdito permeavit
6 fort. ᾱ' voluit, sed ⁻ certe dextrorsum desc.　　9 τ : tantum h.h. pars
extrema sin.　　.[: hastae pes dextrorsum leviter inclinatae, supra quam
punctulum summis litteris adaequatum : ετα[ιρας non erat ; fort. ετι[sive ετη[
10 .[: apex litt. α, δ, λ, vix ν　　11 non est recta litt. π hasta transversa,
sed dubium an litt. ν vel τ magis veri sim.　　13]. : h.h., γ sive litt. τ pars
extrema dext.　　14 sive ρα[.]α[　　15 h.v. apex

9

7

2289 fr. 2

7

```
                    .    .
            ] .ᾱς.[.....].[
            ]κηνκέ..τουγα.[
    —       ]ᾰις                [
            ]κάνηναγερωχία[
    5       ]μμενόᾱνέοιϲι[
            ].ανφ[.]λ[......].[
    —       ]μᾱ.[.]το·[
                    .    .
```

1]. : χ ut vid., sed etiam κ possis   Δωρί]χας possis   .[: h.v. infra lineam desc. pars inf., φ possis   ].[: h.v. cauda infra lineam desc.; supra ad dextram vestigium   2 inter έ et τ, punctulum in linea, tum h.h., litterae τ infra hastam transversam contigua; e.g. λε   .[: h.v. infra lineam desc. partes, ρ veri sim.   ']κην κέλετ', οὐ γὰρ [3 ι currente calamo ut vid. insertum 4 de ἰ]κάνην cogitare possis, vid. Ἀμ. xiii n. 1   5 έ]μμεν', alia, possis   non intelligitur ὄα(ν) : si ὄα pro οἴα, abnorme ut vid. (Ἀμ. lvi seq.; οἴαν Alc. D 14. 12)   ϲι[: habet litt. ι ad sinistram pedis uncillum inusitatum, sed in ω (pro ϲι) neque accentus nec litt. vestigia quadrant   6]. : punctulum summis litteris adaequatum   [.] : ι dubio procul   7 ᾱ.[: hastae dextrorsum asc. initium ut vid.

8

2289 fr. 3

8

```
                .    .
            ] .ν.ο.[
            ]ᾱμφ.[
            ]τθι·co.[
            ] .νέφ[
    5       ]    [
                .    .
```

fort. fr. 2 vicinum   1]. : h. curvae pars inf., h. vertic. partem inf. contingens : fort. ε in ι sive ι in ε mutatum, sed et alia possis   post ν, h.v. pars inf.   post ο, litt. ε sive ϲ pars inf.   2 .[: vestigium fort. in ο vel ω quadrat   3 Ἀ]τθι   .[: h.v. pars inf.   4]. : h.v. pars sup.

10

9

2289 fr. 4

9

```
]αρκαλειοιτασε.[
    ]πανουκεχη[
    ]ερεόρταν   [
    ]μαν[.]ραιτελε[
5      ].ωνέμ[
        εωϲζω[
    ]..ᾱcά.[
    ]υcαι [
    ].οcδε[
    ]ν.[
```

· · ·

1 π]αρκαλειcι non est scriptum   .[: ut vid. λ, sed ν non excludendum
2 πάν (sive -παν compos.) veri sim.   5]. : fort. ρ   6].. : h.v. apex;
tum spatio relicto punctulum, fort. alterius h.v. apex; inter quos apices
superior littera ο exiguae similis   .[: potius μ quam ν, sed hoc non excludendum   inter lineas: an ἔωc explicat ᾱc (sive θᾱc)?   8]. : γ aut τ
9 .[: α aut δ

10

2289 fr. 5

10

```
    ]λα̣[
    ]cέμ[
    ]λλά·.[
    ]ᾱιcυ[
5    ]δ.[
    ]λυ[
```

· · ·

1–2 litterae ceteris ut vid. minores   3 ·.[: fort. ·[·, sed ι expectato
brevius   5 .[: sive ..[, punctula duo summis litteris adaequata

11

11   II

2289 fr. 7

```
        .        .
       ].α.[
      ]νμεντ[
       ].κάλ.[
       ].[
    .        .        .
```

similia sed ut vid. non eadem ᾱ 3 1–4 supra.
1]. : h.h. velut γ sive τ pars dext.   .[: h.v., pede dextrorsum leviter
hamato, ϲ ut vid.   3]. : h.v., ν veri sim.   .[: α veri sim.   4 fort.
circuli arcus sup.

12   I2   **13**   I3

2289 fr. 8   **2289** fr. 10

```
        .        .                    .        .        .
       ]...[                         ]μα.[
      ]ϲθϵ.[                        ]νονθ[
    ] [                             ]π'..[
      ]νοημ[                    .        .        .
5    ].απϵδ[
      '].ηνϵο[                 3 '..[ : έ vel ό, tum arcus pars
    ] [                        sup., ρ possis
      ]..ριϲ.[
       ].ιφ[
    .        .        .
```

1 tantum litt. partes inf. : fort. φιν,
sed alia possis   2 .[: γ, aut π
pars sin.   5]. : vestigia in ζ
quadrant   6]. : ramorum dext.
κ vel χ partes extremae   8].. :
fort. χα, sed litt. χ tantum ramorum
dext. sup. et inf. partes extremae,
pro α etiam δ possis   .[: fort. α.
vel δ angulus sin. inf.   9].ι :
]αι veri sim. sed]ν (pro]αι) non excludendum

14

2289 fr. 11

$$
\begin{array}{c}
].\,'[\\
]\delta[\\
]\,.\,\omega[\\
]\,.\,i\bar{a}\mu[\\
5 \qquad .]\iota\varsigma\iota\,.\,[
\end{array}
$$

1]. : h.h. velut litt. γ pars extrema dext.   3].. : fort. litt. tres, quarum secunda et tertia fort. ci vel ει spatio artiore condensae   4]. : h.h. pars extrema dext. litt. i apicem contingens   5 .[: π vel fort. γ

15

1231 fr. 1 col. i 1–12 et fr. 3

(a) = fr. 3   (b) = fr. 1

$$
\begin{array}{ll}
]o\varsigma\theta'[&]a\mu\acute{a}\kappa a\iota[\\
]a\tau a\iota\varsigma[&]\varepsilon\upsilon\pi\lambda o\,.\,[\\
]\,.\,\acute{\upsilon}\chi a\iota\,\lambda\iota\,.\,[&]\,.\,a\tau o\varsigma\kappa a[\\
4 \quad].\,[\qquad\qquad 4 &] \\
&]\beta\rho o\tau\epsilon\kappa\eta[\\
&]\nu\epsilon\mu[\\
&]\varsigma\nu o\varsigma\kappa\lambda[\\
8 &]
\end{array}
$$

$\overline{K\acute{\upsilon}}]\pi\rho\iota\,\kappa a[\acute{\iota}\,\varsigma]\epsilon\,\pi\iota[\kappa\rho o\tau'\,.\,.\,]a\nu\,\grave{\epsilon}\pi\epsilon\acute{\upsilon}\rho[o\iota$
$\mu\eta]\delta\grave{\epsilon}\,\kappa a\upsilon\chi\acute{a}\varsigma[a]\iota\tau o\,\tau\acute{o}\delta'\,\grave{\epsilon}\nu\nu\acute{\epsilon}[\pi o\iota\varsigma a$
$\varDelta]\omega\rho\acute{\iota}\chi a\,\tau\grave{o}\,\delta\epsilon\acute{\upsilon}[\tau]\epsilon\rho o\nu\,\grave{\omega}\varsigma\,\pi\acute{o}\theta\epsilon[\nu\nu o\nu$
12 $\frac{\iota}{\dot{\overline{o}}}$ $\,\epsilon\grave{\iota}\varsigma]\,\check{\epsilon}\rho o\nu\,\mathring{\eta}\lambda\theta\epsilon.$

(a) et (b) ita coniungenda esse coniecerunt H. Fraenkel, Diehl : 5 ὄσσα δὲ πρ]όσθ' [ἄμ]βροτε κῆ[να λῦσαι vel sim., 6]αταις[.(.)]νεμ[, 7].ύχαι λίμενος κλ[: sed si λιμενος in 7 verum (et valde incerta με), tum [αμ] in 5 spatio nequaquam sufficit
(a) 3]. : h.h. pars dext., mediis litteris adaequata ; τ, ε, ψ possis   χᾶι
4 ρ vel β possis
(b) 2 sup. lin. μ vel ν legas   6 vel].ι   7 vel fort.]a   9 Κύπρι καί ϲε suppl. e.p., tum πικροτέραν (e.p.) vel πικροτάταν ἐπεύροι supplendum 10 χάϲ   τόδ' suppl. Σμ.   11–12 suppl. e.p.

16

1-30 = **1231** fr. 1 col. i 13-34, col. ii 1, et fr. 36 (quod quamvis dubitanter huc traximus). 7-12 accedunt eiusdem p. frustula xxi Addenda **2166** (*a*) 2. 31-32 = P.S.I. ii 123 1-2

col. i   ο]ἰ μὲν ἰππήων cτρότον οἰ δὲ πέcδων

        οἰ δὲ νάων φαῖc᾽ ἐπ[ὶ] γᾶν μέλαι[ν]αν

        ἔ]μμεναι κάλλιcτον, ἔγω δὲ κῆν᾽ ὅτ-

4   τω τιc ἔραται·

        —]

        πά]γχυ δ᾽ εὔμαρεc cύνετον πόηcαι

        π]άντι τ[ο]ῦτ᾽, ἀ γὰρ πόλυ περcκέθοιcα

        κάλλοc [ἀνθ]ρώπων ᾽Ελένα [τὸ]ν ἄνδρα

8   τὸν [   ].cτον

        —]

        κάλλ[ίποι]c᾽ ἔβα ᾽c Τροΐαν πλέοι[cα

        κωὐδ[ὲ πα]ῖδοc οὐδὲ φίλων το[κ]ήων

        πά[μπαν] ἐμνάcθη, ἀλλὰ παράγαγ᾽ αὔταν

12   `   ]cαν

        ]αμπτον γὰρ [

        ]...κούφωc τ[   ]οη.[.]ν

      ..]με νῦν Ἀνακτορί[αc ὀ]νέμναι-

16   c᾽ οὐ] παρεοίcαc,

        τᾶ]c ⟨κ⟩ε βολλοίμαν ἔρατόν τε βᾶμα

        κἀμάρυχμα λάμπρον ἴδην προcώπω

        ἢ τὰ Λύδων ἄρματα †κανοπλοιcι

20   μ]άχεντας.

        ].μεν οὐ δύνατον γένεcθαι

        ].ν ἀνθρωπ[...ͺ.ͺπ]εδέχην δ᾽ ἄραcθαι

col. ii [   ]

24   [   ]

        [   ]

        [   ]

        [   ]

28   προc[

        ὦcδ[

        ..].[

        .].[.]ωλ.[

32   τ᾽ ἐξ ἀδοκή[τ

1–6 suppl. e.p.　　2 φαῖc　　3 ον·　　κην'ότ　　3–4 Ap. Dysc. π. cυντ.
ȳ 291 (ii 419 Uhlig) εγω δε κην' οττωτιc εραται cod. A　　5 εύμ　cύν　　6 τ'ā
(a corr.)　　πόλ　-cκεθοιcα, quod legit Powell, dubitanter admisimus
7 καλλ..[, alterum λ suprascr.　　suppl. e.p.　　8]ι legi potest, item alia :
fort. [πανάρ]ιcτον supplendum　　9 supplevimus　c'τροϊα　　10 κὼυ
ῖδοc　suppl. nos et e.p.　　11 suppleverat Theander　μνάcθ'αλλαπαράγαγ'
12–13 Veneris in lac. ut vid. latet mentio　　15 κā] (ā] Fraccaroli) supplere potes; reliqua suppl. e.p.　　text. μνα, marg. μναι　　16 suppl. Fraccaroli cαc·　17 suppl. e.p.　　τε βολλ., corr. e.p.　　18 κāμάρ　　19
ὅπλοιcι suspectum : an κανοπλοιc pro καιπανοπλοιc scr., -ι add. ut syll. xi
fierent?　　20 πεcδο] suppl. Rackham, Vogliano　αc ex εc　　21 fort.
novi carminis initium　　22 δ'άρᾱcθ　　24–25 inter hos vv. potest fieri
ut unum non amplius interponendum sit τετράcτιχον　　31 .].[: litt.
caud.　　32 suppl. e.p.

17

17

(i) F = PSI ii 123 3–12 (vv. 1–10 infra); (ii) O¹ = 1231 fr. 1 col. ii 2–21 +
eiusdem p. frustula xxi Addenda 2166 (a) 3 (vv. 7 et 20 infra); (iii) O² =
2289 fr. 9 (= vv. 4–8 infra)

πλάcιον δη μ[
πότνι' Ἥρα cὰ χ[
τὰν ἀράταν Ἀτ[ρέιδαι
4　τοι βαcίληεc·
ἐκτελέccαντεc μ[
πρῶτα μὲν περι.[
τυίδ' ἀπορμάθεν[τεc
8　οὐκ ἐδύναντο
πρὶν cὲ καὶ Δί' ἀντ[
καὶ Θυώναc ἰμε[
νῦν δὲ κ[
12　κὰτ τὸ πάλ[αιον

1 marg. sin. Νι( ) τῶμον habet F, quae ad aliquem antecedentis col.
versum spectant　2 η ex a corr. O¹　ηρα· F　*Ἥρα αη Ἥρα incertum
3 ἀράταν F　suppl. Wilamowitz　6 ι.[: in O² sola; litt. ι parti inf.
opposita est h.h. pars extrema sin.　7 τυῒδ' F, τυίδ O¹　μάθ F, μάθ
O² suppl. Wilamowitz　9 [[θ]]εκαιδιᾶντ[F　fort. ἀντ[ίαον supplendum,
coll. Alc. G 1. 5　10 × marg. sin. F　ών F　[ρόεντα παῖδα suppl.
Wilamowitz　inter vv. 11–12 atramenti vestigia in O¹　12 κὰττο suppl.
Wilamowitz

ἄγνα καὶ κα[
π]αρθ[εν
ἀ]μφι.[

16   [   ]

    [   ]

    .[.].νιλ[

    ἔμμεναι[

20   ´⸗ [?]ράπικε[
    ⸗Φ⟨—⟩
    ⸗⸗

13 sive fort. λ[14–15 suppl. e.p.   15 ϲ[sive θ[18 dubium
utrum .[.] an [..]   ante ν, fort. ω vel η   19 ἐμ

18   18

1231 fr. 1 col. ii 22–27

    ⟨π⟩άν κεδ[
    ⟨ἐ⟩ννέπην [
    γλῶϲϲα μ[
4   μυθολογη[
    κἄνδρι .[
    μεϲδον[

1 ἄν (accent. 2 m.) spatio ut vid. ante α unius litt. relicto; π suppl. Σμ.
2 ννέπην (accent. 2 m.) spatio ut vid. ante ν unius litt. relicto; ἐ suppl.
Diehl   5 κἄνδρι   6 εϲδ in litura; fort. εις primitus   μεζον[
correctius credideris

19

19

1231 fr. 2

— — — — —

```
                    ]
                    ]μενοιϲα[
                    ]θ' ἐν θύοιϲι[
                    ] ἔχοιϲαν ἔϲλ[
    5 —             ]
                    ]ει δὲ βαιϲα[
                    ]ὺ γὰρ ἴδμεν[
                    ]ιν ἔργων
    9 —             ]
                     ]δ' ὐπίϲϲω [
                     ]ἀπικυδ[
                     ]τοδ' εἴπη[
```

7 οὐ vel εὖ e.p.   12 τ̇ἀ̣δ̣

20

20

2131 fr. 9 : v. 5 accedit eiusdem p. frustulum xxi Addenda 2166 (*a*) 4ᴬ

```
                                ·          ·
                        ]επι ̣ εϲμα[
                        ]ε, γάνος δὲ καὶ ̣ ̣[
 3 __                   ]
                        τ]ύχαι ϲὺν ἔϲλαι
                        ] ̣ενος κρέτηϲαι
                        ]αϲ μελαίναϲ
 7 __                   ]
                        ]έλοιϲι ναῦται
                        ] μεγάλαιϲ ἀήται[ϲ
                        ]α κἀπὶ χέρϲω
11 __                   ]
                        ']μοθεν πλέοι ̣[
                        ]δετα φόρτι᾽ εἰκ[
                        ]νατιμ᾽ ἐπεὶ κ ̣[
15 __                   ]
                        ]ρέοντι πόλλ ̣ ̣[
                            ]αιδέκα̣[
                            ]ει
19 __                       ]
                            ]ιν ἔργα
                            ] χέρϲω [
                            ] ̣α
23 __                       ]
                            '] ̣ ̣[
                                ·      ·      ·
```

1 fort. θεϲ, non erat δεϲ   2]ε·   4 suppl. e.p.   έϲ   8 ϲιναῦτ
9 suppl. e.p.   14 μ᾽επεὶ   κη[prob.   16 fort. πόλλαι[, sed quamvis
altera λ litt. satis probab. sit, reliqua dubia   17]αιδέκ   sive ω[, ο[, ε[
22]τ vel]γ   24]ρ,]β, etiam]ϲ,]ε possis

18

1231 fr. 10

        ·   ·

      ]

—   ].επαβοληϲ[

       ]ανδ᾽ ὄλοφυν [. . . .]ε.

       ] τρομέροιϲ π.[. .]αλλα

5 —   ]

       ] χρόα γῆραϲ ἤδη

       ]ν ἀμφιβάϲκει

       ]ϲ πέταται διώκων

9 — —   ]

       ]ταϲ ἀγαύαϲ

       ]εα, λάβοιϲα

       ] ἄειϲον ἄμμι

13 — τὰν ἰόκολπον.]

       ]ρων μάλιϲτα

       ]αϲ π[λ]άναται

     ·   ·

2]ϲ vel]λ legas   3 δόλοφ casu, ut vid., punctum fin. ρ, υ, ι possis
6-7 marg. reliqq. schol.   10 γάυ   11 εα·   13 ex Ap. Dysc.
π. ἀντ. 384 b (i 97 Schn.) suppl. e.p.   15 suppl. e.p.   ἀν

22

1231 frr. 12 et 15 coniuncta. Lectio nonnullis locis difficillima. Fort. initium
novi carminis v. 9 statuendum

· · ·

]βλα.[

]εργον, ..λ'α..[

]ν ρέθος δοκιμ[

4]ηϲθαι

]ν ἀνάδην χ.[

δ]ὲ μή, χείμων[

].οιϲαναλγεα.[

8]δε

.]. ϛ.[....].[...κ]έλομαι ϛ.[

..].γυλα.[...]ανθι λάβοιϲα.α.[

..]κτιν, ἆϛ ϲε δηῦτε πόθος τ.[

12 ἀμφιπόταται

τὰν κάλαν· ἀ γὰρ κατάγωγις αὖτα[

ἐπτόαιϲ' ἴδοιϲαν, ἔγω δὲ χαίρω,

καὶ γὰρ αὖτα δήπο[τ'] ἐμεμφ[

16 Κ]υπρογεν[ηα

ὠϲ ἄραμα[ι

τοῦτο τῶ[

β]όλλομα[ι

1–7 init. spat. 4–5 litterarum   1 post a vestigia litt. caudatae, φ, ι,
sim.   2 γον· post ν litt. vid. π vel τ vestigg. accommodatiss., tum fort.
η pro λ'a vix λά legendum; fin. τε[vel γε[possis, sed π.[fort. probabilius,
nisi quod πυ[vix legi possit   5]ρανάδην   6 δ] suppl. e.p.   ]εμή·
7]τ vel]γ   fort. ·[vel '[9 .]δε.[vel .]βε.[   ]τ[vel]γ[κ] suppl.
e.p.   ϲα[, ϲε[, ϲο[possis   10 Γο]γγυλα e.p., sed]ργυλα vel]'γυλα scriptum
potius credideris; tum ν, π, β, ι, alia, ante lac. legere possis   fort. Ἄβ]ανθι,
cf. Alc. M 10 (b) i 8   fin. inter a et a litt. μ vel ν legas   11]κτιν· fort.
πᾶ]κτιν (quod Castiglione post λάβοιϲα, v. 10, proposuit). incert. utrum αϛ an
α[.] scribendum sit   13 λαν·ᾱ   τάγ   ᾱυ   γα[pro τα[legi potest
14 αιϲ'ιδ   ϲαυ·   ρω·   15 ᾱυ   δήπο[16–19 suppl. e.p.
17 ἄρᾱ   18 τῶ

23

1231 fr. 14. Vide fr. 24 adn.

. . .

] ἔρωτος ἠλπ[

2 ——   ]

]τιον εἰcίδωc[

] 'Ερμιόνα τεαυ[τα

] ξάνθαι δ' 'Ελέναι c' ἐίc[κ]ην

6 ——   ]κεc

].ιc θνάταιc, τόδε δ' ἴc[θι,] τὰι cᾶι

] παίcαν κέ με τὰν μερίμναν

]λαιc' ἀντιδ[..]῾[.]αθοιc δὲ̣

10 ——   ]

]ταc ὄχθοιc

]ταιν

παν]νυχίc[δ]ην

. . .

1 vel ηλχ[3 -άν]τιον εἰcίδω c[ε e.p.   4 νᾱ suppl. e.p.   5
θαιδ' cεῖc[.]ην [κ] suppl. e.p.   6 οὐδέν ἀει] suppl. e.p.   7 θέ]μιc e.p.,
]αιc,]λιc quoque possis   αιc·τοδεδ'ίc[..]τᾱι cᾶι   [θι] suppl. e.p.   8 πάιc
ρίμνᾱν   9]λᾱϊc', fort.]λαι c' scribend. pro]λ̈ litt.]δ legere possis   10
marg. vestigg. schol. vel v. lect. τ[..]..ϛ   11 δροcόεν] ex 95 12 infra
coniicias   12]τᾱϊν   13 suppl. e.p.

24

24

1231 frr. 13, 17, 22, 25. fragmento 13 frr. 17, 22 subiuncta, tanquam ex eadem papyri parte (sicut etiam fr. 14) profecta. credideris fr. 13 ita esse collocandum ut vv. 1–3 e regione sint trium ultimarum ll. fragmenti 14 (nobis $\bar{a}$ 23) in subsequenti col.

$$(a) = \text{fr. } 13$$

. . .

]ανάγα̣[
]ἐμνάcεcθ' ἀ[
]μμεc ἐν νεο[
4]πόημμεν.
]εν γὰρ καὶ κα[
]μεν, πόλι[
]ο[.]εἰαιc δ[

. . .

2 μνᾱcεcθ'   3 ᾱ] et νεό[τατι suppl. e.p.   4 ἐ] suppl. e.p.   μεν·
5 μ]ὲν suppl. e.p.   6]μεν·

$$(b) = \text{fr. } 17 \qquad\qquad (c) = \text{frr. } 22+25$$

. . .   . . .

]νθα[   ].ἐδαφ[
]ωομ[   ]αικατε[
]ω· ν..[   ]ανέλο[
]εναντ[   ]
5]α̣πάππ[5].[ ].αι
τ]όλμαν[λ]επτοφών[
]ανθρω[   ].εα̣.[
]ονεχ[. . .
]παιcα̣[
                               6 suppl. e.p.
. . .

4 α ex o corr.   6]όλμᾱν̣[,suppl. e.p.

22

25

1231 fr. 18

. .
. .
]γμε.[
]προλιπ[
]νυᾱϲεπ[
4 ___   ]βρα·
ἐ]γλάθαν' ἐϲ[
]ηϲμεθα̣[
]νυνθαλα[
. .
. .

3]νύᾱϲ ut vid., sed fort. νῦᾱϲ voluit   5 suppl. e.p.   λᾱθαν'

26

1231 fr. 16

. . .
]θαμέω[
ὄ]ττινα[ϲ γὰρ
εὖ θέω, κῆνοί με μά]λιϲτα πά[ντων
4 ___   ϲίνοντα]ι̣
] ἀλεμάτ[
].γονωμ[
].ι̣μ' οὐ πρ[
8 ___   ]αι
] ϲέ, θέλω[
]τοπάθη[
].αν, ἔγω δ' ἔμ' [αὖται
12 ___   τοῦτο ϲυ]νοίδα
].[.].τοιϲ[...].[
]εναμ[
].[.].[
. .
. .

2-4 ὄ]ττινα[ϲ γὰρ | εὖ θέω, κῆνοί με μά]λιϲτα πά[ντων | δηὖτε ϲίνοντα]ι e. p.
ex Et. Gen. A (Gesch. Et. p. 363 Reitzenstein), Et. Mag. 499. 37, ubi κεῖνοί
με μάλιϲτα ϲίνονται   5]ᾱλεμάτ[(– et ' 2 m.)   6]·γον ut vid.   7]μ,
]λ,]α possis   9 ϲέ· (accent. 2 m.)   11-12 ex Ap. Dysc. π. ἀντ. 324 b et
363 a (i p. 51 et p. 80 Schn.) suppl. e.p.; ἔγων δεμ' αυται τοῦτο ϲυνόιδα
primo, ἔμ' αὖτᾳ τοῦτ' ἔγων ϲυνόιδα altero loco cod. A   11]λ,]ϲ,]μ
possis ν·εγωδεμ'[12]νόιδα (accent. 2 m.)   ϲύνοιδα commendat Herodian.
13]ε[vel]β[possis, mox]οτοιϲ[vel]ϲτοιϲ[, ut βρότοιϲ legere possis, si velis
15 prima litt. fort. β, ε, ϲ, ο, simm.

23

27

1231 frr. 50–54 coniuncta; accedunt eiusdem p. frr. xxi Addenda 2166 (*a*) 5

· · ·

$$]\kappa\alpha\iota\underline{\pi}[$$
$$].[.].[.]\underline{\nu}oc[$$

3   ___   ]ci·

...]. καὶ γὰρ .η cὺ πάιc ποτ[

...]ικης μέλπεcθ' ἄγι ταῦτα[

..] ζάλεξαι, κἄμμ' ἀπὺ τωδεκ[

7   _]δρα χάριccαι·

c]τείχομεν γὰρ ἐc γάμον· εὖ δε[

κα]ὶ cὺ τοῦτ', ἀλλ' ὅττι τάχιcτα[

πα]ρ[θ]ένοιc ἄπ[π]εμπε, θέοι[

11   ___   ]εν ἔχοιεν

] ὄδος μ[έ]γαν εἰc "Ολ[υμπον

ἀ]νθρω[π   ]αίκ.[

· · ·

1 sive]λ   sive γ[2 init.].[: hastae pes ut vid.; inter hoc et sequ.].[(h. cauda longius infra lineam desc.), fort. nulla deest littera   4 δη possis, non erat μη παῖc   5 inter θ et α atramenti vestigium nec puncto neque apostropho simile   6 ξαι·   vestigium supra prioris litt. μ apicem priorem   7 ἄ] suppl. e.p., vix ἄ]βρα (Castiglione)   8 c] suppl. e.p.   μον·   9 τουτ·   10 πα] et [θ] suppl. e.p., [π] Σμ.   ἀπ[π]εμπε· (ex εμηε· corr.)   12 suppl. Σμ.   13 suppl. e.p.   κι[, alia, possis

28

1231 frr. 21, 26, 27, hic una collocata tanquam omnia ex eadem fere papyri parte atque ᾱ 30 profecta

(*a*) = fr. 21   (*b*) = fr. 26   (*c*) = fr. 27

· · ·   · · ·   · · ·

]ν[..].[   ]ζ[.].[   ]...[

].ιτασαδ[   ]τεc χθό[   ]πα[

].ανοεικαι[   ]ςθ' ἐ[..]ci[   ]εξα[

]πρ[   ].αc[   ]νε[

· · ·   5   ]κ[5   ].[

3]τ, alia, possis   · · ·   · · ·
4 vel α[

               3 θ'ε   5]ω[vel]αι[, simm., possis

1231, cui accedunt eiusdem p. frr. **2081** (*c*), xviii **2166** (*a*) 1, xxi Addenda
2166 (*a*) 4ᴮ, 6ᴮ–17 : fragmenta minora. [certe non ex hac p. profecta sunt
1231 frr. 24, 32–34, 37 + 47, 39, 40, 46, prob. non **1231** fr. 8]

(1) = **1231** fr. 4   (4) = **1231** fr. 7

.   .   .   .   .   .
]ϛα̣[   ]δ[
]ταμ[   ].ακα[
]α̣ϊεντ[   ]τιϲαι̣[
]δεϛ[.   .   .
5   ]ι̣ον̣[(5) = **1231** fr. 11
Ϳ̓[
                                         ]
.   .   .   ]ανταμε[
6 Ϳ̓[: fort. pars litt. a₂ λ, simm.   ].ι̣ποτνια[
inter lineas scr.   ]α̣ψατ[
                                    5   ]ον
(2) = **1231** fr. 5
                                         .   .   .
.   .   .
].ι̣ων[2]a : supra a, vestigium potius litt.
]μετριακα̣[inter lin. scr. quam accentus
]α̣θυδου.[
]α̣ν[

.   .   .

fort. nostrae alienum

(3) = **1231** fr. 6

.   .   .
]νθεμ̣[
]ετικ[
]ο̣λει̣[
]
5   ]τέ̣ρ[
.   .   .

25

(6)

(a) = 1231 fr. 19 + xxi Addenda 2166 (a) 4ᴮ; (b) = xxi Addenda 2166 (a)
6ᴮ, fort. vicinum dext. fr. (a)

(a)

```
            . . .
          ]πεπλ[
    ].ι[..]ορμοιϲ[.]τε[
    ].[...].[.]ω
    ].α[...].[..]αποι[
5   ].ω[....]τ[
    ].ιγο[...].[......].[
              ].
    ].[.]λμ[    ].[.].[
    ]ντε...γ.ι  .[.].[
10   ]δε·[  ]..[..].[
        ].μ.[
            . . .
```

8 fort.]λλ[9 post ε, h.v.
ante et post γ, partes circulorum
superiores; χορχοι possis   post ι,
spat. vac. litteris ii suffic.   10].[:
h. a sinistra desc., e.g. λ, tum circuli
arcus sin., ad dextram vestigium,
e.g. ε   11]. : h.v. apex

(b)

```
        . . .
     ].εο.[
      πρo.[
      .βρο[
      αντ[
      ..[
        . . .
```

1 supra ο vestigium, fort. accentus
acuti pars inf.   inter lin.]. : hastae
a sinistra desc. pars inf.   .[: circuli arcus sin. inf.   2 ante β,
fort. η̂, sed non adeo veri sim., nec
vestigii ad dextram pedis primae h.v.
rationem reddit   4 prima litt. aut
π aut (minus veri sim.) γ; fort.
potius πα vel πλ quam γω

(7) = 1231 fr. 20

```
      . . .
    ]
    ]ων
    ]
    ]
5   ]αιρα
    ]ο·
    ]νον
      . . .
```

(8) = 1231 fr. 23

```
      . . .
    ]δεμαυ[
    ]νιψοι[
    ]ντι.[
    ]    [
      . . .
```

(9) = **1231** fr. 28

```
]προϲτετο[
]τιϲιν·κα[
].γο[
```

(10) = **1231** fr. 30

```
]μαλι[
]ενπυρ[
]τεμε[
```

(11) = **1231** fr. 31

```
]δαϲ[
]    [
]λθε  [
]αν   [
```

(12) = **1231** fr. 35

```
    [..].[
    ο..[
    κυπ[
    του[
5   φ[
```

(13) = **1231** fr. 38

```
]ρα[
]αι [
].[
```

(14) = **1231** fr. 41

```
]..[
]αταδ[
```

(15) = **1231** fr. 43

```
].[
]νω[
```

(16) = **1231** fr. 44

```
]πεδ[
]τι[
```

(17) = **1231** fr. 45

```
]ν[
]τε.[
```

(18) = **1231** fr. 48

```
]ον[
```

(19) = **1231** fr. 49

```
].νλ[
```

(20) = **1231** fr. 55

```
      .   .   .
      ]
      ]'εδόνη[
      ]απάμ[
      ]ρῆϲμε.[
5     ]
      ']δαιζαφ[
      ]μ[
      .   .   .
```

(21) = **2081** (c) 1 (= **1231**
frr. 29 + 42 + novum)

```
      .       .
      ]   [
      ]δηνϲ[
      ]νεϲθ[
      ]ωνγεν[
5     ]οϲ· [
      ]ν[
      .   .   .
```

(22) = **2081** (c) 2

```
      .   .   .
      ]..[
      ]ναιϲν[
      ]εγνωϲι.[
      ]ανδραϲβ[
      .       .
```

(23) = **2081** (c) 3

```
      .   .   .   .
      ] [
      ]ιναϲδ[
      ]ωϲ[
      .   .   .
```

(24) = xviii **2166** (a) 1

```
      .       .
      ]   [
      ].οιϲα[.].    [
      ]υριννοι      [
      ].αυταν       [
5     ]             [
      ]ϲ' εοιϲαν [
      ]λοιϲα       [
      ].[
      .   .   .
```

2]. : pars extrema dext. hastae
curvae ad lineam desc., α, λ, μ, ϲ,
possis   post α[.], arcus parvulus, ᶜ,
summis litteris adaequatus   3
Γ]υριννοι   4]. : atramenti punctulum in linea

28

(25) = xxi 2166 (a) 7

(a)

```
          ].[
       .]αιγαρα̣[
        ταῦτ'.[
        .πρ...[
5       []...η.[
        .]μμε[
        .].. [.]..[
```

(b)

```
          .[
        . τρ̣.[
        γα[.]..[
        ανδά[
5       ].αι.[
```

speciem praebet papyrus fere eandem ac (6) supra. veri simile est fr. (b) derecta sub fr. (a) stetisse, nec non (b) 1 initium versus (a) 7 fuisse.

(a) 4 marg. sin., h.h. brevis, summae litt. π adaequata

(b) 2 marg. sin., h.h. apici litt. τ adaequata   3 .[: circuli arcus sin.   5]. : angulus velut e parte sup. dext. litt. ζ   .[: circuli arcus sup. sin.

(26) = xxi 2166 (a) 8

```
        ].ιρα.[
        ]. ·χαρ[
        ]ετοπλη...[
```

1].: η sive π litt. ρ, tantum cauda   .[: pars inf. litt. c, simm., sed usitato longius a litt. α distat   2]. : h.v.

(27) = xxi 2166 (a) 9

```
          ].λ.[
        ]εν·ο.[
        ]   [
          ].[
```

1 .[: circuli arcus sin. inf.   2 .[: h.h. pars extrema sin. summis litteris adaequata   4 hh. vv. apices ii, fort. litt. ii

(28) = xxi 2166 (a) 10

```
          ].εδ[
        ]εκᾶα[
        ]ν[.].π[
          ]....[
```

1].: circuli arcus dext.   3].: vestigia ut vid. hastae a sin. desc., leviter curvatae, e.g. α, λ

(29) = xxi 2166 (a) 11

```
          ]ρ[
        ]νδημεν.[
        ].αβασκο.[
        ]κ[.]ναλ[
5       ].[.]..[.
```

fort. ex eadem col. atque ᾱ 22 pars sin.

1 tantum cauda   2 .[: fort. litt. α anguli pars extrema inf., sed μ non minus veri sim.   3].: h.v. apex et pes   .[: h.v. pes   4 [.]: littera angusta, e.g. ι vel ο

(30) = xxi 2166 (a) 12

·[
γη[
·]
coι[
ουκ[
5   κυ[
χρ[
μ[
π·[
μ[

1 ·[: λ vel fort. α   2 seq.
inter γ et c atramenti punctulum (non
est paragraphi vestigium : hanc, si
scripta est, totam exedit vermiculus)
6 vestigium quod pro litt. χ rami
sup. dext. apice habuimus, fort.
revera pars litterae inter χ et ρ script.
8 ·[: circuli arcus sin.

(31) = xxi 2166 (a) 13

]   [
]   [
]   [
5   ]   ᾱ̔ εȳ[
]··[

(32) = xxi 2166 (a) 14

]·λ[
]δύ πο[
] π··[

1]. fort. α vel λ

(33) = xxi 2166 (a) 15

]·[
] ικα[

speciem praebet papyrus fere eandem atque 29 (6) (a) et 24 (c) supra
1 fort. υ pars inf.

(34) = xxi 2166 (a) 16

]·[
]ςυδ[
]   [
]αι[
5   ]γαγδ[
]·[ ][

(35) = xxi 2166 (a) 17

]αι[
]αιγο[
]ca·[
]ελα[

3 ·[: h.v. paulo infra lineam desc.
4 litt. ε tantum h.h. pars extrema
dext.

1231 fr. 56, cui accedit eiusdem p. frustulum xxi **2166** (*a*) 6^

> . . . . .
> νύκτ[. . .].[
> πάρθενοι δ[
> παννυχιςδο .[.].α.[
> càν ἀείδοι .ν φ[ιλότατα καὶ νύμ-
> 5 φας ἰοκόλπω.
> ἀλλ᾿ ἐγέρθεις, ἠϊθ[ε
> ϲτεῖχε ϲοὶς ὑμάλικ[ας
> ἦπερ ὄϲϲον ἀ λιγύφω[νος
> 9 ὔπνον [ἰ]δωμεν

MELΩN Ā

XHHHΔΔ

3 -οι[ϲ]αι[supplere possis   4 dubium utrum -οιϲιν an -οιϲ[ι]ν, quamvis abnorme -ϲῦ φ-   φιλότατα καὶ νύμ- iam suppleverant e.p.   6 ιϲ,ηϊ   7 ϲοὶϲ supplevimus   7–8 ὼϲ ἐλάϲϲω | ἦπερ ὄϲϲον ἀ λιγύφω[νοϲ ὄρνιϲ supplere possis   8 ἡ supplevimus   9 suppl. e.p.

31   ᾱ 1 App.

φαίνεταί μοι κῆνος ἴcος θέοιcιν
ἔμμεν' ὤνηρ, ὄττις ἐνάντιός τοι
ἰсδάνει καὶ πλάcιον ἆδυ φωνεί-
4   cας ὐπακούει

καὶ γελαίcας ἰμέροεν, τό μ' ἦ μὰν
καρδίαν ἐν cτήθεcιν ἐπτόαιcεν,
ὠς γὰρ ἔc c' ἴδω βρόχε' ὠς με φώναι-
8   c' οὐδ' ἒν ἔτ' εἴκει,

ἀλλ' ἄκαν μὲν γλῶccα †ἔαγε λέπτον
δ' αὔτικα χρῶι πῦρ ὐπαδεδρόμηκεν,
ὀππάτεccι δ' οὐδ' ἒν ὄρημμ', ἐπιρρόμ-
12   βειcι δ' ἄκουαι,

†ἔκαδε μ' ἴδρως ψῦχρος κακχέεται† τρόμος δὲ
παῖcαν ἄγρει, χλωροτέρα δὲ ποίας
ἔμμι, τεθνάκην δ' ὀλίγω 'πιδεύης
16   φαίνομ' †ται

ἀλλὰ πὰν τόλματον ἐπεὶ †καὶ πένητα†

(i) [Longin.] π. ὕψους 10 (Prickard); (ii) Ap. Dysc. π. ἀντ. 335a (i 59 Schn.);
(iii) ibid. 366a marg. (i 82 Schn.); (iv) Plut. de prof. virt. 81d (Mor. i p. 162
Paton–Wegehaupt); (v) Cr. A.O. i 208. cf. etiam *Plut. Demetr. 38 (iii (i) 47
Lindskog–Ziegler); *Plut. Amator. 18 (Mor. iv p. 373 Hubert); *Catull. 51.
2–3 τοιζάνει (i) cod. P, τοι ιζ- apogg., quos dubitanter sequimur   2–4 cf.
[Lucian.] Amores 46 (ii 322 Jacobitz) ἀπαντικρὺ τοῦ φίλου καθέζεcθαι καὶ πληcίον
ἡδὺ λαλοῦντος ἀκούειν   3 ἀδύφων caῖc (i) cod. P, corr. Neue   5 γελαῖ*c
(i) cod. P, corr. Buttmann   τὸ μὴ ἐμὰν (i) cod. P, corr. Σμ.   7 ὠς γὰρ
εἴδω (i) cod. P, corr. Σμ.   βρόχεώc (i) cod. P, quocum conferas Hesych. in
βρουχέων; distinxit Tollius collato Hom. Il. xx. 424   φωνὰc (i) cod. P, em.
Danielsson   9 ἀλλάκᾱν (i) cod. P, distinximus; ἀλλὰ κὰμ apogg., ἀλλὰ
κατὰ (iv)   γλῶccα ἔαγε λεπτὸν δ' (i) cod. P, γλῶccα γε λεπτὸν (iv), γλῶccαν
γελοπ..., Cr. A.P. i 399. nondum sanatum   11 ὀρῆιμὴ (i) cod. P, ι
postmodo addito; verum agnovit Hoffmann   13 ἔκαδε μ' ἴδρῶc ψυχρὸc
(i) cod. P, ἀδεμ' ἴδρῶc κακὸc χέεται (v); fort. κὰδ δέ μ' ἴδρως κακχέεται, quod
coni. Ahrens   14 cf. Longum ᾱ 17. 4 χλωρότερον τὸ πρόcωπον ἦν πόας
θερινῆς   15 πιδεύcην (i) cod. P, 'πιδεύης coni. Hermann, 'πιδεύην Ahrens;
illud dubitanter praetulimus   16–17 φαίνομαι ἀλλὰ παντόλματον ἐπεὶ καὶ πένητα
(i) cod. P; nondum expeditum

2 App.

αἴ με τιμίαν ἐπόησαν ἔργα
τὰ cφὰ δοῖcαι

Ap. Dysc. π. ἀντ. 404a (i 113 Schn.).
1 εμετιμιαν, εμετ in ras., ιμ renovat. cod. A : αἴ με Bergk (post Seidler,
αἴ)   1–2 ερτατα cod. A, distinxit et emendavit I. Voss

3 App.

αἴθ' ἔγω, χρυcοcτέφαν' Ἀφρόδιτα,
τόνδε τὸν πάλον λαχοίην

Ap. Dysc. π. cυντ. ȳ 247 (ii 350 Uhlig).
1 χρυcοcτέφαν' cod. A (apostr. A², una litt. post ν erasa), χρυcὸc αἴθ' οὕτωc
cod. C, γενοίμην χρυcὸc αἴθ' cod. B   ἀφροδίτα codd. A, B, om. C   2 λαχοίην
(-η B) codd., πάλον . . . λαχοίην Bekker, fort. recte

4 App.

άcτερεc μὲν ἀμφὶ κάλαν cελάνναν
ἂψ ἀπυκρύπτοιcι φάεννον εῖδοc,
ὅπποτα πλήθοιcα μάλιcτα λάμπηι
4   γᾶν. . . . .

(i) Eust. 729. 21; (ii) Cr. A.P. iii 233. 31; (iii) *Iulian. Or. iii 109c (i 140
Hertlein).
2 ἦθοc (ii)   3 ὁπότ' ἂν (i), ὁπόταν (ii)   πλήθηcι (ii)   λάμπῃ (i)
λάμπει (ii)

ἀργυρία

Iulian. Ep. 19 (Ep. p. 194, 264 Bidez–Cumont), qui dicit : Σαπφώ . . . τὴν
cελήνην ἀργυρέαν φηcὶ καὶ διὰ τοῦτο τῶν ἄλλων ἀcτέρων ἀποκρύπτειν τὴν ὄψιν.

5 App.

ἤ cε Κύπροc καὶ Πάφοc ἢ Πάνορμοc

Strab. i 40 (i 61 Kramer).
ἢ Πάφοc codd., em. Bergk; cf. Alcm. 21, Aesch. fr. 463 Nauck

36

6 App.

καὶ ποθήω καὶ μάομαι...

(i) Et. Mag. 485. 43; (ii) Et. Gud. 294. 40 = Cr. *A.P.* iv 63. nullum nomen auctoris.
μάομαι (i) codd. D, M, (ii) cod. w, μάο̃μαι (ii) cod. q

37

7 App.

...κὰτ ἔμον στάλαχμον...

Et. Gen. B p. 213 Miller, Et. Mag. 576. 26. cum sequent. coniunxit Bergk.
cτελεγμόν Et. Gen., cτάλυγμον ci. Bergk, fort. recte (-χμ-)

τὸν δ' ἐπιπλάζοντ' ἄνεμοι φέροιεν
καὶ μελέδωναι.

(i) Herodian. π. μ. λ. ᾱ 23. 12 (ii 929 Lentz); (ii) Et. Gen. B p. 110 Miller,
Et. Mag. 335. 39.
1 ἐπιπλάζοντεc (i) codd. H, V, ἐπιπλάζοντ' (ii) codd. praeter Et. Gen.,
ἐπιπολάζοντ' (ii) Et. Gen.   ἂν ἐμοὶ (i) cod. H

38

8 App.

ὄπταιc ἄμμε

Ap. Dysc. π. ἀντ. 387a (i 100 Schn.).
fort. ὄπταιc'

39

9 App.

...πόδαc δὲ
ποίκιλοc μάcληc ἐκάλυπτε, Λύδιον κάλον ἔργον.

(i) Pollux vii 93 (ii p. 78 Bethe); (ii) Schol. Aristoph. *Pac.* 1174.
1 non exstat in (i), πόδα (ii) cod. V, corr. Seidler   3 κακόν (i) cod. A

40

10 App.

coὶ δ' ἔγω λεύκαc †ἐπιδωμον† αἶγοc

Ap. Dysc. π. ἀντ. 364c (i 81 Schn.).
sine accent. cod. A

11 App.

ταὶς κάλαισιν ὔμμι νόημμα τῶμον
οὐ διάμειπτον

Ap. Dysc. π. ἀντ. 384c (i 98 Schn.) sine nomine auctoris.
1 κάλαιc ὔμμιν cod. A, quo retento τὸ νόημ. ci. Bekker. quod quamvis cum grammatici verbis aptius congruere videatur, tamen ob ν ἐφελκυστικόν positionem effecturum recipere noluimus

12 App.

ταῖςι... ψῦχρος μὲν ἔγεντ' ὀ θῦμος
πὰρ δ' ἴειςι τὰ πτέρα

Schol. Pind. Pyth. i 10 (ii 10 Drachm.).
1 ψῦχρος varie tentat.   ἔγεντο θ. codd., corr. Ἄμ. xciii

ΣΑΠΦΟΥΣ ΜΕΛΩΝ Β̄

I

1232 fr. 1 col. i

```
            ]α̣ι̣·
            ]
            ]λ̣εται̣
            ][[κ]]αλοc
 5      ]. ἄκαλα κλόνει
        ] κάματος φρένα
        ]ε̣ κατιςδάνε[ι
        ] ἀλλ' ἄγιτ', ὦ φίλαι,
        ], ἄγχι γὰρ ἀμέρα.
10      ]
        ]
        ].
        ]
        ]
        ]
```

1 vel]ας; vix]ν   4][κ]αλος ut vid.   5 fort.]λ   6 φρεναϲ
7 κ valde dub.   9]·αγχι ut vid., sed fort.].αγχι scribendum   v. 9
ultimus carminis: quid sequatur incertum

35

2

1232 fr. 1 coll. ii, iii, fr. 2, + eiusdem carminis ex altera p. fr. xvii 2076 col. ii
(*Σμ*. addendum p. 78 prim. ed.)

Κυπρο.[c. xxii litt.   ]ας·
κάρυξ ἦλθε θε[c. x litt.]ελε[....].θεις
Ἴδαος ταδεκα...φ[..].ις τάχυς ἄγγελος
3ª ⟨   ⟩
    τάς τ' ἄλλας Ἀςίας .[.]δε.αν κλέος ἄφθιτον·
5   Ἔκτωρ καὶ συνέταιρ[ο]ι ἄγοις' ἐλικώπιδα
    Θήβας ἐξ ἱέρας Πλακίας τ' ἀ.[..]νάω
    ἄβραν Ἀνδρομάχαν ἐνὶ ναῦσιν ἐπ' ἄλμυρον
    πόντον· πόλλα δ' [ἐλί]γματα χρύσια κάμματα
    πορφύρ[α] καταύτ[..]να, ποίκιλ' ἀθύρματα,
10 ἀργύρα τ' ἀνάρ[ι]θμα [ποτή]ρ[ια] κάλέφαις.
    ὢς εἶπ'· ὀτραλέως δ' ἀνόρουσε πάτ[η]ρ φίλος·
    φάμα δ' ἦλθε κατὰ πτόλιν εὐρύχορον φίλοις.
    αὔτικ' Ἰλίαδαι σατίναι[ς] ὑπ' ἐυτρόχοις
    ἆγον αἰμιόνοις, ἐπ[έ]βαινε δὲ παῖς ὄχλος
15 γυναίκων τ' ἄμα παρθενίκα[ν] τ..[..].ςφύρων,
    χῶρις δ' αὖ Περάμοιο θυγ[α]τρες[
    ἴππ[οις] δ' ἄνδρες ὔπαγον ὑπ' ἀρ[ματ
    π[   ]ες ἠίθεοι, μεγάλω[ς]τι δ[
    δ[   ]. ἀνίοχοι φ[.....].[
20 π[']ξα.ο[
    ⟨   desunt aliquot versus   ⟩
                                    ἴ]κελοι θέοι[ς
                                ] ἄγνον ἀολ[λε-
    ιόρματαιϳ[   ]νον ἐς Ἴλιο[ν
    ιαῦλος δ' ἀδυ[μ]έληςϳ[   ]τ' ὀνεμίγνυ[το
25 ικαὶ ψ[ό]φο[ς κ]ροτάλϳων   ]ως δ' ἄρα πάρ[θενοι
    ιἄειδον μέλος ἄγνϳ[ον ἴκα]νε δ' ἐς αἴθ[ερα
    ιἄχω θεσπεσία γελϳ[
    ιπάνται δ' ἦς κὰτ ὅδοϳ[
    ικράτηρες φίαλαί τ' ὀϳ[...]νεδε[..].. εακ[.].[
30 ιμύρρα καὶ κασία λίβϳανός τ' ὀνεμείχνυτο

ᵢγύναικες δ' ἐλέλυcδοᵢν ὄcαι προγενέcτερα[ι

ᵢπάντες δ' ἄνδρες ἐπᵢήρατον ἴαχον ὄρθιον

ᵢΠάον' ὀνκαλέοντεcᵢ ἐκάβολον εὐλύραν,

ᵢὔμνην δ' "Εκτορα κ'Αᵢνδρομάχαν θεοεικέλο[ιc.

$\frac{\epsilon}{+}$
$\frac{}{\,}$ *Cαπφο[ῦc μελῶν*
              β

notandum est paragraphos esse nullas. 2 vel θ[ο fin. ἔλεγε cτάθειcα coni.
Jurenka   3 post hunc versum omissum esse aliquid et in marg. su p.
                                                                ·ο[·
quaerendum linea / ad init., vocabulo ἄνω ad fin. positis notatur   ἴδαc,
debebat ἴδᾶοc]� ⲉιc possis   4 τάcτάλ   post αcιαc, τ, π, fort. ζ possis   γαν
(vel omnino λαν) longe veri simillimum   ἀφθιτον·   5 cυνέτ   [ο] suppl.
                        ·α·   ‾··
e.p.   πιδα·   6 ιεραc   vel α[.].[..]ναω   ἀπ' ἀ[ϊ]ν⟨ν⟩άω e.p., quocum
fort. conferendus Hesych. αἰνειάω   praestat fort. ἐννάω   pro litt. π
etiam γ sive τ possis   corruptelam utique subesse aliquam cre dideris   7
ἐνιναῦ   8 ποντον·   [ελι] suppl. e.p.   χρύ κάμ   9 πορφυρ[‾]   αύτ   κάτ
ἀύτμενα interpr. Σμ., coll. 101. 2   πόικιλ' αθυρματα·   10–18 suppl. e.p.
10 ex Athen. xi 460d (iii 2 Kaibel) suppl. e.p., ubi καὶ Σαπφὼ δ' ἐν τῶι β ἔφη·
πόλλα δ' ἀνάριθμα ποτήρια καλαιφιc   φᾶιc·   11 λοc·   12 λοιc·   13 αύτ
14 ᾶγον   παιc   15 τάμα   νίκ   τε τανυcφύρων e.p., sed post τ ut vid. α
vel ο, tum τ vel π, et mox post lacunam]οcφυρων·   τ' ἀπαλοcφύρων (Pfeiffer,
Edmonds, voc. alias incogn.) spatium ut vid. excedit   16 χῶ   17 ὑπᾶγ
18 οι· μεγά   20 .ο[: γ sive λ   21–34 : fines 21–26 sola in 1232; initia
23–28, uncis ᵢ ᵢ inclusa, sola in 2076; 29–34, uncis ᵢ ᵢ inclusa sunt quae in
2076 extant, omnia habet 1232 nisi quod 29 init. tantum ....]φ[.]α.[..]ο[
                                                              ·ξα[·
praebet, 30 init. incipit post μυρρακα], 31 γυναικε[c]δ[ε]λελυcδ[ο], 32 ανδρ[ε]c
praebet   21–22, 23–25 fines, suppl. e.p.; 24–26 initia suppl. Hunt, 26 ἴκα]νε
et αἴθ[ερα suppl. Σμ.   24 μάγαδιc]τ', κίθαριc]τ', simm., possis   25
λιγέ]ωc, simm., possis   27 ᾶχ   λ[: sive μ[, χ[28 τᾶι   ὀδο[ὀδο[ιc
suppl. Hunt, etiam ὀδο[ν possis   29 λαίτ·ο[(τ an τ' incertum)   30
Antiattic. 108. 22 (Bekker) μύρραν τὴν cμύρναν Σαπφὼ δευτέρωι; cf. Athen. xv
                                                            ·ξα[·
688c, Philostr. imagg. β 1 (p. 62 Vind.)   μίχ   31 ε]λελυcδ[ο]ν 1232,
ολολυζο[ν] 2076 γενέc   32 ιαχ   33 πάον' 1232, πάον 2076   λύρᾶν
34 θεοικελ
colophon 2076 ‾cαπφο[| β, 1232 cαφ[ο]υc | μελ.[sub coloph. 2076 schol.
vestigia : .[.......] γὰρ ἐφίλει δυ[, quod quorsum spectet obscurum est.
accedunt 2076 col. i schol. vestigia minima sinistrorsum ad versus iam
perditos spectantia : sinistra opp. versibus nostris 24–26].ια |].οι δ(ε) |]ειλε
opp. 30–31]. |].λερα αλιτ( ) |]πατηματα   opp. 34]τ( ) ωc παροι|μιαν
opp. coloph. πα]ραννμ|φον (suppl. et Hesych. θυρωρόc· ὁ παράνυμφοc conf.
Hunt)   opp. schol. sub coloph.]ον ν(π) δι|].α

45

1 App.

ἆc θέλετ' ὔμμεc

Ap. Dysc. π. ἀντ. 379b (i 93 Schn.).
ἆc θελετε cod. A

46

2 App.

ἔγω δ' ἐπὶ μολθάκαν
τύλαν καcπολέω †μέλεα· κᾶν μὲν τε τύλαγκαc ἀcπόλεα·†

Herodian. π. μ. λ. β 39 (ii 945 Lentz), addito οὐ γὰρ ὁ τε cύνδεcμοc. cf.
Polluc. x 40 (ii p. 200 Bethe) et Hesych. in καcπολέω.
2 cπολέω cod. H, καcπ- Hermann, sed praeivit antiquorum aliquis μέλε'
αἰ Hermann, αἴ κε κάμηι τέα ci. Wilamowitz, alii alia. sed corruptelam omnem
ex litt. μολθακαντυλανκαcπολεω repetitis ortam credideris

47

3 App.

Ἔροc δ' ἐτίναξέ μοι
φρέναc, ὠc ἄνεμοc κὰτ ὄροc δρύcιν ἐμπέτων.

Max. Tyr. xviii 9 i (p. 232 Hobein), qui dicit τῇ δὲ (Σαπφοῖ) ὁ Ἔρωc ἐτίναξεν
τὰc φρέναc κτλ. sed potest fieri ut totum liberius sit refingendum

48

4 App.

ἦλθεc, †καὶ† ἐπόηcαc, ἔγω δέ c' ἐμαιόμαν,
ὂν δ' ἔψυξαc ἔμαν φρένα καιομέναν πόθωι.

Iulian. Ep. 60 (Ep. 183, p. 240 Bidez–Cumont). Sapphus esse suspicatus
est Reiske.

1 nondum sanatum: εὖ δ' possis   μὰ ὦμαν cod. B, om. cod. L, ἐμαόμαν
Wilamowitz   2 ἀν δὲ φύλαξαc cod. B, om. cod. L   ἔφλεξα ci.
Wesseling, ἔφλυξαc Wilamowitz, ἔψυξαc Thomas fort. recte   ἔμαν suspectum
(Ἄμ. lxxxi n. 1)

49

5 App.

ἠράμαν μὲν ἔγω cέθεν, Ἄτθι, πάλαι ποτά....
cμίκρα μοι πάιc ἔμμεν' ἐφαίνεο κἄχαριc.

(i) Heph. Ench. vii 7 (p. 23 Consbruch); (ii) Schol. A in Heph. vii (p. 130
Consbr.); (iii) Schol. B iii in Heph. ix (p. 274 Consbr.); (iv) Mar. Plot. Sacerd.
Ars Gramm. iii 3 (vi 512 Keil); (v) Arsen. xxviii 100 = Apostol. viii 68 b
(ii 449 Leutsch-Schneidewin); (vi) Max. Tyr. xviii 9 e (p. 231 Hobein); (vii)

38

ΣΑΠΦΟΥΣ ΜΕΛΩΝ Β

Schol. Pind. *Pyth.* ii 78 a (ii 44 Drachmann); (viii) Plut. *Amat.* 5 (iv p. 343 Hubert); (ix) *Terent. Maur. *de Metr.* 2154-5 (vi 390 Keil). Duo fragg. coniungi debere auctor est Terentianus Maurus.
1 Ἄτθι in omnibus codd. corrupt. (ἄτοι, ἄτε), Atthida *(ix); corr. Bentley 2 ἔμμεναι (vii) codd., (viii); ἔτι (vi) codd., em. Bergk   φαίνεο (vi) codd., praeter N (m. alt.) φαίνεαι; corrupt. in (vii) codd. (φλιεοχάριc et simm.); φαίνεαι (viii), em. Bergk   κάχαριc (viii), cf. Hesych. in κάχαριc; καὶ χαρίεcca (vi) codd.

50   6 App.

ὀ μὲν γὰρ κάλοc ὄccον ἴδην πέλεται ⟨κάλοc⟩,
ὀ δὲ κἄγαθοc αὔτικα καὶ κάλοc ἔccεται.

Galen. viii 16 (i 113 Marquardt).
1 post πέλεται, κάλοc suppl. Hermann

51   7 App.

οὐκ οἶδ᾽ ὄττι θέω· δίχα μοι τὰ νοήμματα

Chrysipp. π. ἀποφατ. 23 (Stoicc. frr. ii 57-58 Arnim).
Omnia sine accent. pap.   δυομοι ex Aristaen. i 6 corr. Σμ.

52   8 App.

ψαύην δ᾽ οὐ δοκίμωμ᾽ ὀράνω †δυcπαχέα†

Herodian. π. μ. λ. ᾱ 7 (ii 912 Lentz).
δὲ οὐ δοκεῖ μοι ὠρανῷ codd. H, V; corr. Hermann, Ahrens, quos dubitanter sequimur, nam de δοκίμοι μ(ε) s. μ(οι), all., cogitare possis et de forma ὀράνω apud nostram minime constat

ΣΑΠΦΟΥΣ ΜΕΛΩΝ Γ̄

53   1 App.

βροδοπάχεεc ἄγναι Χάριτεc δεῦτε Δίοc κόραι

Schol. Theocr. xxviii arg. (p. 334 Wendel). Cf. *Eust. 1429. 58 et Philostr. Mai. *Epist.* 51.

54   2 App.

ἔλθοντ᾽ ἐξ ὀράνω πορφυρίαν περθέμενον χλάμυν...

Pollux x 124 (ii p. 227 Bethe) ἐπὶ τοῦ Ἔρωτοc. Cf. Ammon. π. διαφ. λέξ. 147 (p. 140 Valck.²).
ἔχοντα προϊέμενον codd., ἔχοντα del. Bentley, περθέμενον em. Seidler

39

55   3 App.

κατθάνοιca δὲ κείcηι οὐδέ ποτα μναμοcύνα céθεν
ἔccετ' οὐδὲ †ποκ'†ὕcτερον· οὐ γὰρ πεδέχηιc βρόδων
τῶν ἐκ Πιερίαc· ἀλλ' ἀφάνηc κἀν Ἀίδα δόμωι
φοιτάcηιc πεδ' ἀμαύρων νεκύων ἐκπεποταμένα.

(i) Stob. *Flor.* iii. iv 12 (iii 221 Hense); (ii) Plut. *praec. coni.* 48 (i p. 299 Paton–
Wegehaupt); (iii) Plut. *quaest. conv.* iii a 2 (iv p. 84 Hubert); (iv) Clem.
Alex. *Paed.* ii 8. 72 (p. 201 Stählin). πρὸc ἀπαίδευτον γυναῖκα (i), πρόc τινα τῶν
ἀμούcων καὶ ἀμαθῶν γυναικῶν (iii), πρόc τινα πλουcίαν (ii).
1 κείcεαι (i) codd. Voss., A, (ii), (iii), κεῖcθαι (i) Tr.   οὐδέ τιc (ii), οὐδ'
ἔτι τιc Schneidewin, Ahrens, quo retento οὐδέποτ' εἰc proximo versu post
Grotium scribere possis   2 οὐδέποκ' (i) libri, deficiunt cett.   οὐδὲ πόθα
εἰc Wilam.; vid. ad v. 1   pro ὕcτερον, fort. ἄψερον   πεδέχηc (iii) cod. T
3–4 δόμοιc φοιτάcειc (i) cod. A, Tr. (φοίταcιc), δομοφοίταcιc (i) cod. Voss., corr.
Fick

56   4 App.

οὐδ' ἴαν δοκίμωμι προcίδοιcαν φάοc ἀλίω
ἔccεcθαι coφίαν πάρθενον εἰc οὐδένα πω χρόνον
τεαύταν

Chrysipp. π. ἀποφατ. 13 (Stoicc. frr. ii 55 Arnim).
Sine accentibus pap.   1 in promptu est δοκίμωμ' ἀελίω φάοc. nec minus
quam ἀλίω suspectum est προcίδοιcαν   2· exspectaveris ποι, sed de πω
pro που usurpato vid. Solmsen, *Rh. Mus.* lv 310, et cf. *Σμ.* p. xxi   3 τοιαυταν
pap., quod mutare non dubitavimus, tametsi τοιαύταc ap. Alcaeum legitur,
quia alias nonnisi τεου-, τεαυ- usurpat nostra vel indifferenti versus loco

57   5 App.

τίc δ' ἀγροΐωτιc θέλγει νόον.....
ἀγροΐωτιν ἐπεμμένα cπόλαν.....
οὐκ ἐπιcταμένα τὰ βράκε' ἔλκην ἐπὶ τῶν cφύρων;

(i) Athen. i 21 b, c (i 46 Kaibel); (ii) Eust. 1916. 49; (iii) Max. Tyr. xviii 9 f
(p. 231 Hobein). περὶ Ἀνδρομέδαc (i).
1–2 metrum frustra sanare conaberis. interpretationem subiungit Eust.:
ἤγουν· ποία χωριτικὴ ἐξωcμένη ἀγροικικώτερον, ἐφέλκεται ἐραcτήν; hunc locum
respicere videtur Heliod. *Aethiop.* iii 1 ἀνδρῶν ἀγροικότερον βίον τε καὶ cτολὴν
ἐφελκομένων   1 τίc δ' ἀγροιῶτιc (i) cod. C, (ii), τῆc δ' ἀγροιώτατον (i) cod. E
2 τίc δὲ ἀγροιῶτιν (ἀγροιωτειν cod. R) ἐπεμμένα cτολήν (iv)

ΣΑΠΦΟΥΣ ΜΕΛΩΝ Δ̄?

I

1787 frr. 1+21-25 : accedit fr. nov. Σμ. δ 1 prim. ed.   Vv. 19 seqq. de Tithono
referri manifestum est.

```
                        .    .    .
                                           ].[
  2    —                                 ].δα[
                                         ]
  4    —                                 ].α
                                         ]ύγοιϲα[     ]
  6    —            ].[..]..[             ]ιδάχθην
                 ]χυ θ[.']οι[.]αλλ[......]ύταν
  8    —         ].χθο.[.]ατί.[.....]ειϲα
                 ]μένα ταν[....ώ]νυμόν ϲε
 10    —         ]νι θῆται ϲτ[ύ]μα[τι] πρόκοψιν
                 ]πων κάλα δῶρα παῖδεϲ
 12    —         ]φιλάοιδον λιγύραν χελύνναν
                 ]ντα χρόα γῆραϲ ἤδη
 14    —         ]ντο τρίχεϲ ἐκ μελαίναν
                 ]αι, γόνα δ' [ο]ὐ φέροιϲι
 16    —         ]ηϲθ' ἴϲα νεβρίοιϲιν
                 ἀ]λλὰ τί κεν ποείην ;
 18    —         ] οὐ δύνατον γένεϲθαι
                 ] βροδόπαχυν Αὔων
 20    —         ἔϲ]χατα γᾶϲ φέροιϲα[
                 ]ον ὔμωϲ ἔμαρψε[
 22    —         ]άταν ἄκοιτιν
                 ]ιμέναν νομίϲδει
```

1 litt. caudat., ut vid.]ρ[vel]φ[2]ι vel]υ verisimill.   ᾱ[potius quam
ἁ[4 μ],]ν, alia, possis   5 potius]ύ quam]ί   6 ἁχ   7 θ[.'] ']υτ
8 fort.]αχ vel]λχ   ]ᾱτί, tum κ[, λ[, ν[, simm., possis   9 ἐνᾱ   ω] suppl.
Σμ.   .']νυμόν   10 θ, ut vid., m̲. pr. corr.   θῆ   ϲτ[ύ]μα[ϲι].suppl. e.p.,
formam dub.   πρόκ   11 κάλ   παῖδ   12 φιλ'ά   γύραν   ὔννᾱν
13 πά]ντα probabilissime e.p.   γῆρ   ἤδη   14 ἐγένο] probabiliter
e.p.   τρίχ   15 etiam]ν· possis   [ο] suppl. e.p.   φέρ   16]ηϲθ'ί   βρίοι
17 ἀ] suppl. e. p.   τί   ἐίην   19 δόπᾱχ   άυ   20 suppl. Σμ.   γᾶϲ
21 ὔμωϲέμ   22 ἀτᾱνάκ   23 ἰ]'μέναν   φθ] suppl. e.p.

41

24   ]αιc ὀπάcδοι

         ἔγω δὲ φίλημμ' ἀβροcύναν,   ]τοῦτο καί μοι

26   τὸ λά[μπρον ἔροc τὠελίω καὶ τὸ κά]λον λέ[λ]ογχε.

25–26 ex Athen. xv 687 b (iii 519 Kaibel) suppl. e.p.   25 τοῦτοκάι
26 τολα[cum initiis trium vv. subsequentis carminis in frustulo papyri
exstant, quod hoc loco collocandum esse credibile est, ut tamen secus
existimandi locus relinquatur   εροcα ελιω cod. A, em. Hunt

59   2

1787 fr. 1+2 26–28

        ]έπιν[   ].[...]νό.[
        ]φίλει.[
        ]καιν[

1 επιν[2 φίλει.[

60   3

P. Halle 3 = *Dikaiomata*, pp. 182 seqq. Correctius edidit Hunt (1787
fr. 44), quem secuti sumus.

                   ]τύχοιcα
             ] θέλ' ὦν τ' †απαίcαν
             ].εcον νόημμα
             ]έτων κάλημ⟨μ⟩ι
     5   ] πεδὰ θῦμον αἶψα
             ὄ]ccα τύχην θελήcη[ιc
             ]ρ ἔμοι μάχεcθα[ι
             χ]λιδάναι πίθειcα[
             ]ι, cὺ δ' εὖ γὰρ οἶcθα
   10   ]έτει τα[.].λε..
             ]κλαc[

1 dubium utrum primus col. versus sit an non   fort. e regione primi v.
carminis 61 infra (έγεντ.[) collocandum   2]θέλ'ὠντᾱπάιcᾱν   emendatio
incerta   3 τέ]λεcον probabilissime Hunt   4]έτ   5 αὖψα   6 ὄc]cα
probabilissime Hunt. si vera sunt quae ad v. 1 diximus θελήcηιc legendum
est   7 [ι suppl. e.p.   8 χ]λιδάναιπίθειcᾱ[χ]suppl. e.p.   cα[ι vel cα[ν
supplend.   9]ι·   εὖ   10]έτειτα, tum sup. lin. atram. vestigg.   ]α
vel]λ   11 sive δα

1

4

1787 fr. 3 col. I (cuius nihil superest nisi vestigiá sex versuum, quorum ultimus in]ηρος· desinit) et col. ii, vv. I et 2

ἔγεντ.[
οὐ γάρ κ[

1 ἐγ   2 γάρ

2

5

1787 fr. 3 col. ii 3–14

   ἐπτάξατε̣[
2   δάφνας ὄτα̣[
   πὰν δ' ἄδιον[
4   ἢ κῆνον ἐλο[
   καὶ ταῖcι μὲν ἀ̣[
6   ὀδοίποροc ἄν[....]..[
   μύγιc δέ ποτ' εἰcάιον· ἐκλ[
8   ψύχα δ' ἀγαπάταcυ.['.
   τέαυτα δὲ νῦν ἔμμ[
10   ἴκεcθ' ἀγανα[
   ἔφθατε· κάλαν[
12   τά τ' ἔμματα κα̣[

1 πτάξ   sive ο[2 ότ   3 πᾶνδάδ   4 ἠκῆνονελὸ[
5 ταῖcι   6 ὀδόιπ   ἀν[7 μύγιcδεποτ'   8 ψύχα   απάτα
ν[, κ[, possis   9 τέαυτ[.]ν, ut vid., metro repugnante: em. e.p.   νῦνέ
post ἔ omnia incerta; pro altero μ fort. 2 litt. legi possunt   10 ἴκεcθ'
11 × marg. sin.   ἐφθατε·   12 τατ'

63   **6**

1787 fr. 3 col. ii 15-24

    "Ονοιρε μελαινα[

2   ___ *φ*[*ο*]*ίταις ὄτα τ᾽ ὔπνος* [

        γλύκυς θ[*έ*]*ο̣ς, ἦ δεῖν᾽ ὀνίας μ*[

4   ___ *ζὰ χῶρις ἔχην τὰν δυναμ*[

        ἔλπις δέ μ᾽ ἔχει μὴ πεδέχη[*ν*

6   *μηδὲν μακάρων ἐλ*[

    [—]

        ο̣υ̣ γάρ κ᾽ ἔον οὔτω[.᾽

8   ___ *ἀθύρματα κα*.[

        γένοιτο δέ μοι[

10 𐅃___ *τοῖς πάντα*[

---

omnia suppl. e.p.   2 *φ*[*ό*]*ιταισότατ᾽ὔπ*   3 *γλύκυσθ*[*έ*]*ος·ἦδειν᾽ονίασμ*[
4 *ζάχῶρισέχ*   5 *δέμ᾽ δέχ*   7 ου vix dispici potest   *γάρκέονόυ*
8 *θ̈ρ*   *λ*[, *ν̣*[, *κ*[, simm., possis

7

1787 fr. 17, quocum fr. *Σμ.* δ 6 prim. ed. coniunctum; una collocatum est alterum fr. *Σμ.* δ 6 (*b*) prim. ed., tanquam ex inferiore parte eiusdem col. oriundum

(*a*) = fr. 17 cum novo, *Σμ.* δ 6 (*a*)

· · ·

]λακ[

]

]νί.[

α]λίκεϲϲι[

5   ]

]παίδων[

]δηρον

]

]

10   ]θεντ[

].θέοιϲ[

]ν αἰϲχρ[

]

]α μοῖ[

15   ]τετι[

· · ·

3]νί.[fort. λ[, simm.   4]λίκ   12 άιϲ   14 μοῖ[15]τε̣τι[

(*b*) = *Σμ.* δ 6 (*b*)

· · ·

].α[

]αίγα[

].δο.[

] [

· · ·

1]η possis   2]άι

45

65

8

1787 fr. 4

```
          .    .    .
  __ .....]...α[
  2      .....]ρομε[
  __ .....].ελας[
  4      .ροτήννεμε[
         Ψάπφοι, cεφίλ[
  __ ]
  6      Κύπρωι β[α]cίλ[
         ϙαίτοι μέγα δ.[
  __ ]
  8      ὄ]ccοιc φαέθων [
         πάνται κλέος [
  10     καί c’ ἐνν Ἀχέρ[οντ
  __ ..[......]ντ[
     ]
          .    .    .
```

1-3 deficiunt 5-6 litt.   1]πνφ, simm., possis, sed omnia incert. nisi quod ante α[duae litt. caudat. erant   3]δ vel]λ   vel θ[, β[4 fort. etiam οξ possis   ήν   5-7 similia esse 87 (16) 1-3 vidit M. Treu 6 sub κ vestig. atrament. tanquam paragraphus non suo loco scripta esset κύπρωι, sed fort. Κύπρω scribend.   suppl. e.p.   cίλ[7 καί 8 suppl. e.p.   9 πάντᾱι ut vid., debuit πάν   10 κάι   11 .β[vel .ρ[tum spat. 6-7 litt.   pro]ν litt.]αι,]λι possis

66

9

Tria fragmenta Σμ. δ 7 A prim. ed., quorum (c) e regione 65 vv. 6-8 collocandum esse liquet

(a)   .   .   .   (b)   .   .   .   (c)   .   .   .

```
  __ ζαταν[              ]μο[                 ]μνα [
     ἄμ’ ἐξα[         .]οργι[              ].κατεγ[
  __ .]α[              ]cπίο[               ]κεκ[
          .    .    .       ].[                    .   .   .
```

(a) 1 pro ν[litt. λ, κ, μ, alia, possis   2 ἀμ’εξὰ   3 ἀ
(b) 3 πί   4 fort. 2 litt.
(c) 1 ᾱ   2]ι,]ν,]ρ, alia   sive ν[, λ[

46

10

1787 frr. 5 et 18. Ita collocanda videntur ut fr. 18 haud magno intervallo fragmento 5 subiungatur

$$(a) = \text{fr. } 5$$

```
        . .
    .  .]ων μα .[
  —]
    κ]αὶ τοῦτ᾽ ἐπικε .[
3   δ]αίμων ὀλοφ .[
  —]
    οὐ μὰν ἐφίλης[
5   νῦν δ᾽ ἔννεκα[
    τὸ δ᾽ αἴτιον οὐτ[
7   οὐδὲν πόλυ[ . ] .[
    .]υδ᾽ [„
        .        .        .
```

$$(b) = \text{fr. } 18$$

```
        .   .   .
    ] . ουδε[
    ]ταυτα .[
    ]λαιcιμ[
    ]πλήον .[
5   ]᾽ ἀμφ[
    ] . cθεο .[
    ]᾽ρωc .[
```

omnia suppl. e.p. (a) 1 κ[, simm., possis   2 τοῦτ᾽   3 ὀλὄφ.[
4 φίλ   vel θ[5 νυνδ᾽   6 τοδ᾽άιτ   7 πόλυ[.]έ[, ut vid.
8]υδ᾽ [᾽ sive [͞.
(b) 2 λ[, ν[, μ[, alia, possis   4]πλῆ̣ον.[6 et 7 .[: punctulum
in linea

68

II

1787 fr. 7 (quocum nova fragmenta Σμ. δ 9 prim. ed. coniuncta; vv. 6–8
accedit fr. nov. xxi Addenda p. 135), fr. 19: ex eadem papyri parte, quo
distent intervallo incertum

(a) = fr. 7 cum novis

]ι γάρ μ' ἀπὺ τὰς ἔ.[
ὔ]μως δ' ἔγεν[το
] ἴςαν θέοιςιν
]αςαν ἀλίτρα[
5   Ἄν]δρομέδαν[.].αξ[
]αρ[...].α..κ.[.]α
]ξον δὲ τρόπον α[.].ύνη[
]κορον οὐκατις.ε.[
]κα[.....]. Τυνδαρίδαι[ς
10   ]αςυ[.]...κα[.] χαρίεντ' ἀ.[
]κ' ἄδολον [μ]ηκέτι ςυν[
·β· ·κη·
]μεγαρα.[..]να[...]α[
· · ·

(b) = fr. 19

· · ·
]....φ[
].[.]' θύρα.[
]μοι χάλε.[
]δεκύ[
5   ].οπάλην ὄλ[
]ε[
· · ·

(a) 1 γάρμ'   λ[, μ[possis   2 ὐ] suppl. e.p.   ']μωςδ'   [το suppl. Σμ.
3 ·]ι   4 cānαλί   5 suppl. e.p.   ]π,]μ, alia, possis   6]ταμακα[
possis   7 τρό   ]χύ,]κύ possis   9]ν,]ρ, alia, possis   ρίδ   10
ρίεντ'ᾱ   ε[, ρ[, ς[, alia, possis   11]κ'ά   [μ] suppl. e.p.   κέτ   12
pro]ν etiam]ι possis   num ακαλαν in αβακην corr.?   de Megarae mentione
(Suid. in Σαπφώ, all.) cogitare possis
(b) 1 secunda litt. caudata   2 extrema litt. λ proxima, sed etiam κ, μ,
ν, π possis   3 χάλἔ: tum π expectaveris, sed vestigia haud ita idonea
videntur   5]ς sive]τ vel]γ   πάληνό   pro λ[fort. ι[vel etiam τ[,
γ[, simm.

9

12

1787 fr. 32: ex eadem fere papyri parte qua praecedentia proficisci videtur

> .   .   .
>]ε..[.]τεγαμ[
>]ας ἀλίτρα[
>]έτ' αὐ[
> .   .   .

1]επλ, alia possis   pro]τ fort.]γ legend.   2 λίτ   3]έτ'

0

13

1787 fr. 13

> .   .   .
>]αμ.λ.[
>]ναμ[
>]ν δ' εἶμ' ε[
>]ρcομέν[
> 5   ]λικ' ὐπα[
>]...[.]βα[
>]ς γὰρ ἐπαυ[
>] μάν κ' ἀπυθυς[
>]αρμονίας δ[
> 10   ]αθην χόρον, ἄα[
>]δε λίγηα.[
>]ατόν cφι[
>]παντεccι[
>]επ[.].[
> .   .   .

1 inter μ et λ aut ı litt. aut ı[.]   .[: α, λ, alia   3 δ'εἶμ'   5 ʹ]
vel ‾] λικ'   6 ante [.], ν, λ, κ possis   8]μάν, unde liquet κ' scribend.
esse   ς[vel ε[9 νίας   10 χόρον·ᾱα[, ut vid.   11 λίγ   12 τόν

71   **14**

1787 fr. 6 : vv. 1-2 accedit eiusdem·p. fr. xxi Addenda p. 135

]μιccε Μίκα

2   ]ελα[....]λά c' ἔγωὖκ ἐάcω

]ν φιλότ[ατ'] ἤλεο Πενθιλήαν[

4   ]δα κᾳ[κό]τροπ', ἄμμα[

] μέλ[οc] τι γλύκερον .[

6   ]α μελλιχόφων[

]δει, λίγυραι δ' ἄη[

8   ] δροc[ό]εcca[

. . .

1 μίκα   2 άc'εγ άcω   3 λότ[suppl. e.p., probabilissime quamvis spat. 3 litteris sufficiat]ήλεο λήᾶν   4 vel κλ[κα[κό] suppl. e.p., probabilissime nisi brevius iusto videretur]τροπε·   5 μέλ [οc] suppl. e.p., quod iusto longius credideris   γλύκ   6]ᾱ   7]δει· ρᾰῑδ'ἄη[[δοι suppl. e.p., sed de [ται potius cogitaveris   8 [ό] suppl. e.p.

72   **15**

1787 fr. 28

. . .

]ανόρ[

]αμμε[

]νπε[

]λην[

5   ]τεc· τ[

].ωνω[

]μώ[

].[

. . .

1 vel fort. ἐρ[2 vel ο[

16

1787 fr. 11 : accedit eiusdem p. fr. *Σμ.* δ 13 prim. ed., quod haud procul
distare videtur

$$(a) = \text{fr. } 11$$

.   .   .

]νβ.[.].[.]ν
]α
]αν Ἀφροδί[τα
ἀ]δύλογοι δ᾽ ἐρ[
5   ]βαλλοι
]ις ἔχοιςα
].ένα θαας[ς
]άλλει
]ας ἐέρςας[

.   .   .

omnia suppl. e.p.	1 vel]νβ aut]αιβ	].[litt. caudata erat	4 δ᾽ερ
5 etiam]ς,]θ possis	6]ῑς, i.e. αις	7 θαᾱς[ut vid.	

$$(b) = \Sigma\mu. \; \delta \; 13$$

.   .

]ω.[
]ας[
]ις᾽ ἐ[

.   .   .

2]ᾱς vel]άς

51

74   17

(a) 1–3 = **1787** fr. nov. Σμ. δ 14 prim. ed.; 4–6 = **1787** fr. 16. (b) = **1787**
fr. nov. Σμ. δ 14 prim. ed.   (c), (d) = eiusdem p. fr. nov. **xxi**
Addenda p. 135. fort. omnia ex eadem papyri parte ac **73**

(a)	(b)	(c)
· · · ·	· · · ·	· · · ·
]ων ἔκα[	]α[	].[
]αιπόλ[	]ποθρ[	]αϊδρω[
]μ.[	].ώβα[	].υζᾱδ.[
]βροδο[	· · ·	]ιν[
5].νθ[	2 θὸ ut vid. 3]ᾱώ	· · ·
]φαιμ[	scriptum credideris	
· · ·		

1 ἐκ   2 πό   3 aut μ[ο]ι
aut μν scribendum   5]ο
veri simill.

(d)

· · ·
].[.].ε[
]νπο.[
]μ[
· · ·

1].[: si una litt., ν; sin duae, α sive λ,
tum h.v. ante ε fort κ   2 .[: π ut vid.

18

1787 fr. 29 + duo frustula *Σμ.* δ 15 prim. ed. una collocata. fragmento (*c*)
vv. 3–5 accedit eiusdem p. fr. nov. xxi Addenda p. 136

(*a*) = fr. 29

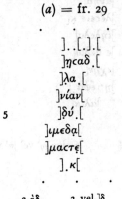

```
          .       .     .
               ]..[.].[
               ]ηϲαδ.[
               ]λα.[
               ]νίαν[
     5         ]δύ.[
               ]ιμεδα[
               ]μαϲτε[
               ].κ[
          .           .
```

1]ηλ[,]ημ[possis   2 ἀδ   3 vel]δ   4 *ίᾱ*   5 λ[, μ[, ν[, alia
7 ᾱϲ

(*b*)   (*c*)

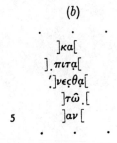

```
      .      .                    .       .
         ]κα[                        ].[
         ].πιτα[                     ]δετα[
         ']νεϲθα[                    ]δέ...[
         ]τῶ.[                       ]'.μμι.[
  5      ]αν[                   5    ]ταμέ.[
      .        .
```

3 γ]ένεϲθα[ι veri sim.   3 ...[: λετ possis, sed fort. κ pro
                                λ; litt. ε pes tantum, ϲ possis; litt.
                                τ tantum h. dextrorsum asc. pes
                                4 .[: si una litt., π, sed tam bene γ.[
                                possis

76   **19**

1787 fr. 12

]αγπα[
]λέcειε κ[
]ίηλελα[
]ε θέλω[
5   ]εχην[
]η· ἔφα.[
]αλίκ[

. . .

2 λέ   3]ίηλελά[sive λᾶ[6 sive]η' vel]π' vel fort.]ει' ut vid.
ἐφᾰ vel ἐφᾱ   7]ᾱλίκ[

77   **20**

1787 frr. 26, 27, et tertium Σμ. δ 17 prim. ed., omnia ex eadem papyri parte

(a) = fr. 26

. . .

]α.[
]cετα[
]υμαι..[
˙]τεχαρα[
5   ]ιδι δοῖc[
]δεν ἀμεc[
]οc cύγ' ἀ[
].λονα[
].δαλ[

(a) 1 .[: h.v.   3 vel]ρ   post ι, litt. κ, μ, ν possis   4 ˙]τε   vel
χα[.]ρ   5 δ᾽ίδοῖc[(i.e.]ι δίδοιca vel]ιδι δοῖca)   6 ἀμὲc[
7 cύγὰ[8]c vel fort.]ᾱ sive]ά   9]ι vel]ν

(b) = fr. 27

.   .

].[

]μήτε[

]δίαιϲα [

]εϲ· ἀλλ[

5   ]φρα[

].[

.   .

(c) = Σμ. δ 17 (c)

.   .

]ατω[

]ηαϲ

]

]ταϲ·

.   .

(b) 2 sive ο[3]δίαιϲᾰ[
(c) 1 τω͙[2]ηᾱϲ   4]τᾱϲ· vel γᾱϲ·

8
1787 fr. 10

21

.   .

].οναυ[

]ην οὐδε[

]ηϲ ἵμερ[

].αι δ' ἄμα[

5   ].ανθοϲ·[

]μερον[

]ετερπ[

.   .   .

3 ἵμ   4 ᾱιδάμ

55

79   **22**

1787 fr. Σμ. δ 19 prim. ed.

$$
\begin{array}{c}
\cdot \quad \cdot \quad \cdot \\
]\nu\mu[\\
]\omega[\\
]\tau o\,.[\\
]\tau'\ a\mathring{v}\tau o\nu\,.[\\
]\omega\ \pi\acute{\epsilon}\lambda\epsilon\tau[\\
]\nu a[\\
\cdot \quad \cdot \quad \cdot
\end{array}
$$

(line 5 marked 5)

3 τό   4 τ'αῦ   5–6 de **81** (*b*) 3–4 cogitare vetant superiora

80   **23**

1787 fr. 15

$$
\begin{array}{c}
\cdot \quad \cdot \quad \cdot \\
]\,.[\\
]\,.\tau oc\epsilon c\,.[\\
]\pi a\nu\tau a[\\
]\iota\ \delta'\ \mathring{a}\tau\acute{\epsilon}\rho a[\\
]\lambda o\kappa a[\\
]\,.[\\
\cdot \quad \cdot \quad \cdot
\end{array}
$$

(line 5 marked 5)

2 pro τ fort. ι, υ, simm.   post εc litt. deleta (c, ε, θ, o, simm.)   4 vel
]ν   δ supra lineam add.   τέρᾱ

81   **24**

Duo fragmenta, quorum alterum apud Athenaeum exstat, alterum 1787
fr. 33. ita fortasse sunt coniungenda, ut syllabae huius]ερθεc[et]αιc[
verbis illius πέρθεcθ' et cυναέρραιc' respondere putentur

(*a*)

$$
\begin{array}{c}
\cdot \quad \cdot \quad \cdot \\
]a\pi\acute{v}\theta\epsilon c\,.[\\
]\chi\iota c\tau a\lambda[\\
]\epsilon\mu\pi[\\
]\epsilon\rho\theta\epsilon c[\\
]\,.[.\,.\,]a\iota c[\\
\cdot \quad \cdot \quad \cdot
\end{array}
$$

(line 5 marked 5)

(b)

cὺ δὲ cτεφάνοιc, ὦ Δίκα, πέρθεcθ' ἐράτοιc φόβαιcιν
ὄρπακαc ἀνήτω cυναέρραιc' ἀπάλαιcι χέρcιν·
εὐάνθεα †γὰρ† πέλεται καὶ Χάριτεc μάκαιραι
μᾶλλον †προτερην†, ἀcτεφανώτοιcι δ' ἀπυcτρέφονται.

Athen. xv 674e (iii 491 Kaibel), qui pergit : ὡc εὐανθέcτερον γὰρ καὶ κεχαρι-
cμένον μᾶλλον τοῖc θεοῖc παραγγέλλει cτεφανοῦcθαι τοὺc θύονταc. omnia fere sine
accentibus cod. A.
  (a) 1 θ[, alia, possis   3]εμιπ[ut vid., ι sic delet. : ε
  (b) 1 ωδικα cod. A, distinxit Welcker   παρθεcθ cod. A, corr. Bentley
ερατσιc cod. A, corr. Fick   2 cυνερραιc cod. A, corr. Hunt
ἀπαλλαγιcη cod. A, corr. Casaubon   3 εὐάνθεα neut. plur.   μακαιρα
cod. A   4 ἀcτεφανώτοιcι suspectum

25

(a)

εὐμορφοτέρα Μναcιδίκα τὰc ἀπάλαc Γυρίννωc

(i) Heph. *Ench.* xi 5 (p. 36 Consbr.); (ii) *Proleg.* Longin. in Heph. 3 (p. 82
Consbr.); (iii) Choerob. in Heph. *proleg.* 1 (p. 178 Consbr.); (iv) Aldi *Thes.
Corn. Cop.* p. 268b = cod. Voss. gr. 20 ap. Reitzenstein, *Gesch. El.* 367.
  Γυρίννω (ii) codd. A, C, (iii) codd. R, K (m. pr. post ω litt. eras.), Γυρίννηc
cod. K (m. alt.). formam Γύριννα praebet etiam cod. R Maximi Tyrii (xviii
9d, p. 231 Hobein); Γυρίννω habet Et. Mag. 243. 51 (Et. Gen.).
  corruptissima affert (iv) : ἀμορφότερον Μναῖδοc καὶ τῆc ἀπλῶc Πῦριννῶc (cod.
Voss.); et pergit : ἔcτιν ἡ Μναῖc αὕτη καὶ ἡ Πυριννὼ ὀνόματα κύρια. unde, collato
81 (b) 1, conieceris εὐμορφοτέρα, Μνᾶcι, Δίκα κτλ.   cf. etiam **101**. 3 infra

(b)

huc fortasse revocandum est **1787** fr. 34, cuius versu ultimo εὐ]μορφο[τέρα
scribendum videtur

```
    . . .
        καίτ' ε[
        μηδεν[
   ―    νῦν δ' ἀ[
        μὴ βόλλε[
   ―]
5      εὐ]μορφο[
    . . .
```

  1 καίτ'   3 δ'α   4 βόλλε[5 fort. novi carminis init. statuendum
est   suppl. e.p.   pro ο[litt. ε[possis

57

83

1787 fr. 36

26

.

].αι.[

]λ' αὖθι με[

]νώμεθ' ὀ[

]δηῦτ' ἐπιτ[

5   ]ἐντηδεμ[

].α γὰρ ἑκά[

].[.].[

.   .

1 άι   2]λ'αῦ   3]νώμεθ'ὀ   4 δῆυτ'   5 ἐν   6].ᾱ κά[
7 vel]...[

84

27

1787 frr. 37 et 41 ita fort. coniungenda ut illius tertius, huius quintus
versus aut nullo aut minimo intervallo continuentur

.   .

].αις[

].ικιπ[

]ωνκ[..].[? 1 litt.]ίνα[

]τονόνε.[? 1 litt.].οςε[

5   ]άβροις   ἐπιχ[?]ημ[

]αν Ἀρτεμι[

]ναβλ[

.   .

1]. : α, λ, alia   2]αι,]λι possis   4 νεϲ[, simm., possis pro ϵ[etiam
ϲ[, alia, possis   5 pro χημ fort. χειμ legendum

1787 frr. 35, 38, 40, aliud eiusdem p. *Σμ.* δ 25 (*d*) prim. ed., quintum eiusdem
p. xxi Addenda p. 136

    (*a*) = **1787** frr. 35+40+   (*b*) = **1787** fr. 38
      xxi Addenda

(1) col. i .   .   .   .

     ]..   [   ]πάμενα[
     `]λβον   [   ]τ' ὤϲτ' ὀ πέλη[
     ]ακούην   [   ]ακανϲό[
     ]άνταγ   [.   .   .
      .   .   .

(2)   .   .   .   col. ii

     `]γαν   ν[.].[
     ]   γο[
     ]   .[(*c*) = *Σμ.* δ 25 (*d*)

(3)   .   .   .

     ]   .[   ]φωνα[
     ]   όδ[   ]προϲθ.[
     ]   άι[.   .   .
     ]ν   εγ[
     ]   ϲ[
     ]×   έ[
      .   .   .

(*a*) : spatium inter (1) et (2) incertum, inter (2) et (3) prob. nullum
(*a*) col. ii   1].[: vestigium in una tantum fibra hastae infra lineam desc.
3 .[: circuli pars sin., fort. o vel ω
(*b*) 2]τ'ὠϲτοπέλ   3 ϲό[valde incertum

86

29

1787 fr. postmodo repertum, xviii 2166 (*d*) 1 prim. ed.

. . . .

]. ακάλα . [

] αἰγιόχω λα[

]. Κυθέρη' ε̣ . . ομ[

]ον ἔχοισα θῦμο̣[ν

5   κλ]ῦθί μ' ἄρας αἴπ[

]ας προλίποιςα κ[

]. πεδ' ἔμαν ἰώ[

].ν χαλέπαι.[

1]. : h. leviter obliquata, ν, simm.   ἀκά   .[: h. leviter obliquata, ν, simm.   3 Cythereae nomen recognovit Diehl, *Rh. Mus.* xcii 1944 pp. 1 seqq.   ευχομ[veri simill.   4 ἐχοιςαθῦ   5 κλ] suppl. Diehl et Fraenkel, *C.Q.* xxxvii 1942 p. 56   ῦθίμ'ἀράςαίπ   π[οτα veri sim. suppl. 7 πὲδέμ ϊώ   inter ϊ et ώ atramentum cuius ratio non reddita; fort. ex litt. ι correctione   8]. : h. leviter obliquata   λέπᾱι   .[: h. leviter obliquatae pes

30

1787, cui accedunt xviii et xxi Addenda **2166** (*d*), fragmenta minora[1]

(1) = **1787** frr. 21, 31 ita disposita ut appareat quae
olim versuum series fuisse videatur

col. ii (= fr. 21+fr. 31
col. ii)

1ª   ἀλ[
1   ἐπ[

φ[
3   ξα[
ὀπ[
5   ἤλ[

col. i (= fr. 31 col. i)   τ[
—]

]cθην   desunt nonnulla
].c·
]   ζα[
]   8   υ.[

col. ii   1 vel fort. εγ[5 ή

(2) = **1787** fr. 14   (3) = **1787** fr. 20
col. i

]αμμ[col. ii
]ικα.[   ]
]πόιcᾰι[   ]
]κλεηδον[   ]
5].πλοκαμ[   ]   ᵋ₇[
]εcδᾱμα[5   ]
]ανθρώπ[   ]cην
].υμαιν[
]τεκαιπ[fort. ita cum **64** (*a*)
                        coniungendum ut coro-
                        nidis apex versui 7
5].: ι, ν, simm.   ( ]δηον) sit oppositus
8].: a, δ, λ possis

[1] **1787** frr. 8 et 9 (= *Σμ.* δ 26) omisimus; Pindaro fortasse tribuenda.

(4) = 1787 fr. 22   (5) = 1787 fr. 23   (6) = 1787 fr. 24

```
      α[                    ου[
      π[                    ἐγ[                    κατ[
      cυ[                   cεδ[                   μήμ[
      κ[                    πα[              ⸌ᵕ    δώ.[
  5   τ.[          .     .     .            ⸠ᵕ  .     .
     .   .   .
```

(7) = 1787 fr. 25+   (8) = 1787 fr. 30   (9) = 1787 fr. 39
xxi Addenda p. 135

```
        ].ιν[           .     .     .          .     .     .
        ]ή.[           μ]εριμνα[              ].οιπλυ.[
     ]   κα[           ]γην  [               ]γετοχυ[
     ]   τακ[          ]αικο[                ]..’ ά[
  5  ]   τα[           ]αι  [                .     .     .
     .   .   .          .     .     .
```

                        (10) = 1787 fr. 42

1 ante et supra litt. ι   1 suppl. e.p.
ad sinistr. punctulum,   .   .
velut trematis punct.
sin.; aliud atramenti   (11) = 1787 fr. 43   ]κλα[
vestigium ante ι nullum   ]ύc.[
2 .[: h. dextrorsum   .   .   .   ].έc[
asc. initium   [.]δω.[
                         τόλμ[

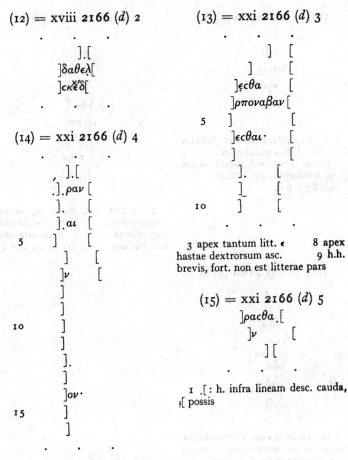

(12) = xviii 2166 (d) 2

```
        .    .    .
              ].[
           ]δαθελ[
           ]cκἐ̓δ[
        .    .    .
```

(14) = xxi 2166 (d) 4

```
        .    .    .
             ].[
      ʼ.].ραν [
         ].   [
         ].αι  [
   5     ]     [
         ]    [
         ]ν    [
         ]
         ]
  10     ]
         ]
         ].
         ]
         ]ον·
  15     ]
         ]
        .    .    .
```

inter 3 et 4 spatium solito latius,
versui tamen non sufficiens   2].:
h.v. brevis, apicis ad sinistram atramenti vestigium; η, π non adeo prob.
3].: ι, etiam υ possis   4].: circuli pars dext., θ non adeo prob.

(13) = xxi 2166 (d) 3

```
        .    .    .
           ]    [
           ]      [
          ]εcθα   [
          ]ρποναβαν [
   5      ]        [
          ]εcθαι·  [
          ]      [
          ].   [
          ]    [
  10      ]     [
        .    .    .
```

3 apex tantum litt. ε   8 apex
hastae dextrorsum asc.   9 h.h.
brevis, fort. non est litterae pars

(15) = xxi 2166 (d) 5

```
          ]ραcθα.[
            ]ν    [
             ][
        .    .    .
```

1 .[: h. infra lineam desc. cauda,
ι[possis

(16) = xxi 2166 (d) 6

. . .

]εφι.[
]αϲιλη.[
]εγαδ.[
].οϲ.[

. . .

1 .[: h. dextrorsum asc. initium
2 .[: fort. litt. α angulus sin. 4
]. : potius ν ut vid. quam αι, λι
.[: h. dextrorsum asc. initium
vid. 65 5-8 n.

(17) = xxi 2166 (d) 7

']δη[
']κωϲα[
]ν·ϲοι[
].δηκ.[
5   ]εϲιππ[
].αλ.[
].εϲϲα[
].[.].[

. . .

4]. : fort. litt. duae, αι, supra
priorem fort.'   .[: h. dextrorsum
asc. initium   6 .[: h. dextrorsum
asc. initium   7]. : fort. α sive λ

(18) = xxi 2166 (d) 8

. . .

]...[
]ζα.[
].   [
        μα
]υδά..['
5   ]ὢιδ.[
..]τ[

1 litt. secunda ε sive ϲ (cuius restat
tantum pedis hamati pars extrema)
.[: h. dextrorsum asc. initium   2
.[: h. longius infra lineam desc. pars
inf., φ possis   4 post ά si litt.
duae, magis solito condensae, fort.
ϲε vel τε   5 ante ο fort. litt.
vestigium   .[: h. dextrorsuṁ asc.
initium

64

(19) = xxi 2166 (d) 9   (20) = xxi 2166 (d) 10

· · ·   · · ·

(a)   ]ιο[   ]τρο[
         ]$\overline{\epsilon\delta}$[   ].ω.[
   ]. κη[   ].υπ.[
         ].[   ]ςκα[
                   5   ].[

· · ·

(b)   ]α.[· · ·
    ] $\overline{\epsilon\varsigma}$[

inter (a) et (b) fort. versus nullus

2]. : h.h. velut γ, τ pars dext.
.[: h. sin. velut μ, ν, π, simm.
3]. : punctulum crassum, fort. κ vel
χ rami sup. pars extrema, sed fort.
non est litterae vestig. .[: caudae
infra lineam desc. vestigium, ρ possis
5 δ sive λ apex veri sim.

(21) = xxi 2166 (d) 11

· · ·

     ]ςκι[
     ]ςον.[
     ']λ.[
     ]μα.[
5   ]π[
     ]δε[(23) = xxi 2166 (d) 13
     ].ρ[   ][.]ᾰμ[
· · ·   ]εξα[
                      ].α[

2 .[: h.v.   7]. : litt. ε ut vid.
h.h. pars extrema dext.   · · ·

1 littera deleta fort. τ; mutata ut
vid. etiam litt. α   3]. : h.v. apex,
fort. ν

(22) = xxi 2166 (d) 12

· · ·

     ].ερ[
     ].εικ.[
     ]αλ[

· · ·

1]. : h.h. velut γ, τ pars extrema
dext.   2]. : h. a sin. venientis
pars extrema, mediis litteris adaequata   .[: h. dextrorsum asc.
initium

88

31

2290

(a)

· · ·

```
                    ].[
                   ]ν προ..[
                   ]νωc πρὸc πότ̣[
                   ].ατον χάλα[
5                  ].θέλοιc.οὐδυ̣[
                   ].άcδοιc' ὀλιγα[
(b)                ].ἔνα φέρεcθα[ι
                   ].φιᾳ τιc...[
ἐμ[                ]. δ' ἄδιον εἰcορ[
10  τοῦ[         ο]ἶcθα καὔτα·
    κ[             λέ]λαθ' ἀλλονιά[
    cε[            ].αν· τιραδ[
    η̣[            ]α̣ί τιc εἴποι
    ‹—›
    α[             ].cαν· ἔγω τε γαρ[
15  φιλη[          ]μ' ἆc κεν ἔνηι μ'[
×   κᾱλ.[          ]αι μελήcην·
    ἐcτ.[          ]φίλα φαῖμ' ἐχύρα γέ[νεcθαι
    .]χα[          ]ενα[.]αιc· ἀτ̣[
·   ·   ·          ].. δ' ὀνιαρ[.]c̣[
20                 ].πίκροc ὔμ[
                   ].[.]τα.θᾶδ[
                   ].α τόδε δ' ἴc̣[θ
                   ].ὤττι c' ἐ̣.[
                   ]α φιλήcω[
25                 ]τ̣ω τι λο[
                   ]ccον γὰρ.[
                   ]c̣θαι βελέω[ν
                   ]..[
·   ·   ·
```

Fragmentum (b) sursum deorsum movere non licet; intervallum incertum nisi quatenus de metro coniectura succedat. omnia suppl. e.p.
1 h.v. pes   2]ν: tantum h. dext.   .[: litt. caudatae pars inf.

3 πό   τ[: h.h. pars extrema sin.   4] . : h.v., ι sive ν   χά   5
] . : circuli arcus dext. inf., fort. ο, sed a litt. θ longinquum magis quam
exspect.   θέλοις.   υ[: tantum rami sin. cacumen   6] . : h.h. pars
extrema dext. summis litteris adaequata   c'ολ   7]μ possis, sed
restant tantum punctula duo, quasi h.v. vestigia   ένᾱ   8 ιᾳ :
fort. tantum α male scripta   post ϛ, h. dextrorsum a linea asc. pars
inf. extrema   9] . : punctulum summis litteris adaequatum   δάδ
10 αὐτᾱ·   11]λ : tantum h. dext. in linea pars extrema   θ'α   ά[12
ν·τ   13 άι   14 ν·ε   15]μ : tantum h.v. sinistrorsum leviter obliquatae pars sup.   'αc   ένημ'   16 κᾱλ   ήcην·   17 post τ, circuli arcus pars media   αιμεχύ   18 αῖc·   τ[: tantum h.h. pars
extrema sin.   19 δ'ο   ρ[: tantum caudae pars extrema   ]ϛ[: tantum
arcus sup.   20] . : h.v. in linea pes   cύμ   21 θᾱ   23] . : punctulum crassum summis litteris adaequatum, κ non adeo veri sim.   ώττίc'
.[: h.v. dextrorsum leviter inclinata, γ, π, simm.   24 λήc   25]τ : tantum
h.h., fort. ζ possis   27]ϛ : tantum arcus superioris pars extrema dext.
28].̄.[
[strophas trium linearum (quarum tertia ceteris brevior) agnovit Dr. E.-M.
Hamm, cuius benevolentiae hanc quamvis seram correctionis facultatem
debemus: itaque inter fragmenta incerti libri numerandum]

89 : [vacat]

90

2293

33

Fr. 1 (a)

(1) = fr. 1 (a), (b)   col. ii

```
                              ]χ.
                              ].ντι
        ν[                    ].εϲει
      να[                     ].οντων
5     εν.[                    ]κυθερηαϲτρό
col. i  φοϲ[                  ]..πτηεναλλοιϲ
      δεθυγ[                  ]διτηϲειρηκετη[
]ε    πειθω.[                 ]ηϲεφωνειημ[
]     ταϲαλλη[               ].εαυτηϲπρ[          col. iii
10 ]][ιν]]  γορευε·ύμ[   ].[.]θελοιϲα[..].[   .  .  .
]ν     θικονετρ[        ]αϲιν χ[   ]     [
]7     αμμιαγγ[        ]τινα[   ]   .[
]7.    δαιμ[.]ναθ[     ].οϲυν[  ]   ρωχου[
   .  .  ϊναη..πε.[          ]   ϲαϲγεραϲ:.[
15    λεγ'ο.μμε[           ]   καιγυρινν[
      μεν[.].ϊε[            ]   ταϲτοιαυταϲ.[.].[
      δηε[.]π.ϲ.[          ].   γωτοκαλλοϲεπίτ.[
      θελετε[              ]..φι  μεζοντιγαρηνεμ[
      ον[[δ]]εκ[           ]του  ειναικαιαρετηϲπρ[
20    δυνατ[              ]ειμαι'  λαμηποτ'ελεγειοτι
      χερρεϲ[ Fr. 1 (b) . . . ]καικα  καλλι ευφημειϲθα
      τϊδιαν[        ].[   ]ηϲκαι  μοιζεφυρωπνευμα[
      προϲτη[      ]χθουν[ . . .  ] ϲοιδαν[..]οφορητο[
      τ[.]ϲπρο.[   ].ανν[          ]νονδεκα.[
25    πτερυγ.[     ].ατο[          ]ϲ παϊταϲμ[
      ]οφηϲ.[      .    .          ]δηνγεγρ.[
      ].[                          ]υποανδ[
                                   ].ιουκευν[
                                   ]ωαρρε.[
30                                 ]χητιϲ[
```

68

Fr.1 (a) col. ii   1 fort. χα   2]. : punctum superius, velut pars extrema
accentus acuti   3]. : infra lineam h. a sin. desc. pars extrema, χ possis
4]. : pars inf. litterae caudatae, litt. ο admodum propinqua, fort. υ   5 .[:
angulus in linea   η stilo crassiore ex ει mutatum   5 seqq. i.e. ⟨hoc
quidem loco⟩ 'Κυθερήας τρόφος' [   ], ἐν ἄλλοις δὲ θυγ[ατέρα (τῆς) Ἀφρο]δί-
της εἴρηκε τὴ[ν] Πειθώ, suppl. e.p., qui fr. 200 infra et Hesych. τροφοί· ἀντὶ τοῦ
θρέμματα confert   6]. : pars extrema litterae caudatae ; θ]ρεπτη veri sim.   10
ante θ spatiolo interiecto pars sup. ut videtur h.v. altioris, sed fort. pars inf.
litterae caudatae ex superiore versu   ].[: h.h., velut τ   11 supra χ,
litt. iii parvulae (prima ο), sive ἄνω στιγμή et litt. ii   13]. : apex   ρ :
tantum arcus dext., ρ possis   14 .[: in linea h.v. dextrorsum leviter
inclinata, λ, μ, simm.   15 arcui sup. sin. ο propemodum contigua est
hasta sinistrorsum desc. i.e. fort. [[ο]] ; post ο, potissimum α, sed inusitata litt.
forma, etiam punctuli superioris inter sese et μ positi rationem reddit nullam
18].. : cauda longa, tum litt. ο pars dext. ; fort. tantum]ρ, arcu latiore   20
init. ad sinistram litt. δ atramenti vestigia in diplen quadrant

    1 (a) col. iii   12 h. sin. inf., λ sive χ   12 seq. ἀγε]|ρώχου[c   13 seq.
ἄγαν ἐχού]|cac γέρας, e.p.   15 καὶ Γυρινν[16 post ς, angulus in linea,
fort. α   in fine h.v. pars inf., γ, τ, simm.   16 seq. fort. ἔ]γω τὸ κάλλος
ἐπῖτ.[|μέζον· τί γὰρ ἤνεμ[19 seq. ἀλ]|λὰ μήποτε λέγει ὅτι ο[, e.p.
21 seq. εὐφήμεις θα[sive εὐφήμεισθα (pro -ηισθα)]|μοι ζεφύρω πνευμα[23 δ'
ἀν[εμ]οφορητο[, e.p.   24 .[: h.v. pars inf.   25 seqq. e.g. αὕτη (sive
ταῦτα) πρὸς Ἀνδρομέ]δην γέγρα[πται |] ὑπὸ Ἀνδ[ρομέδης, e.p.   28]. :
h.h. pars, velut τ

    1 (b) : fort. 1 (a) columnae ii ita subiungendum ut (b) 1 partem inf. litterae
c in (a) 22]ης repraesentet

    1 (b) 1 arcus in linea   2 seq. e.g. μο]χθουν|τ[.]ς, e.p.   3]. : h.h.
pars extrema dext., velut γ   3 seq. e.g. τανυ|πτερυγ, e.p.   4]. :
h.h. pars extrema dext., velut γ

(2) = fr. 2   (3) = fr. 3

·   ·   ·   ·   ·   ·

].υϲα̣.[   ].[
].ννυα[   ].[
].λαγητ[   ] [
]διατ[   ] [

·   ·   ·   5]ουτι.[

fort. e fr. 1 col. ii   ]ποιη..τ.[
                            ]ηθειαν.[
                            ]ειν·φ[
                            ]..ηβ.[
                       10]ϲλον [
                            ]δ.[.]ε[[μον]][
                            ]θωϲα.[
                            ].ωμ[
                            ].ϲουαγ[
                       15]απαξτουτ[
                            ]ουπαντα7[
                            ]πρωτον[
                            ].[.]οιϲπροα[
                            ]θανειν[
                       20].ρεϲϲονγα[

                            ·   ·   ·

3 seq. perdita superficies   6 post
η litt. rotundae pars sin.   litt. τ
tantum caudae pars inf.   7 litt.
θ tantum h.h. pars extrema dext.
.[: fort. litt. τ h.h. pars extrema sin.,
sed ϲτιγμήν possis   9 ante η, h.
a sin. dextrorsum desc. pars extrema,
e.g. λ   11]δ̣δ̣ sive]δ̣α? 13]. :
fort. ρ sive ϲ arcus sup. dext. 14]· :
ut vid. commatis punctulum inf.
16 sive fort.]θ̣   18].[: h. a sin.
dextrorsum desc. pars inf., κ, λ, χ
20]. : punctulum cacumini litt. ρ adaequatum, κ possis; κρέϲϲον γὰ[ρ

(4) = fr. 4

```
    ·     ·     ·
   ]νομε[.].[
   ].ταπνγ.[
   ]μενον·ϊ[
   ]νοημμαα[
5  ]εφεροι'[
   ]...[
   ] γ[
```

2]. : fort. circuli arcus dext. sup.
.[: litt. rotundae arcus sin. sup.
5 pro .[fort. β[6 post]., ε sive ϲ

(5) = fr. 5

```
    ·     ·     ·
   ]..ι    [
   ]χηρι   [
   ]ητα    [
   ]ηϲεφο  [
5  ]υπολε  [
   ].οϲτη[
   ]λιγα[
   ]ωνπ[
```

1 αι vel λι possis   6 ϲ litt. ο
magis simile

(6) = fr. 6

```
   ].ειλ[
   ].ειφ.[
   ]..[
```

1]. : in linea hamus velut μ, π
2]. : in linea h. a sin. desc. pars
extrema   .[: in linea hamulus

(7) = fr. 7

```
    ·     ·     ·
   ]οτελοϲ[
   ].ουκαι.[
   ]ονγα[
   ]οτ..[
    ·     ·     ·
```

2]. : h.h. pars extrema dext., γ
sive τ   .[: h.h. pars extrema sin.,
litt. ι apici adaequata

(8) = fr. 8

```
    ·     ·     ·
   ].ηναρ[
   [     ]
   ].·
   ]  .γ.[
5  ]νερ[
    ·     ·     ·
```

v. 2 abrasa superficies, v. 4 ante
prim. litt. vestig. atramentum nullum illaesa ut vid. papyro
    1]. : h.h. pars extrema dext., γ
sive τ   υ pro ρ possis   4 ante
γ, h.v. longius infra lineam desc. pars
inf.   .[: h.v. apex

(9) = fr. 9

```
   ].[..].[
   ]αυτ.[
   ]πιαπ.[
   ].τια[
    ·     ·     ·
```

1 primae litt. cauda longa   2
.[: h.v. dextrorsum leviter inclinata
4]. : ε sive ϲ apex

71

(10ᴬ) = fr. 10 (a)

. . .

].ϲγαρ[
]ηκετ.[
]λατωϲ.[
].περιϲα[
5   ].ιθυμ[
].τοτη...[
]οϲφηϲινα [
]νυποτου [
].[
10   ]υ[
].ι[
].αμενην [
]καιχαριϲ.[
]τηιωδηλϵ[
15   ]ατθιδοϲ[
]αυτηϲ[
].ηβαθυ[
].[

. . .

(10ᴮ) = fr. 10 (b)

. . .

].[
]θιγλυ[
]ταϵν[
]ϲ...[

. . .

(11) = fr. 11

. . .

]ναν·χ.[
].πλη.[

. . .

1 .[: punctulum litt. apices supereminens   2 .[: litterae rotundae
pars sup.

(12) = fr. 12

. . .

]ρι αγηκ.[
]υϲταθϵιϲ[
].ω.ναιγ[

. . .

(13) = fr. 13

. . .

].νρ[
]. αιγι[
]ν⟦ϵ⟧α[
]υχηϲν[
5   ]ϲιαϲ [
]ιω[

. . .

6 sup. ω h.v. cuius ratio non
reddita

10ᴬ 1]. : arcus sup. dext. o sive ω
2 .[: fort. pars sin. ϵ sive o   3 .[:
h.v. vestigia   5]. : vestigia in θ
quadrant   6 post η, h.v. pars
inf.   .[: cauda longa   7 sive
]ω   11 h.h. pars extrema dext.
litteram ι sub apice scindit   14]τ :
tantum h.v. pars inf.   ϵν ταυτηι]
τηι ωιδηι λϵ[γϵι οτι, simm., supplend.
15 Ἀτθιδοϲ   17]. : h.v. pars sup.
10ᴮ 1]ζ[possis   4 in ϛϝϙ
quadr., sed tantum apices restant

(14) = fr. 14

```
      .    .    .
      ].[
   ]ταιτα[
   ]ϵϲητοιτ[
   ]τουτι[
```

(15) = fr. 15

```
   .    .         .    .
   ]αν.[
   ]ϲτη.[
        .    .    .
```

3 supra ι, ut vid. litt. ι inter lineas
scr.

(16) = fr. 16 . . .

```
   ]δϵμ[
   ]υν'οτ[
   .    .    .    .
```

(17) = fr. 17

```
   .    .         .    .
   ]λη[
   ].ρα[
   ]ϵϲθ.[
   ]τϵλ.[
        .    .    .
```

2]. : υ sive ρ, φ minus veri sim.
3 .[: h.v.   4 .[: punctulum in
linea

91   1 App.

ἀϲαροτέραϲ οὐδάμα πΩῖρανα ϲέθεν τύχοιϲαν

(i) Heph. *Ench.* xi 5 (p. 36 Consbr.); (ii) Choerob. in Heph. xi (p. 244
Consbr.), qui addit quae infra dedimus.
-ουδαμ' ά. πώρανα (i) cod. A, οὐδάμαπ' ὤρανα (i) cod. I, οὐδάμάπα εἰρήνα (ii)
cod. U, οὐδάμ' ἀπώρανα (ii) cod. K. idem nomen quod **135** (infra) latet.   τυ-
χοῖϲα (ii) cod. K, quod si recte se habet, potest idem v. cum **60**. 1 esse.   ὁ δὲ
θέλει εἰπεῖν τοιοῦτόν ἐϲτι· βλαβερωτέραϲ οὐδαμῶϲ που (cod. U, μου cod. K) ποτε
εἰρήνηϲ (codd. U, K; em. Εἰρήνη Bergk) ϲοῦ ἐπιτυχοῦϲαν (cod. U, ϲέθεν ἐπιτυχοῦϲα
cod. K)

73

ΣΑΠΦΟΥΣ ΜΕΛΩΝ Ē?

92

I

P. Berol. 9722, BKT. v (2) 1907 p. 12; accedunt lectiones Schubartii recentiores ap. Diehl, *Anth. Lyr.* vol. i fasc. iv ed.² 1935 pp. 57 seq.

```
        [
        [
        πε[
        κρ[........]περ[
  5     πεπλον[...]πυϲχ[
        καικλε̣[..]ϲαω[
        κροκοεντα[
        πεπλον πορφυ[ρ........]δεξω[.]
        χλαιναι περϲ[
 10     ϲτεφανοι περ[
        καλ[.]οϲϲαμ[
        φρυ[
        πορφ[υρ
        ταπα̣[
 15     [
        π[
```

6 καικαϲ(sive λϛ)εκϲαω̣.ξυελ.[, 7 -ταϲκα̣ι̣[, 8 -φυρανερα[, 9 περ[....]..ϛκ..εξω (hae iii litt. v. 9, non 8), 11 καλ.ομ...[, olim Schubart   13 suppl. Schubart (idem φρυ[γ v. 12)

93

2

BKT. ibid. p. 14

```
           ]ιϲ...εγ
           ]ω
           ]μοιϲ
           ]αλιαν εχω
  5        ]παρθενων
```

3

BKT. ibid. p. 12 seq. + Σμ. addendum p. 79

. . . .

   τεθνάκην δ' ἀδόλως θέλω·

2 ἄ με ψισδομένα κατελίμπανεν
  ⟨—⟩
  πόλλα καὶ τόδ' ἔειπ.[
  ὤιμ' ὠς δεῖνα πεπ[όνθ]αμεν,

5 Ψάπφ', ἦ μάν ς' ἀέκοις' ἀπυλιμπάνω.
  τὰν δ' ἔγω τάδ' ἀμειβόμαν·
  χαίροις' ἔρχεο κἄμεθεν

8 μέμναις', οἶςθα γὰρ ὤς ςε πεδήπομεν·
  αἰ δὲ μή, ἀλλά ς' ἔγω θέλω
  ὄμναιςαι[. . .(.)].[. . .(.)]. .αι

11 . .[   ] καὶ κάλ' ἐπάςχομεν·
  πρ[   ]οις ἴων
  καὶ βρ[όδων   ]κίων τ' ὔμοι

14 κα. .[   ] πὰρ ἔμοι περεθήκαο
  καὶ πό[λλαις ὑπα]θύμιδας
  πλέκ[ταις ἀμφ' ἀ]πάλαι δέραι

17 ἀνθέων.[   ] πεποημμέναις
  καὶ π. . . . .[   ]. μύρωι
  βρενθείωι.[   ]ρυ[. .]ν

20 ἐξαλείψαο κα[ὶ βας]ιληίωι
  ⟨—⟩

1 θέλω·   2 λιππ   3 ἔειπ[ἔ μοι suppl. Blass   4 suppl. Schubart   6 αμειβομ·αν: fort. in αμειβομαι corrigendum, Σμ. xlii   8 μεμναιϲο in μεμναιϲ' correctum, litt. o punctis appositis deleta   ωϲε, corr. Schubart   πεδ'η 10 sive ομναιϲ' αι, tum omnia ante ultim. αι incertissima; fin.]θεαι legi nequit   11 init. lectio incertissima : οϲ[(Schubart, Zuntz) legi nequit 12 fort. πο[λλ- supplend.   ἴων   13 suppl. Schubart fort. ὔμοι   14 και.[(Σμ.), καρ[(Schubart), καρα[(Zuntz), possis παρεθηκαϲ, corr. Jurenka 15–16 suppleta ex Athenaeo xv 674d καὶ Σαπφώ· καὶ πολλαιϲ ὑποθυμιάδαϲ (corr. Blomfield) πλεκταιϲ αντιαπαλαι (corr. Schweighaeuser) δέραι   17 .[: incertum; fort. π[, γ[, possis ; ϲ[Schubart   ναιϲ: scriptum est ut vid. νοιϲ (vix ναίϲ, quod legit Zuntz)   18 init. post π omnia incertissima: πολλω.[Σμ., παντα.[Schubart, Zuntz   ]. : ι (hoc etiam Zuntz) sive fort. ν, vix ϲ, possis   19 finem ita legit Zuntz   19–20 huc spectat Athenaeus xv 690e Σαπφὼ δ' ὁμοῦ μέμνηται τοῦ τε βασιλείου (sc. μύρου) καὶ τοῦ βρενθείου, λέγουϲα οὕτωϲ· βρενθείω βασιληίω   20 λιψ, corr. Schubart ex Athenaeo suppl. Schubart

καὶ ϲτρώμν[αν ἐ]πὶ μολθάκαν

ἀπάλαν πα.[   ]...ων

23   ἐξίηϲ πόθο[   ].νίδων

     κωΰτε τιϲ[   ]..τι

     ἷρον οὐδυ[   ]

26   ἔπλετ᾽ ὄππ[οθεν ἄμ]μεϲ ἀπέϲκομεν,
     ⟨—⟩

     οὐκ ἄλϲοϲ .[   ].ροϲ

                    ]ψοφοϲ

29   ]...οιδιαι
     ⟨—⟩

     ·   ·   ·

21 suppl. Schubart   22 post πα, fort. ρ, λ, ν, μ, possis   fin.
].ͅιων, veri sim.:].δͅιων Zuntz,]α̣[.]ο̣ν̣ων Schubart ap. Σμ.   23 πόθο[ν
tentavit Schubart   ]. : fort. circuli arcus sup. dext. (]a non fuit)   24 fin.
fort.]τͅετι, etiam]ξͅετι, vix]ξͅοτι, possis   25 ἵρ   26 [οθεν suppl. Σμ.,
αμ] Wilamowitz   27 fort. χ]οροϲ supplendum   29 ante διαι, litterarum
tantum cacumina : οι satis certa, reliqua incertissima ;].ͅιλοιδιαι, mox].ͅϲοιδιαι
Schubart,]ͅϲνͅιοιδιαι sive]ͅϲνͅϲοιδιαι Zuntz ;]λͅαοιδιαι fuisse negant

95

BKT. ibid. p. 14 seq.

. . .

1   .ου[
    ⟨—⟩
    ἦρ' ἀ[
    δηρατ.[

4   Γογγυλα.[
    ⟨—⟩
    ἦ τι cᾶμ' ἐθε.[
    παιcι μάλιcτα.[

7   μαc γ' εἴcηλθ' ἐπ.[
    ⟨—⟩
    εἶπον· ὦ δέcποτ', ἐπ.[
    ο]ὐ μὰ γὰρ μάκαιραν [

10 ο]ὐδὲν ἄδομ' ἔπαρθ' ἀγα[
    ⟨—⟩
    κατθάνην δ' ἴμερός τις [ἔχει με καὶ
    λωτίνοιc δροcόεντας [ὄ-

13 χ[θ]οιc ἴδην Ἀχερ[
    ⟨—⟩
    .].. δεcαιδ'.[
    .].. δετο.[

16 μητι..[
    ⟨—⟩

. . .

1 init. fort. τ, etiam γ possis   2 ρ'   3 post τ, litt. ε, α, ο, ω, θ, possis 4 .[: c, ν, alia possis   5 μ' ut vid.   .[: fort. c   6 .[: γ, κ, π, alia possis   6–7 "Ερ]|μαc suppl. Blass, fort. recte, nisi -μαιc scribendum; γ' vix credibile   ειc ex αἴξ factum   .[: α, ο, ε, possis   8 sive ειπ[, ειγ[9 μάγ ut vid.   9–10 suppl. Schubart   11 ϊμ suppl. Blass   12–13 leg. et suppl. Σμ. (inter δροcοεντα[et]ciδηναχερ[iam nihil se legere posse testatur Zuntz)   fin. Ἀχέρ[οντος – ∪ – – sive Ἀχερ[οιcίοιc ∪ – –, simm., supplendum   14 init. fort. ..].   dubium utrum : an c', δ' an δ.[(nec primum δ neque apostrophum post secundum δ vidit Zuntz)   15 fort. .].νδ   .[: ι possis   16 τιπ.[possis (vix τιc.[, quod legunt Schubart, Zuntz)

96

BKT. ibid. pp. 15 seqq. + *Σμ.* addendum p. 80

. . .

]cαρδ.[..]

2   πόλ]λακι τυίδε [ν]ῶν ἔχοιca

ὠ̄cπ.[...].ὤομεν, .[...]..χ[..]

cε †θεαcικελαν ἀρι-

5   γνωταcε† δὲ μάλιcτ’ ἔχαιρε μόλπαι·

νῦν δὲ Λύδαιcιν ἐμπρέπεται γυναί-

κεccιν ὢc ποτ’ ἀελίω

8   δύντοc ἀ βροδοδάκτυλοc †μήνα

πάντα περ⟨ρ⟩έχοιc’ ἄcτρα· φάοc δ’ ἐπί-

cχει θάλαccαν ἐπ’ ἀλμύραν

11   ἴcωc καὶ πολυανθέμοιc ἀρούραιc·

ἀ δ’ ⟨ἐ⟩έρcα κάλα κέχυται τεθά-

λαιcι δὲ βρόδα κἄπαλ’ ἄν-

14   θρυcκα καὶ μελίλωτοc ἀνθεμώδηc·

πόλλα δὲ ζαφοίταιc’ ἀγάναc ἐπι-

μνάcθειc’ Ἄτθιδοc ἰμέρωι

17   λέπταν ποι φρένα κ[.]ρ… βόρηται·

⟨—⟩

κῆθι δ’ ἔλθην ἀμμ.[..]..ιcα τῷδ’ οὐ

νῶντ’ ἀ[..]υcτονυμ[..(.)] πόλυc

20   γαρύει [..(.)]αλον[.....(.)].ο μέccον·

ε]ὔμαρ[εc μ]ὲν οὐκ α.μι θέαιcι μόρ-

φαν ἐπή[ρατ]ον ἐξίcω-

23   cθαι cυ[..]ρος ἔχηιcθ’ ἀ[..(.)].νίδηον

[   ]τͻ[...(.)]ρατι-

μαλ[   ].ερος

26   καὶ δ[.]μ[   ]οc Ἀφροδίτα

καμ[   ] νέκταρ ἔχευ’ ἀπὺ

χρυcίαc [   ]ναν

29   …(.)]απουρ[   ] χέρcι Πείθω

⟨—⟩

[   ]θ[..]ηcενη

[   ]ακιc

32   [   ]......αι

⟨—⟩

[   ]ες τὸ Γεραίςτιον

[   ]ν φίλαι

35   [   ]νςτον οὐδενο[

⟨—⟩

[   ]ερον ἰξο[μ

2 πόλ] suppl. Gomperz, Fraccaroli   ῑδ   [ν] suppl. Blass   3 post
ωςπ, litt. o, ε, possis   ante ωο vestigia minime cum litt. ζ quadrant : potius
γ, π, τ   μεν· ut vid., tum omnia (litt. χ excepta) incertissima   4 ῑκ
4-5 incertum, quomodo dividendum corrigendumque sit : -ce θέαι (Solmsen) c'
ἰκέλαν ἀριγνώται (Σμ.) cᾱι (Fraccaroli) possis, nisi cὲ θέοις' ἰκέλαν exspectaveris
6 ενπρ   8 fin. cελάννα coni. Schubart   9 περεχ, 12 αδερ, corr. Schubart
13 λειcι MS.sec. Schubart, sed fort. λαιcι scriptum   16 ῑμ   17 ante
βορ, fort. ω possis, sed inter φρενακ et βορ omnia incerta: κ[.]ραca Σμ., κηραca
Schubart, κ[.]ραca Zuntz   18 κηθν, corr. Fraccaroli (?), Wilamowitz   δ'
ου   18-19 utrum τοδ' et]νcτον an ταδ' et]νcταν ambigitur; illud
magis veri sim.   20 init. ita Zuntz, pro ι[fort. ν[fin. ō]ν τὸ μέccον
coni. Σμ.   post hunc versum alterum carmen incipere credunt nonnulli
21 ε]ῦμαρ[ες suppl. Diehl, μ]ὲν Vogliano, οὐκ Diehl; tum ἄμμι credideris, sed
spatium inter a et μι litterae μ vix sufficit   22 suppl. Σμ.   22-23
ἐξίcωcθ- interpr. Maas, Diehl, Vogliano   23 cθ' αι legit Vogliano, idem
-cθ', αι cὺ interpr.; etiam -cθαι, cὺ possis   ante oc, litt. ρ valde dubia, tum
ε pro o possis   εχηcθ'   24-25 το[ν ανδ]ρα τι-|μαλ[suppl. Theander
25 fin.]μερος Σμ., a]ιθερος Zuntz   ·   27 pro μ etiam ν possis, minus veri
sim. λ, δ   28 fin. ita Zuntz,]λοϊα Σμ.   29 ante απ, vestigium litt.
τ sive γ, Zuntz   32 ante αι omnia incerta (olim ιωμ assentiente Schubart,
mox ηνμ sive νημ, Zuntz)   36 ῑξ

79

97

6

P. Berol. 9722, ed. Zuntz, *Mnemos*. ser. iii vol. vii 1938 p. 109 (verso carm. ε̄ 5. 19–36); aliqua dederat Diehl, *Anth. Lyr.* vol. i fasc. iv ed.² 1935 appendicula addenda pp. 225 seq.

. . .

1–12 legi non possunt

13   αερ[
       περα[
       κυ[
       cιν[
       cυδ'..[
       τ̣ου..[υπνου

19–23 legi non possunt

24   κ̣αλλεαυ[
       περιπτερα[
          αν
       ]νιελεφαν[
    ..]ρ̣παcκ̣α̣.[

. . .

17 fort. δ'ω[18 sive τ̣αυ, Schubart   24 κ incertum; potius αυ
quam δυ, Schubart   ..]αδεα̣[olim Zuntz   26 αν supra lin. add. cor-
rector   27 πο]ρπαc suppl. Schubart

98

7

(a) = P. Haun. 301; (b) = P. Mediol. ed. Vogliano, *Philol.* xciii 1939 pp. 277 seqq.

(a)   1   ..]. θοc· ἀ γάρ με γέννα̣[
          .].αc ἐπ' ἀλικίαc μεγ[
          κ]όcμον αἴ τιc ἔχη⟨ι⟩ φόβα.[
    4   πορφύρωι κατελιξαμε[ν
          ἔμμεναι μάλα τοῦτο .[
          ἀλλα ξανθοτέρα⟨ι⟩c ἔχη[
    7   τα⟨ι⟩c κόμα⟨ι⟩c δάιδοc προ[
          c]τεφάνοιcιν ἐπαρτια[
          ἀνθέων ἐριθαλέων· [

10 μ]ιτράναν δ' ἀρτίως κλ[
  —]
  ποικίλαν ἀπὺ Σαρδίω[ν
  ...].αονιαςπολεις [

    · · ·

(b) coὶ δ' ἔγω Κλέι ποικίλαν [
   οὐκ ἔχω πόθεν ἔccεται [
3 μιτράν⟨αν⟩· ἀλλὰ τὼι Μυτιληνάωι [
  —]

    · · ·

   ].[
  παι.α.ειον ἔχην πο.[
6 αἰκε.η ποικιλαcκ...(.)[
  ταῦτα τὰc Κλεανακτιδα[
  φύγαc †..ιcαπολιcεχει†
9 μνάματ'· .ἴδε γὰρ αἶνα διέρρυε[ν

omnia suppl. e.p. (accentus interpunctiones apostrophi simm. desunt in 𝔭)
(a) 1 ..]. : in linea, h.h. sive caudae pars extrema dext. μ' εγ div. e.p.,
sed cf. Alc. ᾱ 2(b) 3, B 10. 13, Z 3. 2 2]. : fort. litt. rotundae vestigia sin.
et dext., h.v. pars extrema longe infra lineam desc.; si]φ, c]φαc suppl. (cφ]αc
iam Gallavotti) 3 .[: c credideris 4 π : angulus sup. dext., pedis
dextrorsum hamati pars 5 ϛ: h.h. pars dext., litt. μ hastam primam
infra apicem contingens μαλ : litt. α tantum h. dext. .[: ut vid., apex
velut litt. δ, h.h. in linea pars dext.; δ[veri sim. 6 αλ : litt. α caudae pars
extrema dext., litt. ν contingens αλλ' α div. e.p. ραν in ραc corr.
(c litt. α caudae subiunxit manus prima); ραc in ραιc corr. e.p. 7 τ : h.h.
pars extrema dext. ταc κομαc, corr. e.p. 9 α : in linea, caudae pars
dext., litt. ν contingens 10 ι : h.v. pars inf. 11 π : h.h. pars extrema
dext., sive h.v. dext. apex 12 init. lacuna litt. tres caperet]. :
ramus sup. dext. velut χ vel fort. ψ, h.v. pars inf. paulo a sin. dextrorsum
desc.; ι, μ, non erat fort. -αονια cπολειc dividendum : -αονιαc πολειc e.p.,
quod ad πόλημμι (sed πωλεντ' Alc. G 2. 33) referre possis, vix ad πόλιc (gen.
πόλιος Aμ. Ε 1. 10, Z 24. 2; πόληοc ionice B 9. 18)
(b) vv. 1–3 proprio loco omissos in fine columnae lineolis marg. sin. appositis
subiunxit manus prima. verso (b) scriptum est]ειαc cαφ[...]ut vid. (c.νφ[.]'[.].
e.p., quem vid. in Athenaeo 1943 p. 126)
1 inter γω et κλ spatiolum vacuum 3 μιτραναλλατωιμιτν, corr. e.p.
4].[: h.v. infra lineam desc. 5 marg. sin. schol.]cβιοc post παι,
fort. c, etiam τ, γ, possis inter α et ειον, π (e.p.) solito angustius, γγ possis
.[: h. dextrorsum asc. initium; λ, simm. 6 inter ε et η, litt. ν, λ, χ, possis
7 ταυταcταc e.p., sed litt. inter ταυτα et ταc nec vestigium nec spatium
8 φυγαcαλιcαπολιcεχει e.p. : inter γα et ιcα omnia incerta; versus utique
graviter corruptus 9 ante ἴδ, fort. ο (ut vid. circuli arcuum sin. inf. et
dext. sup. vestigia, quae tamen vix negaveris etiam in litt. α posse quadrare)

99   8

2291

col. i   col. ii

```
.].γα. .εδαβαιọ[          ].a                    ..cτọc.[
.[.]ọῖπωλυανακτ[..]α..[                          F..πα[
  ...αιccαμιαcι.ιε.[.]τọιc....[.] []   ꞔυκ.ν      ωνηρ[
                                     κορωνιc
χορδαιcιδιακρεκην                                καιφαι.[
5  ọλιꞔβ.δοκọιꞔ.περκαθ....ενοc                   ταιcπα.[
                                                (—-)
..ου.[..]cιφιλοφ[..]νωc                          ακρωδ[
]....δε.ελιc.[.].αιπρ.τανε̣ωc                     φοιται.[
].. οcδεδιọ[..]ω.                                .].ταιcε[
]. ναλωδ'.[.].. ε̣νητε̣[..].χ..                   ].. [
10  ]. εκαιδι̣[..]παῖ[.]                          ξῦ̆ca[
   ].. ε...[.]επι[]βọργιαν[                       αυτανε[
   ].[.]ϋλ̣.δηλιπων                               αγκωνα[
   ].ε̣υχρ.[.]τ.ριον                              ⌣̈
                                                 εκπαῖc'ọ[
   ].[      ].ευμεc[..].[.]ων                     ουτọ[
15  ]....[...]                                    ταν[
   ]......α[..]ε̣ραιc                             ωcδ[
       τ[ ]
   ]ρcανον[.]..ργιαν                             αιμ'ọ.[
   ]ꞔcομεν [ ]                                   πίκ.[
   ]νϋμνε[      ]                                 [
20  κα[      ]ε̣να[.]φọ.[...]ν.αδελφέαν            ..]c.[
   ωcπαι[      ].ιọ.[...].[ ]                     ενο[.]δα.[
   .υτιcδε̣[...]κει.θελη[      ]                  >αυᾱδεc[
   δειχνυc[...]ε̣δηυτε.λυ..ακτιδαν                >κακ πτ.[
   τονμαργογọν.ειξαιθελω                         ωπαιδ[
25                                               ημαν.[
```

col. i   1 supra versum ad sinistram atramenti vestigia   .]. : lineola curva summis litteris adaequata, fort. litt. ρ arcus pars extrema dext.   post γα h.v., apicis ad dextram h.h.   ọ[mutilum, sed vix ꞔ[, ergo non πεδαβαιc; πεδα βαιọ[ν possis   ].a :]ρα sive]φα   2   .[.]: vestigia in litt. δ partes sup. et inf. quadrant   .[.]ọῖ monosyllabum esse docet accentus   πọ̄λ   ..[: fort. ιc, sed ι prope evanidum, c tantum pars inf. suppl. πωλυανακτιδαιc   3 litt. prima rotunda; secundae vestigium tantum summis litteris adaequatum; tertiae cauda infra lineam desc., h.h. longior a sin. dextrorsum asc., fort. ψ, vix γ vel τ   inter ι et ι̣, litt. λ similis, sed non ita ut scribitur λ in hac papyro; pro .ι̣, fort. ν male scriptum   ε.[.] sive ε.. : certa tantum videtur h. a sin.

dextrorsum desc., e.g. εα, εδ, ελ, sed fibris disiectis ne hoc quidem omnino credendum   post οιϲ, h. a linea dextrorsum asc., eiusdem ab apice h.h. initium dextrorsum extentae; sequitur spatiolum vacuum, tum h.h. (fort. prioris continuatio); tum h.v. crassior, cuius apex ceteris paulo superior, pes sinistrorsum flexus; sequuntur in linea vestigia obscura, ultimum fort. h.v. pes   4 litt. ε tantum h.v. brevis in linea   χόρδαιϲι διακρέκην sive χόρδαιϲ⁽¹⁾ ἴδια κρέκην   5 desunt litterae ο pars sin., λ hasta sin., ι pars sup.   post β, fort. α   inter ϲ et π spatiolum vacuum, litt. ι aptum   litt. ρ insolita species   6 fort. τουτ[, sed si prima litt. τ, et latior est et ad sinistram aliud accedit vestigium; facilius τϝουτ[legas   7 ante δ, fort. ϲ pars sup.   inter δε et ελ, h. a sin. dextrorsum desc. pars med.   [: ansa in linea, e.g. δ   ]. : h.h., litt. τ, simm., pars dext.   ελελιϲδ[ε]ται possis, sed confirmari nequit   8 ante οϲ, ων possis   9 vix ut vid.]γναλω,]κναλω   ].. : hh.vv. duae   litt. τ h.h. pars sin. vix dispicitur, sed γ non veri sim.   ante χ, h.v. infra lineam desc. pars inf.   10]. : h.h. pars extrema dext. litteram ε fere mediam contingentis   12 pro π fort. ν 13]. : h.h. pars extrema, litt. ε apicem contingentis   post τ, h.v. apex ceteris superior, litt. η aptus   χρη[ϲ]τηριον suppl. veri sim.   14].ϝ : h.v. apex,]νε possis   16 [..]: sive una litt. latior   20 ο [: h.v. infra lineam desc. pars inf.   22 inter ι et θ, punctulum summis litteris adaequatum; non ut vid. νθ pro ι.θ   23 post τε, h.v.   inter λν et ακ, vestigia in αν quadrant : πωλυανακτιδαν   24 i.e. τὸν μάργον ὄνδειξαι θέλω col. ii 1 [: h.v. infra lineam desc. pars inf.   2 .. : vestigia in ων quadrant   4 [: in linea circuli arcus sin. inf.   5 [: prob. μ sive ν h. sin.   7 [: fort. apex δ   8]. : h.v. apex ceteris superior   13 supra ἀ punctulum, ἀ   17 [: h.v. infra lineam desc. pars inf.   18 [: h.v., accedunt ad dextr. vestigia, ρ non adeo probabile   21 [: ε vel fort. θ pars sin.   23 inter κ et π atramenti vestigium nullum   [: h.v., apice crasso, infra lineam desc.   25 [: lineola curva paulo infra lineam, fort. litt. α pars sin. inf.

1 App.

ἀμφὶ δ' ἄβροιϲ'...λαϲίοιϲ' εὖ ἐπύκαϲϲε...

Pollux vii 73 (ii p. 73 Bethe).
λάβροιϲ λαϲϲίοιϲ cod. A, δ' ἄβροιϲιν ci. Hermann   aut εὖ ϝ' ἐπύκ. (Bergk) scribendum aut εὖ ... ἐπύκ., quod minus veri sim.

2 App.

...πρὸς τὴν Ἀφροδίτην

χερρόμακτρα δὲ †καγγόνων†

πορφύραι †καταυταμενά-

τατιμάϲειϲ† ἔπεμψ' ἀπὺ Φωκάαϲ

δῶρα τίμια †καγγόνων†

Athen. ix 410 d–e (ii 395 Kaibel), addito κόϲμον λέγει κεφαλῆϲ τὰ χειρόμακτρα. metrum fort. idem quod 94 supra.

1, 4 alterutrum καγγόνων fort. delendum   2–3 κὰτ ἀύτμενα, καταψαμένα, possis, tum fort. τά τοι Μνᾶϲιϲ, quod ci. Wilamowitz

ΣΑΠΦΟΥΣ ΜΕΛΩΝ Ζ̄

102

1 App.

γλύκηα μᾶτερ, οὔτοι δύναμαι κρέκην τὸν ἴστον
πόθωι δάμεισα παῖδος βραδίναν δι᾿ Ἀφροδίταν

(i) Heph. *Ench.* x 5 (p. 34 Consbr.); (ii) Et. Mag. 506. 1; (iii) Et. Gud.
316. 35; (iv) Zonaras in κερκίς.
2 fort. βραδίνω scribendum

ΣΑΠΦΟΥΣ ΜΕΛΩΝ Η̄?

103

2294

1

```
              .       .      .
                   ]..[
                   ]. νϵντωι.[
             ].δϵ ι̅ κ̄ ϵκας.ησο ᾱ[
        ].ϵντογαρϵννϵπϵ[.]ηπρο̞β[
5       ].ατϵτανϵυποδανυμφαν[
        ]ταπαιδακρ̞ονιδατανιοκ[...].ν[
        ].cοργανθϵμϵνατανιοκ[..]ποcα[
        ]..αγναιχαριτϵcπιϵριδϵ[...]μο.[
        ].[..].ποταοιδαιφρϵν[...]αν.[
10      ]cα̅ιοιcαλιγυραν[...].αν [
        ]μβρονακαροι.α.υμαλικ[
        ]cϵφοβαιcιθϵμϵγαλυρα.[
        ]..ηχρυcοπϵδιλ[.]cαυωc[
        ]̅ cτιχ ρ̅λ[] [
15      ]μϵτατηνπρωτην[
        ].ϵρονταιϵπιγϵγρα[
        ]λαμια̅ [
        ].υβλιουκα..ϵλτϵ̣ι.[
                                ι̣[
20      ]ροπ.... ].ϵ.[
              .   .      .
```

84

· · · ·

```
              ].ω[
          ]ϲαν ἐν τῶι .[
     ].δὲ (δέκα) κ(αὶ) ἑκάϲτηϲ ὁ (πρῶτοϲ)[
     ].εν τὸ γὰρ ἐννεπε[.]η προβ[
  5  ].ατε τὰν εὔποδα νύμφαν [
     ]τα παῖδα Κρονίδα τὰν ἰόκ[ολπ]ον [
     ].ϲ ὄργαν θεμένα τὰν ἰόκ[ολ]ποϲ α[
     ].ἄγναι Χάριτεϲ Πιέριδέ[ϲ τε] Μοῖ[ϲαι
     ].[. ὄ]ππoτ' ἀοιδαι φρέν[...]αν.[
 10  ]ϲαιοιϲα λιγύραν [ἀοί]δαν
     γά]μβρον, ἄϲαροι γὰρ ὑμαλικ[
     ]ϲε φόβαιϲι θεμένα λύρα.[
     ]..η χρυϲοπέδιλ⟨λ⟩[ο]ϲ Αὔωϲ [
     ]. ϲτίχ(οι) ρλ[ ]
 15  ] μετὰ τὴν πρώτην [
     ]φέρονται ἐπιγεγρα[
     ἐπιθα]λάμια
     ].υβλίου καὶ βέλτιο[ν
     ]
 20  ]ροπ....[..].ε.[
```

· · · ·

omnia suppl. e.p.

1 fort.]...[3].: fort. litt. duae, secunda ι, e.g.]οι,]ωι,]ɑ
4].: in linea litt. μ hastae dextrae pars extrema inf. ut vid.   5].: punctulum summis litteris adaequatum   7].: vestigium in litt. ο arcum dext. inf. quadrat   8].: secundae litt. vestigia in ν quadrant, sed solito latiorem, si eo quod praecedit signo ramus litt. ν extremus dext. repraesentatur   11 γαρ: parum convenit ρ; est angulus in linea, litt. α caudam contingens, litt. δ similis, sed nequaquam sufficit spatium   12 .[: h.v. pars inf.
13].. : fort. litt. tres; ante η, litt. δ sive λ apex ut vid.; antecedunt hastarum cacumina trium, quarum prima ut vid. a sin. dextrorsum desc., secunda et tertia fere vertic.   cf. 123 infra, ἀρτίωϲ μὲν ἀ χρυϲ. Αὔωϲ   14].: sub h.h. parte media stat h.v., cuius pars inf. paulo dextrorsum inclinata est; h.v. mediam tangit ut vid. hastae transversae (velut litt. η) pars extrema dext., ni atramenti guttula est; h.h. positio litteram ι indicat, vestigia potius cum litt. η congruunt   16 φ confirmari nequit   18 dubio procul]βυβλ-, quamquam prim. litt. vestigia parum in β quadrant: h.v. crassior, pes sinistrorsum ut vid. flexus   20 post π, circuli pars sup., e.g. ο; sequuntur hastarum cacumina tantum extrema]. : ut vid. h.h. pars extrema dext., velut γ, τ .[: fort. litt. duae, e.g. ϲ.[

ΣΑΠΦΟΥΣ ΕΠΙΘΑΛΑΜΙΑ?

104   1 App.

(*a*)

Ἔσπερε πάντα φέρων ὄσα φαίνολις ἐσκέδασ' Αὔως,
†φέρεις ὄιν, φέρεις αἶγα, φέρεις ἄπυ† μάτερι παῖδα.

(i) Demetr. π. ἑρμ. 141 (p. 33 Raderm.); (ii) Et. Gen. B p. 129 Miller;
(iii) Et. Gen. AB *Gesch. Etym.* p. 159 Reitzenstein; (iv) Et. Mag. 174. 43 et
384. 1; (v) Et. Gud. in ἑcπέρα (p. 538 de Stefani); (vi) idem in ἠώc (p. 254. 5
Sturz) et ὀψία (p. 446. 3 Sturz); (vii) Cr. *A. O.* ii 444; (viii) Schol. Eur. *Orest.*
1260 (i 212 Schwartz).

1 φέρεις (i) cod. P; φέρων cett., quorum errores negleximus   2 hunc v.
praebent (i) et (ii) soli. φέρεις οἶνον φέρεις αἶγα φέρεις ματέρι παῖδα (i) cod. P,
φέρεις οἶον φέρεις οἶνον φέρεις αἶγα φέρεις ἄποιον μητέρι παῖδα (ii)   ὄιν
Manuzio, οἶν Bentivoglio   ἄπυ ci. Bergk   loco desperatissimo mederi
nequimus

(*b*)

ἀστέρων πάντων ὁ κάλλιστος

Himer. *Or.* xiii 9 et *Or.* iii 17 (=xlvi 9 et xlvii 17 Colonna), qui dicit priore
loco : Σαπφοῦς τοῦτο δὴ τὸ εἰς Ἔσπερον ᾆσμα

105   2 App.

(*a*)

οἶον τὸ γλυκύμαλον ἐρεύθεται ἄκρωι ἐπ' ὔσδωι,
ἄκρον ἐπ' ἀκροτάτωι, λελάθοντο δὲ μαλοδρόπηες,
οὐ μὰν ἐκλελάθοντ', ἀλλ' οὐκ ἐδύναντ' ἐπίκεσθαι

(i) Syrian. in Hermog. π. ἰδ. ᾱ (i 15 Rabe); (ii) Schol. Theocr. xi 38–39 c
(p. 245 Wendel). cf. Longum iii 33; Himerium, *Or.* i 16.

1 γλυκὺ μᾶλον (ii) cod. T, γλυκὺ μᾶλλον (ii) codd. G, P, μήλῳ, μῆλον Himer.
et Long.   3 οὐ μὰν ἐκλελάθοντ' om. (i) cod. V, spatio relicto

(*b*)

Σαπφοῦς ἦν ἄρα μήλῳ μὲν εἰκάσαι τὴν κόρην . . . τὸν νυμφίον
τε Ἀχιλλεῖ παρομοιῶσαι καὶ εἰς ταὐτὸν ἀγαγεῖν τῷ ἥρωι τὸν
νεανίσκον ταῖς πράξεσι

Himer. *Or.* i 16 (=ix 16 Colonna).

ΣΑΠΦΟΥΣ ΕΠΙΘΑΛΑΜΙΑ?

(c)

οἴαν τὰν ὑάκινθον ἐν ὤρεσι ποίμενες ἄνδρες
πόσσι καταστείβοισι, χάμαι δέ τε πόρφυρον ἄνθος . . .

Demetr. π. ἑρμ. 106 (p. 26 Raderm.). nullum nomen auctoris. maxime
dubium est num Sapphus sint versus et iure restituatur dialectus.
2 suspicionem movet δέ τε, ut de universa verborum constructione sileamus.
aliquantulum iuveris χάμαι 'πέτε coniiciendo, sed in re obscurissima nihil
tentandum censuimus

06   3 App.

πέρροχος, ὡς ὅτ' ἄοιδος ὁ Λέσβιος ἀλλοδάποισιν

Demetr. π. ἑρμ. 146 (p. 34 Raderm.)

07   4 App.

ἦρ' ἔτι παρθενίας ἐπιβάλλομαι ;

(i) Ap. Dysc. π. συνδεσμ. 490 (i 223 Schn.) ; (ii) Schol. Vat. in Dion. Thrac. 20
(p. 290 Hilgard).
π⟨αρ⟩θενίης (i) cod. A, παρθενικὰς (ii) codd. C, V, A

08   5 App.

ὦ κάλα, ὦ χαρίεσσα

Himer. Or. i 19 (= ix 19 Colonna). Sapphus esse Bergk suspicatus est ; nobis
persuadet Theocritus xviii 38 imitatus, unde fortasse etiam κόρα addas licet

09   6 App.

δώσομεν, ἧσι πάτηρ

Cr. A. O. i 190.
ἠσὶ δώσομεν ἠσὶ π(ατ)ήρ cod. Coll. Nov. 298

87

110

7 App.

(a)

θυρώρωι πόδες ἐπτορόγυιοι,
τὰ δὲ σάμβαλα πεμπεβόηα,
πίccυγγοι δὲ δέκ' ἐξεπόναιcαν

(i) Heph. *Ench.* vii 6 (p. 23 Consbr.); (ii) Schol. A in Heph. vii (p. 129 Consbr.); (iii) Schol. B iii in Heph. ix (p. 274 Consbr.). cf. Demetr. π. ἑρμ. 167 (p. 37 Raderm.) et Synes. *Epist.* iii 158d.
1 fort. θυρώρω scribendum, vid. Ἀμ. xxxviii n. 1   ἐπταρόγυιοι (iii) codd. k, p, ἐπταρόγυιοι (i) cod. H, (iii) cod. V, ἐπταθο.ρρόγυιοι (i) cod. A, similia (i) et (ii) codd. cett., -ορό- corr. Hotchkis   3 πίccυγγοι una c litt. scriptum praebent codd. praeter (iii) codd. k, p (item Athen. xv 699c, Pollux vii 82, Hesych. in πιcύγγ-), duobus (iii) codd. k, p, quibus quodammodo consentiunt Hesych. in πέccυμπτον et πεccύπτη et Moeris in πεττύκια   -νηcαν et -νacαν codd.

(b)

ἄλλως δὲ cκώπτει (ἡ Cαπφὼ) τὸν ἄγροικον νύμφιον καὶ τὸν
θυρωρὸν τὸν ἐν τοῖc γάμοιc εὐτελέcτατα καὶ ἐν πεζοῖc ὀνόμαcι
μᾶλλον ἢ ἐν ποιητικοῖc . . .

Demetr. π. ἑρμ. 167 (p. 37 Raderm.).

111

8 App.

ἴψοι δὴ τὸ μέλαθρον·
ὑμήναον·
ἀέρρετε τέκτονεc ἄνδρεc·
4   ὑμήναον.
γάμβροc †εἰcέρχεται ἴcοc† Ἄρευι,
ἄνδροc μεγάλω πόλυ μέζων.

(i) Heph. π. ποιημ. vii 1 (p. 70 Consbr.); (ii) Demetr. π. ἑρμ. 148 (p. 34 Raderm.); (iii) Arsen. (p. 460 Walz) = Apostol. xvii 76a (ii 705 Leutsch–Schneidewin).
1 ὖψοι (i) cod. A, (ν)ίψω (ii) cod. P   2 om. (ii) cod. P   3 ἀείρετε (ex -ατε) (i) cod. C, ἀείρεται (i) cod. A, ἀείρατε (ii) cod. I, ἀέρατε (ii) cod. P   ἄνδρεc om. (ii) cod. P   4 om. (ii) cod. P et fort. omiss. postulant Heph. rationes   5 ἔρχεται ἴcοc (i) codd., εἰcέρχεται ἴcοc (ii) cod. P.   locus varie tentatus et nondum persanatus. monemus ἴcοc tantum usurpare Sappho. fort. εἰc' ἴc' Ἄρευι legend. post hunc v. fort. ὑμήναον cum Bergk iterum inserendum   6 μεγάλου πολλῷ (ii) cod. P, qui solus v. exhibet; emm. Bentley et Casaubon

112

9 App.

ὄλβιε γάμβρε, σοὶ μὲν δὴ γάμος ὠς ἄραο
ἐκτετέλεστ', ἔχηις δὲ πάρθενον †ᾱν† ἄραο . . .
σοὶ χάριεν μὲν εἶδος, ὄππατα δ' . . .
μέλλιχ', ἔρος δ' ἐπ' ἰμέρτωι κέχυται προσώπωι
5 . . . . τετίμακ' ἔξοχά σ' Ἀφροδίτα

(i) Heph. *Ench.* xv 26 (p. 55 Consbr.); (ii) Choricius (ap. Förster, *Ind. lect. Vratisl.* 1891, p. 16). 1 ἄραο (i) cod. I, ἀράο (i) cod. A   2 ἔχηις (i) cod. A, ἔχης (i) codd. C, P. cf. Alc. D 14. 11, ubi ἔχηις legitur   ἀνάραο (i) cod. I, ἀναράο (i) cod. A. ἄραο forma suspecta est, nec minus ᾱν pro τᾱν. fort. ὠς iterandum (Fick) 3-5 haec ita praebet (ii) cod. Matr.: σοὶ χάριεν μὲν εἶδος καὶ ὄμματα μελιχρά, ἔρος δὲ καλῷ περικέχυται προσώπῳ, καὶ· σὲ τετίμηκεν ἐξόχως ἡ Ἀφροδίτη. in versus redegit Weil, sed monemus pro σοὶ fortasse τᾶι esse scribendum et mox καί σε . . . ἔξοχον, nam vix credibile est nostram σε encliticum isto ordine posuisse   4 μελλίχροος (i) codd., μελιχρά, ἔρος (ii) cod. cf. *H. Hom.* x 2 (p. 79 Allen) ἐφ' ἰμέρτωι δὲ προσώπωι αἰεὶ μειδίαει καὶ ἐφ' ἱμερτὸν θέει ἄνθος; Philostr. Mai. *Imagg.* ii 9. 5 (p. 81 S. Vind. Sod.) ἵμερος . . ἐπικέχυται τοῖς ὀφθαλμοῖς

13

10 App.

οὐ γὰρ †ἐτέρα νῦν† πάις ὦ γάμβρε τεαύτα

Dion. Hal. *comp.* 201-2 (vi 127-8 Usener-Radermacher), qui dicit hunc v., cum καὶ σωφροσύνη 'νενόμιστο coniunctum, eodem modo scandi quo μήτε μικρὸν ὁρῶντά τι καὶ φαῦλον ἁμάρτημα ἑτοίμως οὕτως ἐπὶ τούτῳ. ἐτέρα νῦν codd. P (bis), M (bis), ἐτέραν ὖν et ἐτέραν ὖν cod. V, ἣν ἀτέρα ci. Blomfield et Seidler

14

11 App.

(νύμφη).   παρθενία, παρθενία, ποῖ με λίποισα †οἴχηι;
(παρθενία).   †οὐκέτι ἥξω πρὸς σέ, οὐκέτι ἥξω†.

Demetr. π. ἑρμ. 140 (p. 33 Raderm.).
metrum incertum est

15

12 App.

τίωι σ', ὦ φίλε γάμβρε, κάλως εἰκάσδω;
ὄρπακι βραδίνωι σε μάλιστ' εἰκάσδω.

(i) Heph. *Ench.* vii 6 (p. 23 Consbr.); (ii) Schol. B iii in Heph. ix (p. 274 Consbr.). nullum nomen auctoris

116

13 App.

χαῖρε, νύμφα, χαῖρε, τίμιε γάμβρε, πόλλα . . .

Serv. in Verg. *Georg.* i 31 (iii (i) 139 Thilo–Hagen). cf. Iulian. *Ep.* 60 (Ep. 183, p. 242 Bidez–Cumont)
ιμιε ταμβρε πομα cod. L   γάμβρε : cf. Polluc. iii 32 (p. 165 Bethe) : Σαπφὼ . . . καὶ τὸν ἄνδρα αὐτὸν γαμβρὸν καλεῖ

117

14 App.

†χαίροιc ἀ νύμφα†, χαιρέτω δ' ὁ γάμβροc

(i) Heph. *Ench.* iv 2 (p. 13 Consbr.); (ii) Choerob. in Heph. iv (p. 220 Consbr.); (iii) Epit. Heph. 8 (p. 361 Consbr.) sine nomine auctoris. imitatus est, ut vid., Theocr. xviii 49.
χαίροιc ἀ νύμφα (i) codd., (iii) cod. P, χαίροιc ἀνύμφα (ii) cod. K, ἀνύμφα (ii) cod. U. χαίροιcα ci. Turnèbe, χαίροιcθα ci. Neue. an ἀ νύμφα, χαίροιc?

INCERTI LIBRI

118

I

ἄγι †   † χέλυ δῖα †   †
φωνάεccα †   †

(i) Hermog. π. ἰδ. β 4 (p. 334 Rabe); (ii) Eust. 9. 41.
ἄγε χέλυ δῖά μοι λέγε φωνάεccα δὲ γίνεο (i), ἄγε μοι, δῖα χέλυ, φωνάεccα γένοιο (ii). frustra metrum restituere conaberis. post voc. ἄγε (sive ἄγε δή, Blomfield) neque δὲ neque optat. locum habet

119

2

αἱμιτύβιον cτάλαccον
4

Schol. Aristoph. *Plut.* 729.
cταλάccων codd., corr. Hemsterhuis

120

3

ἀλλά τιc οὐκ ἔμμι παλιγκότων
ὄργαν, ἀλλ' ἀβάκην τὰν φρέν' ἔχω . . .

(i) Et. Mag. 2. 45; (ii) Zon. in ἀβάκηcαν.
1 ἔμμιν (i) codd. D, Va (ut vid.), em. Orsini   2 ὀργάνων (i) codd., em. Orsini   πάμφρενα (i) cod. D, (ii) cod. Mosq. ap. Tittmann 11 adn. 59, Canon. gr. 65, παμφρένα (i) cod. Va; τὰν em. Orsini, πὰν retin. Hoffmann

21

4

ἀλλ' ἔων φίλος ἄμμι
λέχος ἄρνυσο νεώτερον·
οὐ γὰρ τλάσομ' ἔγω cυνοί-
κην ἔοιcα γεραιτέρα . . .

(i) Stob. δ 22. 112 (iv 543 Wachsmuth–Hense); (ii) Arsen. iii 14 = Apostol.
ii 52d (ii 277 Leutsch–Schneidewin).
metrum incertum. pherecrateus et glyconii videntur esse.
2 ἄρνυcο (i) codd. S, M, (ii), ἄρνηcον (i) cod. A   3–4 ξυνοικεῖν (i) codd.
M, A, ξυνοκεῖν (i) cod. S, (ii)   4 ἔcca (i) codd. S, A, et sine acc. M, οὖcα (ii).
em. Hiller.   γεραιτέρα (i) cod. S, γερατέρα (i) codd. M, A, γεγραιτέρα (ii)

22

5

ἄνθε' ἀμέργοιcαν παῖδ' ἄγαν ἀπάλαν

Athen. xii 554b (iii 223 Kaibel).
Σαπφώ φηcιν ἰδεῖν ἄνθε' ἀμέργουcαν κτλ. ἄγαν suspectum. num παῖδα τάν?

23

6

ἀρτίωc μὲν ἀ χρυcοπέδιλλος Αὔωc

Ammon. π. διαφ. λέξ. 23 (p. 25 Valcken.[2]).
μ' ἀ ci. Seidler, ut in lib. ἀ reponatur. cf. fr. 103. 13 supra

24

7

αὖτα δὲ cὺ Καλλιόπα

(i) Heph. Ench. xv 4 (p. 48 Consbr.); (ii) Schol. A in Heph. xv (p. 154
Consbr.).
notandum est ultimam a litt. non corripi, si quidem non corripitur.

125

8

†αυταόρα† ἐcτεφαναπλόκην

Schol. Aristoph. Thesm. 401.
αἰcτεφανηπλόκουν cod. R; imperf. agnovit Ahrens

126

9

δαύοιc ἀπάλαc ἐτάραc ἐν cτήθεcιν

Et. Gen. B p. 82 Miller, Et. Mag. 250. 10.
fort. δαύοιc' (Bergk) et ἐταίραc scribendum

127

10

δεῦρο δηὖτε Μοῖcαι χρύcιον λίποιcαι...

(i) Heph. *Ench.* xv 25 (p. 55 Consbr.); (ii) Schol. A in Heph. xv (p. 161 Consbr.).

pro δεῦρο fort. δεῦτε scribendum.

128

11

δεῦτέ νυν ἄβραι Χάριτες καλλίκομοί τε Μοῖcαι

(i) Heph. *Ench.* ix 2 (p. 30 Consbr.); (ii) Schol. A in Heph. *Ench.* ix (p. 139 Consbr.); (iii) Choerob. in Heph. ix (p. 235 Consbr.); (iv) Atil. Fort. *Ars* 28 (vi 301 Keil).

νῦν (i) codd. A, D, (ii) cod. I (qui solus v. praebet), (iii) cod. U (sed addit : ἰcτέον δὲ ὅτι βραχύ ἐcτιν ἐνταῦθα τὸ νυν), (iv) cod. A, νυν cett. et tanquam τετράμετρον χοριαμβικόν affert Hephaest. cf. fr. **103.** 8 supra

129

12

....ἔμεθεν δ' ἔχηιcθα λάθαν...
ἤ τιν' ἄλλον ἀνθρώπων ἔμεθεν φίληιcθα...

Ap. Dysc. π. ἀντ. 343b–c (i 66 Schn.) sine nomine auctoris. Sappho sapiunt. ambo fortasse e phalaeciis sunt, quibus usa est Sappho in ε̄. alterum, ut in lib. ᾱ cogeretur, ita emendavere vv. dd. ut aut ἤ τιν' ἄλλον | μᾶλλον ἀνθρώπων (Bergk) aut ἤ τιν' ἄλλον ἀντ' ἔμεθεν (Wilamowitz) scriberent; alterum inter ionicos (velut **133** infra) collocare possis.

1 ἔχειcθα cod. A   2 τινα cod. A, quo retento lac. erit statuenda. τιν' Ahrens   φίληcθα cod. A

130

13

cum **131** coniunctum exhibet Heph., et fortasse coniungenda sunt.

Ἔρος δηὖτέ μ' ὁ λυcιμέλης δόνει,
γλυκύπικρον ἀμάχανον ὄρπετον

(i) Heph. *Ench.* vii 7 (p. 23 Consbr.); (ii) Schol. B iii in Heph. ix (p. 274 Consbr.). cf. Max. Tyr. xviii 9h (p. 232 Hobein).

δαῦτε, simm., codd., corr. Seidler   μ' ὁ: ἐμὸς vel ἐμὸν (ii) codd.

INCERTI LIBRI

14

cum priore coniunctum exhibet Heph., fort. recte.

Ἄτθι, coì δ' ἔμεθεν μὲν ἀπήχθετο
φροντίϲδην, ἐπὶ δ' Ἀνδρομέδαν πόται

(i) Heph. *Ench.* vii 7 (p. 23 Consbr.); (ii) Schol. B iii in Heph. ix (p. 274 Consbr.).

1–2 vulgat. damus lect., qua ἀπήχθετο singulari constructione idem quod ἀπάρεϲεν, ἀπεύαδεν (ἐπαχθέϲ ἐϲτιν), valere videatur, eo maxime permoti quod accent. φροντίϲ codd. praebeant; sed fort. rectius φρόντιϲ δὰν scribatur, si ἀπήχθετο retinueris   2 φροντίϲ δ' ἦν codd., unde D'Orville φρόντιϲ δὴν (debebat δὰν), φροντίϲδην Bentley   πότε (i) codd. D, I, (ii) codd. k, p, πότη (i) cod. A, corr. Σμ. forma πόταμαι utitur Sappho; sin displicet πόται, πτόηι commendaverimus

15

ἔϲτι μοι κάλα πάιϲ χρυϲίοιϲιν ἀνθέμοιϲιν
ἐμφέρην ἔχοιϲα μόρφαν Κλέιϲ ἀγαπάτα,
ἀντὶ τᾶϲ ἔγωὐδὲ Λυδίαν παῖϲαν οὐδ' ἐράνναν...

(i) Heph. *Ench.* xv 18 (p. 53 Consbr.); (ii) Schol. A in Heph. xv (p. 159 Consbr.). sine nomine auctoris.

2 κλέιϲ (i) cod. A, κλεῖϲ (i) cod. I (bis). cf. P. Oxy. xv 1800, i 14 θυγατέρα δ' ἔϲχε Κλέιν ὁμώνυμον τῇ ἑαυτῆϲ μητρί

16 et 16 A

ἔχει μὲν Ἀνδρομέδα κάλαν ἀμοίβαν...
Ψάπφοι, τί τὰν πολύολβον Ἀφροδίταν...;

Heph. *Ench.* xiv 7 (p. 46 Consbr.).

1 Ἀνδρομέδα καλὰν cod. H, -δαν καλὰ codd. A, I, unde κάλαν ἀμοίβα ci. Bergk

17

ζὰ...ἐλεξάμαν ὄναρ Κυπρογενηα

(i) Heph. *Ench.* xii 4 (p. 39 Consbr.); (ii) Schol. A in Heph. xii (p. 148 Consbr.).

ζαελεξάμαν (i) cod. A, προϲελεξάμαν (i) codd. I, H (λ corr. e δ), (ii) codd. I, M Κυπρογέννα (i) cod. A, Κυπρογενεία (i) codd. I, H. incertum utrum voc. an dat. cas. fuerit

93

135

18

τί με Πανδίονις, Ὤιρανα, χελίδω... ;

(i) Heph. *Ench.* xii 2 (p. 38 Consbr.); (ii) Hesych. in ὠράνα (?).
ὠράνα (i) codd., (ii).   ex Hes., qui χελιδόνων ὀροφή praebet, initium
alterius versus fort. odorari licet.   ὀροφαία Fick

136

19

ἦρος †ἄγγελος ἱμερόφωνος ἀήδων†

(i) Schol. Soph. *Electr.* 149 (p. 110 Papageorg.); (ii) Suidas in ἀηδών. aut
ἀήδω corrigend. aut ἄγγελον ἱμερόφωνον scribend.

137

20

θέλω τί τ' εἴπην, ἀλλά με κωλύει
αἴδως.............

αἰ δ' ἦχες ἔσλων ἵμερον ἢ κάλων
4   καὶ μή τί τ' εἴπην γλῶσσ' ἐκύκα κάκον,
αἴδως †κέν σε οὐκ† ἦχεν ὄππα-
τ' ἀλλ' ἔλεγες †περὶ τὼ δικαίω†

(i) Aristot. *Rhet.* 1367a (p. 47 Römer); (ii) Schol. anon. in *Rhet.* 1367a
(p. 51 Rabe); (iii) Stephan. Schol. in *Rhet.* 1367a (p. 280 Rabe); (iv) Ann.
Comnen. *Alex.* xv 9 (ii 298 Reiffersch.); (v) *vet. tr. G. de Moerbeka (p. 211
Spengel).

1 θέλω τι τ' εἰπῆν (i) cod. A^c, τ' εἰπεῖν (i) codd. Θ, Π, (ii) cod. V, τι εἰπεῖν πρὸς
cέ *(iii) cod. V   3 αἰ (i) cod. A^c corr., αἴθ' ..... τινὲς δὲ ... αἴδ', i.e.
εἴθε vel ἐὰν (!) δ' (ii) cod. V, ἀλλ' ἐὰν ἦς ἀγαθὸς *(iii) cod. V   ἦχες ἐς (i) cod.
A^c corr., ἦκες ἐς i.e. ἦλθες (ii) cod. V. haec omnia apud (v) corruptissima
4 μητιτειπῆν (i) cod. A^c, μήτ' εἰπεῖν (i) codd. Q, Y^b (Θ), μὴ τί τ' εἰπεῖν (ii) cod. V
γλῶσσ' ἐκύκα (ii) cod. V, γλῶσσαι κυκᾶι (i) cod. A^c. 'nequid diceretur lingua
malum turbabatur' *(v) cod. M   5 αἴδώς κέν σε οὐκ εἶχεν ὄμματα (i) cod.
A^c, (ii) cod. V, οὐκ ἂν ἡδοῦ καὶ ἡςχύνου οὖτως *(iii) cod. V, 'verecundia quae
non habet oculos' *(v) cod. M. versus varie tentatus ita emendand. ut ratio
vocum 'οὖτως' et 'quae' (sive 'quod', cod. m) habeatur   6 περὶ τω δικαίω
(i) cod. A^c (τω corr.), ὦ (i) codd. Q, Z^b (Θ), (ii) cod. V; ἀλλὰ μετὰ παρρησίας
ἔλεγες ἂν βλέπων πρός με ἀνερυθριάστως *(iii) cod. V; 'sed hoc dicit clamando
de proprio iusto' *(v) cod. M ('sed dicis' cod. m). an περὶ τὼδικαίως, sc. περὶ
ἐκείνου ὅ σοι γενέσθαι ἠξίους? sed nobis quidem formae in -αιο- suspectae

138

21

στᾶθι †κἄντα† φίλος
καὶ τὰν ἐπ' ὄσσοις' ὀμπέτασον χάριν

Athen. xiii 564d (iii 244 Kaibel).
1 nondum sanatum

22

θέοι δ[...].νϵϲω.[...].τικαδακ[...

θϵ[.].[.]ηλ[.]...[   ]ηλα[.......

Philo Iud. (P. Oxy. xi 1356, fol. 4ᵃ, l. 16), qui dicere videtur : γυναικὸϲ
ποιητρίδοϲ Ϲαπφοῦϲ ϵὐβουλία[ϲ τῆ]ϲ περὶ θεῶν ἡττώμεν[οι. | φηϲὶ γὰρ· θέοι κτλ.
Sapphus nomen agnovit K. F. W. Schmidt

23

(a)

κατθνα⟨ί⟩ϲκει, Κυθέρη', ἄβροϲ Ἄδωνιϲ· τί κε θεῖμεν ;
καττύπτεϲθε, κόραι, καὶ κατερείκεϲθε κίθωναϲ.

Heph. Ench. x 4 (p. 33 Consbr.) sine nomine auctoris. cf. Paus. ix 29. 8
Ϲ. ... Ἄδωνιν ... ἦϲε.
1 Κυθέρη codd. C, P, Κυθέρει' codd. I, H, Κύθερι cod. A (ι ex η corr.)
2 κατερύκεϲθε codd. A, H et (-ρρ-) I, corr. Pauw

(b)

Ϲαπφὼ δὲ ἡ Λεϲβία τοῦ Οἰτολίνου τὸ ὄνομα ἐκ τῶν ἐπῶν τῶν
Πάμφω μαθοῦϲα Ἄδωνιν ὁμοῦ καὶ Οἰτόλινον ᾖϲεν.

Paus. ix 29. 8 (iii 64 Spiro).

24

    κῆ δ' ἀμβροϲίαϲ μὲν
    κράτηρ ἐκέκρατ'
3, 4   Ἔρμαιϲ δ' ἔλων ὄλπιν θέοιϲ' ὠινοχόαιϲε.
    κῆνοι δ' ἄρα πάντεϲ
    καρχάϲι' ἦχον
7, 8   κἄλειβον ἀράϲαντο δὲ πάμπαν ἔϲλα
    τῶι γάμβρωι.

(i) Athen. x 425d (ii 425 Kaibel) ; (ii) Athen. ii 39a (i 90 Kaibel) ; (iii) Eust.
1633. 1 ; (iv) Athen. xi 475a (iii 44 Kaibel) ; (v) Macrob. Sat. v 21. 6 (p. 343
Eyssenh.) ; (vi) *Athen. v 192c (i 427 Kaibel) ; (vii) *Eust. 1205. 17.
duo fragmenta (vv. 1–4 et vv. 5–9) conexit Ahrens probabiliter. metrum
penitus incertum.
1 κηδαμβροϲίαϲ (i) cod. A, ἀμβροϲίαϲ (ii) codd. C, E ; κῆ δ' agnovit Lachmann
2 ἐκέκρατο (i) cod. A, (ii) codd. C, E   3 δὲ ἐλὼν (i) cod. A, δ' ἐλὼν (ii)
codd. C, E, (iii)   ὄλπιν (i) cod. A, ἕρπιν (ii) codd. C, E, (iii). v. lect. fuit
4 θεοῖϲ οἰνοχόηϲαι (i) cod. A, θεοῖϲ ὠνοχόηϲεν (ii) codd. C, E, (iii)   6 καρχήϲι'
ἔχον (iv) cod. A, καρχηϲια εϲχον (litt. uncial.) (v) cod. P   7 καὶ ἔλειβον
(iv) cod. A, καιεαεβον (litt. unc.) (v) cod. P

142

25

Λάτω καὶ Νιόβα μάλα μὲν φίλαι ἦcαν ἔταιραι

Athen. xiii 571d (iii 260 Kaibel).

143

26

χρύcειοι δ' ἐρέβινθοι ἐπ' ἀιόνων ἐφύοντο

(i) Athen. ii 54f (i 128 Kaibel); (ii) Eust. 948. 44.
χρύcειοι ἐρέβινθοι (i) cod. A, (ii)   δ' suppl. Hermann

144

27

μάλα δὴ κεκορημένοις
Γόργωc

Aldi Thes. Corn. Cop. 268b = cod. Voss. gr. 20 ap. Reitzenstein, *Gesch. El.* 367.
κεκορημένου cτόργοc cod. Voss., ed.   nomen Γόργωc iam Toup agnovit

145

28

μὴ κίνη χέραδοc

(i) Schol. Apoll. Rhod. i 1123 (p. 100 Wendel); (ii) Et. Mag. 808. 39.
χέραδοc (i) cod. L, χεράδαc (ii) codd. cf. Alc. Z 20. 1

146

29

μήτε μοι μέλι μήτε μέλιccα

(i) Tract. π. τρόπ. 25 (Rhet. grr. iii 206 Spengel); (ii) Diogen. vi 58 (i 279 Leutsch–Schneidewin); Greg. Cypr. iii 4 (i 368 Leutsch–Schneidewin); Macar. v 95 (ii 189 Leutsch-Schneidewin); Arsen. p. 354 Walz; Suidas in v.; (iii) Diogen. Epit. Vind. iii 25 (ii 39 Leutsch–Schneidewin); (iv) Apostol. xi 45 (ii 527 Leutsch–Schneidewin). nomen Sapphus praebet (i) solus.
μήτ' ἐμοὶ (i) codd. M, R, A; μήτε καὶ (i) cod. Med. lvi 16; μηδὲ sine μοι (ii) omnes, (iii); μήτε sine μοι (iv). cum (ii) et (iii) faciunt codd. Heidelberg. Pal. gr. 129 et Flor. Laur. lviii 24. μήτε μέλιττα (i) codd. R et Med. lvi 16; μηδὲ μελίcca (iii); μήτε μελίccαc (iv); μήτε μάλιcτα (i) codd. M, A; μηδὲ μελίccαc (ii), quocum faciunt codd. Pal. gr. 129 et Laur. lviii 24

147

30

μνάcαcθαί τινά φαιμι †καὶ ἔτερον† ἀμμέων

Dio Chrysost. xxxvii 47 (ii 29 Arnim), qui mox subiungit : λάθα μὲν γὰρ ἤδη τινὰc καὶ ἑτέρουc ἔcφηλε καὶ ἐψεύcατο, γνώμη δ' ἀνδρῶν ἀγαθῶν οὐδένα, ἦ κατ' ἄνδρα μοι ὀρθὸc ἔcτηκαc, quae et ipsa fort. ex eodem carmine sumpsit.
μνάcεcθαι Casaubon probabiliter, sed potest fieri ut etiam μνάcαcθαι recte se habeat   φαμι cod. M, ι a corr. fort. ex η fact.   ἔτερον codd., ὔcτερον ci. Volger; fort. ἄψερον praestat   ἀμμεω cod. M

96

INCERTI LIBRI

31

ὁ πλοῦτος ἄνευ † ἀρέτας οὐκ ἀcίνης πάροικος
ἁ δ᾽ ἀμφοτέρων κρᾶcιc †εὐδαιμονίαc ἔχει τὸ ἄκρον†

(i) Schol. Pind. *Ol.* ii 96b,f (i 85–86 Drachm.); (ii) Schol. Pind. *Pyth.*
v ia (ii 172 Drachm.); (iii) Plut. *pro nobil.* 5 (Mor. vii 212 Bernard.); (iv)
*eiusd. trs. lat. (ib. p. 213).
1 ὁ om. (i) codd.   ἄνευ τὰc ci. Neue, ἄνευθ᾽ Hermann   ἀγαθὸc cύνοικοc
(i) cod. C, 'opes . . . domum male incolunt' *(iv)   2 hunc versum non
habet (ii).   nostrae abiudicant Ahrens, alii   ἐξ ἀμφ. (i) codd. B, C, E, Q,
(iii), ἐξ del. Hermann   ἔχει ἄκρον (iii)

32

ὄτα πάννυχος ἄcφι κατάγρει

Ap. Dysc. π. ἀντ. 386b (i 99 Schn.).

33

οὐ γὰρ θέμιc ἐν μοιcοπόλων †οἰκίαι
θρῆνον ἔμμεν᾽· οὔ κ᾽ ἄμμι τάδε πρέποι

Max. Tyr. xviii 9 (k) (p. 232 Hobein). ἡ δὲ (Σαπφώ) τῇ θυγατρί (ἀναίθεται
ὀδυρομένη ὅτε ἀπέθνηcκεν)· οὐ γὰρ κτλ.
1 δόμωι ci. Hartung   2 οὐκ ἄμμι πρέποι τάδε codd., corr. Σμ., nisi
οὐκ . . . πρέπει praeferendum

34

ὀφθάλμοιc δὲ μέλαιc νύκτος ἄωρος . . .

Et. Mag. 117. 17 (Et. Sym.).
νυκτὸc codd. D, P, cod. Aug. ap. Tittm. Zon. cxxiv; νύκτα Et. ms. Vindob.
131 (ap. Schmidt, Hesych. in ἄορος); χύτ᾽ vulgo   ἄωρον cod. Aug. ap.
Tittm. Zon. cxxiv

35

παντοδάπαιcι μεμειχμένα χροίαιcιν

Schol. Apoll. Rhod. i 726 (p. 61 Wendel). de chlamyde, ut vid., dictum

36

πάρθενον ἀδύφωνον

Atil. Fort. *Ars* 28 (vi 301 Keil).

5576   97   H

154

37

πλήρης μὲν ἐφαίνετ' ἀ cελάννα
αἰ δ' ὠc περὶ βῶμον ἐcτάθηcαν

(i) Heph. *Ench.* xi 3 (p. 35 Consbr.); (ii) P. Oxy. ii **220**, ix (p. 405 Consbr.).

155

38

πόλλα μοι τὰν Πωλυανάκτιδα παῖδα χαίρην

Max. Tyr. xviii 9d (p. 231 Hobein) νῦν μὲν ἐπιτιμᾷ (sc. ἡ Σ.) ταύταιc (sc.
Γοργοῖ τε καὶ Ἀνδρομέδᾳ), νῦν δὲ κτλ.
τόν codd., em. Knebel   πολυανάκτιθα cod. R, πολυανάκτιδα codd. H, M,
em. Bergk

156

39

πόλυ πάκτιδοc ἀδυμελεcτέρα...
χρύcω χρυcοτέρα...

(i) Demetr. π. ἑρμ. 162 (p. 37 Raderm.) et 127 (p. 30 Raderm.); (ii) Greg.
Cor. in Hermog. π. μεθ. δειν. xiii (vii 1236 Walz).
Greg. plura huiusmodi affert : οἷον τὰ Ἀνακρέοντοc, τὰ Σαπφοῦc, οἷον γάλακτοc
λευκοτέρα, ὕδατοc ἀπαλωτέρα, πηκτίδων ἐμμελεcτέρα, ἵππου γαυροτέρα, ῥόδων
ἀβροτέρα, ἱματίου ἐανοῦ μαλακωτέρα, χρυcοῦ τιμιωτέρα

157

40

πότνια Αὔωc

Et. Mag. 174. 44.

158

41

ἡ Σ. παραινεῖ
cκιδναμέναc ἐν cτήθεcιν ὄργαc
πεφύλαχθαι γλῶccαν μαψυλάκαν

Plut. *de cohib. ira* 7 (iii 167 Paton–Pohl.–Siev.).
adonios agnovit Seidler, qui l. 2 μαψυλάκαν γλῶccαν πεφύλαχθαι restituit.
recte monet Bergk infin. esse Plutarchi

159

42

...cύ τε κἆμοc θεράπων Ἔροc

Max. Tyr. xviii 9g (p. 232 Hobein), λέγει... Σαπφοῖ ἡ Ἀφροδίτη.
καλὸc cod. R, suprascr. μ ut vid.

43

τάδε νῦν ἑταίραιc ταὶc ἔμαιc τέρπνα κάλωc ἀείcω

Athen. xiii 571d (iii 260 Kaibel).

ἐμαῖc cod. Α, ἔμαιcι Seidler, ut ex ᾱ proveniat, sed optimo iure dubitatur num ἐταίραιc et ἔμαιc dative usurpari possint, unde ταὶc ἔμαιc τέρποντα Hoffmann, τέρποιcα Sitzler coniecerunt. si ἀείcω recte se habet, fort. ἀείcω; scribendum

44

τανδεφυλαccετε ἐννε|[..]οι γάμβροι [.....]υ πολίων βαcίληεc

P. Bouriant 8 fr. 3 col. vi 91 seqq. (vid. *Archiv f. Papyrusf.* x 1932 pp. 3 seqq.)
Σαπφὼ ἐν | [........] καὶ [....]· τανδεφ. κτλ.
τὰν δὲ, τάνδε, τάνδ' ἐφ., τὰν δ' ἐφ. possis

45

τίοιcιν ὀφθάλμοιcι(ν);

(i) Choerob. in Theodos. *Can.* ἀρc. ζ (i 193-4 Hilgard); (ii) id. *in Psalt.* (iii 65 Gaisf.); (iii) Et. Mag. 759. 35.

46

μέλημα τὦμον

(i) Iulian. *Ep.* 18 (Ep. 193, p. 263 Bidez-Cumont); (ii) Theod. Hyrtac. *Epist.* 15 (*Notices et Extr.* v 735). cf. Heliod. *Aethiop.* iii 3 (p. 80 Bekker) et Aristaen. ii 5.
de accent. τὦμον vid. ad **17.** 1 supra

47

τὸν ϝὸν παῖδα κάλει

Ap. Dysc. π. ἀντ. 396b (i 107 Schn.).
τὸν εον cod. Α, corr. Volger

48

φαίνεταί ϝοι κῆνοc

Ap. Dysc. π. ἀντ. 366a (i 82 Schn.).
in marg. cod. Α φαίνεται μοι κηνοc repetita

166

49

φαῖσι δή ποτα Λήδαν †ὑακίνθινον† πεπυκάδμενον
εὔρην ὤιον

(i) Athen. ii 57d (i 134 Kaibel); (ii) Eust. 1686. 48; (iii) Et. Mag. 822. 41;
(iv) Et. Gen. B p. 316 Miller; (v) Zonaras in ὠιόν.
    1 Λήδαν ὑακίνθινον (iii) [ληδανὸν codd. D, V, M, λίθινον (iv), qui codd. etiam
ποταμὸν praebent], ὑακίνθινον Λήδαν (iii) codd. Par. 356 et 178 ap. Gaisford, (v),
qui et ipsi ποταμὸν pro ποτα habent. †ὑακίνθινον† πεπυκάδμενον om. (i), (ii).
ὑακίνθωι ci. Hemsterhuis   2 ὤιον εὑρεῖν (i) et (ii), εὑρεῖν ὤιον (iii), (iv), (v)

167

50

ὠίω πόλυ λευκότερον

(i) Athen. ii 57d (i 134 Kaibel); (ii) Eust. 1686. 49.

168

51

ὦ τὸν Ἄδωνιν

Mar. Plot. Sacerd. iii 3 (vi 516 Keil).

169

52

ἀγαγοίην

Schol. Il. Ξ 241 (ii 46 Dindorf).

170

53

Αἶγα

Strab. xiii 615 (iii 62 Kramer). dubium an recte Sapphus fragmentis in-
cludatur.

171

54

ἄκακος

Photius in v. (p. 57 Reitzenstein) = Bekk. Anecd. i 370 ὁ κακοῦ μὴ πεπειρα-
μένος . . . .

172

55

ἀλγεσίδωρος

Max. Tyr. xviii 9h (p. 232 Hobein) (Σαπφὼ) . . . εἶπε (τὸν Ἔρωτα) . . . ἀ.

73

56

ἀμαμάξυδ(-οc, -εc)

(i) Choerob. in Theodos. *Can. θηλ. ῑα* (i 331 Hilgard); (ii) Et. Gen. A in *Gesch. Et.* p. 13 Reitzenstein, Et. Mag. 77. 7; (iii) Suidas in ἀμάμυξιc, ἀναδενδράδα.

74

57

[ἀμάρα]

Orion 3. 12 (Sturz ap. Sylb. Et. Mag. ii) οὕτωc ἐν ὑπομνήματι Σαπφοῦc.

75

58

αῦα

Ap. Dysc. π. ἐπιρρ. 596 (i 183 Schn.).
sine accent. cod. A. conferas Et. Mag. 174. 38 et Et. Gud. in v. (p. 238 de Stefani), ubi αὔαν et αὖαν exhibent codd. (? etiam αὔον); vid. *Ἄμ.* lxv n. 1

76

59

βάρβιτοc. βάρωμοc. βάρμοc.

Athen. iv 182f (i 398 Kaibel).
cf. etiam xiv 636c (iii 404 Kaibel) ubi βάρβιτοc ἢ βάρμοc invenitur. βάρμοc, ut vid., ap. Alc. D 12. 4 exstat

77

60

βεῦδοc

Pollux vii 49 (ii p. 65 Bethe) β., ὡc Σαπφώ, κιμβερικόν. ἔcτι δὲ τὸ κιμβερικόν . . . χιτωνίcκοc.

78

61

Γέλλωc παιδοφιλωτέρα

(i) Et. Mag. 795. 11; (ii) Zenob. iii 3 (i 58 Leutsch–Schneidewin); (iii) Suidas in Γελλοῦc π.

79

62

γρύτα

Phrynich. *Praep. Sophist.* (p. 60 de Borries) Σαπφὼ . . . τὴν μύρων καὶ γυναικείων τινῶν θήκην.

180

63

Ἕκτωρ

Hesych. in ἕκτορες. Σαπφώ . . . τὸν Δία. sed confundi videntur ἕκτωρ et ἵκτωρ.

181

64

ζάβατον

Schol. Lond. in Dionys. Thrac. *Art.* 6 (p. 493 Hilgard).

182

65

ἰοίην

Schol. *Il.* Ξ 241 (ii 46 Dindorf).

183

66

κατώρης s. κατάρης

(i) Porphyr. ap. Schol. *Il.* B 447 (p. 41 Schrader); (ii) Eust. 603. 39.

(i) Ἀλκαῖος δέ που καὶ Σαπφὼ τὸν τοιοῦτον ἄνεμον κατώρη λέγουσιν ἀπὸ τοῦ κατωφερῆ τὴν ὁρμὴν ἔχειν cod. Ven. Marc. 453 (manus secunda). cf. etiam Hesych. κατωρής, Theognost. καν. ͞κμη. (ii) τὸ cυνεcτραμμένον πνεῦμα καὶ καταράccον ἄνεμον κατάρη λέγουcιν ὁ Ἀλκαῖος καὶ ἡ Σαπφώ . . .

184

67

κίνδυν

Choerob. in Theodos. *Can.* ἀρc. ͞κγ (i 270 Hilgard). fort. Sappho κίνδυνος gen. cas. usurpasse concludendum est

185

68

μελίφωνος

Philostr. Mai. *Imagg.* ii 1 (p. 63 S. Vind. Sod.), sed fortasse in μελλιχόφωνος corrigend. cf. Aristaen. i 10 et 71. 6 supra

186

69

Μήδεϊα

Ioh. Alex. τον. παρ. (p. 4 Dindorf).

187

70

Μοιcάων

Cr. *A. O.* i 278. 17.

Μοιcά(ων) cod. Coll. Nov. 298. *Μοίcαν Σμ.*, sed fortasse iniuria, nam in eiusmodi carmine, quod epicum saperet, tali forma uti potuit

188

71

μυθόπλοκος

Max. Tyr. xviii 9h (p. 232 Hobein) (*Σαπφὼ λέγει τὸν "Ερωτα*) *μ.*

189

72

νίτρον

Phryn. 305 (art. 273 Rutherf.).

190

73

πολυΐδριδι

(i) Schol. *Il. Γ* 219 (i 152 Dindorf); (ii) Et. Mag. 42. 40; (iii) Eust. 407. 38.

191

74

cέλιννα

Pollux vi 107 (ii p. 31 Bethe) (*Σαπφὼ cτεφανοῦcθαί φηcι*) *cελίνοιc.*

192

75

χρυcαcτράγαλοι φίαλαι

Pollux vi 98 (ii p. 28 Bethe) *μεcόμφαλοι δὲ φίαλαι καὶ βαλανειόμφαλοι τὸ cχῆμα προcηγορίαν ἔχουcιν, χρυcόμφαλοι δὲ τὴν ὕλην, ὡc αἱ Σαπφοῦc χ.* cf. Athen. xi 502 epit. (iii 107 Kaibel) *ἐκαλεῖτο δέ τιc καὶ βαλανωτὴ φιάλη, ἧc τῷ πυθμένι χρυcοῖ ὑπέκειντο ἀcτράγαλοι . . . Αἰολεῖc δὲ τὴν φιάλην ἄρακιν καλοῦcι.* incertum igitur quid hic nostrae sit restituendum.

193

76

οἶμαι δέ cε καὶ Σαπφοῦc ἀκηκοέναι πρόc τιναc τῶν εὐδαιμόνων δοκουcῶν εἶναι γυναικῶν μεγαλαυχουμένηc καὶ λεγούcηc ὡc αὐτὴν αἱ Μοῦcαι τῷ ὄντι ὀλβίαν τε καὶ ζηλωτὴν ἐποίηcαν καὶ ὡc οὐδ' ἀποθανούcηc ἔcται λήθη.

Ael. Aristid. *Or.* xxviii 51 (ii 158 Keil). fort. ad fr. **147** supra referendum.

194

77

. . . τὰ δὲ Ἀφροδίτης ὄργια ⟨μόνη⟩ παρῆκαν τῇ Λεσβίᾳ Σαπφοῖ
{καὶ} ᾄδειν πρὸς λύραν καὶ ποιεῖν ⟨ᾠδὴν⟩ τὸν θάλαμον· ἣ καὶ
εἰσῆλθε μετὰ τοὺς ἀγῶνας εἰς θάλαμον, πλέκει παστάδα, τὸ λέχος
{'Ομήρου} στρώννυσι, †γράφει† παρθένους ⟨εἰς⟩ νυμφεῖον, ἄγει
καὶ Ἀφροδίτην ἐφ' ἅρματι Χαρίτων, καὶ χορὸν 'Ερώτων συμ-
παίστορα· καὶ τῆς μὲν ὑακίνθῳ τὰς κόμας σφίγξασα, πλὴν ὅσαι
μετώπῳ μερίζονται, τὰς λοιπὰς ταῖς αὔραις ἀφῆκεν ὑποκυμαίνειν,
εἰ πλήττοιεν· τῶν δὲ τὰ πτερὰ καὶ τοὺς βοστρύχους χρυσῷ
κοσμήσασα πρὸ τοῦ δίφρου σπεύδει πομπεύοντας καὶ δᾷδα
κινοῦντας μετάρσιον.

Himer. Or. i. 4 (=ix 4 Colonna).
μόνη ex apogg. suppl.   καὶ cod. Monac. 564 (Augustanus), del. Wernsdorf   ᾠδὴν suppl. Wernsdorf   inter καὶ et εἰσῆλθε lac. statuend. esse censet
Dübner. alii ποιεῖν τὸν θάλαμον. ἣ καὶ εἰσῆλθε retinent   'Ομήρου delend.
docuit Neue   γράφει παρθένους νυμφιὸν cod. ; ἀγείρει π. εἰς νυμφεῖον tentavit
Dübner ; ἄγει π., νύμφιον ἄγει καὶ Ἀφ. Stenzel ; γράφει παρθ., νύμφην ἄγει
ci. Mangelsdorff   ἅρμα cod. et Photius   σπεύδει (σπένδει cod. a²)
πολιτεύοντας (corr. Dübner) καὶ (om. cod. a) Phot. codd., ἵστησι (om. σπ. πομπ.
καὶ) cod. August.

195

78

διὸ καὶ ἡ Σαπφὼ περὶ μὲν κάλλους ᾄδουσα καλλιεπής ἐστι καὶ
ἡδεῖα, καὶ περὶ ἐρώτων δὲ καὶ ἔαρος καὶ περὶ ἀλκυόνος,. καὶ ἅπαν
καλὸν ὄνομα ἐνύφανται αὐτῆς τῇ ποιήσει. . . .

Demetr. π. ἑρμ. 166 (p. 37 Radermacher).
ἀέρος cod. P, ἔαρος Gale

196

79

τὸ ὑπὲρ πάσης τῆς πόλεως ἑστηκὸς γάνος, οὐ διαφθεῖρον τὰς
ὄψεις, ὡς ἔφη Σαπφώ, ἀλλ' αὖξον καὶ τρέφον καὶ ἄρδον ἅμα
εὐθυμίᾳ, ὑακινθίνῳ μὲν ἄνθει οὐδαμῶς ὅμοιον, ἀλλ' οἷον οὐδὲν
πώποτε γῆ καὶ ἥλιος ἀνθρώποις ἔφηναν.

Ael. Aristid. Or. xviii 4 (ii 9 Keil).
hic nihil est Sapphus, opinamur, nisi διαφθεῖρον τὰς ὄψεις, quod iure ad
31. 11 rettuleris, sicut fecit Nauck ; nam ὑακινθίνῳ . . . ἄνθει . . . ὅμοιον ad
Hom. Od. ζ 231 ὑακινθίνῳ ἄνθει ὁμοίας (cui loco Philostr. Mai. Imagg. ii
11, p. 84 S. Vind. Sod., conferas) spectat.

80

εἰ οὖν Σαπφὼ τὴν Λεσβίαν οὐδὲν ἐκώλυσεν εὔξασθαι νύκτα
αὐτῇ γενέσθαι διπλασίαν, ἐξέστω κἀμοὶ κτλ:

Liban. *Or.* xii 99 (ii 44 Foerster).

81

Σαπφὼ δὲ (τὸν Ἔρωτα) Γῆς καὶ Οὐρανοῦ (γενεαλογεῖ).

Schol. Apoll. Rhod. iii 26 (p. 216 Wendel).

Ἀλκαῖος (τὸν Ἔρωτα εἶπεν) Ἴριδος [cod. Κ Ἔριδος] καὶ Ζε-
φύρου, Σαπφὼ Ἀφροδίτης καὶ Οὐρανοῦ....

Schol. Theocr. xiii 1–2 c (p. 258 Wendel).
Ἀφροδίτης cod. Κ, varie emendat.

Σαπφὼ δὲ ἡ Λεσβία πολλά τε καὶ οὐχ ὁμολογοῦντα ἀλλήλοις
ἐς Ἔρωτα ᾖσε.

Paus. ix 27. 3 (iii 58 Spiro).

82

περὶ δὲ τοῦ τῆς Σελήνης ἔρωτος ἱστοροῦσι Σαπφὼ καὶ Νίκαν-
δρος ἐν β Εὐρώπης. λέγεται δὲ κατέρχεσθαι εἰς τοῦτο τὸ ἄντρον
(τὸ Λάτμιον) τὴν Σελήνην πρὸς Ἐνδυμίωνα.

Schol. Apoll. Rhod. iv 57 (p. 264 Wendel).

83

Σαπφὼ δέ φησι τὴν Πειθὼ Ἀφροδίτης θυγατέρα.

Schol. Hesiod. *Op.* 74. cf. 90 fr. 1(a) col. ii 7–8.

84

Σαπφὼ (φησιν) ὅτι
τὸ ἀποθνήσκειν κακόν· οἱ θεοὶ γὰρ οὕτω κεκρίκασιν· ἀπέθνησκον
γὰρ ἄν.

(i) Aristot. *Rhet.* 1398b (p. 156 Römer); (ii) Gregor. Corinth. in Hermog.
π. μεθ. δ. (vii 1153 Walz) = Ioh. Diac. Logoth. in Hermog. π. μεθ. δ. (Rabe,
Rh. Mus. 1908, 137).
addito εἴπερ ἦν καλὸν τὸ ἀποθνήσκειν (ii)

85

Ῥοδῶπις δὲ ἐς Αἴγυπτον ἀπίκετο Ξάνθεω τοῦ Σαμίου κομί-
σαντος, ἀπικομένη δὲ κατ᾽ ἐργασίην ἐλύθη χρημάτων μεγάλων
ὑπὸ ἀνδρὸς Μυτιληναίου Χαράξου τοῦ Σκαμανδρωνύμου παιδός,
ἀδελφεοῦ δὲ Σαπφοῦς τῆς μουσοποιοῦ. . . . Χάραξος δὲ ὡς
λυσάμενος Ῥοδῶπιν ἀπενόστησε ἐς Μυτιλήνην, ἐν μέλεϊ Σαπφὼ
πολλὰ κατεκερτόμησέ μιν.

Herod. ii 135.

λέγεται δὲ τῆς ἑταίρας τάφος γεγονὼς ὑπὸ τῶν ἐραστῶν, ἣν
Σαπφὼ μὲν ἡ τῶν μελῶν ποιήτρια καλεῖ Δωρίχαν, ἐρωμένην τοῦ
ἀδελφοῦ αὐτῆς Χαράξου γεγονυῖαν, οἶνον κατάγοντος εἰς Ναύκρατιν Λέσβιον κατ᾽ ἐμπορίαν, ἄλλοι δ᾽ ὀνομάζουσι Ῥοδῶπιν.

Strab. xvii 808.

ἐνδόξους δὲ ἑταίρας . . . ἤνεγκεν καὶ ἡ Ναύκρατις· Δωρίχαν τε,
ἣν ἡ καλὴ Σαπφὼ ἐρωμένην γενομένην Χαράξου τοῦ ἀδελφοῦ
αὐτῆς κατ᾽ ἐμπορίαν εἰς τὴν Ναύκρατιν ἀπαίροντος διὰ τῆς
ποιήσεως διαβάλλει, ὡς πολλὰ τοῦ Χαράξου νοσφισαμένην.

Athen. xiii 596b–c (iii 314 Kaibel).

ἦν δὲ Θρᾷσσα τὸ γένος, ἐδούλευσε δὲ σὺν Αἰσώπῳ Ἰάδμονι
Μυτιληναίωι, ἐλυτρώσατο δ᾽ αὐτὴν Χαράξας ὁ Σαπφοῦς ἀδελφός·
ἡ δὲ Σαπφὼ Δωρίχαν αὐτὴν καλεῖ.

Phot. in 'Ροδώπιδος ἀνάθημα; Suid. in 'Ροδώπιδος ἀνάθημα.

ἡ Ῥοδῶπις ἑταίρα ἦν περὶ Ναύκρατιν τῆς Αἰγύπτου, ἧς καὶ
Σαπφὼ μνημονεύει καὶ Ἡρόδοτος.

App. Prov. iv 51 (i 445 Leutsch-Schneidewin).

ἀδελφοὺς δ᾽] ἔσχε τρεῖς . . . πρεσβύ[τατον δὲ Χάρ]αξον ὃς
πλεύσας ε[ἰς Αἴγυπτον] Δωρίχαι τινὶ προσε[νεχθε]ὶς κατεδαπάνησεν
εἰς ταύτην πλεῖστα.

P. Oxy. xv 1800, i 7–13.

03

86

Σαπφώ τε ἡ καλὴ πολλαχοῦ Λάριχον τὸν ἀδελφὸν ἐπαινεῖ ὡς
οἰνοχοοῦντα ἐν τῷ πρυτανείῳ τοῖς Μυτιληναίοις.

Athen. x 425a (ii 424 Kaibel); Eust. 1205. 19.

ἔθος γὰρ ἦν, ὡς καὶ Σαπφώ φησι, νέους εὐγενεῖς εὐπρεπεῖς
οἰνοχοεῖν.

Schol. *Il.* Υ 234 (vi 322 Maass).

τὸν δὲ Λάριχον νέον ⟨ὄντα⟩ μᾶλλον ἠγάπησεν

P. Oxy. xv 1800, i 13-14.

04

87

ὁ δὲ χρυσὸς ἄφθαρτος καὶ ἡ Σαπφὼ ⟨   ⟩ ὅτι Διὸς παῖς
ὁ χρυσὸς κτλ.

Schol. Pind. *Pyth.* iv 410 c (ii 153 Drachm.).
ἄφθαρτος codd. B, D, E, G, ἄφθιτος cod. Q. Sapphus verba interciderunt,
proxima recte Pindaro adsignat Schol. Hes. *Op.* 428

καίτοι καθαρεύειν γε τὸν χρυσὸν ἀπὸ τοῦ ἰοῦ ᾗ τε ποιήτρια
μάρτυς ἐστὶν ἡ Λεσβία καὶ αὐτὸς ὁ χρυσὸς ἐπιδείκνυσιν.

Paus. viii 18. 5 (ii 301 Spiro). cf. Theogn. 450-2 χρυςόν . . . τοῦ χροιῆς καθ-
ύπερθε μέλας οὐχ ἅπτεται ἰός . . . αἰεὶ δ' ἄνθος ἔχει καθαρόν.

05

88

Homerus pueros puellasque (Niobae) bis senos dicit fuisse,
Euripides bis septenos, Sappho bis novenos, . . .

Aul. Gell. *Noct. Att.* xx 7 (ii 301 Hosius). cf. quae Aelian. *V.H.* xii 36
(p. 132 Hercher) de eadem re disserit.

06

89

quidam septem pueros et septem puellas accipi volunt,
quod et Plato dicit in Phaedone et Sappho in lyricis . . .,
quos liberavit secum Theseus . . .

Serv. in Verg. *Aen.* vi 21 (ii 9 Thilo-Hagen).

207

90

Prometheus post factos a se homines dicitur . . . ignem
furatus, quem hominibus indicavit. ob quam causam irati
dii duo mala immiserunt terris mulieres et morbos, sicut et
Sappho et Hesiodus memorant.

Serv. in Verg. *Ecl.* vi 42 (iii 72 Thilo–Hagen).

208

91

τὰ δὲ cὰ νῦν δέον καὶ αὐτῷ τῷ Μουcηγέτῃ εἰκάζεcθαι, οἷον
αὐτὸν καὶ Σαπφὼ καὶ Πίνδαροc ἐν ᾠδῇ κόμῃ τε χρυcῇ καὶ λύραιc
κοcμήcαντεc, κύκνοιc ἔποχον εἰc Ἑλικῶνα πέμπουcι, Μούcαιc
Χάριcί τε ὁμοῦ cυγχορεύcοντα . . .

Himer. *Or.* xiii 7 (= xlvi 6 Colonna).
incertum quantum ad Sappho redeat

209

92

φιλία τιc δηλαδὴ πολυρέμβαστοc καὶ καλὸν δοκοῦcα εἴποι ἂν
ἡ Σαπφὼ δημόcιον.

Eust. *Epist.* 42 (p. 345 Tafel).
'quod videtur dixisse in Rhodopin' Bergk (si Doricham scripseris) probabiliter

210

93

Σκύθικον ξύλον

θάψοc· ξύλον ᾧ ξανθίζουcι τὰ ἔρια καὶ τὰc τρίχαc· ὃ Σαπφὼ
Σκυθικὸν ξύλον λέγει.

Phot. in θάψοc (p. 274 Naber).

(*a*) θάψοc δέ ἐcτιν εἶδοc ξύλου ὃ καλεῖται cκυθάριον ᾗ φηcι
Σαπφώ. τούτῳ δὲ τὰ ἔρια βάπτουcι. τινὲc τὸ Σκυθικὸν ξύλον.

(*b*) θάψοc γάρ ἐcτι ξύλον τι, ὃ καλεῖται καὶ Σκυθικὸν ξύλον,
ὥc φηcι καὶ Σαπφώ. τούτῳ δὲ τὰ ἔρια βάπτουcι καὶ ποιοῦcι
μάλινα καὶ τὰc τρίχαc ξανθίζουcιν.

Scholl. Theoc. ii 88 (p. 286 Wendel). (*a*) habet cod. K, (*b*) codd. U, E, A, qui
μάλλινα praebent. cf. ad **105** (*a*) 1.
Cf. (*a*) Hesych. in θάψινον. τὸ ξανθόν, ἀπὸ τοῦ ξύλου τῆc θάψου {ὃ βάπτει}
ᾧ ξανθίζουcι τὰ ἔρια καὶ τὰc κεφαλάc. τοῦτό τινεc Σκυθικὸν λέγουcι κτλ.
(*b*) Hesych. in Σκυθικὸν ξύλον. τὴν διάπυρον. ἔνιοι τὴν θαψίαν.
(*c*) Hesych. in Σκυθικόc. Κρατῖνοc Σκυθικὸν ἔφη τὸν Ἱππόνικον, διὰ τὸ
πυρρὸν εἶναι, καὶ ᾧ ξανθίζονται αἱ γυναῖκεc καὶ βάπτουcι τὰ ἔρια.

94

Φάων

(a) τῷ Φάωνι βίος ἦν περὶ πλοῖον εἶναι καὶ θάλασσαν· πορθμὸς
ἦν ἡ θάλασσα· ἔγκλημα δὲ οὐδὲν παρ᾽ οὐδενὸς ἐκομίζετο, ἐπεὶ καὶ
μέτριος ἦν καὶ παρὰ τῶν ἐχόντων μόνον ἐδέχετο. θαῦμα ἦν τοῦ
τρόπου παρὰ τοῖς Λεσβίοις. ἐπαινεῖ τὸν ἄνθρωπον ἡ θεός·
Ἀφροδίτην λέγουσι τὴν θεόν· καὶ ὑποδῦσα θέαν ἀνθρώπου,
γυναικὸς ἤδη γεγηρακυίας, τῷ Φάωνι διαλέγεται περὶ πλοῦ.
ταχὺς ἦν ἐκεῖνος καὶ διακομίσαι καὶ μηδὲν ἀπαιτῆσαι. τί οὖν ἐπὶ
τούτοις ἡ θεός ; ἀμεῖψαί φασι τὸν ἄνθρωπον, καὶ ἀμείβεται
νεότητι καὶ κάλλει τὸν γέροντα. οὗτος ὁ Φάων ἐστίν, ἐφ᾽ ᾧ τὸν
ἔρωτα αὐτῆς ἡ Σαπφὼ πολλάκις ἐμελοποίησεν.

(i) [Palaeph.] π. ἀπίϲτ. 48 (Myth. Gr. iii (2) 69 Festa); (ii) Apostol. xvii 80
(ii 707 Leutsch-Schneidewin) = Arsenius, p. 461 Walz. cf. Aelian. *V.H.* xii 18
(p. 127 Hercher) et Serv. in Verg. *Aen.* iii 279 (i 390 Thilo-Hagen); Lucian.
Dial. Mort. ix 2 (i 131 Sommerbrodt); Schol. in eiusd. *Dial. Meret.* xii (p. 282
Rabe). in (ii) haec verba praemittuntur Φάων ὑπάρχεις τῷ κάλλει καὶ τὸν τρόπον.
ἐπὶ τῶν ἐρασμίων καὶ ὑπερηφάνων· τοῦ γὰρ Φάωνος ἐραϲθῆναί φασι τὴν Σαπφώ, οὐ
τὴν ποιήτριαν, ἀλλὰ τὴν Λεϲβίαν· καὶ ἀποτυγχάνουϲαν ῥῖψαι ἑαυτὴν ἀπὸ τῆς Λευκά-
δος πέτρας, quibus Photius in Φάων, Suidas in Φάων, Plut. *Prov.* i 29, Schol.
Berol. in Liban. *Ep.* 260 (ep. 257, x 249 Foerster) similia praebent.

(b) (i) τὸν Φάωνα κάλλιστον ὄντα ἀνθρώπων ἡ Ἀφροδίτη ἐν
θριδακίναις ἔκρυψε.

Aelian. *V.H.* xii 18 (p. 127 Hercher).

(ii) Καλλίμαχος . . . φησιν ὅτι ἡ Ἀφροδίτη τὸν Ἄδωνιν ἐν
θριδακίνῃ κρύψειεν . . . καὶ Εὔβουλος δ᾽ ἐν Ἀστύτοις φησίν· . . .
ἐν τῷ λαχάνῳ τούτῳ . . ., ὡς λόγος, ποτὲ | τὸν Ἄδωνιν ἀποθανόντα
προὔθηκεν Κύπρις· . . . Κρατῖνος δέ φησι Φάωνος ἐρασθεῖσαν τὴν
Ἀφροδίτην (hoc refert et Schol. in Lucian. *Dial. Mort.* xix,
p. 260 Rabe) ἐν καλαῖς θριδακίναις αὐτὸν ἀποκρύψαι, Μαρσύας
δ᾽ ὁ νεώτερος ἐν χλόῃ κριθῶν.

Athen. ii 69 (i 163 Kaibel).

(iii) scriptum reliquit Sappho Adonim mortuum fuisse
a Venere inter lactucas depositum.

Comes Natalis *Mythol.* v 16 (p. 161, ed. Ven. 1567), falso ut videtur.

(c) portentosum est quod de ea (sc. erynge) traditur, radicem eius alterutrius sexus similitudinem referre, raro invento, set si viris contigerit mas, amabiles fieri; ob hoc et Phaonem Lesbium dilectum a Sappho . . .

Plin. *N.H.* xxii 20 (iii 446 Mayhoff).

212
95

memoriae prodit Sappho primum Acheloum vini mistionem . . . invenisse.

Comes Natal. *Mythol.* vii 2 (p. 212, ed. Ven. 1567).

213
2292
96

$$\cdot \qquad \cdot$$
$$].\,.[.\,].\,\tau\,.\,.\,.[$$
$$.\,.\,.\,.[.\,.].\,c\epsilon\ \epsilon\mu a\ \kappa\, \text{'}A\rho\chi\epsilon\acute{a}\nu a[c\text{-}$$
$$ca\ \Gamma\acute{o}\rho\gamma\omega\langle.\rangle\ c\acute{v}\nu\delta\nu\gamma o(c)\cdot \grave{a}\nu\tau\grave{i}\ \tauο\hat{v}$$
$$c[\acute{v}\nu]\zeta\upsilon\xi\cdot\ \acute{\eta}\ \Pi\lambda\epsilon\iota c\tauο\delta\acute{\iota}\kappa\eta$$
5 $$\tau]\hat{\eta}\iota\ \Gamma[o]\rho\gamma o\hat{\iota}\ c\acute{v}\nu\zeta\upsilon\xi\ \mu\epsilon\text{-}$$
$$\tau\grave{a}\ \tau[\hat{\eta}c]\ \Gamma ο\gamma\gamma\acute{v}\lambda\eta c\ \grave{o}\nu[ο]\mu ac\theta\acute{\eta}\text{-}$$
$$c\epsilon\tau[a\iota\cdot\ \kappa]ο\iota\nu\grave{o}\nu\ \gamma\grave{a}\rho\ \tau\grave{o}\ \acute{ο}\nuο\text{-}$$
$$\mu[a\ .]_\epsilon\delta\,.\tau a\iota\ \eta\ \kappa a\tau\grave{a}\ \tau\hat{\eta}c[.]\,.\,.\,.$$
$$a[.\,.\,.]\ \Pi\lambda[\epsilon]_\iota c\tauο\delta\acute{\iota}\kappa\eta[.\,.]\nu$$
10 $$\grave{ο}\nuο\mu]ac\theta\eta c\epsilon\tau[a\iota]\ \kappa\upsilon\text{-}$$
$$]_\eta[\qquad].\,a\tau_\epsilon\tauο\upsilon\tau$$
$$].\nu_\rho\ a\nu$$
$$\cdot\qquad\cdot$$

omnia suppl. e.p.   2 init. h.v. infra lineam desc.; tum spatiolum vacuum; tum litt. duarum partes inf., αχ possis   8 δ]έδοται possis   ].. : hh.vv. duarum pedes, tum h.v. longius infra lineam desc. pars inf.   11]. : h.v. pars sup.   post ultimum τ, litt. vestigium in linea nullum, suspensam fuisse negare vix possis   12]. : h. curva tenuis a sin. surgit, litt. ν angulum sin. tangit

CARMINUM ALCAICORUM
FRAGMENTA

1

A I

1789 frr. 24, 25, 26, 34 coniuncta, quibus accedit eiusdem p. fr. xxi 2166 (ϵ)
13; vicina etiam A 21 et 23

        ]ν· πάντα δὲ να[
        ] ἀπόλλυται· κ[
        ]ϲικαιϲταιπο[
        ]φρ.[. . . .].τι[

5   ]ạλαι.[
        ]κρετεω[. .].[
        ]πραπειϲομαι[
        ]ϵ μέμπτον ὠ[
        ].έξεται δ[

10   ]ντακακ[
          ]ν'ω̈[

.   .   .

12   ].να.λυ.[
       ].[.'].φθό[
       ].'ύμω[

.   .   .

1 δϵ'να   2 κ[potius quam ν[3 vestigiis etiam καιϵται admittitur
4 φρϵ[, φρο[6]θ[,]ο[7 fort. etiam πϵιδο possis   8 ϵ'μέμ
9 vix]δϵξ : credideris]ξϵξ coeptum fuisse scribi   10 κᾰκ   11]ν'ω̈[,
quo etiam]ν ω̈[significari potest   12]. : h.v. pes sinistrorsum hamatus,
neque ι neque ν satisfacit   inter α et λ ut vid. litt. rotundae arcus inf.
dext.   .[: litt. rotundae pars sin.   13 init.]. : h.h. velut γ, π, τ   ante
φ, h.v. pes   14]. : vestigia in ν quadrant   'ῠ   supra ω inter lineas
atramentum, .α. possis, vel ", nisi restet punctulum cuius ratio non sit
reddita

2

<h1 style="text-align:center">A 2</h1>

1789 frr. 7, 11 coniuncta; quibuscum fr. 10 tanquam ex eadem papyri parte
collocatum est

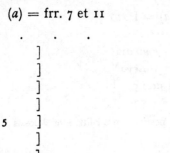

     (*a*) = frr. 7 et 11   (*b*) = fr. 10

```
          ]                           ]ρματ[
          ]                           ]δην' ω̣[
          ]                           ]..μη[
          ]
5         ]
          ]
          ]ν
          ]νον.
          ].
10        ]
          ]λιας[
          ]ς κάκον[
```

(*a*) 5 hic v. fort. primus fuit col.   marg. v.l.]ταδεως.   7 marg.
v.l. et schol. ¹·τᾶνδᾶ· ²βαρη αιρους[inter 8 et 9 marg. gl. ¹απολελειμ- ²μενον
(sive ¹απολελειμ[μενον   - |²μενον)
(*b*) 2 fort. etiam]κην' possis

3

<h1 style="text-align:center">A 3</h1>

1789 fr. 8

```
                              ]ε πότνιαν
                              ]μάδοκον
3  ___                        ]
                              ]ννέχει
                              ]ώνυμον·
                              ]άψετ' [̈.
7  ___                        ]
                              ]άρον
                              ]τό[.].
```

1 νιᾰν   2 μάδ   οκο lectu incertiss.   5]ω̈ν   6]άψετ'[̈ ˝   [αἰ
conieceris   8]άρ   marg. vestig. sch.   9 vel]γό; mox fort.]ω

4   A 4

1789 frr. 20 et 21, ex eadem papyri parte

$$(a) = \text{fr. } 21$$

. . .
    ]κρακαμ[
    ]ταμεγαλ[
    ]．αις· ς . . .[
    . . .

2 vel]γα   3]π,]ν, simm., possis   pro ς litt. ε vel θ possis

$$(b) = \text{fr. } 20$$

. . .
    ]λαγιτω[
    ]ψε· καὶ
    ]
    ]δίκως·
   5   ]ς

1 fort. ἀλ]λ' ἀγιτω, sed pro λ et α litt. α et λ, pro γ litt. ι, simm., pro ι litt. γ, simm., possis

5   **A 5**

1789 fr. 1 i 1–14 et fr. 2 coniuncta, quibus accedunt eiusdem p. frr. xviii
2166 (*e*) 1 et 9, xxi 2166 (*e*) 10

```
                                        ]ạν [
   2                                    ]·
       [                                           ]
       [                                           ]
                   ]....[  ].ε̣[.]ας
   6           ]ạραις ἔχη[[ι]]·
               ]εῦ πρὸς μακάρων θέων[
               ]νομ[..]τοις[.]θαρος κ.[
               ]ενέτω μηδὲ πονήμε[ν]ọι
  10   ζαλλευόντο]ν ἀείκεα.
               ]τι[.] κεκρ[ί]μενος γάμει
               ]κε ξυστοφο[ρή]με[
               ].ακ' αὔταν γλυκέως [
  14   βα]ςίλευς ἔχην.
               ]εκα πόλλας[.]πạ.αμ..α[
               ]ιμένην· ạ[...]ρ ἔμοι τότα
               γέ]νοιτ' ὄπποτα.[.]μέ..ν
  18   §      ].ηι γάμọν
```

notandum est initia versuum huius carminis sinistrorsus ita eminuisse ut
ἐν εἰςθέςει quod vocatur fuerint vv. 1–6 subsequentis.
   2 marg. schol. vel v.l. βαϛι.[5 ante ε, h.v. in linea pars inf., praecedit
cauda hastae infra lineam desc., φρε[ν] veri sim.   marg. schol. ọ͞.· μη
6 εχηι· (ι delet.)   marg. schol. ¹τ[ ] ²[α]λλαις μακρως [...]χ..ραλι̣... ³]ηλεας,
itaque procul dubio 5 φρε[ν]ας, in 6 voc. ἄλλαις i.q. ἠλεάς, cf. K 26. 2 infra
7 εῦ   8 vel νον[nisi θα posceret metrum θλ script. crederes, pro ρ
litt. etiam ι vel υ, mox fort. κλ[, κυ[, κρ[possis   9]ενέτ (᾿ incert.)   δε'πονή
cum diastola non congruit v.l., dub. utrum μηδὲ πονήμενοι an cum e.p. μηδ'
ἐπονάμενοι sit legend. Alc. F 5. 17 προςθεπονήμ[i.e. πρόςθ' ἐπονήμενοι habes
10 e marg. suppl., ubi ζαλλευόντον ζαλλευετωσαν (sup. ζαλλευετωσαν schol. delet.
]..ιςαντες)]ν'α in lit.   ἐίκεα.   11 suppl. e.p. γάμ   12 κ̣έξ [.·] suppl.
e.p.   13]τ, simm.   κ'άυ   marg. v.l. .ταντ..[.]ω̣ς̣., fort. ταχ[14
suppl. e.p.   ςίλ   ην.   15 ἔνν]εκα suppl. veri sim.   κα:πόλ inter
α et α punctulum summis litt. adaequatum   inter μ et α litt. π vel η, tum
υ, ρ, ι, simm., possis   marg. v.l. .τ....[.   16 μένην·   α[ι γὰ]ρ suppl.
e.p., quod vix legi potest   τα[in lit.   17 suppl. e.p.   τ'όπ   λ[
vel δ[   ]μέ ut vid. (velut [α̅ι]μέ)   18]λ, simm.   ηι, ut vid.
delet.   γάμ   ε pro ο, ι pro ν possis

6

A 6

(a) fragmentis 1789 1 i 15–19, ii 1–17, 3 i, etiam fr. 12 subiunctum. (b) xviii
2166 (e) 4, fort. dextrae parti fr. (a) sicut exhibuimus adiungendum

(a) col. i   τόδ' αὖ]τε κῦμα τὼ π[ρ]οτέρ[ω †νέμω
           cτείχει,] παρέξει δ' ἄ[μμι πόνον π]όλυν
           ἄντλην ἐπ]εί κε νᾶ[ος ἔμβαι
4   ———   ].όμεθ' ἐ[
           ]..[..].[
         [   ]

col. ii   φαρξώμεθ' ὠc ὤκιcτα[
8   ἐc δ' ἔχυρον λίμενα δρό[μωμεν,
           καὶ μή τιν' ὄκνοc μόλθ[ακοc
           λάχηι· πρόδηλον γάρ· μεγ[
           μνάcθητε τὼ πάροιθα ν[
12   νῦν τιc ἄνηρ δόκιμοc γε[
           καὶ μὴ καταιcχύνωμεν[
           ἔcλοιc τόκηαc γᾶc ὔπα κε[ιμένοιc
           ..] τᾶνδ[(b)
16   τὰν πο[.   .   .
           ἔοντε[c   ].ὰπ πατέρω[ν
           τὼν cφ[   ]αμμοc θῦμ[
           ἔοικε[   ]ωρ ταχήαν[
20   ταῖ[c   ].νητορεν.[
           ἀλλ.[   ]c τᾶcδεπαλ[
           ..].[   ].οιcα.ελ.[
           [   ].τοι.[
24   π[..].[   ].cυν.[
           μ[η]δ' ἄμμ[.]λω[.   .   .
           γε[.]οc μενέ[
           μοναρχίαν δ.[
28   μ]ηδὲ δεκωμ[
           ]..ιδημφ.[
           ].οιcί τ' ὔποπ[
           ]αίνων· ἐκ[

hoc carmen ad Myrsili tempora spectare docet Heraclitus l.c.
(a) 1–3 ex Heracl. Qu. Hom. 5 (p. 7 Oelmann, all.) suppl. e.p.   1 δ'
αὖτε cod. O, δι' εὖτε cod. G, Aldina, δ' εὖτε codd. A, B, δηὖτε ci. Seidler (?)

προτέρω νέμω codd. A, B, G, Ald., προτέρω νόμω cod. O. nondum expeditum
2 ξ^ηεί   3 κε²να[ἐμβαίνει codd., corr. Seidler   4 ὁμεθε   5]ς,
]ε,]ο, simm.   7 μεθ'ωϲ   8 εϲδ'έχ   λίμ   suppl. e.p.   post
hunc v. paragraphum om. add. alia man.   9 ὁκ μολθ[suppl. e.p.
10 λάχηι, ι ita delet. ut speciem puncti (η·) reliqu. praebeant   γαρ· 11 τὼ†·
θᾶ· vel μ[12 ἀνηρ   vel γο[; γε[νέϲθω probab. suppl. e.p.   14 ἐϲ
τόκ γᾶϲ ὖπα   suppl. e.p.   15 vel .]ϲᾶν οἶ] hic, πό[λιν prox. v.,
probabiliter suppl. e.p.   17 ἐον   suppl. e.p.   18 τὼν   20
ϲᾶ[ϲι vel ϲᾶ[ϲδε suppleris   21 ο[, ε[, ω[possis   25 suppl. Ἄμ.
26 vel γο[νέ[ut vid.   27 δε[, δο[, simm.   28 suppl. e.p.   post
hunc v. veri simile est novi carm. init. statui debere. nullum quidem coronidis
vestig. in marg. apparet—immo coronidis loco reliquiae (fort. ᾶ, δ) ad versuum enumerationem spectantes videntur exstare—sed ad priorum metr.
vv. 29–31 aegre accommodare possis   29].. : fort. φ sola   φε[, φθ[, φο[
possis   30]ι ut vid., sed fort.]ν, simm.   ϲίτ'ύπ   inf. marg. schol.
trium ll. ex quo nihil iam nisi Μυρϲίλου, tyranni nomen, intellegi potest
   (b) 17 fort.]κ sive]λ   cf. Z 48 ἀπ πατέρων μάθος   18]ᾳ : tantum h.
dextrae pars   θῦ   19 ᾑᾶν   20]. : h. paulo curvata, ad pedem
angulus   21 sive]ϛ?   ϲᾶϲ πὰλ   22 supra o atram., in acc. circum-
flexum non quadrat   pro ᾳ, λ possis; tum ν, μ, υ, alia   .[: punctula duo,
unum supra alterum   23 .[: o sive θ   24 .[: α, λ, sive δ

7

1789 frr. 6 et 40 coniuncta

A 7

.   .

] ὦφ.[

] ἀιδρεῖα.[

].[.].β.α πάν[

4   ].και μάλ' ἔων.[
———

]νάντ' ἄνδρος πολ[

] Πελάσγων Ἀιολ[

]ποτ' ἔξεπε.[

8   ἄ]ναξ γλαφύρα[
———

]ε Κιρcάηcι.[

]ν ὠκήαιcι κ[

]τ' ἐξίειc φάλ[

12   ]ν ἴχθυ[
———

paragraphos suppl. Ἀμ., ut patefiat metrum.
1]'ὦφ.[.[: vestigium summis litt. adaequatum   2]α'ἰδρεῖα .[: h.v.
(fort. perductae) vestigia   3]α,]λ, simm., tum π[, ν[, simm., possis, mox
de]αβρα vix cogitandum   α'πάν[4 μάλ'έων .[, α vel λ   5 άντ 'άν
6 λάc   7 πόϊ' επεκ[scriptum esse videtur, sed fort. επει[voluit   8 ά]
suppl. e.p.   φύρ   9–12 eandem fabulam narrari credideris ad quam
Pausaniae verba spectant, x 13, 10 (iii 136 Spiro): πρὶν γὰρ δὴ ἐς 'Ιταλίαν
ἀφικέσθαι ναυαγίᾳ τε ἐν τῷ πελάγει τῷ Κρισαίῳ τὸν Φάλανθον χρήσασθαι
καὶ ὑπὸ δελφῖνος ἐκκομισθῆναί φασιν ἐς τὴν γῆν   9]ε'κῖρcάη   pro ι.[
fort. ρ.[, γ.[, simm., vel π[legi potest   10 fort. ναῦcι] s. νάεccι] supplend. potius κ[quam ν[11]τ'εξίειcφάλ[inf. marg. scholii reliquiae:
¹].η (sive]αι) περιπρο[| ²].[?].[?].νν[

118

8

A 8

1789 frr. 15, 17 coniuncta et cum fr. 13, cui accedit eiusdem p. frustulum xviii **2166** (*e*) 3, tanquam ex eadem papyri parte, una collocata

$$(a) = \text{fr. } 13$$

.   .   .

]

]

] . ·τὰ . υν μα[

]άτηρ πρὶν θα̣[

3   ]λάχην·

1 videtur fuisse prim. col.   ] . : ι vel ν   ·τὰ   inter ἀ et υ vestigia in lin. litt. ν congrua; supra est punctulum, fort. variae lectionis indicium 3 ἀχην·

$$(b) = \text{fr. } 17+15$$

]ϲτε[

]

]ορον[

4   ]ων φ.[

1]ϲτε̣[3 vel]φ   4 vel]ον

9

A 9

1789 frr. 28 et 30, fortasse ex eadem papyri parte

$(a) = \text{fr. } 28$ $(b) = \text{fr. } 30$

.   .   .   .   .   .

ἐ.[   ] . αδ[

κα[   ]άνδ.[

                                       ]τήμ[

(*a*) 1 ϵϲ[, ϵφ[, ϵθ[possis   2 ultimus col., ut vid.
(*b*) 1]τα,]γα, simm.   2 .[: h.v.

119

10   A 10, A et B

1789 frr. 29, 16 coniuncta : vv. B 6–7 accedit frustulum xxi 2166 (*e*) 12

A

]. κακ[

B

ἔμε δείλαν, ἔ]με παίς[αν κακοτάτων πεδέχοιϲαν
        ]δομονο[
        ]ϝι μόροϲ αἰϲχ[
4   ἐπὶ γὰρ πᾶρ]οϲ ὀνίατον [†ἴκνεῖται
    ἐλάφω δὲ] βρόμοϲ ἐν ϲ[τήθεϲι φυίει φοβέροιϲιν
        μ]αινόμενον [
        ] ἀνάταιϲ᾽ ὠ[

A]. : h.v. pars summa   est ultimus carminis versus
B 1 ex Heph. *Ench.* xii 2, π. ποιημ. iii 5, iii 7 (pp. 38, 65, 66 Consbr.)
suppl. πάιϲ[ut vid.   2 vel ϵ[3 αἰϲ αἰϲχ[ροϲ suppl. veri sim.   4
ex Herodian. π.μ.λ. β 36 suppl., ubi ἐπὶ γὰρ τὸ πάροϲ ὀνειαρὸν ἱκνεῖται cod.
H; τὸ del., πᾶροϲ em. Seidler   ονίατον   5 ex schol. Soph. *O.R.* 153
(p. 171 Papageorgius) suppl., ubi φύει, quod fort. in φυίει corrigend., et
φοβερὸϲ cod. L, quod corr. *Ἀμ.*   6 suppl. e.p.   gl. interlin. μα]νιωδεϲ
7 ϲ᾽ω   gl. αταιϲ subter scripta

11   A 11
1789 fr. 31

            · · ·
            ]. αλορ[
            ]τοπον[
            ]. αράγη[
            ]. .έγωγ[
        5   ]ορδ[
            · · ·

                    .]ε.
1]κ,]λ .[χ   2]το, fort. ετο pro ατο   3]ρ possis   γη incertissimum,
π.[possis   4 ἐγωπ[possis

2   A 12

1789 fr. 9, cui accedunt eiusdem p. frustula xviii **2166** (*e*) 2 et xxi **2166** (*e*) 11

.   .

]νδε.ω.[

].ιν ποης.[

]..αρέσσετ'ἀ[

]ωνος οὐδε[

5   ].οὔ'.[

]μ[

.   .

1 ετ, ερ, ευ, simm.   3].: punctula duo, unum supra alterum, e.g.
κ vel χ ramorum sup. et inf. partes extremae. litterae sequentis restat
tantum h.v.   τ'α   4 vel δω[, simm.   5].ού' .[: fort. litterae
rotundae arcus sup. sin.

3   A 13   **14**   A 14   **15**   A 15

1789 fr. 4   **1789** fr. 5   **1789** fr. 14

.   .   .

]   ]ετι[   ]

]οτε[.   ].ωφ[

]ιον[

.   .   .

A   A 16A   **16**B A 16B   **17**   A 17

1789 fr. 18   **1789** fr. 22   **1789** fr. 23

.   .   .

]σε.[   ]παρμέν[   ]..ις..[

]αντ[   ]τοτᾶδήπ[']νοντ' αϊ[

].[   ].[

.   .   .

fort. fr. A 12 vicinum

18   A 18   **19**   A 19   **20**   A 20

1789 fr. 27   1789 fr. 32   1789 fr. 33

⠄   ⠄   ⠄

].λι.[εξ.[   ]αναδ.[
]λίγα[και.[   ]αμη᾿.[
]μφι[ώτα[   ]..[

⠄   ⠄   ⠄

1]α vel]λ   1 .[: h.v.   2 .[: h.v.
2 vel]α   vel λ[

21   A 21   **22**   A 22   **23**   A 23

1789 fr. 35   1789 fr. 36   1789 fr. 37

⠄   ⠄   ⠄

]ον[   ].[   ]ερω.[
]εροιν[   ].ξεν[   ].[

⠄   ⠄   ⠄

vicinum fr. A 1 ut vid.   vicinum fr. A 1 ut vid.

24   A 24   **25**   A 25

1789 fr. 38   1789 fr. 39

⠄   ⠄

].αλ[   ].
]μεγα·   ]νοc[
]   ]

                            ]ινέcτ[

⠄   ]

2 marg. schol. ¹..[, ²coμ[5   ]

                                        ⠄

2 supra o scr. .ε.   5 summis
fere litteris adaequatum (sub έ v. 4)
scr.]c parvum

122

26   A 26   **27**   A 27   **28**   A 28

1789 fr. 41   xviii 2166 (e) 5   xviii 2166 (e) 6

```
      .   .   .              .   .   .             .   .   .
]                        ]εϲπο[                  ]β.[
]ναπε[                   ]κατ[                    ]ϲηλ[
]                        ]αυγᾱ[                   ]μω[
]                         .   .   .               .   .   .
5  ]ορπόλλα[         1 supra ]ε scr. ]α·
   .   .   .
```

2 supra]ν scr. var. lect.]λ   **30**   A 30
5 sub πόλ scr. ·δῆυ· (scilicet δαυτε
in textu corr.)   xviii 2166 (e) 8

29   A 29

xviii 2166 (e) 7

```
   .   .   .                 .   .   .
] . φαν[                      ]κων
]πτωρ[                       ]υλον
] . [                        ]
                            ] . ται
   .   .   .           5      ]ν·
1 ] . : h. a sin˒ desc. pars ima     .   .   .
```

2 litt. υ tantum rami dext. pars
extrema, χ possis   pro λ fort. α
possis   3 schol.]γόντον.[   ]αγε[,
fort.   ἀ]γόντον.υ( )[...ἀ]ν(τὶ τοῦ)
ἀγέ[τωϲαν   4] . : h.v. apex   marg.
schol. ολαβων   5 marg. δεῖῆῠ.[,
ubi post ῡ fort. ο[, supra quam litt.
etiam alia scr.

31   A 31   **32**   A 32

xxi 2166 (e) 14   xxi 2166 (e) 15

```
                             .   .   .
]΄.ϲδικε[                     ] . [
   .   .   .                 ]τω[.
]΄. : ε vel ο pars sup.       ]νῶ[
                             .   .   .
```

B 1

33

xxi **2166** (*b*) 11

(*a*) = **1233** fr. 10. (*b*) = xviii **2166** (*b*) 6 et **1233** fr. 16, coniuncta. (*c*) = **1233**
frr. 28, 13, 27 coniuncta. (*d*) = xvii **2081** (*d*) 3 et **1233** fr. 22 coniuncta. versu
(*a*) 3 (quem fort. continuat (*b*) 4) fit novi carminis initium; v. (*c*) 9 tertii
carminis initium repraesentatur, siquidem eiusdem columnae sunt frr. (*a*)
et (*c*)

(b)

(*a*) . . .

. .   ]...[

].[   ]τοϲῶ[(*c*)

Ḻκ ο ϲ[   ] εκϟεκαλυπ[. . .   (*d*)

⟩δ ε υ ρ[   ]υκεπονάμ .[   ]δαυτ .[. .

αβα[[ι]]ϲ[5].. ϲϟεγὴρά[[ϲ]]ϲ [   ]ντολωπ .[   ].....

5 εξαυω[   ].[.].. .φαφ[   ]ετιγνϊαφ[   ].οϲ

π λ ε η ν[. . .   ]τολαιφοϲ[   ].εϲθαι

αιδεκε[5].νδιδηο [   ]ϲαν

ειϲίραν[   ]'.μενοϲδ[5].ρω

9 κανωχ[   ]. ωμον .[   ].μμι

⟩ μ ε ν ω[   ].ντ αδα .[   ]πὸλιάτᾱν

. .   ]. υμπ .[   ].οϲ

. . . . .

ita ut exhibuimus in transverso esse positos veri sim.: vid. P. Oxy. xxi
p. 128 seq. certum est, frr. (*b*), (*c*), (*d*) ad dexteram fragmenti (*a*) stetisse,
fragmento (*a*) magis quam cetera propinquum fr. (*b*). intervalla omnia
incerta. Cum fr. (*c*) v. 5 versus terminum ostendat, non ex eadem columna
profecta esse frr. (*c*) et (*d*) constat. Cum tamen valde dubium sit an fr. (*b*)
v. 5 versus terminum ostendat, nihil impedit quominus duarum tantum
columnarum fragmenta repraesentari censeas, sc. col. i = frr. (*a*)+(*b*)+(*c*),
col. ii = fr. (*d*).

(*a*) 9 fort. = καὶ εὐωχ[
(*b*) 1].. : h.v. infra lineam desc., tum hastae pars extrema adusque lineam
a sin. dextrorsum desc.,]ρλ possis .[: fort. litt. α pars extrema sin. inf..
3 ante prim. ε, spatiolum vacuum, fort. laesa papyro 4 .[: vestigia in
litt. ε partem mediam quadrant 5 ante prim. ϲ, litt. ο vel ω arcus
dext.: si ω, antecedit punctulum unum, si ο, punct. duo, summis litteris adaequata γὴρά: ' 1m., ' 2m., ut vid. post ultimum ϲ (quod inusitatam
praebet speciem: antecedit ϲ linea transversa perductum, non ε), spatiolum
vacuum, sed accentus supra litt. α scriptus indicat unam saltem syllabam
secutam esse 6].[: h.v. procerioris, velut φ, apex]... : circuli arcus
sup., tum litt. α vel fort. λ apex, tum vestigia duo summis litteris adaequata,
fort. μ, sed fort. duarum litt. reliquiae

(*c*) 1 .[: fort. α, sed etiam ο possis 2 .[: circuli arcus sin. inf. 4 ϛ
inusitatam praebet speciem 5]. : ο vel ω arcus dext.; est etiam ha-
stulae transversae pars, potius deletionis quam ligaturae indicium 6]. :

o vel ω arcus dext.   7]. : h.v.   .[: circuli apex   8 .[: hastae
dextrorsum desc. apex   9]. : in linea vestigium, fort. λ, non ut vid. c
   (d) 1]λε potius quam]λο, tum fort. υ, ι, simm., et ρ vel ψ   2]λ vel]μ
3]. : h.v. pars inf.   5]γ vel]τ   7 ΄ ut vid. 2 m., reliq. 1 m.

34   B 2

(a) 1–14 = 1233 fr. 4, cui accedunt (v. 1) xxi 2166 (b) 9, (vv. 5–7) xviii
2166 (b) 3. (b), (c) = xxi 2166 (b) 10 : (b) = 1233 frr. 5, 6, 26 coniuncta,
(c) = 1233 fr. 7, 2081 (d) 5 coniuncta; haec tanquam eiusdem columnae
ex parte inf. profecta subiunximus

(a)   νᾶ]ϲον Πέλοποϲ λίποντε[ϲ
                  ]ͅμοι Δ[ίοϲ] ἠδὲ Λήδαϲ
         .....ω]ͅι θύ[μ]ωι προ[φά]νητε, Κάϲτορ
    4   καὶ Πολύδε[υ]κεϲ,
         οἳ κὰτ εὔρηαν χ[θόνα] καὶ θάλαϲϲαν
         παῖϲαν ἔρχεϲθ᾽. ὠ[κυπό]δων ἐπ᾽ ἴππων,
         ῤήα δ᾽ ἀνθρώποι[ϲ] θα[ν]άτω ῤύεϲθε
    8   ζακρυόεντοϲ
         εὐϲδ[ύγ]ων θρώιϲκοντ[εϲ ..] ἄκρα νάων
         π]ήλοθεν λάμπροι προ[   ]τρ[....]ντεϲ,
         ἀργαλέαι δ᾽ ἐν νύκτι φ[άοϲ φέ]ροντεϲ
   12   νᾶϊ μ[ε]λαίναι·
                  ]νε[
   14   ]οϲ[

(a) 1 νᾶ] suppl. Lobel, reliqua omnia 1–12 suppl. e.p., excepto v. 9 [υγ]
Edmonds   λίπ   2 init. παῖδεϲ probab. e.p.   3 ωεθυ[μ]ωέ, sed
                                                       .ρ.
credideris dat. cas. recte se habuisse   κάϲ   4 post κεϲ, lin. et punct., ⟋
5 ἐν   6 ὠκυ πων·   7 ῤήα λύ̆   9 εϲ̈δ (υ 2 m.)   θρώϵ̈ ἀκ   10 π]ήλ
          προ[
λάμ   προιτρ[(sscr. 2 m.)   τεϲ·   11 εᾱι   12 ναϊ   ναι· (· fort. 2 m.)

125

⟨*veri simile est hic eiusdem carminis deesse vv. octo, scilicet huius strophae
reliquos duo, sequentis quattuor, ultimae strophae duo priores, ita ut totius
carminis finis v. (b) 2 infra fuerit*⟩

(*b*)
 . . .

```
                      ].. ανδ[
  2.  ?  ⌐e⌐  —]     ].ων  [
                      ]εμπε[
  4                   ]...ν γε[
                      ]δευκεc[
  6                   ]παρποτ[
                      ].[.]τοιμειχμ[                    (c)
  8                   ].ραννοιc [.].δη..[
                      ]ποίαc πόϲιν ἱππο[
 10   ]λίποντεc Μάκαρο[c        ἐ]πηρατ[.][.][αν
      ]αν ἔλθετε τὰν κ[.^.          ]νέμει      [
 12   ]ντεc[.]μαcδ[              ].αποc      [
                ].[.^.              ]ρωcατε[
 14      .    .    .          ]ʹ.θηc ἔων[
                               ]πολιν  [
 16                          ].ιαν  [
                            ]ἀπὺ τὼcτίω[
```

(*b*), (*c*) 1]₊. : circuli arcum inf. sequitur h.v. pars inf. 3 siquidem
alterum incipit carmen, aut ἐν ἐκθέϲει aut ἐν εἰϲθέϲει videtur esse scriptum vel
fort. πϙ[4]₊.₊. : vestigia in fibris fluitantibus; ante ν fort. circuli arcus sin.
7].[: h.v. apex 8 ante ρ punctulum summis litteris adaequatum post
ϲ spatiolum vacuum ante δ in linea vestigia duo : si posterius litt. ι pes
est, prius in litt. α quadrabit; tum inter οιc et αιδ nihil perditum post η,
vestigia aut μ[aut λ(vel χ).[indicant 9 πόια ποϲιν veri sim., sed litt.
ο confirmari nequit ἱππο[ιϲί τ(ε) supplere possis 10 litterarum λι
vestigia minima suppl. e.p. P. Oxy. xxi post Μάκαρο[c, νᾶϲον suppl.
veri sim. ante η, in linea punctulum [.] : circuli arcum sin. delevit
hastula transversa a sin. dextrorsum asc.; fort. τον in ταν correctum 11 θ
ex alia littera factum κ[.^. : vix ι[, quanquam h.v. fracturae tam propinqua
est ut partis litt. dextrae nil dispicere possis]ν veri sim., quamquam fibra
in unica restant tantum vestigia duo ἐμ 12 si fr. 26 hic minus recte
positum, litterae ante αc restat tantum vestigium summis litteris adaequatum,
litterae post αc vestigium nullum]. : in linea vestigium 13].[:
vestigium ut vid. superius quam ut litterae in linea scriptae pars fuerit vel
]βω 14]. : vestigium summis litteris adaequatum, de accentu acuto
iam non dubitandum 16]. : ut vid. hastae a sin. dextrorsum desc.
partes

35

B 3

1233 fr. 14

κἀν νόμον [
ἐν μελάθρο[ισι
ποικίλαις κ[
__..].. τεφα[

．

3 κίλ   4 fort. ...]ντε scribend.

36

B 4

1233 fr. 1 i + 2081 (d) 1

． ． ． ．

].βα[...].[
].αις καὶ μελ[
]τονελισσομ[
4   ]εστον μεν.[
π]άκτιδι μ[....]αι
]ςιν ὀνείδεσιν
]ις ἀπυκέκριται
8   ]τόν τιν' ἐκᾳ[ς]τέρω
].ατα λάμψεται.
']ρπον ἐοίκοτες
]υνθέμενοι λύαις
12   ]ήματα συλλέγη[
]νον[..]δοκημ[
κ]άκχεε[. ἀ]νθίνω
]ᾳ[.....]ν
16   ].αρες.[

． ． ．

1]ς[,]ε[, alia, possis   3 sup. alt. ς vestig. atram. ut vid. fortuit.
5 suppl. e.p.   ]δκατι, alt. α del. 2 m.   7 κέκ   8 sup. o vestig.
atram. ut vid. fortuit.   suppl. e.p.   9 λάμψεται·   10 ante ρ vestig.
accent., ut vid., sup. lin.   11 ς]υνθ e.p., fort. recte   14 κ]άκ
suppl. e.p. (' fort. 2 m.)   prior. ε litt. refecit 1 m.   ἀ] suppl. Diehl (?).   θίν
16]κ, alia, possis, mox ς[, θ[, simm.

37

1233 fr. 1 ii 1–7

B 5

. . . .

ἐ . . [

τέαυτ . [

3   οὐδεν[

ἔγωδα[

5   φέρην λ[

τὸ γὰρ ἀ[

7   θέοιϲι[. . . . .]ην ὦϲ κε θέλωϲ[

1 fort. επ, tum ε, α, ο possis   2 τέ (accent. 2 m.)

38

B 6

A = 1233 fr. 1 ii 8–20, cui accedit xviii 2166 (b) 1. B = P. Heidelberg.
(Gerhard, *Gr. Pap. Heidelb.* 1938 p. 17 seq.)
A 13, B 1 eundem versum repraesentare coni. Diehl, Gerhard.

A

πῶνε[. . . . . . .] Μελάνιππ' ἄμ' ἔμοι. τι[. .] . [

2 †ὄταμε[. . .]διννάεντ' Ἀχέροντα μεγ[

ζάβαι[ϲ ἀ]ελίω κόθαρον φάοϲ [

4 ὄψεσθ', ἀλλ' ἄγι μὴ μεγάλων ἐπ[

καὶ γὰρ Ϲίϲυφοϲ Αἰολίδαιϲ βαϲίλευϲ [

6 ἄνδρων πλεῖϲτα νοηϲάμενοϲ [

ἀλλὰ καὶ πολύιδριϲ ἔων ὑπὰ κᾶρι [

8 διννάεντ' Ἀχέροντ' ἐπέραιϲε, μ[

α]ὔτω⟨ι⟩ μόχθον ἔχην Κρονίδαιϲ βα[

10 μελαίναϲ χθόνοϲ. ἀλλ' ἄγι μὴ τα[

. '] . ταβάϲομεν αἴ ποτα κἄλλοτα . [

12 . .]ην ὄττινα τῶνδε πάθην τα[

. . . . . ἄνε]μοϲ βορίαιϲ ἐπι . [

128

B

]οc βορίαιc [

] πόλιν εἶcα .[

]ιc κιθαριcδ[

]πωροφίωνι[

5   ]ωπεδεχ[.].[

]ε[

·   ·   ·

A 1 ιππ' ἀμέμοι· (' 2 m.)   2 χέρ   3 ζά   suppl. e.p.   λιωι,
corr. e.p.   κό   4 θ'   ἀγι (' fort. 2 m.)   5 cειcυφοc, corr.
e.p.   cίλ   6 ἀν   εἶc   ἀμ   7 ἀλ   κᾶρ   8 νά   cε·   9 .]υτω :
a] et ι adscr. supplevimus   δᾶι   10 χθόνοc·   11 .']. : atramenti
punctulum, litterae τ altitudinem supereminet   ν[, π[, γ[possis   12 τῶν
13 suppl. e.p.

39   **B 7**

1233 frr. 8 et 20 una collocata, cum hoc a dextra parte eiusdem columnae
atque illud profectum videatur

(a) = fr. 8

·   ·   ·

]ρφαcι[

2   ]μματατουταυτ[(b) = fr. 20

]ευτέ με γῆραc τε[·   ·   ·

4   ]το λάθε[cθ]αι χ[..]ρ[   ]ρτατο[

]δων ἀπάλων c' ὕμν[ο   ]ν οἶν[ο

6   ]ται πολιάταν ὄλιγον cφ[   ]ην λα[

]το γὰρ ἐμμόρμενον οὐ[   ]...[

8   ]. ιc ἄνδρεcι τοὶc γεινο[μεν   ·   ·   ·

]. cόφοc ἦι καὶ φρέcι πύκνα[ιcι

10   ]c παρὰ μοῖραν Διὸc οὐδὲ τρίχ[

]όντεc ἄcαιc με .[

12   ]. φέρεcθαι βάθυ[

·   ·   ·

(a) 1 vel ν[2]μ̈α, sscr. 2 m.   3 γῆρ   vel γε[4 λάθ   suppl.
e.p.   inter χ et ρ 1 (velut a) vel 2 litt. spat. suff. ;   χ[α]ρ[ιτ suppl. Edmonds
6 ἰάτ   ὀλ   7 μομονον 1 m., corr. 2 m., ρ suprascr., alt. ο in ε fact.
(μο͂μενον)   8 γειν, ε ex c, ut vid., fact.   suppl. e.p.   9]a vel
]η   cόφ   ῆ   suppl. e.p.   10 πάρα   11]όντ   12 φέρ
(b) 1 vel τω[2 οἶν suppl. e.p.   4]ιϲ s.]νϲ possis, tum, ut
vid., ὁ[

40

1233 fr. 30

B 8

· ·
· ·

].πρ[

[   ][

]ανεχ[

]α̣ν̣ίμε[

5   ]ανδρατ[

]ασαιπο[

]φ[

· · ·

41

B 9

1233 frr. 2 i, 12, 15 (cui accedit 2081 (d) 2), 23 coniuncta

]νδρ' ἔω[

]τες ἄβρω[

]αντοca[

4   ___   ]

]ς̣δαι̣[

]

]ν ἄγναι

8   ___   ]

]νναν ἴραν [

]φόρεν[τ]ες [

]ε' οἶν[ο]ν

12   ___   ]

]λις [.᾽.]των

].δε θυμ[

] κίθαρις δ[

16   ___   ]

τέ]μενος λαχοις[α

κ]ορύφαν πόληος

]ν Ἀφρόδιτα [

20   ___   ][ ]

]ν̣ γυν[

· · ·

130

1 ῥέω   2 cάβ   3 cā   5 vel γ[, π[, ν[, simm.   7 utrum
νᾶι an νᾶι incert.   9 ἴραν   10 suppl. Ἄμ.   11 εὄι suppl. Ἄμ.
13 vel]αιc   post c spat. vac. 1 litt.   14]κδε possis   15 κίθ   17
suppl. e.p.   18 suppl. e.p.   ῥύφ   πόλ   19 ῥόδ

2   B 10

1233 fr. 2 ii 1–16

              ὠc λόγοc κάκων ἀ[
              Περράμωι καὶ παῖc[ι
              ἐκ cέθεν πίκρον, π[
    4   Ἴλιον ἴραν.
              ‾‾‾‾‾‾‾‾‾‾‾‾‾‾‾‾‾
              οὐ τεαύταν Αἰακίδαι[c
              πάνταc ἐc γάμον μακ[
              ἄγετ' ἐκ Νή[ρ]ηοc ἔλων [
    8   πάρθενον ἄβραν
              ‾‾‾‾‾‾‾‾‾‾‾‾‾‾‾‾‾
              ἐc δόμον Χέρρωνοc· ἔλ[υcε δ'
              ζῶμα παρθένω· φιλο[
              Πήλεοc καὶ Νηρείδων ἀρίcτ[αc.
   12   ἐc δ' ἐνίαυτον
              ‾‾‾‾‾‾‾‾‾‾‾‾‾‾‾‾‾
              παῖδα γέννατ' αἰμιθέων [,
              ὄλβιον ξάνθαν ἐλάτη[ρα πώλων,
              οἰ δ' ἀπώλοντ' ἀμφ' Ἐ[λέναι
   16   ⌐ καὶ πόλιc αὔτων.
         ‾‾‾‾‾‾‾‾‾
         ;

1 κάκ   2 μω corr. e.p.   παῖ suppl. e.p.   3 εξcε, ⸗ sic del.,
κ sscr. 2 m.   ρον·   4 marg. sin. ⟩   ἴραν·   5 τεαύ suppl. e.p.
6 ταc e τεc fact.   μάκ[αραc καλέccαιc probabiliter e.p.   7 τ'εκνή ἐλ [με-
λάθρων probabiliter e.p.   8 πάρ   9 χέρρωνοc· suppl. e.p.   10 παρ (sup.
a vestigg. atram. dubium quors. spectantia)   θένωι·   φιλό[ταc δὲ
suppl. e.p.   11 πή   ῥηῒδ (ε 2 m.)   ρίc suppl. e.p.   12 marg.
sin. ⟩   νίαυ   13 γέν (γ ex ε inchoato fecit 1 m.; γ refecit, accent.
posuit 2 m.)   νατ'   14 ξάν   λάτ suppl. e.p.   15 πώλοντ' suppl.
e.p.   16 αὐτων·

43   **B 11**

1233 fr. 2 ii 17–23

    νῶ μέν κ' ἔννεκ' ἐ[

2   κ[α]ὶ cὺν γεράνοιcινε[
    <—>
    ἦλθον χλαῖναν ἐχ.[

4   τὰ[ι] πρωταλίαι πίθεις[
    <—>
    τ[έ]αυτ' ὧδε δὲ μηπ[

6   _ . . . . ' . . .]ιμηδετ[
    . . . .]λαμέν.[

8 [⌈́⌉ —   ]

paragraphos omissas suppl. *Ἀμ.*
1 νῶ (accent. 2 m.) μένκ' ἔννεκ' (' ut vid. 2 m.)   1–2 inter hos vv.
diplen obelismenen per incuriam posuit 1 m.   2 suppl. e.p.   sup. ε[
vestigg. ad accent. ', ut vid., pertinentia   3 λαῖν   ω[, ο[, ε[possis
4 τᾱ[ι] suppl. e.p.   πρῶτᾱλιαι (ρ refecit, accent., sign. ˉ, et hyphen addidit
2 m.?) πῑθ (π ex c 1 m., ˘' 2 m.)   5 suppl. e.p. (τ[ό)   ὧδε (accent.
2 m.; sup. ε speciem accent. praebet eminentia lin. sub πρωτ. ductae)

44   **B 12**

1233 frr. 9. 1–8 et 3. 1–7 coniuncta. hoc carmen cum subsequenti ἐν ἐκθέcει
scriptum est

    ἀγ[

2   ἄκ[. . . . .].[
    θ.[. . . . .].[

4   ε[. . . . .].[.].ρ[..]..[
    μ[.]ρ[. . . . .]νι κάκω περρ[

6   μάτε[ρ . . . .]άcδων ἐκάλη να[
    νύμφ[αν ἐνν]αλίαν· ἀ δὲ γόνων [

8   ⌈́⌉ ἰκέτευ[. . . . .]τω τέκεος μᾶνιν [

5 κά   6 μά (accent. 2 m.)   suppl. *Ἀμ.*   7 suppl. *Ἀμ.*   λιαν·
post γόνων supplendum ἀψαμένα (vel sim.) Δίοc (Δίοc iam e.p.)   8 κέτ   [ἀγα-
πά]τω suppl. veri sim.   τέκ   μᾶν

B 13

45

1233 fr. 9. 9, frr. 18 et 3. 8–15 coniuncta, quibus accedit eiusdem p. frustulum
xviii 2166 (*b*) 2

> ῎Εβρε, κ[άλ]λιστος ποτάμων πὰρ Ἀ[ῖνον
> ἐξί[ηϲθ᾽ ἐϲ] πορφυρίαν θάλαϲϲαν
> Θραικ[...ἐρ]ευγόμενος ζὰ γαίαϲ
> 4 .]ιππ[.].[..]ι·
> καί ϲε πόλλαι παρθένικαι πέ.[
> ....]λων μήρων ἀπάλαιϲι χέρ[ϲι
> ....]α· θέλγονται το ον ὡϲ ἄλει[
> 8 θή[ῑο]ν ὕδωρ

1 seqq. e Schol. Theocr. vii 112 (p. 106 Wendel) suppl. Ἀμ.: Ἀλκαῖοϲ φηϲιν
ὅτι ῎Εβροϲ κάλλιϲτοϲ ποταμῶν (ποταμόϲ codd. K, L, U, E, A), Διοκλῆϲ δὲ
καταφέρεϲθαι αὐτὸν ἀπὸ 'Ροδόπηϲ καὶ ἐξερεύγεϲθαι κατὰ πόλιν Αἶνον.   ἀ[
(accent. 2 m.)   3 Θρᾶι (¯ 2 m.), fort. Θραικ[ίαϲ   -ερ] suppl. e.p.   γαιαϲ
2 m. in lit.; quid primitus scriptum sit incertum, nisi quod in ν (sive λι)
desiisse vid.   4 vel fort.]ν·   5 καί   λᾶι   πέ.[γ[, κ[, etiam ρ[possis,
sed fort. πέπ[veri simill., unde 'πέπ[οιϲαι s. -ϲι suppleveris   6 suppl. e.p.
7]α·   vel fort. το.ᾳν, nam το ϲον vix legend.   ἄλει[φαρ suppl. e.p.,
sed ἄλιππα Aeolensibus tribuitur Et. Mag. 64. 40, unde fort. ἄλειππα conieceris
8 suppl. e.p. P. Oxy. xviii p. 38

B 14

46

1233 frr. 17, 21 coniuncta

```
              .    .    .
                  ].[
                 ]ηδη[
                 ].ϲδε
                ]έγερρε·
        5      ]αταῦτο
                ]ϲ
                ].αι
                ]αϲ.α[
                ].αι
       10      ]ωϲ
              .         .
```

3]ω vel]ο   4 ρε·   5 αῦ   post hunc v. fort. init. novi carm.
statuendum   7]τ,]γ, simm., possis   8 αϲϲα (e.p.), alia, possis
9]θ ut vid., sed etiam]τ possis

47

1233 fr. 31

B 15

· · ·

]νε[
]ας[
]ειον[
]γάςθ[
5   ]ναικ[

· · ·

2 αίς (accent. posuit et fort. ι del. 2 m., itaque fort. rectius άς quam ας)
4 vel]τά

48

1233 fr. 11

B 16

· · ·

]δ.[
]να[
]
]αι·
5   ]..[.]ωμαν
].αν θάλαccαν
]τω φέρεcθαι·
]κ' ὦν φέροιτο
]α κατάγρει
10   ] Βαβύλωνος ἴρας
]ν Ἀcκάλωνα
κρ]ύοεντ' ἐγέρρην
]ν κὰτ ἄκρας.
]τε κᾰcλον
15   ]c Ἀΐδαο δῶμα
]λω νόηcθαι
cτ]εφανώματ' ἄμμι
] ταῦτα πάντα
]ọ.[..] αῦτοι
20   ].δεν[

· · ·

5]a, κ], λ], tum γ, π, τ, ν, s. sim. litt., quam inter et ω fort. nihil
deficit   7]των, deleto ν   θαι·   8]κῶν   10 ἴρας   11
cκάλ   12 suppl. e.p.   post εγερρην punct. med. scripsit et delevit 1 m.
13 κατακρας.   14 κᾰcλον   15 αϊδαο   16 νόη   17 suppl. e.p.

νώματ'άμ   18 ταυτλα, λ del. 2 m.   19]ο vel]ω   αὖτ (accent. fort. 2 m.)
20 ο]υδεν[possis

49   B 17

1233 fr. 32. 1

$$\underset{\text{\scriptsize ⸙}}{\underline{\cdots}}]\rho[\,.\,]\pi\tau οι \tau ε \pi\,.[$$

pro ρ aliam litt. caudat., pro ς fort. ο possis

50   B 18

1233 fr. 32. 2-7

    κὰτ τὰς πόλλα π[αθοίςας κεφάλας   χεε μοι μύρον
2   καὶ κὰτ τὼ πολ[ίω ςτήθεος
    $\overline{\pi\omega}$νόντων, κάκα[
4   ἔδοςαν, πεδὰ δ' ἄλλω[ν
    ἀ]νθ[ρ]ώπων, ὀ δὲ μὴ φ[
6   .]ην[.] φαῖςθ' ἀπολ[
              ].[

1-2 suppl. e.p. e Plut. *Qu. Conv.* iii 1. 3 (iv p. 86 Hubert), sed pro χεῦον
ἔμοι (e.p.) κάκχεέ μοι s. παῖ χέε μοι, simm., legend.   3 νόντων· (accent.
2 m.)   4 ςαν' ἄλλ (‾' 2 m.) suppl. e.p.   5 suppl. e.p.   6 φαῖςθ'
(‾ 2 m.)

51   B 19

1233 frr. 33 et 34

   (*a*) = fr. 34   (*b*) = fr. 33

      α[   ]
      φ[   ]αμμ[
                       ]δᾶλ.[
                      ].μενα[
5   ]
                   ]ςπαλαμ[
                   ]όπποςεκ[
                  ].επόδω[

(*b*) 8]κ,]ς possis

135

52　　　B 20

1233 fr. 19

. 　　.　　.

]

].ᾱλιος

]άνω[

].

. 　　.　　.

53　　　B 21

1233 fr. 25+xviii 2166 (b) 4

].…[

].εμ[

].c.[

].εμπ[

5　]ηπιλαθ[

].ᾶcoν[

]　[

1]. : in linea litt. a, ε, λ, simm.,
pars extrema dext.; tum ε vel c pars
inf.　3]. : infra lineam punctulum　.[: h.h. pars extrema sin.,
litt. c apici adaequata　6]. : ν
possis

54　　　B 22

xviii 2166 (b) 5

]ό.ποθ[

]τουτοκ[

]εν[

. 　　.　　.

1 post ό, punctulum infra lineam

55　　　B 23

xviii 2166 (b) 7

. 　　.　　.

]　[

]ω[[ι]]π.[

]οῖ.μ[

. 　　.　　.

2 .[: in linea arculus velut a sive ε
3 in linea punctulum, fort. a

56　　　B 24

xviii 2166 (b) 8

. 　　.　　.

].[

ϯ′μ[

. 　　.　　.

57　　　B 25

xxi 2166 (b) 12 (= 1233 fr. 24+
2081 (d) fr. 4)

. 　　.　　.

]　[ ]τᾰιcμ.[

]　[ ]μ[[ε]]ίκρ.[

]　.[ ]δε[

]　κορω[[ι]][

　　　　ορμ

5]　τ[[ωμ]][

. 　　.　　.

C I

P. Berol. 9810, BKT. v (2) xii 2

. . .

]τε κατθάνη[

]ιc δόμοιc

]αν

4   δ]έκεϲθαι

]ον οὐδέ τοι

]ωμένω

].πει

8   ]ϲηϲ

]ν ἀρύϲτηρ' ἐϲ κέραμον μέγαν

]μόχθειϲ τοῦτ' ἔμεθεν ϲύνειϲ

]μητωξαυοϲ ἄλλωϲ

12   ]μοι μεθύων ἀείϲηϲ

]λαϲϲαϲ φειδόμεθ' ὠϲκ'ρον

]νοείδην αἶθρον ἐπήμενοι

]ταθεντεϲ ὠϲ τάχιϲτα

16   ]άδαν καμάκων ἔλοντεϲ

].ύϲαμεν προτενωπια

]ποντεϲ καί κ' ἰθαρώτεροι

]εν ἰλλαεντι θύμωι

20   ἀ]μύϲτιδοϲ ἔργον εἴη

]τ' ὀνάρταιϲ χέρρ' ἀπύ μ' ἐμμάτων

].[.].φ[...]τωκάραι

]ειϲ τίθηϲιν

24   ]δεταιδ' ἀοίδα

] ἄγι ταῦτά μοι

]

]†αττε πῦρ μέγα

]τίθηϲθα

4 suppl. Diehl   9 subaudiend. esse verbi βάπτην partem vidit Vogliano   κεραμεν corr. e.p.   11 quomodo distinguend. penitus incert.   post αλλωϲ punct. incert. utrum fortuit. an ad interpunct. spectans   12 ϲηϲ 13 θα]λαϲ. suppl. e.p., probabilissime ut vid.   inter κ et ρ litt. in litura quae speciem η litt. praebet; fort. ὦ ϲκύρον scribendum, cf. H 28. 3   17]λυ,]αυ possis   πρό τ' ἐν. vel πρό τε ν.?   19 distinct. incert.   20 suppl. e.p.   22 num κα]τωκάρα?   inter 25 et 26 spat. unius v. vac. relict.

59

D I

1360+xviii 2166 (c): fragmenta minora e vicinitate eius carminis quod in altera papyro repertum titulo G 1 notavimus

(a) = 1360 fr. 12   (b) = 1360 fr. 13

.   .   .   .

]αccαμμ[   ]ν
]ντεcδ.[   ]α^υιεροcυ[
]φλαυροcυ[   ]ων
                              ]ιαν

.   .   .   .

e schol. αν(τι του) ιεροcυ[λ liquet Z
27 4–6 hic agnosci vetari

(c) = 2166 (c) 7   (d) = 2166 (c) 8

]νερωτερ.[   ].[
                              ]·ο[
.   .   .   ]ν[
                              ]νκ[
.[: o vel ω
                              .   .

1 fort. μ

60

D 2

1360 frr. 3, 18 iuxta collocata, tanquam ex eadem papyri parte oriunda :
fragmenti 3 scholiis accedit xviii **2166** (*c*) 1ᴬ

$(a) = $ 1360 fr. 3 $(b) = $ 1360 fr. 18

.　　.　　.

```
        ].[                      ]ζω[
      ]ϲιν[                      ]ήκε[
     ]λκιονε.[                  ]αϲτο[
   ]..[....]δϊ[
5  ]ων εἰς Ἀΐδα[
```

.　　.　　.

(*a*) inf. marg. schol. (1360, 3+2166 (*c*) 1ᴬ) : ¹]εοικ[.].[.]ιλη μεταξυ Πυρραϲ
κα[ι] Μυ[τιληνηϲ |² τ]ων δορυφ[ο]ρων τιναϲπ[|³].ρ[..]. φηϲι τω Βυκχιδι[
⁴|]..ρεν γαρ ο Μυρϲιλ[οϲ

(*a*) 3 ευ[, εχ[, simm. possis   4]ε vel]ϲ, α[vel λ[5 αἰδᾱ ('ʺ 2 m.)

xxi **2166** (*c*) 42. (*a*) = **1360** fr. 17, xviii **2166** (*c*) 10, 11, 13, 14, 16, 32 (= **1360**
fr. 6+novum), 35 coniuncta, (*b*) = **1360** fr. 15

(*a*)

. . . .

        ]ω[
        ]ναι[.].ων[
       ].ιτόεργον [
   (*b*)   ]μα·   [
5 . .   ]ωντοκηων[
 ]αϲα[   ].   [
 ]νοπτ[   ]ωλαβ[ ]ρτα[
 ]υτω[   ]..ν[o]ρ̊[
 . .   ]ναβαν[
10   ]ρ..[.]μεριμνα[
   ].οντονοημμαφυϲαι· ˙[
   ]αμοχθητον..ηνδιαιταν[
  ].ον·ουτωδεν[.]ημ[...].ητο [
  ]ναϲ[...]ακρυοε.[...].α.ψαι[
15].[ ]δοϲ[.]η[ ]. [
      ]μ[
           ]
           ]
       ]χην· [
20   ] τα̣[
            π̣.[
      ]α· ⁻⁻.[

.   .   .

fragmenti (*a*) vv. 17–21 (= **2166** (*c*) 14) positio vertic. certa; quantum
spatii inter vv. 16 et 17 intercesserit incertum. fragmentum (*b*) in transversum movere licet, sursum deorsum non licet.

(*a*) 2 ι̣[: χ̣[, π̣[, non excludenda ante ω ut vid. hastarum duarum
partes inf. extremae a sin. desc.; fort. duae litt., sed tum ut vid. nimis
condensae   3].: vestig. summis litteris adaequatum   τό (´ 2 m.)
6].: h.v., ν non minus veri sim. quam ι   7 litt. ω tantum angulus
dext. inf.   8 ante ν vestigium litt. α caudam indicat   10 post ρ,
litt. ν cauda (vel fort. φ, sed obloquitur metrum)   inter ρν et μ spatium
angustiores litteras tres capiat; κ]ρυ[̣εϱα] possis   11].: infra lineam

vestig., ρ vel τ veri sim.   in marg. dextr., commentat. littera prima, fort.
ν   φῦσαι an φύϲᾱι incertum   12 ϝχ vel ϝλ veri sim.; ἀμόχθητον ἔχην δίαιταν
13]. : hastae pars extrema a sin. adversus litt. o partem inf. asc.   ante ητ,
h.h. pars extrema dext. summis litteris adaequata   ν[ό]ημ[μ' ἔ] supplendum,
tum ante ητο γ vel κ vel τ : num ἔκητο?   14 .[: h.v.   ]. : vestig.
summis litteris adaequatum   inter a et ψ h.v. pars media   θά]νατ[ον
ζ]ακρυόεν[τα] μάρψαι possis   15]. : h.v.

52

D 4

(a) 1360 fr. 11 ; (b) xviii 2166 (c) 15 ; (c) 2166 (c) 17 ; (d) 2166 (c) 23 ; ex eadem
papyri parte ut vid.

(a)

```
    .    .    .
  αἰ .[
   μ[
   οὐ[
    .    .    .
```

(b)

```
    .    .    .
  ]μ[
  ] .μ[
  ]ιa[
    .    .    .
```

marg. sin. reliqq. scholl. ad praeced.
col. spectant. : ¹]. |²]ϲϲουϲι et |¹
]νμ |²]τα[ ] |³]αϲ[.]
   1 fort. αικ[

(c)

```
   .    .    .
  ]cη[
  ]εν[
   .    .    .
```

(d)

```
   .    .    .
  ]ιμ[
  ]νε[
   .    .    .
```

53

D 5

1360 fr. 5

```
           .    .    .
              ].[
   2
   ───
              ]
              ].κλε[
              ]c ἔδωκ[
              ]τατοϲκ[
   6
   ───
              ]
         χε]λίοιϲ cτάτ[ηρας
```

3]a,]o, alia, possis   4 ἐδ   7 λίοιϲτά (prior. ' et ϲ insert. fort.
2 m.)   suppl. e.p.

64   D 6

1360 fr. 4. 1–8

```
                .[
                .[
              . .[
            ὀνν.[
5          καιτ[
            ἀν.[
            δαιμ[
            αὔτω[
         ‿  ὠϲτο[
         –
         θ
         ;
```

marg. sin. schol. vestigg. ad praeced. col. spectantis   3 .δ[vel .α[
4 ο[vel ω[6 δ[vel α[

65   D 7

1360 fr. 4. 9–10

```
            καλ.[
            .]κ[
```

1 ι[, κ[, alia, possis   2 ⁻] ut vid.

66   D 8

1360 fr. 1. 1–8

```
          . . .[
          ὠϲπάρα[
          ἀλλαπ[.].[
4        τῶποϲ[.].[
         <—>
          πόλλα[.].[
          ὠϲ ἐθέλ[
          ὄ]ττι τωγ[
8       ‿ ἀ πόλιϲ ἄμμα
        –
        θ
        ;
```

7 suppl. e.p.   etiam μ[, alia, possis   8 ἄμμᾱ ut vid., et postulat
omnino consuetudo articulum

142

D 9

1360 fr. I. 9–13

> οὐ πάντ᾽ ἦς ἀ.[
> οὐδ᾽ ἀcύννετ[.]cα̣ποιϲι̣..[
> βώμω Λατο΄[ἰδ]α τοῦτ᾽ ἐφύλαξα[
>
> 4 μή τιc τὼν κ[α]κοπατρίδαν
> <—>
> ἔccεται φάνερ[..] τ[οῖ]cιν ἀπ᾽ ἀρχάω[

1 ἀντ᾽ῆc   fort. π[vel γ[, etiam β[possis   2 δ᾽a   [ο] suppl. e.p.
3 βώ (' 2 m.)   suppl. e.p.   τοῦτ᾽ (˘ 2 m., ut vid.)   4 suppl.
e.p.   ρίδ   paragr. suppl. Ἄμ.   marg. reliqq. schol. ¹ ὅπωc[|² cενφ[
5 ἔc (' 2 m.)   φάν   ρ[οc] s. ρ[οι] spat. apt.   τ[.ˆ]c   suppl. e.p.   fort.
Ἀρχάω[scribendum (cf. Favor. π. φυγῆc ix 5 seq.)

D 10

1234 fr. I. 1–6, mox integrius ante xi **1360**; accedunt xviii **2166** (c) 1 et 38,
xxi **2166** (c) 40

> . . .
> ....[.].[.].[.].[..]..[
> 2 οὐκ ἀ[..]ταίcει
> πρᾶϋ λάβολον πάτερἀγκ[
> κἄτι τ[ὸ]ν κήνω πάτερα[
> τωῦτ[ο .] ὠναίcχυντοc ἐπ[
> 6 μ[ί]cοc ἄλιτρον.

1 init. γ, π, τ, ν, μ possis; reliqua incertissima   2 τά'cει   ἀ[πα]ταίcει
vel ἀ[ρε]ταίcει suppl. veri sim.   3 ϋλ̣ά   Hesych. ληβόλε·... ἄξιε
λιθαcθῆναι πάτ   αγκ[ut vid. potius quam απ[marg. reliqq. schol.¹   ]αι
|²].υ.. ³|]του[.].ιου |⁴]λλ.   4 sive κἄτιτ[ο]ν   κἄτ   suppl. e.p.
2166 (c)   κήν   5 suppl. e.p. **2166** (c)   άιc   vel εγ[6 suppl.
e.p.   ρον·

69   D 11

1234 fr. 1. 7–14, cui accedunt eiusdem p. fragmenta xviii 2166 (*c*) 1, et lemma
cum commentario xxi 2307 fr. 1 v. 18 seqq.

Ζεῦ πάτερ, Λύδοι μὲν ἐπα[cχάλαντεc
cυμφόραιci διcχελίοιc cτά[τηραc
ἄμμ' ἔδωκαν, αἴ κε δυνάμεθ' ἴρ[

4   ἐc πόλιν ἔλθην,
     οὐ πάθοντεc οὐδάμα πῶcλον οὐ[δ' ἔ]ν
     οὐδὲ γινώcκοντεc· ὁ δ' ὡc ἀλώπα[
     ποικ[ι]λόφρων εὐμάρεα προλέξα[ιc

8   ἤλπ[ε]το λάcην.

schol. marg. dext. v. 1 : 1, 2, fragmenta minima, ³ . δρ . . c (num το δ' εξηc?)
επι cυμφοραιc |⁴ αcχαλαντεc κ(αι) λυπουμ(εν)οι : fere eadem voluit commentator
P. Oxy. xxi l.c., ¹Ζευ πατερ [Λυδοι μεν α]|²πεcχαλαc[αντεc· αλγουν]|³τεc επι τ[αιc
cυμφοραιc η]|⁴μων οι Λυ[δοι . . .
     1 τερ·λύ   e schol. suppl. e.p. 2166 (*c*)   2 φόρ   λίοι   suppl. e.p.
3 ἀμμέδ   ἀι   νάιμεθ', corr. Ἄμ.   ἰρ   ἴρ[αν an Ἴρ[αc incertum
4 θην·   5 πάθ   δάμ   πῶc suppl. e.p.   marg. schol. vestigia
minima   6 γεινώc, corr. e.p.   τεc·   δ'ωcαλώπᾱ[[ξ suppl. e.p., sed
cf. Hesych. ἀλώπα· ἡ ἀλώπηξ   7 suppl. e.p.   λόφ   μάρ   λέξ   marg.
schol. vestigia minima   8 ἤλ   suppl. e.p.   λάc

70   D 12

1234 fr. 2 i 1-13

. . .

].[.].χ....[

—]
π.[.]τωι τάδ' εἴπην ὀδ.υ..[
ἀθύρει πεδέχων cυμποcίω.[
βάρμοc, φιλώνων πεδ' ἀλεμ[άτων
5   εὐωχήμενοc αὔτοιcιν ἐπα[
κῆνοc δὲ παώθειc Ἀτρεΐδα[.].[
δαπτέτω πόλιν ὡc καὶ πεδὰ Μυρcί[λ]ω[
θᾶc κ' ἄμμε βόλλητ' Ἄρευc ἐπιτ.ύχε..[
9   τρόπην· ἐκ δὲ χόλω τῶδε λαθοίμεθ..[·
χαλάccομεν δὲ τὰc θυμοβόρω λύαc
ἐμφύλω τε μάχαc, τάν τιc Ὀλυμπίων
ἔνωρcε, δᾶμον μὲν εἰc ἀνάταν ἄγων
13   ſ Φιττάκωι δὲ δίδοιc κῦδοc ἐπήρ[ατ]ον.
-θ-
ſ

2 fort. πρώτωι possis   τ·θ·δ' (corr. incert. utra m.)   ἐι   δαυ, δου,
alia, possis   marg. vestigg. schol.   4 μοc·   λών (· et ', ut vid.,
2 m.)   cum φιλώνων fort. φέλων ὁ ἀλαζών (Theogn. καν. μᾱ) conferend. δᾱλ suppl. e.p.   5 χήμ αύ (' 2 m.)   6 κῆ δε,πᾱώ ῖδ marg.
schol. : [1]   ] επιγαμιαν cχων οι χ(αρ) π(ερι) | [2]   ] Α⟨τ⟩ρεωc απογονοι
δι[αc?]παι | [3]   ] ωc κ(αι) πρωην μ(ετα) το[υ Μυρ]cιλ(ου)   7 τέτ πόλ suppl.
e.p., procul dub. rectiss., quanquam vestigg. minime ι et ω litt. simili-
tud. praeb.   8 θᾶc: ᾱc coni. e.p., sed cf. K 3. 6   κᾱ̈μμε (manus certo
distingui nequeunt)   βόλλητ'άρ (', ut vid., 2 m.)   formain Ἄρευc ap.
Alc. testantur Serg. Emes. Epit. p. 8 Hilgard, Cr. A.O. iv 336, Eust.
518.35   τ'.υχε..[, τευχε, alia, possis   9 τρόπην· χόλ τῶ (˘ fort.
2 m.)   θόι   post μεθ vestigg. incert., fort. θ' αὖ scribend.   10
λάc τᾱc θῦ βόρ   11 ἐν̈φ (ν perduxit, μ sscr. 2 m.)   φό μάχαc·τάν
12 ἐνω ἁτ   13 τάκω corr. e.p.   κῦδ πήρ suppl. e.p.

71   D 13

1234 fr. 2 i 14–15ᵃ : accedit xxi **2166** (c) 41

> φίλος μὲν ἦςθα κἀπ' ἔριφον κάλην
> καὶ χοῖρον· οὕτω τοῦτο νομίςδεται

post Φιττάκω κτλ. (D 12 v. 13) scripserat και χοροιν ουτω κτλ. 1 m., quem ultimum columnae versum mox uncinis inclusit manus ut vid. altera (eadem ut vid. quae P.Oxy. **1788** scr.), quae versus φίλος–νομίςδεται inf. marg. subiunxit.

1 κᾱπ   2 ρον·

marg. dext. schol. : ¹.[..].ψ..[   ]τα τον του Αλκαιου ερωμ(εν)ον | ² ...[..]ς δε φη(ςιν).[   ]ον ωςτε ςε και επι χοι|³ρ[ο]ν και εριφον [καλειν, τουτ(ο)] (εςτιν) εις τα παρασκευας|⁴ματα τυχ[τ]οις γ(αρ) ξενοις μετα |⁵ ςπουδης πο[ιουςιν (sive -ουνται) εὐ]ωχίαν παροιμια δ (εςτιν) |⁶ επ εριφ[ο]ν και χο[ιρον καλειν   ]ν λεγει ουτω τουτο νομ(ιζεται)   1 init. litterae ceteris ut vid. maiores; primae restat cauda usque ad lineam sequentem desc.; ante ψ cauda similis, supra a dextra parte hasta a sin. dextrorsum asc. et fort. accentus, e.g. ύ; post ψ vestigia in β quadrant, sed fort. erat ε   2 post φη ut vid. η, litt. ν similis ; φιλ[ο]ς δε φη(ςιν) η[ςθα possis, sed confirmari nequit   3 supplementum lacunae accommodatum dedimus   5, 6 supplevimus praeter ευ] (e.p.)

72

D 14

1234 fr. 2 ii, cui accedunt duo frustula *Ἄμ*. D 14, tertium xviii 2166 (*c*) 30
prim. ed. lectio nonnullis locis incertissima

. . .

    . . . .]. [

2   ἐν[. .].λα[.]. . . . .[

    λάβρως δὲ ϲυν ϲτεί[.].. [. .]ϝιαπ. .

    πίμπλειϲιν ἀκράτω [. . . .]π' ἀμέρα.[

    καὶ νύκτι παφλάϲδει.. αχθεν,

6   ἔνθα νόμος θάμ' ἐν.[.].[.].νην.

    κῆνος δὲ τούτων οὐκ ἐπελάθετο

    ὤνηρ ἐπεὶ δὴ πρῶτον ὀνέτροπε,

    παίϲαιϲ γὰρ ὀννώρινε νύκτας,

10 τὼ δὲ πίθω πατάγεϲκ' ὁ πύθμην.

    ϲὺ δὴ τεαύτας ἐκγεγόνων ἔχηις

    τὰν δόξαν οἴαν ἄνδρες ἐλεύθεροι

    ἔϲλων ἔοντες ἐκ τοκήων. . . ;

3 λᾱ   ϲτέι ut vid., sed ' incert.   ]ει penitus incert., pro ι litt. ϲ, mox
pro π litt. γ possis   4 πίμπ   κρᾱτ   ]π'ᾱμέρᾱ ut vid., sed ' et ' incert.   ρᾱι[vel ρᾱν[4–6 marg. reliqq. schol. [1]]τηνεφη [2]]κοϲ ϲυν [3]]υ
                                                         ϛθ
εθουϲ [4]].ταϲτο [5]]ηγοροι δ(ε)   5 νύκ   πλαφλ corr. nescio quis   λάζει
ut vid., sscr. incert. utra man., mox λαταχθεν, sed et alia, possis   6
ἐν   νόμ   νε[vel νω[possis, mox]νηην· vel].νην·   7 λᾱθ   8
πρῶτ νέτ πε·   9 νώρὶν νύκτας·   10 τὼ πίθ τάγ κ'οπύθμην·
11 αὐτᾱϲ γόν ἐχ   12 δόξ οἰανᾱνδ   13 ἔον γονηων 1 m., in
τοκηων mut. 2 m., capite γ litt. refect., ν delet. et κ suprascr.   interrog.
signific. *Ἄμ*.

73

D 15

1234 fr. 3, cui accedunt lemmata et comment. xxi **2307** frr. 14 i et 16 (X (14), (16) infra), fort. etiam xxi **2299** fr. 3 (M 3 infra). lectio nonnullis locis incertissima

. . .

πὰν φόρτι[ο]ν δ. . [

2   δ' ὅττι μάλιϲταϲάλ[

καὶ κύματι πλάγειϲ[αν

ὄμβρωι μάχεϲθαι . .[

φαῖϲ' οὐδὲν ἰμέρρη[ν, ἀϲάμωι

6   δ' ἔρματι τυπτομ[έναν

κῆνα μὲν ἐν τούτ[

τούτων λελάθων ὠ.[

ϲύν τ' ὔμμι τέρπ[. .]α[   ]άβαιϲ

10   καὶ πεδὰ Βύκχιδοϲ αὐ. .[

τὼ δ' ἄμμεϲ ἐϲ τὰν ἄψερον ἀ[

αἰ καί τιϲαφ[. . .]. . αντ. .[

δείχνυντε[

1 suppl. e.p.   2 δ'ότ   αϲάλ (incert. an non άϲ'άλ)   3 κύμ πλάγ suppl. Ἀμ.   4 ὅμβρωο, corr. e.p.   μάχ fin. χο[, χε[, alia possis 5 φαῖϲ'   ἰμέρ   [ν suppl. e.p., αϲαμωι nos ex X (14) i infra   6 δ' έρ supra alterum μ[vestigia atramenti   suppl. Ἀμ.   7 κῆνᾱ **1234** et **2299** (= M 3 infra)   τόυ   8 τούτων λελάθων **1234**, νο]ϲτου λελαθων ut vid. comment. **2307** (= X (16) infra), unde fort. νόϲτω pro τούτων (quasi ex praecedente τούτ[ortum) in textu reponendum   inter θων et ω vestigia atramenti ut vid. fortuita   9 ϲύντ'ύμ   τέρπ   ]αβαιϲ ex **2307** fr. 16 (= X (16) infra) addidimus; τέρπ[εϲθ]α[ι ϲυν]άβαιϲ supplere possis   10 βύκ   vel fort. αφ. .[, simm.   11 τώδ' άμ   inter μεϲ et εϲ vestigium quod ad interpunctionem spectare possit   ά[[φ]]ερ (' et fort. ψ sscr. 2 m.)   12 αἰκάι]ταντατ[, simm., possis

148

74

D 16

1360 fr. 2; accedit xviii **2166** (c) 31

. . .

—]έντην

]ν ὅδε πλάτυ

]κ κεφάλας, μάτει

]α

5. —].ντεϲ·

τ]ὸ ξύλον

]προίει μόνον

]

]

. . .

marg. dext. schol. v. 4: [1]υμειϲ δε ϲιγατε ωϲπερ νευρων.ροι.νεται ο[υ]][2]δεν δυναμενοι αντιϲτηναι τωι τυραν[νωι   v. 6: [1]αλλα ω Μυτιληναιοι εωϲ ετι καπνον μονο[ν] |[2] αφιηϲι το ξυλον τουτ (εϲτιν) εωϲ ουδεπω τυρανν[ευει] |[3] καταϲβετε και καταπαυϲατε ταχεωϲ μη λα[μπρο] |[4]τερον το φωϲ γενηται

2 πλά   3 έ]κ vel κὰ]κ supplendum   φά   inter ϲ et μ scr. ◡, quod fort. ad interpunctionem spectat   μά   6 suppl. e.p.   ὑλ   7 incertum utrum post hunc an subsequentem versum desierit columna

75

1234 fr. 6

D 17

· · ·

].[

2   ].[..]άλ.[

]δων εὐγε.[.].[

]τείν[..] προδεδ[ε]ίχμενον

ἀμβρ]ότοντας [α]ἶϲχοϲ

6   ]ρεϲθ' ἀνάγκα

μέ]μναμ'· ἔτι γὰρ πάιϲ

]. ϲμῖκρ[ο]ϲ ἐπίϲδανον·

]ν οἶδα τιμ.[.].

10   ] Πενθίλη..[

] νῦν δ' ὀ πεδέτροπ[ε

]ν κακοπάτριδ[αι

τ]υραννεύ-

marg. schol. vix iam legend. ante v. 1 incip., ad v. 4 usque pertinet   2
post ἀλ ι[, γ[, κ[, simm., possis   4]τέι (´ 2 m.)   δ[έ]ι suppl. Ἄμ.   5–9
marg. reliqq. schol. vix iam legend.   5 suppl. e.p.   ότὸν (˘ 2 m., quae
etiam o litt. in α obliq. lin. mutare voluisse vid.) τᾶϲ   suppl. e.p.   6 θ'
(vel potius θ·, ut vid.)   κᾱ (˘ 2 m.)   7 suppl. e.p.   μνᾰιμ'·ἔτι: μνᾱμαιτι
scr. et in μνᾱμ ἔτι, α delet. atque expunct., ι in έ mutat., corr. 1 m., tum ˉ delet.
˘ posuit, ι inseruit 2 m. utra '· scripserit incert.   πάιϲ   8 μῖκ suppl.
e.p.   πίϲ   ον·   9 νόι   τῑμ   10 θίλ   11 πὲδέ   suppl. e.p.
12 πάτ   suppl. Ἄμ.   13 suppl. e.p.   νέυ

76

D 18

1234 frr. 4 et 5 coniuncta
lectio non uno nomine hic illic incertissima

. . . . .

]. πολ . . [

]νεννε[

] . . [. . .] . [

]περ[

5   ] . ν . . . ται . . ν̣[

]γαισαιπα . . . . κ . . . . [

]ηωνεσφ . . . κυ̣δ̣[

]κ[.]λ̣[. .]πτε γένναc

9   ]κεοc ἦc κ' ὄνεκτον

]ποτ' ὔβριν καὶ μεγαθειπ̣[. .] . . . [

]τά τ' ἄνδρεc δραῖcιν ἀτάcθαλ[οι

]ν κεν ἦc ὄνεκτον [.] . δη[

13   ]τε πόλλακιc ἐ[c]φαλη[.] . ν

]ν[ο]ρθώθημε[

]μέμ[ε]ικται το̣[

]λλά παι τι δαι[

6 post cαι πα vel fort. μα, tum ι, ν, τ, simm., possis   7 potest fieri ut
P. Oxy. x **1234**, 5 :]δα[, minim. ante]ηων interv. collocandum sit   8 pro
κ[.]λ̣[fort. κλ scribi potest   9 όνε (' 2 m.)   10 pro π̣[litt., τι,
ιτ, γι, simm., pariter probab., post lac. omnia incertiss. sunt   11 τά
(accent. incert.)   τ' (' 2 m.)   ᾶιc ut vid. τάc s. τᾶc suppl. Edmonds
12 ηcκ 1 m., ἦc̣κ̣ 2 m.   [.]ιδ legi potest, nisi fort. -ον ηδη legend.   13
]τε̣ᵃ vel]χε̣ᵃ (α sscr. 2 m.)   ἐ[c]φάλη[με]ν e.p., fort. recte   14 ὀ]ν[ω]ρ
e.p., quoad ὀ] probabiliter, sed ω litt. spat. non suff.   θώ (' 2 m.)   15 ἐμ
(' 2 m., quae et μ refecit)   suppl. Ἄμ.   16 λάπᾱι (' 2 m.)

77

D 19

A: col. i (*a*) = xviii **2166** (*c*) 2 col. i+xxi **2166** (*c*) 44, 4, 36, et 2ᵃ; col. ii
(*b*) = xviii **2166** (*c*) 3+xxi **2166** (*c*) 44; col. ii (*c*) = xviii **2166** (*c*) 2 col. ii,
eiusdem columnae pars extrema dext., cuius initia in (*b*) repraesentantur;
intervallum inter (*b*) et (*c*) indefinitum; col. i (*d*) = xviii **2166** (*c*) 4 (quod
in transversum movere licet, sursum deorsum non licet). B : ex **eadem**
papyri parte ut vid. oriunda, (*a*) xviii **2166** (*c*) 5, (*b*) **1360** fr. 21

A

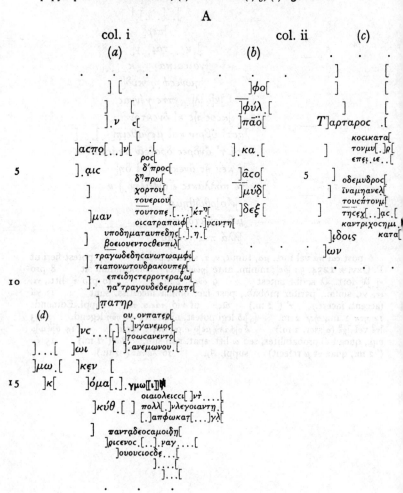

152

B

(a)   (b)

· · · · · ·   · · · · · ·

]   ]πεϝ[

]ᾰι   v̇.[   ].τ[

]καων   [   ]c[

]ϝεμ[⁖]cϝε[· · · · · ·

· · ·

A. (a) 3]. : ο vel ω῾ arcus dext.   5]. : punctulum apici litt. α adaequatum   10 hastae pars extrema ad lineam a sin. dextrorsum desc.,
tum h.v. :]ᾳι· possis   12 ..[: h.v. duarum pedes, punctulum in linea
secundae propinquum, πᾳ, πλ, possis   13].. : in linea h. a sin. desc.
pars infima; tum h.v., e.g. τ   14 .[: h.v.
    (b) 2 .[: in linea init. hastae dextrorsum asc., α vel λ   3 supra ο, litt.
duarum inter lineas scr. vestigia   4 ante κ, punctulum apici huius litt.
adaequatum   .[: h.v. apex et pes
    (c) 3 suppl. e.p.   schol. .[: hasta a linea dextrorsum asc., / = εcτι
possis   8]ι : tantum apex; η, ν, possis
    scholia ita partim supplere interpretari possis :
col. i (a) 7 οι cατραπαι φ[οϱο]υcιν τη[8 seqq. υποδηματα υπεδηc[α]-
μην | βοειου εντοcθεν πιλ[ινα, cf. ῾Hes. op. 541 seq.   hinc ὑπεδηcά]μαν in
textu v. 7 suppl. Diehl   9 seqq. τραγω δ᾽ εδηcα νωτωι αμφι[lemma ut vid.,
explicat ο]τι απο νωτου δρακου (= τραγου) περ[ι , επειδη cτερροτερα.
ζω[ ] η αν(τι του) τραγου δε δερμα πε[12 seqq. ου τον πατερ[α τ(ων)
ανεμων λεγει (suppl. Diehl)   16 seqq., schol. v. 3 [Σ]απφω, 4–5 παντα —
χω]|ρις ενος supplenda

D 20   79   D 21

1360 fr. 9+xviii 2166 (c) 33   1360 fr. 14

· · ·   · · ·

      ]πε[   ]   φ.[

      ]να[   ]ηc   κ[

      ]τεφ[   ]c   τ.[

      ]ᾱδε[δ[

5   ]ται·[ϛυμ[

      ]τωτ[· · ·

· · ·

153

80   D 22   **81**   D 23   **82**   D 24

1360 fr. 16 + xviii **2166** ·   xxi **2166** (*c*) 43   1360 fr. 20
(*c*) 9   (= **1360** fr. 19
                              + xviii **2166** (*c*)
                              12)

.   .   .   .   .   .

]τιδεϲ [   ]τι[   ].[
]πολυνγχ[   ]. αν   ]των[
].   ]ην   ].. [
         ]υϲτ[   ]ω.[.]βεν   .   .   .
5   ]μ[5]ατριδοϲ[
        ].. [   ]εφοβαμ[
.   .   .   ]βολλ[
                         ]αμεγ[
6 h.v. duarum reli-   ]τιϲδ[
quiae, quarum prima ut
vid. sinuosa   .   .   .

                    2 h.h. pars extrema
                    dext., apici litt. *a*
                    adaequata

83   D 25   **84**   D 26

1360 fr. 22   1360 fr. 23

.   ].[.   .   ]ιϲμε[.
]αλυππτ[   ]δ’α[
]νκ[.   .   .
.   .   .

85   D 27   **86**   D 28

1360 fr. 26   1360 fr. 27

.   ].[.   .   ]λα[.
]λετ[   ]
.   .   .   .   .   .

87 D 29

1360 fr. 28

.　　.　　.

]δεξα[
κ(ατα) τωγ[

.　　.　　.

88 D 30

xviii 2166 (c) 18

.　　.

]αμ[
]ήτι[
].αμε[

.　　.

89 D 31

xviii 2166 (c) 19

.　　.

]ιδ'α[
]οcυ[
]αμπ[

.　　.

90 D 32

xviii 2166 (c) 20

]κα[
]λιν,[

.　　.　　.

91 D 33

xviii 2166 (c) 22

.　　.

]ψατο[
].μεγ[
]ζ̣ε.[

.　　.

2 litt. caudata　3
hastae apex a sin. dex-
trorsum desc.

92 D 34

xviii 2166 (c) 24

.　　.

.τα[
προ[
ανδ[
$\stackrel{!}{=}$ π.[

93 D 35

xviii 2166 (c) 25

.　　.　　.

]cεπ[
]αμε.[
].αcολ[
]καν[

.　　.　　.

3 h.h. pars extrema
dext., apici litt. α adaequata

94 D 36

xviii 2166 (c) 26

.　　.

]α[
].μ[
]ικα[

fort. columnae finis

95 D 37

xviii 2166 (c) 27

.　　.

]
]υδει[
]καcτ[
]δ[

.　　.

96   D 38   **97**   D 39   **98**   D 40

xviii **2166** (*c*) 28   xviii **2166** (*c*) 29   xviii **2166** (*c*) 34

. . .   .

```
].[                        ς[             ]..νελ.[  ].
]ν[                        φ.[             ά]δελφέων[
]ᾶνε[                      ω.[             θ]εοσθελητ[
]νοι[                    . . .            ]ωπαρ.[
5  ].ν.[          3 .[: ς, ω, simm.,   5  ]..μ[
                  arcus sin. inf.
      . . .                                        . . .
```

5]ονт[possis   2, 3 suppl. e.p.

99   D 41   **100**   D 42

xviii **2166** (*c*) 37   xviii **2166** (*c*) 39 (= **1611** fr. 34),
                                accedit fr. nov. xxi **2166** (*c*) 44^

```
      . . .                          . . .
     ]α[                          ]..[
     ].ν [                        ]επ[
     ]ην[                         ].υς[.]δ[
      . . .                       ].κτος[
                             5   ].[.].τε[
                                 ].η[
                                     . . .
```

3]. : punctulum in linea, mox h.v.
pars inf., fort. litt. duae   litt. δ
tantum angulus sin. inf., fort. ζ
possis   4]. : ε veri sim., sed
restant punctula tantum duo, alterum alteri suppositum   5].[:
fort. litt. duae, posterior η   ]. : fort.
κ ramorum sup. apices   litt. ε tantum pars sin. inf.   6]. : h.h.
pars extrema dext., litt. η h.v.
sinistrae apicem contingens

01 D 43

xxi **2166** (*c*) 45

. . .

κ[
λ.[
π[

. . .

102 D 44

xxi **2166** (*c*) 46

]νέχ[

. . .

103 D 45

xxi **2166** (*c*) 47

. . .

]ϲ.[
].ἰδα[

. . .

1 .[: h. dextrorsum
asc. initium, α, λ, χ
possis

04 D 46

xxi **2166** (*c*) 48

. . .

]ιδ[
].[

. . .

105 D 47

xxi **2166** (*c*) 49

. . .

]..[
]ντ[

. . .

1 in linea punctulum,
tum h.v. infra lineam
desc.

106 D 48

xxi **2166** (*c*) 50

. . .

] [.
]   [
κακο]πατρίδᾱ[
]φερην [
5   ].ι·   .[
].[

. . .

fort. columnae in-
itium   3 suppl. e.p.
5]. : ε possis.   opp.
vv. 5–6 (ubi ρ[vel β[
possis) fort. schol. ve-
stigia

07 D 49

xxi **2166** (*c*) 51

]πε[
]οιτιϲ[
].ταιπ[

. . .

3 fort.]ν

108 D 50

xxi **2166** (*c*) 52

. . .

]α.[
]ϲτον[
]'..κρε.[

. . .

3 ante κ, h.v., cuius
ad pedem sin. apparet
h.h.

109   D 51   **110** D 52   **111** D 53

xxi 2166 (*c*) 53   xxi 2166 (*c*) 54   xxi 2166 (*c*) 55

. . .   .

```
      ]α.[              ]τιν[              ]τα[
  ]ω[..]π[            ]ντας·[             ]αccα[
    ]νγ.[             ]αιθ[               ].[
     [ ´]
```

. . .   .

3 .[: o sive ω arculus   2 litt. c secat hastula   1 sive λ[
sin. inf.   tenuis, fort. deletionis
                                indicium

112   E 1

P. Berol. 9569, BKT. v (2) xii i i 1–18 + P. Aberdon. 7 (Reinach, *Rev. Ét. Gr.*
xviii 413; denuo Turner, *Catal. Gr. & Lat. Papyri, Aberdeen*)

```
            ]δυ.αι δ[ι'] ἀνοιϊα[
            ]ϲαι χρόνον ὦ πα[
            ]ρ αὖτος Κρονίδα[
     4      ὄπ]παι κε θέληι τρ.[
            ]ουτ' οὐ μάλαπη.[
            ].τανδη[.]θεκατ.[
            ]θλον π[ο]λυδα[
     8      ἀρ]ίϲτηαϲ ἀπυκρ[
            ].ϲμακρον ἀπι[
      ἄνδρες γὰρ πόλι]ος πύργος ἀρεύ[ιος
            ]ωϲ κῆνοϲεβολ[
    12      ] μοῖρα κατέϲκ[εθε
            ]οιϲ ἠμενεπε.[
            ]ων Ζεῦϲυπε..[
            ]αὔτω· τα τ[ι]ϲ εἰ.[
    16      ]ϲ ἐϲφερέτω.[
            ]τοδ' εἰϲ ειαν[
            ]ϲ γὰρ τάδεϲαμ[
            ].φοϲ μακα....[
    20      π]άροιθεν βαρυ.[...]νωι
            τό]ϲϲουτον ἐπεύ[χο]μαι
```

158

]ηϲθ' ἀελίω φ[ά]οϲ
]ιγε Κλεανακτίδαν.

24] ἦρχεανακτίδαν·

]τον μελιάδεα

].κιδοϲ ὤλεϲαν

. . .

1 pro]δ litt.]a,]λ,]κ possis, mox inter υ et α litt. ν, γ, κ, simm.   suppl.
Schubart   ιϊα   marg. reliqq. schol.........]ειϲ   2 ὦ   4 suppl.
Schubart   πᾶι   inter κε et θ spat. vac.   λη   5 τ'ου   inter μ
et α spat. vac.   6 inter η et [.] spat. vac.   sup. θ vestigg. 2 litt. velut
κ, χ, ϲ, all., et α, δ, λ   τω[, τι[, το[possis   7 vix credideris]θ scriptum
esse   inter π et [o] spat. vac.   8 suppl. Schubart   inter αϲ et α
spat. vac.   9 inter ρ et o spat. vac.   πι[·   10 e schol. Aesch. Pers.
352 (p. 117 Dähnhardt), schol. Soph. O.R. 56 (p. 166 Papageorgius), Suid. in
ἀρήιοϲ, suppl. Schubart; ἀρευίοϲ ille, ἀρήιοι hi   inter γο et ϲ spat. vac.
ευ·{·   11 inter νο et ϲ spat. vac.   12 inter κ et ατ spat. vac.   suppl.
Edmonds   13 inter ν et επ spat. vac.   14 εὗ   inter ϲυ et π spat.
vac.   extr. v. fort. λα[15 τω·   suppl. Ἄμ.   inter ϲ et ε spat. vac.
16 inter τ et ω spat. vac.   λ[, δ[, α[possis   17 δ'ε   ἐϊα ut vid., inter
ϊ et α spat. vac.   pro ν[fort. μ[possis   18 inter ϲα et μ[, pro qua
litt. fort. ν[possis, spat. vac.   19 post κα spat. vac.   fort. κα.ϲ
(sive ϛ) scribendum   20 suppl. Reinach   inter ρ et ν spat. vac.   λ[,
δ[, fort. etiam α[, possis   21 suppl. Reinach   o]'ϲ   inter πε et υ
spat. vac.   suppl. Reinach   22 θ'a   inter φ et [a] spat. vac.   23]ν
possis   inter ακ et τ spat. vac.   marg. schol. τ(ον) Μυρϲιλ(ον)   24
]ῆρ   inter ακ et τ spat. vac.   αν· ut vid.   marg. schol. τ(ον) Φιττακ(ον)
25 δδ   inter δ et ε spat. vac.   26]ι,]η, all., mox pro δ etiam λ possis   inter ωλ et ε spat. vac.

113   E 2

P. Berol. 9569, BKT. v (2) xii 1 ii 1–9
sup. marg. init. 2 vv. qui quorsum spectent incertum :

$$\kappa \acute{u} \nu \epsilon \iota \epsilon \,.[$$
$$\check{\epsilon}\rho\omega\nu\,.[$$

$$\overline{\hat{a}\rho\xi\alpha\nu}\,.[$$
$$\overline{\phi\rho\acute{a}\delta\alpha\iota[}$$
3    $$\overline{\kappa\alpha\iota\,\kappa\eta\nu[}$$
     $$\overline{\alpha\grave{\iota}\,\delta\eta\rho\epsilon\tau[}$$
5    $$\overline{\theta\acute{a}\sigma\sigma\epsilon\iota\cdot\pi}\,.[$$
     $$\overline{\pi\acute{\epsilon}\lambda o\nu\tau'\,\grave{a}[}$$
7    $$\underset{\overline{\theta}}{\check{\underline{\varsigma}}}\,\overline{\theta\nu\acute{a}\tau\omega\nu[}$$

1 $\overset{\eta}{\hat{a}}\rho\xi$ (η sscr. 2 m.)   5 ϲει·   6 τ'α

◀14

E 3

P. Berol. 9569, BKT. v (2) xii 1 ii 10–23
  iuxta vv. 1–8 schol. marg. sin., quod tamen ad hoc carmen spectare
credideris : ¹κατα την ²φυγην την ³πρωτην ο- ⁴τ] επι Μυρcιλον ⁵κατακcευαcαμ[(εν)]οι
⁶επιβουλην οι π(ερι) ⁷τον Αλκαιον κ( ) ⁸φαν[.]ι.[.]c δ(ε) π( ) ⁹φθαca[ν]τεc
πριν ¹⁰η δικη[ν] υπο- ¹¹c]χειν εφ[υ]γον ¹²ει]c Πυρρ[α]ν

        ουδ[
        ἐν εὐ[
        ἄνο.[
    4   δοῖε.[
        οὔτω[
        ἀνδ[
        ἀλκα[
    8   νῦν [
        οἶτα.[
        ἀλλοι[
        γᾶν τα[
   12   νῦν [
        .]ακ[
        ].[

· · ·

  schol. suppl. fere omnia Schubart   7 κ᾽ i.e. κ(αι) ut vid.   8 pro
]c Schubart]ν mavult   π᾽ i.e. π(ερι) ut vid.
  1–14 ἐν εἰcθέcει quod vocatur scripti sunt   2 ἐν ut vid. potius quam ἐν
2–3 inter hos vv. paragraphus scripta est, falso ut vid. sed potius videtur ˉά
quam ά legendum   3 ά ut vid., sed v. adn. sup.   9 τά̈   mox θ[,
c[, all., possis; fort. τα..[scribendum   14]ν̇[, simm., possis

115

F I

(a) 1788 fr. 1 : accedunt eiusdem p. fragmenta *Ἀμ*. F 1 et xxi Addenda p. 139 prim. ed.; vv. 9–25 = 1788 frr. 10+8 (*Ἀμ*. F 11). (b) eiusdem columnae fr., *Ἀμ*. F 1 12–17 prim. ed. : accedit fr. xxi Addenda p. 140. Ita ut vid. reponendum ut derecta sub litteris (a) 11 εφ stent litterae (b) 2 λι, sed quantum spatii interfuerit incertum. (c) xxi Addenda p. 143 : eiusdem columnae ut vid.; veri simile est derecta sub (a) 12 stetisse, ita ut v. 1 littera β sub (a) 11 litt. ὰ apparuerit. (d) eiusdem columnae ex inferiore parte ut vid., *Ἀμ*. F 2 prim. ed.

$$\cdot\qquad\cdot\qquad\cdot$$

(a)　　　　　　]πέ.[
　　　　　　　]βρ[
　　　　　　　]κ.[
　　　　　　].[..]..οι[
5　　　　]λεξάνθιδος ἱππ[
　　　　ὀρ]νίθεϲϲ' ἀπὺ λίμνας πόλιν ἐς τάνδ[
　　..]αν ἐκ κορύφαν ὄππoθεν εὐώδεϲ[
　　γλ]αύκαν ψῦχρον ὕδωρ ἀμπελόεϲϲ[
　　.....]ʹ[...]ν κάλαμος χλῶρ[ο...].[
10　　　κ]ελάδεις ἤρινον ὀν.[...]όμεν[
　　　π]ηλεφάνην, κὰδ δ.[...]ντὼ[
　　　　　.]ʹ[...]ν καταη[
　　　　　　　　]τουτομε.[
　　　　　　　　]τ' ὀμάγυ[
15　　　　　　].·καδδε[
　　　　　　　]ʹϲαν[
　　　　　　　]δια.[
　　　　　　　]αἰγιβό[τ
　　　　　　.ʹ]ϊλον[
20　　　　　　]δυϲπ[
　　　　　　　]ρεξε[
　　　　　　　]βρόδ[
　　　　　　　]αριε[
　　　　　　　]ολπ[
25　　　　　　]τοκ[

$$\cdot\qquad\cdot\qquad\cdot$$

(b)   (c)

· · ·   · · ·

].γ...[   ].β.[
]μελλιχ[   ]εο[
]βρ.cίᾱι.[   ]νεμ[
]αφώ.[   ].᾽νδᾰ[
5   .]δ᾽ ἀέξ[5   ].[
]ιονουτ[
] [· · ·

(d)

· · ·

]ω·τ[
]λεκα.[
].άλα.[
]εcαλλ[
5   ]ην᾽τα[
]εcθεω[
].cέων[
]ιγειτ[
].[

· · ·

(a) 1 .[: h. dextrorsum asc. init.   3 .[: h.v. pes   4].: ante.οι littera
caudata   5 άν   6 suppl. e.p.   c᾽a λίμ πόλ   7 ὑφᾱνόπ
8 suppl. e.p.   ἀυκᾱνψῦ ὑδ   λόε, etiam supra ε accentus ablutus   9
]ν̄ λῶρ   10 suppl. e.p.   λάδ ήρ ον,ον όμ   11 suppl. e.p.
(τ]) φάνην· τὼ   14 τ᾽ομά [ρι suppl. e.p.   15]ν vel fort.]αι·
18]αι βό suppl. Diehl   19 velut κό]λλον
(b) 1 post γ, ϛϛ possis (deest ε pars sup., c pars inf.)   3 inter ρ et c
littera ut vid. correcta; vestigia in ο non quadrant   .[: h.v., velut γ, ν, π
4 μ[, ν[, alia possis   5 .]: supra lineam, vestigium fort. signi ˇ sive litt.
inter lineas scripta
(c) 1].: in linea, h. pars extrema a sin. desc., e.g. a, λ   .[: h. a linea
asc., leviter dextrorsum inclinata, e.g. ι   5 h.h., initium h. a parte
extrema sin. desc., γ vel c veri sim.
(d) 2 .[: h.v. pes   3].: γ sive τ   6 sive α[7].: fort. litt. υ
rami dextri pars sup.   9].[: vel litt. duae, e.g. ωτ

116   F 2

1788 fr. 5

                    .   .   .

                         ].[
                    ]   [
                    ]λα[
              ].α.[.].οι[
    5   ]ψαδ[..]τοδοκ[
              ]οναέρραι.[
              ]έρα· θυ[...]δα.[
              ]ϊ..[...]ην κ[

4]αγοι[possis   6 post ι. evanuit atramentum   7 plus quam δ,
fort. δ', tum αϲ[, αϵ[, simm., possis   8]ϊλ.[ut vid.

117   F 3

(a) xxi Addenda p. 143 : a dextra parte sup. fr. (b) v. 3 ut videtur, ita ut fr. (a)
v. 7 litt. κ derecta sup. fr. (b) v. 3 litt. υ locetur. (b) **1788** fragmentis 4, 6,
11, 15 i in ordinem *Ãμ*. F 4 redactis accedunt fragmenta nova compluria
xxi Addenda p. 140 seqq. prim. ed. (c) xxi Addenda p. 144 : a sinistra
parte sup. fr. (b) v. 26 ut videtur

(a)

.   .   .

]τοτạ[
]ϝομ[
].λα[.]β[
]μάχ[
5   ]ạτοϲεϲ[^ϛ
]ῶννα[
]κατ..[

.   .   .

3]. : a ꭚel λ cauda   litt. β tantum basis   7 fort. ϛτ[, sed ϵ abnormis
(fort. litt. ι deleta), litt. τ tantum h.h. pars extrema sin.

(b)

```
                                    ] [
                          ].[
                       ].τυ.[        ].ε.[ ]
                       ].ας ἐπη[ρά]τοι[ς]
 5                     ]ἵμερτον ὀρη.ἑνα
                       ].[κ]ούφω δ' ὑπίης δρόμω
       ]...[......].ς.[..]δαςαι.[ ]εται·
       ].αις κολοκύνταις ὑπα[.]ώμματος
       ἐβ]άςτασδε[ν] ἐο[ίςα]ις ἀπαλωτέραις·
10     ]....αι· [...]δ' ὑπ[...]νυχοι.
       ]ανα.α.[....]α[...ε]λείβ[ετ]ο
       ]. ἄγαθος, τα.[....]α[...].α
       ]δάμα πω[.].[....].ἀπ['.]εςα[].'.[
       ]μέν με[...]η. κέρδεο[ς..]...[
15     ]α.[     ].[..].τιδ[
             ] Δίο[ς] καὶ μ[α]κά[ρων θέων
       ].ωκερρ[.]μ[
       ].α.['.]ς[.].ιςε..[
       ]..[..]εν ᾶς τὼ[........].ε,
20              ]ντε[.].χα..[
             ].[..]ς νᾶα ποήμεροι
       ].υ.αςδ', οὐ γὰρ ἔγω.ἔχω
       ἐ]πόνηςας κατα[.]αμένα·
       ]..ς καὶ πόλλα χαρις[
25     ]δοις· τοὶς δ' ὑπίcω[.].[
       ]ται· πόρναι δ' ὄ κέ τις δίδ[ωι
       ἴ]ςα κἀ[ς] πολίας κῦμ' ἄλ[ο]ς ἐςβ[ά]λην.
       '.]πε[..]ε.ις τοῦτ' οὐκ οἶδεν, ἐ.οι π[.]θην
       ]ςπ[...]αισιν ὀμίλλει, τάδε γίνε[τ]α[ι·
```

marg. dext. schol. :
vv. 8 seqq. [1]εις τ[.]ν.[|[2] ..[..]..[|[3] []ψηλαφ[..].δ'.[, ubi 3 fort. [ε]ψηλ. supplendum
v. 11 [1]εις.[|[2] [ ]cο[| v. 12 αⁿθηλυκου τ[.]ν[
vv. 20 seqq. [1]].c cυνουςιαζοντες |[2] c]υνουςιαζοντες cοι ε|[3]]ερεαν αν γεω|[4]] ναυν ξνλα|[5].[ ]αγορα(ν)|[6]ητ.[ ].πυγιο( )|[7]ουτι[ ]νορ| [8]]νιζειν |[9]] ον(τω) διδυ(μος), ubi v. 1 -ντ]ες supplere possis
vv. 26 seq. [1]]....ο( ) η.[]ε.ελως επανω |[2] αντι τ[ο]υτου του ςτιχ(ου) κειμ(εν-)

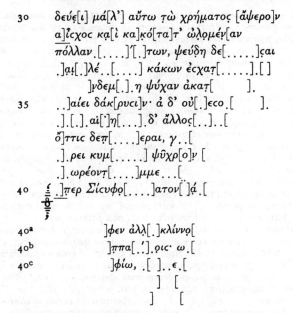

30   δεύε[ι] μά[λ'] αὖτω τὼ χρήματος [ἄψερο]ν
     α]ῖϲχοϲ κα̣[ὶ κα]κό[τα]τ' ὠλομέν[αν
     πόλλαν.[....]'[.]των, ψεύδη δε[.....]ϲαι
     .]α̣ι[.]λέ..[....] κάκων ἐϲχατ[.....].[ ]
             ]νδεμ[.].η ψύχαν ἀκατ[   ].
35   ..]αίει δάκ[ρυϲι]ν· ἀ δ' οὐ[.]εϲο.[   ].
     .].[.].αι['ʹ]η[...].δ' ἄλλοϲ[..]..[
     ὄ]ττιϲ δεπ[....]εραι, γ..[
     .].ρει κυμ[.....] ψῦχρ[ο]ν [
     .].ωρέοντ[....]μμε...[
40   ⚬̲]περ Σίϲυφο̣[....]ατον[ ]α̣.[

40ᵃ   ]φεν ἀλλ̣[.]κλίννο̣[
40ᵇ   ]π̣πα[.ʹ].ο̣ιϲ· ω.[
40ᶜ   ]φίω, .[ ]..ε.[
                ] [
                    [

v. 30 αν(τι του) ειϲ υϲτερο[ν]
v. 35 ..α̣ᵗα[..]....φ[, ubi de ακατ( ) cogitare possis, cf. text. v. 34; quae
sequuntur incerta, fort. α[ν(τι του) ε]πι κεφ[αλ- possis
vv. 40 seqq. ¹].οιʷ του ϲιϲυφου προϲ το κακειψ[|²].ει..αιʹτουτον ου γαρ
[..]..[|³.δ̣ε̣δοται ειϲ πιθον τετρ̣(ημενον)[, ubi |]μοιʷ possis; 1–2 κεκαι-
ν̣[οτο]μη̣ϲθαι non est scriptum (-ειϲθαι possis); ante τουτον fort. π̇ = περι
voluit; .δ̣ε̣: fort. π(αρα)δ.; 3 fin. sup. ρ fort. littera suspensa
infra 40ᶜ seq. ¹].αλογοϲ παρακειται |² ου(τω) διδ[υ]μ(οϲ); de signo alogo vid.
P. Oxy. xxi p. 142. ante αλογοϲ, hasta dextrorsum asc., ceteras litt.
supereminens

4].:τ,γ, alia possis]τ:h.h. pars dext.   supplevimus   5 ἴμ ante ἐ
vestigium litt. partiš mediae   6 suppl. e.p.   δ'υπί   δ: tantum punctulum summis litteris adaequatum ρόμ κούφω δρόμω an -ωι -ωι intellegen-
dum, incertum   7]...[: fort.]δ̣ε̣[   ].ϲ.[: ante ϲ, fort. litt. α cauda extrema;
post ϲ, π vel γ veri sim.; si π, litt. una tantum sufficiat inter π et δ ι.[ ]ε:
inter ι.[(pro quo etiam π[possis) fort. litt. deest nulla   vestigiis satisfaciat
ϲάπεται ται·   8 κύν   τ: tantum punctulum mediis litt. adaequatum
9 init. e schol. supplevimus   άϲτ (litt. ά tantum caudae pars extrema inf.,
litteram ϲ contingens) αϲᵈθ[: αζε vel αξε in αϲδε corr. ut vid. α]ῖϲ supplevimus   ραιϲ·   10]δ deletum, tum fort. ' sive ·, reliqua usque ad αι·
incertissima   δ'υ   11 post ανα, littera caudata, vix υ, φ, fort. τ vel
ψ supplevimus   12 ο]ψ̣κ possis   ἀγαθοϲ·   .[: γ, μ, ν, η, simm.
13 δάμ   ].απ[: primo h.h., litterae α partem mediam contingentis, pars
extrema dext.; post α, π aut γ angulus sin.   .'.]εϲα[post εϲα, spatio
unius sive duarum litt. relicto apparet h. brevis inclinata   14 μέν   vel
fort. μο[post η, h.v. brevior, ceteras litt. supereminens   supplevimus

15]ă͝ .[: γ, μ, π, simm. 16]ȣ̆ : ut vid. hastae a sin. desc. pars
inf. Διο[c] supplevimus, sed fort. λ magis veri sim. quam δ 17]ριω possis,
sed litt. ι solito procerior, nisi aliquid suprascriptum est 18 fort.
].αρ[[ʹ]c fort.]αιc, sed etiam]λιc possis 19 pro]εν fort.]εγ' ᾱc
ut vid., nisi ʹαc potius τῶ quam τῶ 20 fort. [c] e schol. supplendum ἐχα .[possis 21 νᾱ ῆμ 22 init.]. : ε, ο, c, simm.;
post υ litt. ρ, τ, simm. δ'· (· 2 m.) ἐγ ἐχ 23 πόν fort.
α[ρ]α μένᾱ· (sed punctulum fort. scholii pars) 24]τιc, alia, possis
25 οιc.τ δ'υπί 26 ται· νᾱιδ'ό supplevimus 27 ι]cᾱκᾱ ιαcκυ-
μ'ά .]λην· [ο] suppl. e.p., cetera nos 28 .]πε τ'ου ν.έμ
(.fort. 2 m.) credideris ἐνοι scriptum 29 fort. potius χινετ[quam
χινε.τ.α[legendum 30 δέ fort. μᾱ[supplevimus άυ ωχρή suppl.
Ἀμ. [ᾱψερο]ν e schol. 31 α]ῖc α] suppl. e.p., reliqua Ἀμ., quamquam
[ικα] fort. spatio brevius κό τ'ὼ μέν 32 λᾱν .][.]των· pro
ψευδη (?=ψευδηι) fort. etiam τευχη possis 33 λέ .[: h.v., tum ut vid.
circuli parvi arcus sup. dext., tum h.v. pars inf. leviter dextrorsum inclinata;
fort. litterae tres, γον possis].[: fort. ν sive αι, sed vestigia minima
34 ψύχᾱν.α (.fort. 2 m.) in fine, h.h., fort. non litterae pars 35
δάκ supplevimus ν·ᾱδ' in fine, h.v. crassior, quam tangit circuli arcus
dext.,]ωι possis 36 inter ι et η, litterae angustiori spatium, sed fort. ι̣
satisfaciat fort. κ]λαϊη[ν, cf. Et. Mag. (Gen.) 574. 65 post η spatiolum
vacuum δ' ά 37 suppl. e.p. vel δεγ[ραι. pro χ..[etiam π.[,
fort. πε[, possis 38 φ]εφει possis, quamquam abnorme ε κῦμ' [Ἀίδα]
supplere possis reliqua suppl. e.p. 39 fort.]κ vel]χ ρέ μεν..[,
μεγ..[, simm. possis 40 [ ]ά duo subsequentes versus ἐν εἰcθέcει
locantur, ergo hic carminis finis. 40abc supra omissi a manu prima litteris
minoribus sub columna additi sunt. (inter 31 et 40 ut vid. reponendi, prob.
post 32 vel 37; tum inter 10 et 24 statuendum fort. novi carminis initium,
nam vv. 8, 9 ambo asclepiadei, v. 24 incipit stropha ia.+glyc. et asclep.
alternis versibus) 40b]. : fort. χ vel λ 40c post ω, h. infra lineam desc.
vestig.].. : fort. υδ post ε, arculus superior velut ο, c, φ

(c)

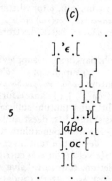

].'ε.[
[   ]
].[
]..[
5   ]..ρ[
]άβο..[
].οc·[
].[

1 .[: circuli arcus sup. sin. 4 in linea hastae pes, tum h.v. infra lineam
desc. cauda 5 λιν possis 6 post ο, hastae pars media leviter
dextrorsum inclinata, tum arculus summis litteris adaequatus 7]. :
partes sup. et inf. h.v. paulo infra lineam desc. 8 h. duarum ut vid.
infra convergentium apices

18 $\qquad$ F 4

1788 frr. 6. 14–15, 4. 39–40, 15 ii 1–8 coniuncta, quibus accedit eiusdem p. fr. xxi Addenda p. 142

col. i $\quad$] $\quad \tau\alpha\mu[\ldots]\epsilon\delta\ldots[$

2 $\qquad$] $\overline{\pi}\acute{o}\nu\tau[o]\nu\ \kappa\alpha\tau\epsilon\lambda\kappa\epsilon_{.}[$ $\qquad$].

$<$ hic desunt non minus 14 vv. $>$

col. ii $\quad .[$

$\qquad$ $c'\ \ddot{\eta}[$

$\qquad$ $\delta\mu\acute{\alpha}_{.}[$

20 $\qquad$ $\bar{\alpha}c\ \dot{\iota}\mu[$

$\qquad$ $\overline{\alpha\grave{\iota}\theta\epsilon\acute{\iota}}_{.}[$

$\qquad$ $\tau\alpha\nu\alpha\acute{\iota}o[$

$\qquad$ $\ddot{o}\mu\pi\alpha\upsilon[$

24 $\qquad$ $\genfrac{}{}{0pt}{}{\acute{\epsilon}}{\scriptstyle=} \nu[\acute{\iota}]\kappa\alpha[$

$\qquad$ $\genfrac{}{}{0pt}{}{\underline{\underline{\underline{\bar{o}}}}}{\scriptstyle;}\ <\!\!-\!\!>$

col. i 1 post δ, h. dextrorsum inclinatae pars media; tum vestigia quae in litt. κ quadrant, sed fort. litt. duas repraesentant; tum h. a sin. desc. pars inf., h.v., et angulus velut litt. δ pars sin. inf.; $\nu\delta^{\ulcorner}$, $\lambda\iota\omega^{\ulcorner}$, $\alpha\kappa^{\ulcorner}$, alia, possis sed nil satisf. $\qquad$ 2 supplevimus $\qquad .[$: h. dextrorsum asc. pars $\qquad$]. : h.v., incertum utrum text. an schol. pars

col. ii 18 $c'\dot{\eta}$ $\qquad$ 19 $\mu\acute{\alpha}$ $\qquad$ 20 $\bar{\alpha}c\ddot{\iota}$ nisi potius $\bar{\alpha}c\ddot{\iota}$ $\qquad$ 21 $\epsilon\acute{\iota}$ $\qquad$ 22 $\acute{\alpha}\iota o$ 23 $\acute{o}\mu$ $\qquad$ 24 $\nu[\acute{\iota}]\kappa$, suppl. e.p.

119

F 5

1788 fr. 15 ii 9–28 : accedit eiusdem p. fragmentum xxi Addenda p. 143

τίc τ' ὦ πον[
εἴπη[....].[
παρέcκεθ' ὦ[
4   δαίμον' ἀναίτιο[
   <—>
δεύοντοc οὐδέν· καὶ [γὰ]ρ ἀνοιᾱ́[αc
τὰc cᾶc ἐ.[.]υ.[.']c' ἀλλ' ἔμ[ε]θεν cυ[
παύcαι, κάκων δε[.....]όντω[ν
8   αἴ τι δύναι κατεχ[.....]ο̣.
coὶ μὲν [γ]ὰ̣ρ ἤ[δ]η περβέβᾳ[τ]αι χρό[νοc
κ]αὶ κάρποc ὄcc[ο]c ἦc cυνα[γ]άγρετ[αι
τὸ κλᾶμμα δ' ἐλπώρα, κάλον γᾱ́[ρ,
12   o]ὐ̣κ ὀλ[ί]γαιc cταφύλαιc ἐνείκη[ν
...ὄ]ψ[ι], τοιαύταc γὰρ ἀπ' ἀμπέ[λω
....]υc γ......ι cκοπιάμ[
τά]ρβη⟨μ⟩μι μὴ δρόπ[ω]cιν αὔταιc
16   ὄμφ]ακαc ὠμοτέραιc ἐοίcαιc.
..]τοι γὰρ oἰ̣ τὰ πρόcθ' ἐπονήμ[ενοι
..]εcκ[ο]ν· οὐδέπ[..].τ[....].[
...]ηκε· καρτε.[........]..[
20   ...]αcίαν παρεχε[

1 τίcτ'ῶ   2 ἐι (' fort. 2 m.)   3 ρέc   θ' (' 2 m.)   ὦ[4 δάι-
μον' άιτ   5 suppl. e.p.   6 cᾶc sup. υ vestig. accent. deleti de
lectione ἔπαυcά c' cogitavimus   λ'έ   fort. potius cύ[quam cὐ[, tum fort.
cύ[νειc supplendum, cf. C 1. 10 supra, Hom. Il. ii 26, (Maas), et v. 7 παύcαι
7 cαι·κά   8 άι   δύν   ]ο̣·   9 omnia suppl. e.p.   ήδ (' fort. 2 m.)   βέβ
   α[γ
10 cυναγρετ[αι omn. 1 m., suppl. γ McKenzie, αι e.p.   11 ᾶμ   δ'ελ-
πώρᾱ   πάλαον delet. sscr. κάλον γα[ρ 1 m.   12 suppl. e.p.   λ[:]γ   νέικ
13 suppl. e.p.   ό]ψ[ι]·   14 videtμr primitus υοc fuisse, quod statim ead.
m., o litt. aut perduct. aut in ι mutat., in υc s. υιc convertit   βότρ]υc (? υιc)
exspectaveris   pro γ litt. fort. π possis   ἀμ   15 suppl. e.p. praeter ⟨μ⟩
δρόπ[ω]cιν'άυ   16 suppl. e.p.   τέρ   όιc   17 νήμ suppl. e.p.
18 ο]ν· suppl. e.p.   δέπ   19 κε·   20 ἀcπ] melius spat. convenit quam
διπλ] (e.p.)

170

F 6

20

1788 frr. 2, 3 et tertium 𝐴μ. F 7 prim. ed., coniuncta

. . . .

]μοιραχ[

]μωιϲμα[

˙]ϊτατε.[

]

ἀ]πνείπη[   ]χει[

5   ]αδανδρ[.........].ευέτω

]αν· αἰδεκ[.......]α

˙]τ᾽· ὤμο[.]..ο[..]λα.[...]ϲεται

]τῶγαϲ ἀροτρώμμε[.᾽ ἐ]λευθέραιϲ

].ν τὸ γένηον μέλαν ἔμμεναι.

inter vv. 3 et 4 spat. vac. unius v. nec tamen dubitand. vv. 1–3 et vv. 4–9
eiusd. esse carm.   4 suppl. e.p.   5 vel]δ   vel ν[marg. schol. :
¹ταυτα .[ει]ρωνειαι εις τινα | ²γημαντα [πριν γε]νειαϲαι 6 marg. schol. : εν δε τω
αδειν[7 ˙]τ᾽· (᾽2 m.)   ωμο[: fort. ο̣ιμε̣[   ].ρο[,].γο[, simm., vel]πο[,
alia, possis, mox fort.]λαμ[,]λατ[, simm.   utrum ται an ται· scribend.
incert.   8 τῶγαρ̣   ρώμ suppl. e.p.   marg. init. schol.   9 fort.
πρ]ὶν   αι·

F 7

21

1788 frr. 2. 10–14 et 3. 7 coniuncta

] μύρια πάντα

].[.]ε λίτωϲ

].ὀλβῶνδρ[

]ο[.].ν

5   ]

. . . .

1 marg. schol. : αυτη απο τουτ[..] γυναικο(ϲ)(εϲτι) προϲ.[2 λί   3 ὀλβῶν
5 marg. schol. reliqq. : τ[]τ/κ.[(fort. τ[ου]τ (εϲτι) κα[)

122   **F 8**

1788 fr. 12

<pre>
              ·   ·   ·
        ...].....[
        ..]τε τὰι β[
   3   ᾆγε δή μ' ἀ[
        <—>
        αἰ τάκην.[
        τᾶςδενό.[
        εἶπέ μ'[
   7   μηὐκο.[
        τοῦτ' ἔγ.[
        πόλλακ[
        πόλλ' ὔμ[
  11   ⸕ ...].[.].[
</pre>

1].κιϲε[, alia, possis   2 τὰι   3-4 marg. sin. vestigg. schol. ad praecedent. col. spectantis   3 ἤμ'   paragr. suppl. Ἀμ.   4 ἀὶ   ἀκ   5 τᾶϲ   νό   6 ἐιπέμ'   7 μηὐκ .[: h. dextrorsum asc.   8 τ'έ   χ.[: fort. γω[9 πόλ   10 πόλλύμ

123   **F 9**

1788 fr. Ἀμ. F 10 prim. ed.

<pre>
              ·   ·   ·
        ]..[
        ]ϲϲαβ[
        ].όπυ.[
        ]άδιον[
   5   ].ε·ξ[
        ']ϲωπο[
        ]...[
        ]..[
              ·   ·
</pre>

1 h. a sin. desc. pars extrema, velut α, λ, χ, tum litt. basis velut ε, θ, ϲ

24

F 10

1788 fr. 7+alterum Ἀμ. F 12 prim. ed. coniuncta

· · ·

].·.[
].[.].[.].[
]πυ τόξω
4   ] κατάγρε[ι]
].ρον ἀπυϲ[
]ροτέρα τρύ[
ἀ]ϲφάλτω βιά.ω
8   '].[.....]ουϲαι
]ανη[
].·[

· · ·

paragraphos add. Ἀμ., ut pateret metrum   4 suppl. e.p.   5]κ,
simm., possis ἀπ   6 τέρᾱτρύ   7 suppl. Ἀμ. φάλ βιά s. βιᾱ,
tum ut vid. ζ, vix ξ   9 vel]δ

25

F 11

1788 fr. 14

· · ·

]ϲϲεται
]τατος
].πάθην
]αίϲομεν
5   ].[

· · ·

1 marg. reliqq. schol.   3 πάθ   4 ἄιϲ

126   **F 12**

1788 fr. 13

·   ·   ·

']. οιϲ.[
]μιονα[
'.]νονα[
]έποτ'α[

·   ·   ·

1]. : litt. caud.   .[: α[, simm., possis

127   **F 13**

xxi Addenda p. 144 = 1788 fr. 19

·   ·   ·

]. ηον· [
]εχάνιϲ.[
].ωντὼπα̣[
].κᾱμ'άυ[
5   ]αϲϲων[
].ν·κήν[

·   ·   ·

1]. : h.v. apex, ν possis   2 .[: in linea h.h. ; si δ vel ω, latus sin.
melius dispicere exspectares   3]. : in linea h. a sin. desc. pars extrema,
potius α vel λ quam κ vel χ   4]. : h.v. apex

F 14

xxi Addenda p. 145 = 1788 fr. 20

(a)   (c)

```
     . . .                          . . .
                                 ]..[
     ].ετ'ε[                    ].  χϛιρ[
     ]ᾱντίϲ[        (b)         ]ρθέλο.[
     ]ανωκ.[      . . .         ]ρων [
5    ].cθαιχ[     ]..[            ]  [
     ]μίᾱρ[       ].δερτ[
     ].νκή[     ]τε..οϲδε[
     ]ν,ὸc,δ[  ]εκεται.[
                     δ
     ].εμε[    ]ι̂⟦[μ]⟧ον ο[
10   ']ραγ[  ]τελεύηϲ[
     ]ο.[    ]περπετ.[
     . . .    ]ατελευ[
              ]ν·α̑[.
                   . . .
```

Pindaro fortasse tribuendum. de frr. (a) (b) (c) dispositione vid. e.p. xxi
Addenda p. 145; inter (a) et (b) vv. 7–10 spatii ut vid. nihil.
  (a) 2]. : χ sive fort. λ pars inf.   (c) 3 .[: h. paulo dextrorsum inclinatae pars inf.   (b) 5]..[: atramentum in stratum inferius permanavit
(b) 6]. : fort. ο pars dext.   (a) 7]. : ο potissimum, sed abnormis
species   (b) 7 .. : circuli supra lineam arcus dext. inf., ρ veri sim.; tum
c ut vid., sed ceteris altior et pede sursum magis producto, fort. litt. θ laesa
(b) 8 .[: fort. litt. c angulus sin. sup.   (b) 9 signi ⌒ tantum pars extrema
dext., ' possis   (a) 11 .[: h. infra lineam desc. ut vid. vestigium   (b)
11 .[: arculus in linea, α vel minus veri sim. ε sive ο

129

2165 fr. 1 col. i 1–32 : vv. 1–15 accedit xviii 2166 (*c*) 6 (= 1360 frr. 10, 24 +
nova septem)

      ].ρά.α τόδε Λέcβιοι
  ...]....εὔδειλον τέμενος μέγα
  ξῦνον κά[τε]ccαν ἐν δὲ βώμοιс
4 ἀθανάτων μακάρων ἔθηκαν
  κἀπωνύμαccαν ἀντίαον Δία
  cὲ δ' Αἰολήιαν [κ]υδαλίμαν θέον
  πάντων γενέθλαν, τὸν δὲ τέρτον
8 τόνδε κεμήλιον ὠνύμαcc[α]ν
  Ζόννυccον ὠμήcταν. ἄ[γι]τ' εὔνοον
  θῦμον cκέθοντεc ἀμμετέρα[c] ἄραc
  ἀκούcατ', ἐκ δὲ τῶν[δ]ε μόχθων
12 ἀργαλέαc τε φύγαc ῥ[ύεcθε·
  τὸν Ὕρραον δὲ πα[ῖδ]α πεδελθέτῳ
  κήνων Ἐ[ρίννυ]c ὤc ποτ' ἀπώμνυμεν
  τόμοντεc ἄ..['.]ν..
16 μηδάμα μηδ' ἔνα τὼν ἐταίρων
  ἀλλ' ἢ θάνοντεc γᾶν ἐπιέμμενοι
  κείcεcθ' ὑπ' ἄνδρων οἳ τότ' ἐπικ.'ην
  ἤπειτα κακκτάνοντεc αὔτοιc
20 δᾶμον ὑπὲξ ἀχέων ῥύεcθαι.
  κήνων ὁ φύcγων οὐ διελέξατο
  πρὸc θῦμον ἀλλὰ.βραϊδίωc πόcιν
  ἔ]μβαιc ἐπ' ὀρκίοιcι δάπτει
24 τὰν πόλιν ἄμμι δέ̣δ[.]..[.].ί.αιc
  οὐ κὰν νόμον [.]ον..[ ].'[ ]
  γλαύκαc ἀ[.]..[.]..[
  γεγρά.[
28 Μύρcιλ[ο
  ...].[
  [   ]
  [   ]
32 × ≡.]..[

omnia suppl. e.p.   paragraphos om. **2165**, sub v. 4 habet **2166** (*c*) 6
1]. : h. paulo curvatae, a sin. dextrorsum inclinatae, pars inf.   supra
tertiam litt. atramenti vestig. sed non ut vid. ά   ante ατο, fort. ξ voluit,
sed litterae in hac p. nulli simile   ἀτόδελέ   2 ἐυ   τεμενονς, alterum
ν del. currente calamo prima manus   3 ῡν   cαν·   βώ   4 μαυαρων **2165**,
]μακα[ρων **2166** (*c*) 6   ἐθ   καν.   marg. Ζεθηλᾱ : vix satisfacit ζ, pro λ fort.
litt. κ laesa   5 κἀπωνύ   ἱαονδί   ἱ]αον[δ]ια· et marg. schol. αντια]ιον
ἵκεϲιον **2166** (*c*) 6   6 λήι   λίμανθέ   λμ primitus scr., ι postmodo insertum, incertum an prima manu   7 πάν   αν·τὸνδετέ   τέ etiam **2166** (*c*)
6, ubi marg. schol. αν(τι του) τριτον   8 τόνδεκὲμήλὶονωνύ   fort. τὸν δὲ κεμ.
dividendum   marg. schol. **2166** (*c*) 6]κεμηλιον   9 ζό   ἥϲταν·   ταν·ἀγ
2166 (*c*) 6   ἐυ   10 θῡ   ϲχέθ in ϲκέθ corr.   ἀρᾱϲ   11 τ'εκ   τῶ supra
χ atramentum; si littera, fort. parvula τ   12 λέ   φύ   supra ρ[, litterae
rotundae arcus sin. inf., ϲ[άωτε v.l. ut vid.   13 ύρ   in fine versus punctulum, sordes an stigme (fortuita necne) incertum   14 κή   ὡϲ   ὤμ   εν
in litura scr. alia manus (etiam in **2166** (*c*) 6 εν scr. man. alt. ut vid.)   τ'απ
2166 (*c*) 6   15 τό   cά·   post ά, punctulum huius apici adaequatum,
tum h.v. procerioris apex; ἀμφ[possis   16 δάμ   δέν   τῶν   17
λ'ήθά   γᾶ   ἐμ   18 κέι   θ'υπά   οι, τότ'ὲ   post κ, litterae
rotundae pars sin., tum hastae a sin. dextrorsum desc. apex, tum h.v.

apex[1]   19 ήπ   ἄκκτά   άυ   20 δᾶ   ὑπὲξ   χέ   λύ   θαι·   21
κή   ν,ο,φύϲγ cf. fr. Z 106   λέξ   22 θῡμον·   α,βρᾶιδί   πό   23
.]νβ   κί   δά   24 ἀμ   δέδ   ]..[: vestigia in cπ quadrant   post
ι, litt. π vel τ angulus sup. sin.   ᾰιϲ·, ϲ· add. alia manus   25 ου,
κἀνῦ   ν et h.v. quae ut vid. sequitur diffuso atramento valde incerta
26 λά   27 ρά   .[: h.v. paulo inclinatae pes, π possis nisi obstet accentus
(de quo dubitationi locus)   28 seqq. diffuso atramento pleraque incertissima   28 μύ.   litt. λ[tantum apex, etiam ρ[, alia, possis

[1] Cf. **2166** (*c*) 26,]α[
].μ[
]ικα[, fort. ex eiusdem carminis versibus eisdem profecta

130

G 2

1–7 = 2165 fr. 1 col. i 33–39+fr. 2 col. i; 8–38 = eiusdem fr. 1 col. ii 1–31;
39 = fr. 2 col. ii 1+fr. 1 col. ii 32

fr. 1 col. i 33–9   ἀχ...[fr. 2 col. i
          ....[. . .
          οὐδ’ αὖτος δα.[   ].ν·
          κοι.αντε.[   ]ορδίαν
    5   ].αι.ειψ[   ].ων·
          ].ʹ.[. . . .
          θυγα[

fr. 1 col. ii   ..]ν[   ]..
          .]νυ[   ]..εν ἀμπέλοις·
  10   .].[   ]αππέναις
          οὐ.[   ]οφρόνην
          ἀν..[   ]ελε.πάρο
          περ.[.]...[..].εν κˆυθυ κατασσάτω
          αὐτο.[....]ε καππέτων
  15   ἐχέπ[..].[.]α τεῖχος βασιλήϊον
          ἀγνοις.ϲβιότοις.ιϲ ὀ τάλαις ἔγω
          ζώω μοῖραν ἔχων ἀγροϊωτίκαν
          ἰμέρρων ἀγόρας ἄκουσαι
  19   καρυ[ζο]μένας ὦγεσιλαΐδα
          καὶ β[ό]λλας· τὰ πάτηρ καὶ πάτερος πάτηρ
          κα..[.].ηρας ἔχοντες πεδὰ τωνδέων
          τῶν [ἀ]λλαλοκάκων πολίταν
  23   ἔ.[..ἀ]πὺ τούτων ἀπελήλαμαι
          φεύγων ἐϲχατίαις’, ὠς δ’ Ὀνυμακλέης
          ἔνθα[δ’] οἶος ἐοίκησα λυκαιμίαις
          .[   ]ον [π]όλεμον· στάσιν γὰρ
  27   πρὸς κρ.[....].οὐκ ἄμεινον ὀννέλην·
          .].[...].[..]. μακάρων ἐς τέμ[ε]νος θέων
          ἐοι[.....].ε[.]αίνας ἐπίβαις χθόνος
          χλι.[.].[.].[.]ν ϲυνόδοισί μ’ αὔταις
  31   οἴκημ⟨μ⟩ι κ[ά]κων ἔκτος ἔχων πόδας,
          ὄππαι Λ[εσβί]αδες κριννόμεναι φύαν
          πώλεντ’ ἐλκεσίπεπλοι, περὶ δὲ βρέμει

ἄχω θεσπεσία γυναίκων
35   ἴρα[ς ὀ]λολύγας ἐνιαυσίας
      ].['.].[.].ἀπὺ πόλλων .ότα δὴ θέοι
      ].[   ]ςκ...ν 'Ολύμπιοι

    fr. 2 col. ii   ]......

39   ⸯ .ϥα[   ]...μεν.

omnia suppl., corr., et paragraphos omnes omissas add. e.p.

1–15 impar versuum numerus; ergo aut aliquid a scriba omissum, aut lacuna inter 6 et 7 signanda (v. 7, = 2165 fr. 1 col. i versum ultimum, in fragmento scriptum disiecto, prioribus nullo relicto intervallo adiungendum esse veri simile sed non certum est). 1 post ἄχ, vestigia in ν quadrant : versus Z 26 ἀχνάς[δημι κτλ. fort. hic agnoscendus, sed confirmari nequit   2 prima litt. rotunda   3 όυ ut vid., sed dub. accent. ν· 4 ὀρδι 5 ων· 6 .'[9 απελοις· 10 ἐνᾶι 11 fort. ουπ[, sed neque π[neque τρ[satisfacit φ : apici propinqua h.h. (procul dubio fortuita) dextrorsum extensa ρόν 12 πάρο, 13 πέρ post ρ, ansula, et infra eam punctulum in linea, alterum ρ possis ante εν, h.ʼad lineam a sin. dextrorsum desc. κ⁻υ : κευ non satisfacit; κᾶυ credideris scriptum ἀτασσάτω· τω e το corr. 14 αῦ .[: h.v. pars sup. πέ 15 χέ infra π[, h.h. parallel. duae, quarum rationem reddere nescimus λῆϊ marg. schol. το της ηρας 16 αγ, quasi λίνο- v.l. pro αγνο- sequentis litt. ι partem mediam transfigit h.h., eiusdem litt. a pede sinistrorsum extenditur h.h. paulo a dextra descendens; supra sequentem litt. c, a parte sin., atramentum cuius ratio non reddita βιό ἀλαϊcέ 17 ζώ ἀκροϊκὠτίκᾶν·, corr. e.p. 18 ὀρακᾶ 19 κᾶ sed ⁻ paulo inclinat., ita ut κά intellegi possit ρ : tantum pars sup., β possis ἐνακω᾽ ἶδᾶ 20 ante ας, hastae duae angulum efficiunt, χ, λ, simm. possis ας·τάπά πάτεροςπά 21 post κα, potissimum credideris litteram c litterae ι ita esse superpositam ut litt. κ fere similis evaserit; sequitur vestigium litt. π partis sin. simillimum, sed etiam γ[possis; ante η, h.v. pars inf.; de κακγ[ε]γήρας᾽ fort. cogitandum ἀcέχ ἐδατὼν,δέ (cf. Cramer A. O. i 253 Ἀλκαῖός φησι τῶνδεων) 22 ἀλοκά λ[[ε]]ῖτᾶν 23 έ.[: post ε, fort. γ, sed etiam τ possis τό ἀπελή 24 c᾽ως,δὸνὺ έη 25 prim. litt. c simill., sed laesa papyro fort. etiam ε possis ἐόι λὺκαϊμί̈ᾶιc 26 primae litt. tantum hasta a sin. dextrorsum asc., λ vel χ possis τάς 27 post κρ, litterae ο ut vid. male scriptae pars sup. sin.; κρε[ccονα]c non est scriptum κάμ ὀννέλην· (non -χην) 28 ante μα, h.v. duarum inclinatarum apices, fort. ω vel μ τέμ θέ 29 fort. με[λ]αίνας, sed confirmari non potest ἀιvᾱc[[α]]επίβας, βας in βᾱιc corr. 1 m. θό 23 post χλῖ, hasta a linea asc., e.g. α, δ; tum unius litt. lacuna; tum hastae duae convergentes, e.g. χ, λ, μ; ante [.]γ, h.v. pars inf. cὺνό μ' : [[τ]], corr. alia manus ἀυτ 31 όικημι]κωνέ έων, χ sscr. alia manus δαc· 32 όππᾱι]ᾱδ ννάμεν φῦᾱν 33 πώ cίπ οι· πὲ ρέμ

34 ἄλχω   ἰᾱγ   αἰκ   35 ἰρ   ὐγ   cἶαc   36 hic et sequentes vv.
umefacti, diffuso atramento vix legibiles   ante απ, h.v. duae, inter quas
hastae inclinatae pars, ν vix satisfacit   απυ dubium, nam supra α ut vid. accentus acutus, et litt. υ rami sin. apparere pars debuit.   supra o et ω voc.
πολλων et o voc. ,οτα, atramentum cuius ratio non reddita   πόλ ότ ante
όστα, utrum π an τ scriptum fuerit incertum   θέ   37 fort.]ϛκοιϛιν, sed
neque hoc neque ολυ confirmari potest   ]cκ   πιοι·   39 μεζ, sscr. alia
manus

131   G 3

2165 fr. 2 col. ii 2–7 + fr. 1 col. ii 33–39

      γᾶc δα.[   ]....
      φευγοη[   ].ίδαιc
      ὼc νῦν.[   ]
      .αμω[   ]ιται
  5   ἐν κυψ[έλαιc-   ]...ένων
      παυρο[   ].ϲι γαρ
      [   ]π..[

1 δ̇   2 {δ   3 νῦ   .[: h.v. pars inf.   4 ᾱμ   5 ἐν, praecedit
π vel ιϛ non μ   marg. schol. εν αγγειοιc

132   G 4

   2165 fr. 3

                ·   ·   ·
             ].[.]...φέροιτο[
             ].μο.βαρύνθην[
             ]
             κ]εφάλαν κακότατα πόλλα[
  5   ].ιϲιδώ.ροι· προδόκι....[
             ]ϲινήται καιπὶ πρόφανεc[
             ]
                ·   ·   ·

2]α μοι possis   ὐν   4-6 litteris minoribus scr.: ut vid. proprio
loco omissi, marg. inf. additi   4 suppl. e.p.   5]. : h.h. pars extrema
dext., apicem litt. ι tangit   ώ.ροι·   post ώ, fort. χ possis, quod inter
et ρ atramentum inter lineas   post κι, apex velut ν, λ   όκ   6 inter
ν et η, atramentum inter lineas, fort. γ.   κᾱιπι, nisi fort. κάιτοι voluit   όφ
8–9 scholii vestigia minima

3   G 5   **134**   G 6   **135**   G 7

2165 fr. 4   2165 fr. 5   2165 fr. 6

```
   .    .    .              ]δανυ . . .[            .    .    .
        ].[                 ]ταδ'ἁντῳ[                 π[
           ].[              ]. ἁυραγ[                  πριν[
        ]    [              ]. νεκ . ωγ[              φώ.[
     ]αττα .[         5    ]ϵθηκαμϵ[                  δέιν[
 5   ]. ιφᾶ .[              ]. ἱᾱνθη[            5    χϵι .[
     .    .    .           ]. ουδ'.[                 αλλ .[
 5  ]ᾳ vel ]λ              ]ϛύμ .[                    ]δ[
                           ]γπροτϵ[                   φ[
                      10   ]ταυτα[
                           ]ἁιθρω[              .    .    .
                           [  ..  ]
```

```
.    .    .
```

3] . : h. ad lineam a
sin. dextrorsum desc.
pars extrema, μ possis
4 κυ vel fort. κτ   7
fort.]κ   fort. ǫ[vel
ω[12 litterae inter
lineas scr.

6   G 8   **137** G 9   **138** G 10   **139** G 11

2165 fr. 7   2165 fr. 8   2165 fr. 9   2165 fr. 10

```
    .    .    .        .    .    .        .    .    .        .    .    .
   ]κνα .[            ].ϛ.[              ]. ᾳ[              ]. . . .[
   ]κυρ .[            ]. .[              ]μν[              ]νεαν[
   ]ἑνδǫ[            ]. ᾳιρ[            ]ωϛ[              .']ϛ.[
   ]. . ἱ.[          ]. . .[            ]. ἑρι .[          ]γ'.[
 5  ]. ǫ[        5   ]. ϛθ[        5   .']μμ[         .    .    .
    .    .    .        .    .    .        .    .    .
```

140

   2295 fr. 1

H 1

.   .   .

].‥[

]αιρειδε[

]ᾱῐϲαδᾱ[

]πρᾱιϲιν[

5   ]ο̣ικατέπ[

]κεφ[

.   .   .

1 h.v. hamatae pars inf., tum litt. curvatae paulo supra lineam basis, e.g.]τϝ.[,]ν̣ϲ.[ex eodem carmine atque I 4 et Z 34, q.v.

141

   2295 fr. 2

H 2

.   .   .

]πωϲ[. . . . .] . [

.]εἴλαϲ ἐργαϲ[

ὦ]νηρ οὖτ[οϲ ὀ μαιόμενοϲ τὸ μέγα κρέτοϲ

ὀν]τρέψ[ει τάχα τὰν πόλιν· ἀ δ' ἔχεται ῥόπαϲ

.   .   .

1 litt. π tantum h.v. dext. pars inf.: fort. ρ, υ, possis   2 δ] suppl. veri sim.   ειλᾱ   litt. ϲ[tantum pars media sin.   3-4 suppl. ex *Ἀμ.* 129, (i) *Ar. *Vesp.* 1234–5; (ii) Schol. Ar. *Vesp.* 1227–8; (iii) Schol. Ar. *Thesm.* 162   3 ὤνηϲαι (ii) cod. V, corr. (iii) cod. R, ὤνθρωφ' (i) codd. R, V   φιττακ[supra]νηρουτ[scr. 2295.   μαιόμενοϲ (i) codd. R, C, V (μαινόμενοϲ, del. prim. ν), (ii) cod. V, (iii) cod. R, μαινόμενοϲ (i) codd. B, S 4 ἀνατρέψειϲ ἔτι (i) codd., τρέψειϲ τάχα (ii) cod. V, mox vero ἀνατρέψειϲ ταχέωϲ; corr. Bentley, Seidler (ἀντ-)   τρέ 2295.

142

   2295 fr. 3

H 3

.   .   .

]δο . . [

]ἀταν[

]'.υδε[

1 post o, h.v. pars inf., ι, μ, ν, alia possis   3] . : h. dextrorsum asc. pars extrema sup., υ veri sim. ; τ]υῐδε[suppl. veri sim.

182

H 4

2295 fr. 4

<table>
<tr><td>col. i</td><td>col. ii</td></tr>
</table>

．　．　．　．　．

```
                    ]..[
                   ]δαμας.[
                   ]λάοις λυ.[
                   ]τοὶς οὐκ[
    5  ]              ἦ μάλ' ἄξ.[
       ]              πώγωνε[
       ].             φοίταν δῆ.[
       ]..            περιστρόφιδ'.[
        ]             κάππεπάδμ[
                      ...ᶜ
   10  ]..ον. θέρμαν cποδ[
         ]ατο̄
       ]..... φοίταις ὸν π[
       ].φ.πφ.[
          θ̄  μάϲλητ[
         ].ων
         ]. γ[
```

．　．　．　．　．

col. ii 1 .[: circuli arcus sin. inf.　　2 .[: litt. rotundae latus sin.　　3
λά　.[: litt. rotundae latus sin.　　4 ὸιϲὸν　5 ἦμάλ'ά　.[: h.v. hamatae
pars inf., υ veri sim., ἄξυ[ρ(ος) suppl. possis　6 πώ　7 φόι　inter
α et ν lacuna litt. ι capax　δῆ　.[: in linea, h. hamatae dextrorsum asc.
pars extrema, λ veri sim.　8 πὲ οφιδ', supra o et ι vestigia fort. accent.　.[:
ut vid. h.v. apex　　supra ριϲτροφι scr. ταιϲυ......ᶜ　　9 ἄππεπᾶ
10 θέρμᾱ　　cπό[δον sive cπο[δίαν suppl. veri sim., cf. Schol. Ar. Plut. 168,
Schol. Ar. Nub. 1083, Suid. s.v. ῥαφανίϲ　11 ὸιταιϲόμπ[N̄　12 ante ά
punctulum in litt. μ h.v. dext. sup. quadrat　marg. sin. θ̄, versus scilicet
octingentesimus　　13 vel π[

144 H 5	**145** H 6
2295 fr. 5	2295 fr. 6

<table>
<tr><td>

```
        .      .
        ].ρ[
       ]ϲνοι̣.[
       ]α·ϋ·οιϲ[
       ]υμέγ[
  5    ].ικεϲ·ο[
       ].νεκκο.[
        ].[
```

</td><td>

```
        .      .
      ]ιοϲ[.].[
       ]αγγε̣[
      ]ῠνδε
      ].α̣[.].[]
        .      .
```

3 marg. dext. scholii vestigia
minima   4]. : fort. ύ

</td></tr>
</table>

1]. : h. ad lineam desc., leviter
dextrorsum curvata   2 ι inseruit
alia manus   .[: circuli arcus sin.
3 supra litt. α, vestigium (fort. signi
‾ pars)   5]. : α sive λ, quam inter
et summam ι ut vid. h.h. pars extrema dext.   6]. : circuli latus
dext.   .[: litt. μ sive ν h.v. sin.
apex   7 fort. υ vel χ pars sup.

146 H 7	**147** H 8
2295 fr. 7	2295 fr. 8

<table>
<tr><td>

```
        .      .
       ].τοι̣.[
       ]ιτᾱν[
       ].πρό.[
       ]νδειξ[
  5    ]ϲκά[
       ].το[
        .      .
```

</td><td>

```
        .      .
       ]ιϲτω[
       ]εϲ·ϝ̣.[
       ]ῠνδῶ[
       ].᾽οὐ[
        .      .
```

2 supra ϝ accentus gravis inter
punctula; caudam secat acutus, mox
sequitur alter acutus; omnia ut vid.
a prima manu scr., quanquam acut.
prior reliquis paululum tenuior   .[:
o vel fort. ω   4]. : ε, θ, o, ϲ possis

</td></tr>
</table>

fort. dextra sup. fr. 4 collocandum
1 si].τ (cuius litt. tantum h.v.
hamulus inf.), fort.]ϝτ, alioquin
spatii nimis inter τ et praeced.
litt.   post ι̣, fort. scholii initium
3]η veri sim., quamquam tantum
superest h.v. dext. apex   .[: circuli
arcus sin.   5 κᾰ́ ut vid.   6]. :
ε aut ϲ

H 9

48
2295 fr. 9

. . .

].ακα.[
].ιον ὄλβιος ὀ[
]νδε δυστάν[
]ϲδομ' ἐρημ[
]ετων φίλω[
]οϲ· ἀλλ' ὡϲ οἰκ[
].υρον ζώην [
]νάτοιϲι ΄[

4

8

strophae sapphicae ut vid.: sed hasta sub v. 4, si paragraphi pars, solito magis dextrorsum posita est.

1]. : in linea, h. a sin. desc. pars extrema, e.g. α, λ   .[: punctulum summis litteris adaequatum   2]. : h. a sin. desc. pars extrema, e.g. α, λ   ὀ[
3 τάν   4 μ'έ   5 φί·   6 ϲ·α   ὡϲ   κ̂[7]. : punctulum litt. υ ramo sinistro paululum superius; οἴ]ζυρον supplendum credideris, sed]ζ confirmari nequit (altius surgit pars summa quam in voc. ζώην)   ζώ
8 νάτ   ἀθα] suppl. e.p.

H 10

49
2295 fr. 10

. . .

]αφρεν.[
]αλαιψήροιϲι[
]τὰϲ' ὀτρύνν[
]εϲιν λεοντ[
]οππα[
]΄....[

5

. .

fort. supra H 11 intervallo brevi relicto collocandum.

1 .[: in linea, hasta leviter curvata, litt. α non minus veri sim. quam litt. rotunda   2 ήρ   3 ἐ'οτρύ   6 litterarum apices extremi; secunda in litt. ρ, tertia in litt. ν potissimum quadrant

150

2295 fr. 11

H 11

.   .   .

]ροϲτωδ[

]τοιϲινε.[

ἀ] νθρώπων[

]ν ἕταιροι

5   ]λοι· κράνναν δια[

].α. φοίταντεϲ[

].ˉ.....ʹ[

.   .   .

strophae sapphicae ut vid.

1 ρὸϲ   2 .[: h.h. velut litt. τ pars extrema sin., a manu recentiori supra aliam litt. scr.   3 supplevimus   5 οι·κρᾱ   δῑ   6]. : h. a sin. desc. pars inf.   ].ᾱ   inter ᾱ et φ, litt. η h.v. sin. et h.h. credideris, supra quas acuti vestigia : fort. ᾱι voluit, tum spatiolum fortuito vacuum relictum hastula transversa implevit   τᾱντεϲʹ (ˉ m. recentior)   supra ϲ, vestig. in acutum minus usitato inclinatum quadrat : fort. litterae. inter lineas scriptae pars   7]. : h.h. velut τ, ζ, ξ; supra partem med. apostrophe (2 m.), dext. acutus (1 m.); mox litterarum apices, fort. ρϲϲᾳ[(perscriptus fort. accentus).

H 12

2295 fr. 12

. . .

]εμα[

]ρετ.[

]οιραδ[

]υ·δυ.[

5   ].ιάτε[

]αιcδ[

]αικα.[

].ccιν[

]ολύμ[

10   ]αρώ[

]ράνω[

]τυλ.[

]αλλο.[

]πόλ.[

2 .[: litt. rotundae arcus sin. sup.   4 .[: litt. α, λ, ν hastae prioris pars inf. hamata, nisi fort. litt. ω angulus sin. inf.   5]. : vestigia in litt. φ arcum dext. extrem. quadrant   7 .[: circuli arcus sin. pars media 8]. : punctulum summis litteris adaequatum   12 ọ[vel ω[13 τ[vel fort. ν[14 .[: h. curvatae pars sin. inf., λ credideris sed etiam α, ο, ω possis

152 H 13

2295 fr. 13

.

].[
].μαλάπ[
]ρέχοιcαγα[
]ύδνᾱcμυτ[
5]κλωδερά.[
]ν’ἀντί.[
]νκα.ελε[
].οιcᾰλία.[
].ινῠπᾶν[
10]ννε. ταὶ.[
               ]ταῖν[
]cέδ[.]cκ[

.

1 litt. δ, ξ, simm. basis   2].:
ε vel c pars inf.   vel χ[4 κ]
suppl. veri sim.   τ[: tantum h.h. vestigium   5 vel fort.]χ   fort. a[
6 .[: h.h., infra quam h.v. sinistrorsum curvata, fort. ζ, non erat π, τ
7 inter κα et ελ, h.v.; si ι, [.] post
inserendum   8]ϝ vel]ϛ   .[: h.v.
paulo dextrorsum curvatae pars sup.,
ι, ρ, alia possis   9].: hamus summis litteris adaequatus, supra quem
accentus acuti pars extrema sup.:
fort. ᾿]ριν, sed valde incertum   10
ante τ, in linea vestigium in litt.
a quadrat   ι ut vid. postmodo
insertum

153 H 14

2295 fr. 14

]ντεc.[
]κᾰτθ[
]πυ[.]ρυ[

.

1 .[: o vel c

154 H 15

2295 fr. 15

.

]θμο.[
]cοcδ[
]ειλῐτ[
]τρᾰχη[
5]ωνc.[
]γᾶν·ᾰ[

.

1 .[: h.v. pars inf., ι, ν, simm.
4 η ex ει corr.   5 .[: h.v.   6 ᾰ[:
accent. dub.

155 H 16

2295 fr. 16

.

].λ’ὠc[
]ξλαῖ[
.]ινᾰ[
].’τ[

.

1]λ vel fort.]a   4].: h.v.
procerioris pars sup., velut φ, ψ, tum
vestigium in h.v. quadrat; φίτ veri
sim.

156 H 17

2295 fr. 17

.

].αcθα[
]μεθ[
].μεμ[

.

1].: h.v. pars media   2 vel. ε[
3].: h.v. desc., leviter dextrorsum
inclinatae, pars media

157   H 18

2295 fr. 18 ·

col. i   col. ii

    · · · · ·

     ].   [

     ]ͅτατης   [

     ]ονον·   ξα̣[

     ]   λα̣[

5   ]·   cτ[

     ]   ρ̣.[

     ]·   κρ[

    ][   ]   [   ][

    · · · · ·

col. i 1]. : h.v. pars sup.   2 litteris multo minutioribus et magis
cursive quam reliq. text. scr., sed a manu prima   3 φ]όνον e schol. supplere
possis
    col. ii 6 fort. οι[, sed laesa papyro etiam θ.[possis, post θ h.v. dextrorsum
hamata
    marg. inter columnas scholl. :
    1 seqq. ¹]...μενων[²].οᵘτων π̅τ̅.[³| περι Φιττακον[|⁴ τωγπερ[, ubi
¹]γγομενων ut vid., sed alia possis ; ² ante o, h.h. huius litt. apicem contingens ;
sub π̅τ̅[lineola transversa, fort. ut haec a subsequentibus separentur.
    3 seqq. scholia ut vid. tria (a) ¹ τρ[|²ϛτειχε..α̣το.[|³οϲ‾ιλου̅φονο̣, ubi
² post χε, circuli arcus sin. cum litt. ε apice ligatus, tum h. a sin. desc. pars
extrema, pedem litt. α contingens (fort. unius tantum litterae vestigia) ;³
ante ιλου̅ (quod litteris paullo maioribus scriptum est), hasta obliqua, fort.
vocab. εϲτι symbolus ; infra cͅιλου̅φονο̣ linea transversa, scilicet ut haec a
subsequentibus separentur   (b) ¹] αντετα|²]ξατο οcο̣|³].ιαc, ubi ³ prima litt.
χ parti superiori similis, sed infra nihil atramenti   (c) ¹ηιαναγηϲου-
κανη|².οττη.ηc.ριο.ντοc|³αλλαεπληγηc´, ubi ² primae litt. vestigium summis
litteris adaequatum ; inter η et η ut vid. γ, inter c et ρ ut vid. τ, inter o et ν
ut vid. c sed procul dubio ε fuit ; ³ fin. c abnorme, sed in ν vix quadrant
vestigia
    8 schol.]..γγκ[....].[

158   H 19

2295 fr. 19

]ἄρ[
]νί [
]άμα.[
        .[
].. κεραμεω[
].. αποτηϲτεχ[
    ]ωϲκεραμε[
    [[ι]]
5   ]ωφόρηϲ[
        ]⋯[

3 .[: h. infra lineam orsae, a sin.
dextrorsum asc., pars inf. ; supra
partem extremam sin., punctulum :
χ possis   5 supra η, atram. cuius
ratio non reddita

160   H 21

2295 fr. 21

]ν   cυ[
    πυρ[
    εκώ[
    και .[
5   λευ .[
    δᾱϊcλ[
    διήλ[
    ᾱμο[

4 .[: γ aut π   5 .[: κ aut ρ

161   H 22

2295 fr. 22

]῀υπόην[
].ῦματ᾽[

1]. : vestigia in ε, non α, quadrant
2]. : punctulum, fort. litt. κ rami
dext. sup. pars extrema

159   H 20

2295 fr. 20

].. λλ.[
]. απαῖδ[
]ωνετ[
]   [
5   ]. κἄππ[

1].. : vestigia in πε quadrant
.[: ε, ο, ω possis   2]. : h.h.
apicem litt. α contingentis pars extrema dext., τ non adeo veri sim.
5 ἄπ : inter α et π supra lineam punctula duo, eodem quo textus atramento

162   H 23

2295 fr. 23

]. ην[
][

163   H 24

2295 fr. 24

]
]ίνν[
]
]'..[.].[

luteo discolor, ergo fort. chartae
summae pars vel eidem propinquum
4 litt. secunda fort. ρ; ultima α,
simm., vel χ

164 H 25

2295 fr. 25

·   ·

]ατε.[
]ρό.[
] [

·   ·

1 .[: λ vel χ veri sim.
2 .[: ο, c, ω

165 H 26

2295 fr. 26

·   ·   ·

ευ[
cύλ[
τὸ[
]̓[

·   ·   ·

4 ⸰ ut vid.

166 H 27

2295 fr. 27

·   ·   ·

].[
].ὠν[
]κᾰβᾰ́λω[

167

2295 fr. 28

H 28

]α πὰρ ὄρκια
]ιϲλα
]τεραϲ ὦ ϲκύρον
]αϲ
5 ']. τράγον
]
].ἄχματα
]
]'.ιδαμεν
10]
]ροταματα[ ]
]
]νάων
]
15]αῖδαν·
].ι.[   ].
].ατέρων ἐπι Φ[ρ]ύνωνα τὸν
][[παπλεει   .'.]]
]αϲϲαν εὖ
20] ὠκυ.[...]ϲ νᾶαϲ ἐρύϲϲομεν·
]

. . .

2 λᾱ   3 ᾱϲῶϲκῡ͂ϲ (hic et 17 antisigma ᾽ ut vid. scholium indicat, 5 verba dividit)   marg. schol. ¹ Απιων |² ϲυνεϲταλμενω(ϲ) |³ μεννᾱντᾱϲ |⁴ ϲκῦρον   5 ᾽.]᾽τρά   ]. : in linea punctulum, supra quod h.h. pars extrema dext. litteras ceteras supereminens, fort. syll. longae indicium   7 ἄχματᾱ'   ]. : h.v. apex, litt. ceteris paulo superior, dextrorsum levissime inclinatus desc. 9 fort.]ό parvum, sed parum veri sim.   11 ᾱμᾱ́τᾱ (¯ in litura, alterius ˉ nil superest nisi punctulum)   13 νᾱῶν (ω¯ 1 m., ν add. 2 m.)   15 ᾱῖδαν· (supra posteriorem litt. α, duarum manuum signa varia confusa) 16]. : paene in linea h.h., velut litt. ζ basis, quanquam litt. κ ramus inf. aliquando vix minus rectus   .[: h.v. pars inf.   17]. : in linea punctulum   φ[ρ]ύνωνα' (suppl. e.p.)   marg. schol. ¹ Απιων |² ετι Φρυ(νωνα) 18 textum scr. et del. eadem manus quae marg. schol. ταυτα ου ϲωζε(ται) ελλειπει γ(αρ)   19 εὖ (ᾱῦ legi non potest)   20 ante ω, ϲ scr. et del.   post κυ, punctulum solum summis litteris adaequatum   νᾱ   μεν·

8   **H 29**   **169**   **H 30**

2295 fr. 29   **2295 fr. 30+38**

        ]κϵϲϲᾰλ[·   ·
        ].ἄρᾶιὀ[   ]κο.δυλ.[
      ·   ·   ·   ]ϵγ.πιλᾱ   [
                      ]ϵδᾱυθιϲοὺ.'..[

fort. e parte sup. eiusdem col. ac   ].ω[.]ᾰμύ   [
fr. 28   2].: h.h. litt. α apicem   5   ]ωνπᾰλάωνδ[
contingentis pars extrema dext.   ].ωνμνᾱμ[
litt. ρ tantum arculus, fort. β   ].ολιδαντῶνᾳ.'[
                            ].γ[
0   **H 31**   ].[
2295 fr. 31   ·   ·

    col. i   col. ii

    ·   ·   ·   ·
        ].   ϵπωνϵ.[forte sinistra fragmenti 28 collo-
        ]   κοϊλαιϲω[candum: etiam potest fieri ut fr. 37
    ]ϲ .χρ[¹]   μηδ.[vv. 1-3 partem sin. eorundem ver-
   ]αναοϲ   φίττ[ακ   suum ac fr. 30 vv. 6-8 repraesentent
   ]όροϲ   5   τωδη[1 .[: h.v. infra lin. desc. pars inf.
       ]   { ϲπιϲ.γ[2 inter ν et π, h. leviter dextrorsum
   ]ᾱωΝ   [{ ϛ]   [curvatae pars inf., velut litt. υ cauda
                         vel aliquando ι sive η vel π h.v. dext.
fragmento 30 vicinum ut vid.   3 litt. rotund. apex; tum α, simm.,
col. i 3 c abnorme litt. χρ tantum   apex; tum h.v. procerioris pars sup.:
partes inf., post ρ fort. littera sus-   ϲάφ, similia, possis   6].: circuli
pensa in lacuna periit   4 ῡα: arcus dext. sup.   ⁻ ut vid. in ˇ' scr.
potius contractionis ut vid. quam   7].: h.v. infra lineam desc. pars ex-
longae syll. indicium   col. ii 1   trema, ι veri sim.   pro ᾳ tam bene
litterarum tantum partes inf.   4   λ possis   .[: h.v. in linea pars inf.
supplevimus   5 supra ω, accentus   8].: υ, alia (velut in v. 2 supra)
gravis (fort. 1 m.) deletus   5-6   possis
ᾱ]|ϲπιϲ supplere possis

171 H 32

2295 fr. 32

/πα.[
δρω[
.].[

frr. 32, 33 fort. ita coniungenda ut
vv. 4–5 παγ.[.]αιο.[| δρωνανδρ[legan-
tur. etiam de coniunctione fr. 30. 4
cum fr. 32. 2 (ἀμύ|δρων etc.) cogitare
possis ni refragetur papyri facies
   1 .[: h.v. infra curvatae pars, e.g.
ν, τ

173 H 34

2295 fr. 34

]μυτι[
]ντρ[

frr. 34–6 et 32–3 omnia ex eadem
regione ut vid. profecta. nihil impe-
dire videtur quominus fr. 34. 1 cum
fr. 30. 8 ita coniungas ut Μυτι[λ]ην[
legatur   2 vel fort. ω[

172 H 33

2295 fr. 33

]..[
]γτ[
]οc.[
].[.]αιο.[
5   ]ωνανδρ[

   1 in linea hamulus, h. a sin. desc.
pars extrema, tum litt. rotundae
arcus sin. inf.   3 .[: punctulum
litt. ceteris superius, fort. τ vel ξ h.h.
pars extrema sin.   4 .[: h.v.,
fort. μ vel ν   5]ω : in una tantum fibra arculus; tam bene ο, alia,
possis

174 H 35

2295 fr. 35

]ιcέχομε[
]cκύρον[
]πεc.[

175 H 36

2295 fr. 36

]ωγον[
]ωθιῶς[

   1 χ : tantum cauda, sed spatii ratione confirmatur   2 θ : tantum pars
sup., solito angustior

76 **H 37** **177** **H 38**

2295 fr. 37 [vacat: cum **169** coniunctum]

```
      .   .   .
          ]ͱν.[
          ']conτα[
          ]νδ[
          ]τιμ[
   5     ]γινῦ.[
          ].ά[
          ]ττι.[
      .   .   .
```

1 .[: litt. rotundae arcus sin. inf.
4 supra ι vestigia, fort. ˉ 5 .[:
punctulum, in litt. ν h.v. dext.
apicem quadrat 6]. : h.v. apex
7 .[: arculus dextrorsum patescens,
infra quem h. a sin. dextrorsum asc.
vestigium

178 **H 39**

2295 fr. 39

```
          .   .
          ]ρχᾰο[
          ].
          ]. ἐπιλᾱίδαν :[
          ]ή
   5     ]μα· .ἰ[
          ']ᵘ[
          .   .   .
```

2 h.v. paulo curvata 5 marg. α, δ, λ, simm. possis 6 breve
in longo vel longum in brevi scr.

179   H 40   180   H 41

2295 fr. 40   2295 fr. 40 A

col. i   col. ii   .

     ]   .[. . .].ω[   ]τὠνη[

     ]   εὔρηξε κ . . .[   ]αιλελ[

     ]   καὶ τὸν μο[   ].[

     ]

     ]ἀμμέων[fr. praecedenti vicinum

   5   ]λάμπρω τε.[

     ]δι' ἄcπιδος ἄν[

     ε]νθ' ὀ κάπριο[

     .]πόλλα γὰρ ἀμ[

     ].πέπα.[

  10   .].δεν χαρικυ[

     .]οντες μελίκ.[

     .].τροπτε cίδαρ[

     ]   [

col. i 3 marg. schol. ¹].ουε|²]το( ) τυ|³ρα]ννιc, ubi ¹ fort.].οτε
col. ii 1 .[: h. a sin. dextrorsum asc. vestigia, α, δ, λ veri sim.   ].: in
linea, h.v. pars inf.   2 ἐυ   pro κ fort. β   3 καὶ   4 μέ   5 λά
6 ἰάcπιδοcᾱ   7 .']νθοκά   schol. suprascr. ωc επι της α[, ubi α[cπιδοc
supplere possis   8 supra litt. π sinistra, h.h. trium partes extremae dext.,
fort. ε   litt. π et trium sequentium nil nisi apices; pro o fort. ε, pro λλ
coniunctio quaevis litt. α, δ, λ   ὀλλᾶγαρὰ   pro μ[fort. λ[9]. : ε vel
c   ἐπᾱ   .[: h.v. infra lineam desc. pars extrema   10]. : h.v., pede
sinistrorsum leviter hamato   supra lineam, atramentum confusum, ut vid.
accentuum (nonnull. delet.) et scholii (legibilia tantum λέ supra χα) suprascr.
vestigia   χάρῑκῑ[sic, non intellegitur   11 ἐλί   .[: h. curvatae infra
lineam pars, ρ possis   12]. : punctulum paulo infra litt. τ h.h. partem
extremam sin., c possis sed confirmari nequit   ἰδᾱ   13 inf. marg.
schol. ¹]. . .ω χαρῑ [, ubi]απιω(ν) possis, confirmari nequit, ²]   [, ³]ν[

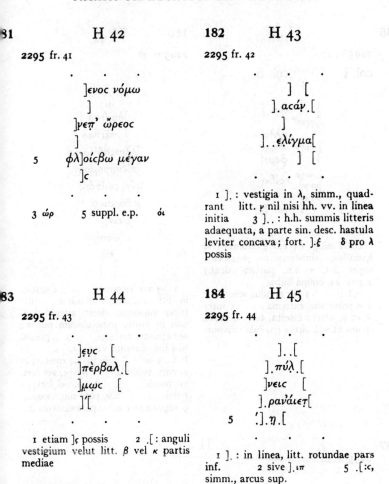

31   **H 42**   **182**   **H 43**

2295 fr. 41   **2295** fr. 42

. . .   . . .

     ]ενος νόμω   ] [

     ]   ].ασάν.[

     ]νεπ' ὤρεος   ]

     ]   ]..ελίγμα[

5   φλ]οίςβω μέγαν   ] [

     ]ς   . . .

. . .   1]. : vestigia in λ, simm., quad-

3 ὤρ   5 suppl. e.p.   όι   rant   litt. ν nil nisi hh. vv. in linea

initia   3].. : h.h. summis litteris
adaequata, a parte sin. desc. hastula
leviter concava; fort.].ξ   δ pro λ
possis

83   **H 44**   **184**   **H 45**

2295 fr. 43   **2295** fr. 44

. . .   . . .

     ]ευς [   ]..[

     ]πὲρβαλ.[   ].πύλ.[

     ]μως [   ]νεις [

     ]'[   ].ρανάιετ[

. . .   5   '].η.[

1 etiam]ς possis   2 .[: anguli   . . .

vestigium velut litt. β vel κ partis

mediae   1]. : in linea, litt. rotundae pars
inf.   2 sive].ιπ   5 .[:ς,
simm., arcus sup.

[**2295** fr. 45, 46, 50 cum I fr. 1 conflata]

185 H 46

2295 fr. 47

col. i   col. ii

     .   .   .

]   *cυμ*.[
]*ηcατ*°
     ἄλλο[
]. *ρατο*ʳ *αδαμ*ạʸ
]   *φερτ*[
]. *aνηρ*   *coίδε*[
]*aνωλ*.
]*υπερ*
5   ]·   *τῶ*.*δε*[

   .   .   .   .   .

col. i marg. 1 o valde dubium (est
hamulus, sinistrorsum patescens,
supra litt. τ h.h. partem dext.)
2 post δα, omnia dubia
     col. ii   1 .[: arculus velut litt.
φ e parte sin. extrema   5 inter
ῶ et δ, littera inserta, fort. ι, supra
quam ut vid. litt. ε parvula crassior

186 H 47

2295 fr. 48

     .   .   .

]. . . . *a*[
   ‧ⁱ‧
]*ὑπάνερ*.[
]. *πᾱcθaλ*.[
]*λλαιcαΐ'δᾱπο*[
5   ]*τ'ἐνπρομαχ*[
]*ῶτ*.*cκᾰτόμ*[
]*μφόραιcμ*..[
]*μενέ*[
]*ῶνα*[
10   ]*εν*[
]   [

   1]*ντ* vel]*νν* possis   2 .[: vestig.
in litt. rotundam quadrat   litterae suprascr. deest apex : si ι,
non in medio punctulorum posita ;
sed ε parum veri sim.   3]*μ* possis,
nisi litt. duarum vestigia,].ι   .[:
h. v., ι, π   5 *ἐμ* prima manus, in
ἐν corr. secunda   6 *τοc*, vel fort.
τεc possis   7 *μo*, vel fort. *με*
possis   .[: h.v. pars sup. crassior
9 supra α fort. acuti pars extrema inf.

187 H 48

2295 fr. 49

     .   .   .

]*ωην*[
]*cχην*[

     .   .   .

2 vel]*ε*

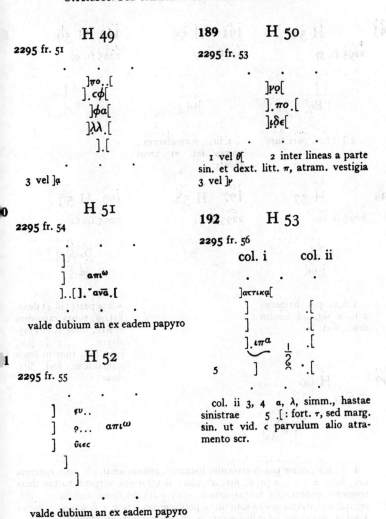

H 49

2295 fr. 51

```
      ]πο..[
     ].cφ[
     ]φα[
     ]λλ.[
       ].[
```

3 vel]α

189   H 50

2295 fr. 53

```
        ]νο[
       ].πο.[
       ]ιδϵ[
```

1 vel θ[2 inter lineas a parte
sin. et dext. litt. π, atram. vestigia
3 vel]ν

H 51

2295 fr. 54

```
   ]
   ]      απιω
   ]..[].˘αν ̄α.[
```

valde dubium an ex eadem papyro

H 52

2295 fr. 55

```
   ]    ϝυ..
   ]    ο...   απιω
   ]    υιϵc
   ]
   ]
```

valde dubium an ex eadem papyro

192   H 53

2295 fr. 56

col. i   col. ii

```
   ]αcτικα[
   ]                .[
   ]                .[
   ].ιπα             .[
5  ]                .[
```

col. ii 3, 4 α, λ, simm., hastae
sinistrae 5 .[: fort. τ, sed marg.
sin. ut vid. c parvulum alio atramento scr.

193   H 54   **194**   H 55   **195** H 56

2295 fr. 57   **2295** fr. 58   **2295** fr. 59

.   .   .   .   .   .

].[   ]..[   ].[

].βη[   ]τό.[   ]'.ν[

.   .   .   .   .   .

2]. : h.v. pars sup.   1 litt. rotundarum partes inf. et arcus sinistri

196   H 57   **197**   H 58   **198** H 59

2295 fr. 60   **2295** fr. 61   **2295** fr. 62

.   .   .   .

].[   ]δι[   ]λύψ[.].[

].οι[.   .   ]ᾰ.[

.   .   .   .

1 h.v. pes hamatus   1 a parte sin. et dext.
2 h. a sin. ad lineam   litt. ψ, supra ramorum
desc., fort.]κ   apices, duae h.v. cras-
                                      siores   2 .[: h.v.
                                      pars inf., tum in linea
                                      punctulum, fort. litt.

199   H 60   duae

2295 fr. 63

] δέ.[

].∴.λα[

.   .

1 .[: h.v., cuius pes dextrorsum hamatus, apicem secat h.h. pars extrema
sin., fort. π   2 prim. litt. ab apice dextrorsum surgunt hastae duae
tenuiores eodem quo textus atram. scr.; fort. deletionis indicia   litt.
secundae et tertiae apices rotundi : ὁ potius quam ἐ, tum ο, θ, simm.   supra
λ, schol. alia manu inter lineas scr.,]χ· ut vid. sed fort. litt. duae

200   I 1

2296 fr. 1 (= O¹ in App. Crit.) : uncis ⌊ ⌋ inclusa eiusd. carm. fragmenta in altera papyro **2295** frr. 45, 46, 50 (= O² in App. Crit.) reperta

.   .   .

```
        ⌊.ϵνϵν..⌋
        ⌊ν θέλ]ης κη⌊ν[
   3    ]⌊ματήϲην⌋[
        ]⌊η δαίμω⌋ν[
        ]⌊θ⌊ατα⌋ιϲκ[
        ].ων⌊τα⌋ν[
   7    ]πίϲτ⌊ωϲ⌋· [
        κα]δδικ⌊αν⌋ον[
        ⌊....⌋ϲε⌊ϲθ⌋αι· το[
        ⌊ϲέχει⌋ τέλ⌋οϲ κρο[
  11    ⌊μμα]τοϲ α⌊ῦτοϲ[
        ].η⌊ρον⌋θε.[
```

.   .   .

strophae ut vid. sapphicae; paragraphi sub vv. 3, 7, 11 supplend.   1 ⌊. :
in linea, h. a sin. desc. pars extrema   .⌋ : circuli arcus sin. inf. (sive h.v.
pes dextrorsum hamatus), tum h.v. infra lineam desc. pars inf. hamata
3 ατή O¹, ἄτή O²   4 ⌊ῆδ O²   5]ι : hasta margini propinqua, fort.
litt. η (non ut vid. ν) h.v. dext.   τὰ O²   inter lineas sub δαιμ,].ϵντοϲ
ϵφυ.[, ubi]ϵ veri sim., ν[possis, O² (etiam infra φυ atram., cuius ratio non
redditur)   6]. : punctulum summis litteris adaequatum   7 ωϲ· O¹
8 κὰ]δ δίκαν interpr. veri sim.   9 ⌊.πεί⌋ϲε⌊ϲθ⌋αι possis   θαι· O¹   10
Ζεῦ]ϲ ἔχει τέλοϲ Κρο[νίδαιϲ suppl. veri sim.; cf. Archil. 84, Semon. 1. 1 seq.
11 μᾱτ O²   12]. : punctulum summis litteris adaequatum   .[: h.v.

201   I 2

2296 fr. 2

.   .   .

```
        ].περϲε[
        ]ητε.[
        ]..τε[
        ]..[
```

.   .   .

1]. : h.v. vestigia   2 .[: angulus, fort. ο   3]..:]αι,]λι,]δι, vel
simpliciter]ν possis   4 hh. vv. trium vestigia

202

I 3

2296 fr. 3

·   ·
]με.[
]γε.[

·   ·

init. strophae et versuum   1 .[: h.v., cuius crassior apex, fort. μ vel ν
2 .[: vestigium in circuli arcum sin. sup. quadrat

203

I 4

2296 fr. 4

·   ·
]πραιϲι[
]κοικατεπ[
]υοιϲινκεφα[
]λματα·χ[.].λκ[.]αιδ[
5   ]πτοιϲιν[ ]ερικει[
]δεϲερκ[
][

·   ·

ex eodem carmine atque H 1, Z 34
6 infra litt. ϲ, hastula obliqua, non ut vid. accentus ad v. 7 referendus

4

K I

2297 fr. 1

]ταθε[

]τεπιλλογ[

]α

]. ὠςπριν

5   ]. εννέκυς

].αιθεςις·

]

]αν

]. ετο

10   ]ηϊαι

]

]ται·

]χει

]οτα·

15   ]

fort. strophae alcaicae.

1 schol. marg. dext. ¹λε]ξις η εν τηι ζωη[ι |²κ]ατ επιλογιςμο[, unde κὰ]τ
ἐπίλλογ[ον suppl. e.p.   4]. : h.v., ι vel ν   5]. : angulus supra
hamulum, fort. β   manu huic papyro aliena scr.   6]. : τ vel γ cf.
Et. Mag. 319. 31 = Ἀμ. inc. lib. 89 (θέςις) ἡ ποίηςις παρὰ Ἀλκαίωι; Asclep.
Myrl. ap. Athen. xi 501 c τὸ ποιῆςαι θεῖναι πρὸς τῶν ἀρχαίων ἐλέγετο, Hellad.
ap. Phot. Bibl. cod. 279 (p. 533ª17 Bekker)   7 seqq. schol. marg. dext.
¹ϛ[|² κακως τω[   ]ϛ εδει γαρ τ[.]ϛ.[|³ κρινου[   ]ν λεοντιον τωι κ[|⁴η
κυν[   ]εγε ταυτα   9]. : h.v. apex, ι vel ν   10 schol. marg. dext.
προςαφ[11 schol. marg. dext. ¹τηι ςκηνηι α[² βαςιλιδ[, unde
βαςιλ]ηϊαι v. 10 suppl. e.p.   13 schol. marg. dext. ·ὑπα τ.[14 schol.
marg. dext. εδει ολ.[

205

2297 fr. 2

K 2

col. i   col. ii

```
        · · ·                    · · ·
       ].c                      υβ[
       ]                        πολιν[
       ].ου                     πέλτ'α.[
       ]                        κᾰϲβεγ[
  5    ]coψεic                  λωγδ.[
       ]                      > θεωνθε[
```

col. i ut vid. schol. reliquiae   1]. : o vel ω   3]π veri sim.   col. ii
2 pro ι, fort. υ possis   3 .[: punctulum summis litteris adaequatum
4 c a manu prima insertum   5 .[: vestigia in litt. ε, o, ω partem sin.
inf. quadrant

206

2297 fr. 3

K 3

```
                 · · ·
   _ν]ῦν δὲ Δίοc θυ[γάτηρ
    ὦπαccε θέρcοc· τ.[
    κ]ράτηραc ἴcταιc ε.[
    τ]ῶν δή c' ἐπιμνα.[
 5  ..]το πέφαγγέ τεκ[
    ...]ξηι δὲ θᾶc κε Ζεῦc[
    ...] μοῖρα· τάρβην δ' ὄ[
                 · · ·
```

strophae ut vid. alcaicae   omnia suppl. e.p.   1 ψ[: tantum caudae pars
inf., sed longius a litt. θ distat quam ut de litt. ρ cogites   2 θέρcοc· litt.
τ tantum h.v. pars inf.   .[: punctulum in linea, a, λ, ε, possis   3 μ[
vel ν[4 δή   5 πέφε͞ννέ   6 θᾶc   7 καὶ] suppl. veri sim.   ρα·
τά (accentus evanidus)   ὄ[(in accentus loco punctulum, ὄ non minus veri
sim.)

204

207

2297 fr. 4

K 4

· · ·

]ικαο

]...

ἀδες]πότω

]...ο·

5]καλλιπηι

].μένοις

]τςποι....[

].[.]ϊκοιμεθα[

]μακαρδιαν

frr. 4–10 ut vid. ex eadem papyri parte

1]ι : non fuit]η   2]α veri sim., tum fort. ςο·   schol. marg. dext. πολεμον εκερςαο [3 schol. marg. dext. αδεςποτον πιθου [, unde textum suppl. e.p.   4 cauda infra lineam desc., tum in linea h.h., tum litt. α vel λ hasta dext., e.g. ρξαο, υξαο   6]. : h.v.; η, μ, alia, possis   schol. marg. dext., vestigia minima   7 post οι (pro quo fort. ορ) litt. duae tritae, nihil confirmari potest ; tum h.v. brevis, infra dextrorsum hamata, non ι, fort. ς ; tum hastae similis pars inf., fort. ε vel ς   inter lineas (infra μ v. 6) signum quod cum κ litt. part. sup. contendas   9 columnae versus ultimus ut vid.

208

K 5

2297 fr. 5+5(a)+(b)+(c)

Fr. (a) col. ii : columnae partem dextram vv. 1 9 fragmento disiuncto scriptam ita locavit e.p., ut schol. v. 7 τα αγωγια ο φορτ[textui v. 7 τα δ' αχματ' staret oppositum

Fr. (a) col. ii vv. 9–12 : fragmentum disiunctum, cuius tamen pars superior inferiorem versus 8 partem ita supplere creditur ut hastae dextrae litt. ν in 8 (]μεν) partem inf. et sequentis litt. (fort. φ) caudam praebeat

Fragmenta (b) et (c) sursum deorsum movere licet, in transversum non licet.

Fr. (d) fort. in transversum movere licet (ne constat quidem, inter (c) et (d) spat. quidquam esse relinquendum), sursum deorsum non licet

Cum fragmento 5 (a) col. ii 6 conferas commentarium 2306 col. ii (= V 1 ii infra), unde eiusdem carminis esse fr. 5 (a) atque Z 2 veri simile videtur

(a) = frr. 6+5 (a)+5 (b)+5 (c)

col. ii

```
                                              ]
   col. i                                     ]        [
                                              ]
 .  .  .            .[...].[                           -]
                  5 τοι πόδεϲ ἀμφότεροι μενο[           ]
   ].[              ἐν βιμβλίδεϲϲι· τοῦτό με καιϲ[       ]
  ]ος ἀλλ' ἄγι     μόνον· τὰ δ' ἄχματ' ἐκπεπ[.].άχμενα
  π]οτα κάλλοτα·   ..]μεν.[.]ρηντ' ἔπερθα· τὼν[...].
  ].γεξερ     [       ]ενοιϲ.[                  ]
5 ].ρέτηϲαι    [   10 ]νεπαγ[
   .  .  .           ]πανδ[
                     ]βοληι[
                       .  .  .
```

(b) = fr. 5 (d)

```
          .   .   .
        ].[.].[
      ]..αιπι[
        ]..[
```

. . .

(d) = fr. 9 (b)

(c) = fr. 9 (a) . .

```
              .  .  .            ]θο[
  ]'....οϲλ.[              ].ων [
 ]·ἀλλὰ θέων[              ].φρά [
    ]        [          ]        [
              .  .  .
```

fr. (a) col. i 2 άγ   3 αἴ π] suppl. veri sim.   κάλλοτα·   4]. : vestigium in litt. ε hastae transversae partem extremam dext. quadrat   supra
prim. ε accentus gravis ablutus   ·5]. :·h.h. velut γ, τ, pars extrema dext.,
κ non fuit   ρέ   cαι ·) : versus ut vid. cancellis inclusus
fr. (a) col. ii 2 marg. schol.]οικοιψτο[, ubi pro ικ etiam γκ possis; supra
ψ atramentum, fort. compendii indicium   4 .[: h.v. infra lineam desc.
pars inf.   antecedit in marg. sin. vestigium   5 in marg. sin. signum >

206

6 εμ in εν corr., 1 m. ut vid.   supra μβιμβ scr. cχοινι.ιc   cι·τ   καὶ ⸏[άοι
suppl. veri sim.   7 ον·ταδ'αχματ'   ]. : vestigium apici litt. a adaequatum, h.v. apex ut vid., λ non fuit   schol. marg. dext. τα αγωγια ο φορτ[οc
8 τ'επερθα·τὼ   ]. : ν veri sim.   9 .[: h.v. pes   schol. marg. dext.
].ρουϲ.[.]ωματ.c   10 πᾱ   γ[laesum, fort. π[possis   12 supra βολη
scr.]οιc περι[
    fr. (b) 1 infra lineam vestigium, fort. non atramenti, tum spatiolo inter-
posito h.v. pes   2].. : in linea punctulum, tum h.v. infra lineam desc.
pars inf.   3 vestigium summis litteris adaequatum, tum ut vid. aut a,
δ, λ apex aut μ, ν apex sin.
    fr. (c) 1]'... : h.v. vertex, tum punctulum crassius mediis litteris
adaequatum (fort. non litt. pars), tum h. infra lineam desc. pars inf.;
inter hoc et h.v. quae litt. ο praecedit, tantum vestigia evanida, fort. alterius
litt., summis litteris adaequata   .[: paulo infra lineam vestigium evanidum
    fr. (d) 2]. : ut vid. h. a sin. desc. pars extrema dext., quae arcum sin.
med. litt. ω tangit   3]. : h.v. cuius ab apice ut vid. sinistrorsum descendit
atramentum, e.g. μ possis, sed si coniungenda sunt (c) et (d), θεωνφρά satisfaceret   post φρά nihil esse scriptum credideris, sed laesa papyro res
incerta

209   **K 6**

2297 fr. 7

. . .

    ]   . . [

    ]   ερ.[

    ]   . . δ.[

    ]   εξα[

5   ] . . [

1 h.v. infra lineam desc. pars inf.,
dexterior quam cetera initia; tum
h. paulo dextrorsum inclinatae pes
2 .[: h.v. pars inf.   3 ante δ,
hh. vv. duarum paulo dextrorsum
inclinatarum pedes; post δ, in linea
punctulum

210   **K 7**

2297 fr. 8

.   .   .

]μεί. αι ·π[

.   .   .

inter ι et α, h.h. vestigium paulo
infra litterarum apices, ϲ credideris

211   **K 8**   **212**   **K 9**   **213**   **K 10**

2297 fr. 10   **2297 fr. 11**   **2297 fr. 12**

.   .   .   .

]ccα.[   ]. . .[   ].τ[

].[̂   ].π.[   ] [

.   .   ]υτοϲω[.   .   .

1 .[: ut vid. h. dex-
trorsum asc. initium
2 ut vid. arculus velut
β, ρ

.   .   .

1 hh. vv. partes inf.,
prima infra lineam
desc., secunda in linea,
tertia paulo dextrorsum
inclinata

1]. : h.v. margini
propinqua

K 11

2297 fr. 13

>   ]αcάμα[
>   ]υντοιχρ.[
>   ].εcύμμειξ[
>   ]λοcεξει [
>   5]καιπο.[
>   .   .   .

1 supra]α fort. ˘
gium in α quadrat
gium in δ, λ, quadrat
vel λ

2 .[: vesti-
3]. : vesti-
5 .[: δ

215   K 12

2297 fr. 14

>   .   .   .
>   .ηρευε.[
>   ᵃ
>   δυçτάν⟦ω⟧.[
>   .]ακηνα[
>   .]ῆρανδυ[
>   .   .   .

1 in linea ante η, h. a sinistra desc.
pars inf. extrema, χ possis   .[:
punctulum in linea   2 .[: h.
dextrorsum asc., λ vel χ   4 etiam
μο]ῖραν possis

K 13

2297 fr. 15

>   .   .   .
>   ]ν.[
>   ]ᾱcδεπ[
>   ].cτινα[
>   ]ᾱιc .[
>   5].λύκ[
>   ]′[
>   .   .   .

5]. : h.h. pars ex-
trema dext., γ possis

217   K 14

2297 fr. 16

>   .   .   .
>   ].υνμ[
>   ]ᾱιcαι.[
>   ]οcθεον.[
>   ].αφοιτ[
>   5].[
>   .   .   .

1 fort. columnae v.
primus   2 .[: et
infra et supra lineam
vestigia, illud prob.
divisionis indicium   4
]. : ut vid. · h. a sin.
dextrorsum desc. partes
sup. et inf., fort δ vel λ

218   K 15

2297 fr. 17

>   .   .   .
>   ]θα.[
>   ]χαλ[
>   .]ρόν[
>   .   .   .

1 .[: infra lineam,
h.v. paulo dextrorsum
inclinatae cauda

219   **K 16**   **220** **K 17**   **221** **K 18**

2297 fr. 18   2297 fr. 19   2297 fr. 20

.   .   .   .   .   .

```
    ]     [           ]. αρεννˌ[              ].ν [
   ]ω      [          ]παλος ιˌ[             ]εο·[
    ]ον ·α[           ]                      ]      [
                      ]. ωceιτεφα[           ]      [
    .       .              .   .        5   ]ται    [
                                            ]ωνᾰνηρˌ[
```

1]. : γ vel τ   .[:
h.v. pes, ε, ι, η, possis
2 post c, infra lineam
punctula duo, aut for-
tuita aut interpun-
ctionis vestigia

6 post ρ ut vid. di-
visionis indicium

222   **K 19**   **223**   **K 20**

2297 fr. 21   2297 fr. 22

.   .   .   .

```
      ]νμ[                  ]οροc [
    ].ˌφῆρ[                 ]ωντρ[
    ]λπε[                   ].ν·ˌ[
```

2].. : hamulus, tum punctula duo,   3]. : litt. rotundae pars sup.   .[:
alterum alteri suppositum, fort. c,   h.h. summis litteris adaequata
sed disiectis fibris res incerta   3
fort. columnae v. ultimus

224   **K 21**   **225**   **K 22**

2297 fr. 23   2297 fr. 24

.   .   .   .

```
     ]. ινν.[               ]ρχναc [
    ]ταχ[                  ]νωιπολυ.[
```

1]. : litt. ρ arculus ut vid.   .[:   2 .[: h. dextrorsum asc. initium
h. asc., in a quadrat   e.g. Μυ]ρινναˌ[

26   K 23   **227**   K 24

2297 fr. 25   2297 fr. 26

     .   .   .   ]τᾱν[

     ]γμυτ.[.   .   .

     ].ινεᾱ[

     .   .   .

   1 .[: ο vel ω   2 νεđ[νι- suppl.
veri sim.

28   K 25   **229**   K 26

2297 fr. 27   2297 fr. 28

       .   .   .   .   .

     ]εcκ[   ].[.]μνο[

     ]...ονcυ[   ].αταιαιc [

     ].νερ[   ]λαιcι[

     .   .   .   .   .

   2]... : hh. vv. trium partes, fort.   schol.]μ veri sim.   2 αλ]λαιcι ut
].μον   3]. : fort. accentus gravis   vid. voc. ματαιαιc explicatur, cf.
pars sup., sive litt. inter lineas scr.   A 5. 6 supra

30   K 27   **231**   K 28   **232**   K 29

2297 fr. 29   2297 fr. 30   2297 fr. 31

     .   .   .   .

     ].τ[   ]ππ[   ]cπ[

     ].[.]εχ[   ]ητε[   ]ρειτα[

     ⌐]α..[.   .   .   .   .   .

     .   .   .

   1 fort.].ϝ   3 ..[:   **233**   K 30   **234**   K 31
hh. vv. duae latius sepa-
ratae, e.g. γι, γη, vel   2297 fr. 32   2297 fr. 33
fort. π, sed h.h. vesti-
gium nullum   .   .   .   .   .   .

                             ]υλ.[   ]μεν[

                             ΄]μ[.   .   .

                            .   .   .

               1 .[: a, λ, veri sim.

235   K 32   **236** K 33   **237** K 34

2297 fr. 34   2297 fr. 35   2297 fr. 36

. . .   .

]εδα̣[   ]μεν[   ] > όι.[

]να[   ]ντ.[   ] . π.[

. . .   ].[. . .

          . . .   2 .[: α vel λ

2 .[: ε vel ρ veri sim.

238   K 35   **239** K 36   **240** K 37

2297 fr. 37   2297 fr. 38   2297 fr. 39

. . .   .

] [   ]λ̣α [   ] [

]ην· [   ] ονομ[   ]νκατα.[

] [   ]προστ[   ]κυριω.[

.[. . .   ]μωνα[

. . .   ] [

241   K 38   **242** K 39

2297 fr. 40   2297 fr. 41

. . .   . . .

]....[   ]επι[

].cιλον.[   ].τω[

]κωια[   ]ποθ[

]./εφα.[

5   ].ɩ.[litteris paulo maioribus scr., fort.
                    non huius papyri (an potius P. Oxy.
]α[1092?)

. . .

1]π̄π̄ veri sim., mox ο̣ι̣[possis   **243**   K 40
2]. : punctulum in litt. ρ arculum
dext. quadrat, Μυ]ρcιλον veri sim.   2297 fr. 43
4]. : h.h. pars extrema dext., τ veri
sim.; του]τ'(εcτιν) veri sim.   .[:
cauda velut litt. ρ   5 pro].ɩ   ]αcιν
fort. π

4   K 41   **245**   K 42

2297 fr. 44   **2297 fr. 45**

         .   .   .   .   .
       ].[ ]   πε*ν*[
       ]*ν*

         .   .   .   .   .

1 h.v. infra lineam desc. pars extrema inf.

         .

6   K 43   **247** K 44   **248** K 45

2297 fr. 46   **2297 fr. 47**   **2297 fr. 48**

         .   .   .   .   .   .
       ]δᾰ.[   ] [   ]ας[
       ]η.[   ]μέν[   ]ωτιν.[
                        ] [   ].[

         .   .   .   .   .   .

1 a parte med. dext.
litt. α surgit hasta dex-
trorsum : fort. inser-   1 ς[: tantum basis
tionis, deletionis non   2 infra lineam ut vid.
est vestigium   2 .[:   hastae dextrorsum asc.
fort. ς, simm., arculus   initium
sin. sup.

249

2298 fr. 1

L 1

. . .

—].[

].. ον χ[ό]ρον αἰ..[

]. νᾶα φ[ερ]έϲδυγον

]ην γὰρ ο[ὐ]κ ἄρηον

5 —]ω κατέχην ἀήταιϲ

ἐ]κ γᾶϲ χρῆ προΐδην πλό[ον

αἰ ⟨ ⟩ δύνατα]ι καὶ π[αλ]άμαν ἔ[χ]ηι,

ἐπεὶ δέ κ' ἐν π]όν[τωι γ]ένηται   ὠ[

9 — τῶι παρέοντι ⟨   ⟩ ἀνά]γκα.

μ]αχάνα

ἄν]εμοϲ φέρ[

]εν

13 —].ι[

. . .

1 in linea h.v. pes, tum dextra vestigium   2].. : in linea vestigia in circuli partem inf. (ε, ο, simm.) et ν quadrant   post ι (cui desunt apex et uncillus inf.), in linea arculus, fort. κάτω ϲτιγμή vel litt. π h.v. primae pes; tum in linea apex curvatis lateribus, supra quem atramenti punctulum; fort. πϲ[, πϙ[3]. : litt. ε sive ϲ pars extrema dext. inf. ut vid.   νᾶᾰ fin. post γον, punctulum in linea, incert. an fortuitum   4 ἄρη   5 αή 6 seqq. ex Athen. xv 695 a suppleti   6 γᾶϲ   χρῆπροΐ   κατίδην Athen. 7 αἴ ⟨κεν⟩ sive αἴ ⟨τιϲ⟩ suppl. veri sim.   εἴ τιϲ δύναιτο κ.π. ἔχοι Athen.   ηϲ· 8 ται.   9 τρέχειν ἀνάγκη Athen.; ⟨μένην⟩ supplere possis, coll. Plut. mor. 798d   γκα·   13 ·ι[·

214

L 2

2298 fr. 2

```
        .       .
      ]...[
      ]ενέλ[
      ].νέ.[
      ]ν.[
        .       .
```

1 in linea arculi duo, λε, εc, possis; tum hasta infra lineam desc., sinistrorsum curvata   3]. : h. a sin. dextrorsum ad lineam desc.   .[: circuli arcus sin.   4 .[: h.h. pars extrema sin., litt. *ν* apici adaequata

L 3

2298 fr. 3

```
      .         .
      ]λα.[
      ]κακο[
      ]αιἄ[
      .       .    .
```

1 .[: uncillus in linea

M 1

2299 fr. 1

```
        .         .
      ]..ω.[
      ].cμν[
      ]ανθρ.[
      ].ατάδ[
   5  ]ρότῳ[
      ]πω.[
        .       .
```

1 ante et post ω, circulorum bases : e.g.]ω sive fort.]μ; tum post ω fort. o, ε, c   2]. : in linea punctulum, a veri sim.   3 φ[possis   5 έχ pro ότ non excludendum : accentus solito derectior, sed non ut vid. littera fuit   6 .[: punctulum litterarum apices paulo supereminens, *a, ν*, alia, possis

253   M 2

2299 fr. 2

```
        .         .
      ].[
      ']ρχαcμεμ[
      ]κνἂλ    [
      ]        [
   5  ]ωcαηδων[
      ]        [
        .       .
      ][ν]φωναι[
      ]..γἂ[
        .       .
```

hoc fragmentum praecedenti fortasse vicinum   1 μ sive ω   7 apices litt. α et ι iungit h.h.   8 ante χ ut vid. littera deleta, nisi pro .χ litt. *ν* deleta legenda est

254　　　**M 3**　　　　**255**　　　**M 4**

2299 fr. 3　　　　　　　2299 fr. 4

.　　.　　.　　　　　　　.　　　.

...[.].[　　　　　　　　　]μ[

κήνᾱμε[　　　　　　　　　]ανθεῖας ἀπγ[

fort. = D 15. 6–7　1 litterarum　　]εс κίβιсιν δ.[

partes inf. in δερ[μ]ατ[quadrant　　]κατο κὰκ φίλ.π.[

5　ἐ]κ δ' ἔλε μ' ὄсτια[

]с· περέτε.[

].μαβο.[

]ερε.[

.　　　.

2 litt. ϝϛ tantum bases, o et γ, τ, possis ἀπ　　3 fort.] ἐс κιβιсεν, supra
ε scr. ι　　.[: circuli arcus sin. sup.
4 fort. ἐθή] suppl.　κἀκφίλ　ante
π, ε vel o pars inf.; post π, h.v.
pars inf.　　5]χ, suprascr. κ :
suppl. e.p.　　ἐλ　　ός　　6 ἐτὲ
7]. : vestigium in litt. ρ arculi partem
dext. sup. quadrat　.[: circuli pars
sin.　　δέ]ρμα βόο[с supplere possis
8 .[: circuli pars sin.

M 5

2299 fr. 5 (a) et (b)

(a)

$\qquad$ · · ·

].λων.[

]εμον νό[η]μμ' ἀργα.[

]αῐαcονθ[. .]ᾳπον[

].ον ἀλλα.[ ]ηνα[

5   ].θιδήαν κεφάλα.[

]παϊcτονδετελεc.[

]ωδεφ[ ]coκ[

]οcπ[ ]ε.υ[

]θριαc[.].[

10   ]ηcθεγα.[(b) · · ·

]..[[λ]]οιcιν.[ ]...[

]κται μελα.[ ]ηνθ[

].το γάρ κ' εἰc.[ ].φᾳ[

]ινο̣γ...ω.[ ]η[

15   ].[

· · ·

(a) 1]. : h.v. partes sup. et inf. .[: h.v. pes et dextra h.h. pars; γ, simm., possis sed fort. litt. duae   2]ε : tantum hastae transversae pars extrema suppl. e.p. ἀργαλ[ε- possis   3 αῐ θ[: tantum latus sin. còν θ[ερ]άπον[τ- possis   4]. : h.h., litt. ο infra apicem tangens, fort. tantum ligatura (e.g. νον) .[: h.v. pars med.; inter hanc et η fort. littera nulla 5]. : h.h., litt. θ infra apicem tangens; infra partem extremam sin. accedit vestigium, ν, τ, alia, possis .[: vestigium in ν quadrat   6 ῐc fort. πάῐc .[: c, θ, alia, possis   7 supra δε scr. δο 2 m.   8 εδ, ελ possis 10 .[: h. sinistrorsum hamatae pes   11].. : h.v. pars inf., tum litt. triangulae pars dext. inf. .[: h.h. pars extrema sin., h.v. litt. ν dextrae adaequata, fort. ligatura   12 fort. αι ex μ factum .[: h.v. vestigia   13 γάρκ   14 inter ν et ω, circuli arcus sup. dext., tum h.v. apex, tum arculi apex, e.g. οιρ .[: in linea arculus, fort. alia manu scr.

(b) fort. praecedentis fragmenti e parte dextra sub. v. 8

257

2299 fr. 6

M 6

]ωϲοτεπα[.

]πρόϲϲδε[

]λαμπο.[

]παντεπιχ[

5   ]ὤϲτομελι[

]ῆρέτιπᾱϲτ[

6ᵃ   ]πρόϲθενεμευδα[

μ.[

να[

κα[

10   εμ[

να[

. . .

1 [. : litt. superscript. vestigia   3 .[: h. a linea dextrorsum asc., μ satisfaciat   5 ; fracturae proxima, sed η non veri sim.   6ᵃ de hoc v. inter lineas scripto (secundi versus correctione ut vid.) cf. e.p.   7 .[: ε, ο, ω

258

2299 fr. 7

M 7

]μμινῆτ᾿αρηω[

]ρττινάτοιϲῠνά[

].άκρονω

. . .

1 procul dubio ἀρήω[ν   2]ῳ possis   accentum supra υ uncus ut vid. abolevit   3]. : h. a sin. desc. pars extrema inf.

M 8

259

2299 fr. 8 (a) et (b)

col. i   col. ii

(a) .   .   .   .   .

```
                       ]....[.].[
                      ]κάλαις, ὠς[
3                     ]τοῦτό τοι φ[
                      ]γένεσθαι .[
5      ]  [  ]        ὠς γαρ κε[
       ]              ὄππoι νυν[
7      ]              μωσαμμ.[
       ].ω            ]ἐλπώρα[              (b)
9      ]ν             ].δοςο[..]...[
       ].ενα          ]ςομε.[.]ποτ.[        .     .
11     ] ουκ ἀνάδεες[              ]ππ[
       .]υτα γὰρ παρο[              ]θάμβ[
13     ἴ]ππoις ἦχες[              ]cθας[
       ]  [       .]δ' ἄλλαι παρεβ..[      ]ειτα[
15   ]οι          κόςμω κῦδος ἐχ[        ]ει.[
     ]οις ⌣       νῦν δεῖ κῆναμε[          .     .
17   ]  ⁻          βεβά....[..].[.']...[
```

(a) col. i 8]. : h.h. sive ligatura   8 seqq. inter columnas schol.
¹.ν (ἀν(τὶ) veri sim.) ψ[.]υ[|² μυρς[ι]λον [|³ τ.[..]ον[|⁴ φ.ει
γαρ...[|⁵ τω.[(nisi ψ pro τ): atram. post γαρ v. 4 fort. partim priori
partim sequenti lineae tribuendum   10]. : λ, μ, alia, possis   17 vacat
ante vestigium extremum

col. ii 1 primae litt. infra lineam cauda desc., tertia et quarta ut vid. in
μα quadrant].[: h.v. paulo curvatae pars inf.   2 κά ς,ω   4 .[: fort.
litt. κ h. sin.   6 νῦν   6–7 synaphaea ut vid.   9]. : fort. ει, sed
in una tantum fibra vestigia   ].. : h.v. pes dextrorsum hamatus, tum
circuli basis   9–10 synaphaea ut vid.   10 post ε, h.v.; si ν, litt.
nulla deest   post τ, h.v., cuius pes sinistrorsum abit   11 dδ   13 ῆχ,
supra χ litt. κ scr. et del.   suppl. e.p.   14]. : in linea punctulum   post
β, vestigium in litt. α initium quadrat   16 κῆ   17 βά   fort.
βάκαις, sed litt. κ rami sup. partem dispicere exspectares   ante litteram supra
quam stat accentus, litt. α, δ, sive λ, pars sup.; post eandem, arculus velut ρ,
tum arcus superiores litt. rotund. duarum

fragmentum (b) in transversum moveri potest, sursum deorsum non potest:
veri sim. fragmenti (a) dextra stetisse et non nihil spatii interfuisse

260

2299 fr. 9

M 9

        ]λμ[
        ]. α[

        · · ·

2]. : fort. κ ramus sup. dext.

261

2299 fr. 10 (*a*) et (*b*)

M 10

(*a*)   col. i   col. ii

        ·   ·

                    ]λι   **262**   M 11
                    ]α   **2299 fr.** 11
                    ]
                    ]ν·   ·   ·
5   ·   ·   ·   .[   ].υμμ[
                              ·   ·   ]ννν[
            ·   ·   ·   ]θαυμα.[
                                         ]κ..[.].[
(*b*)   ]ημ[
            ']δ[[ε]]ιτ[·   ·
            ]ακεφα....[   ].[..]κυπ[
            ']αν λύθεισα·   ἀγλαοι.[
5   ].[   ]οπάρανε, coὶ μὰν   βῶμος[
       ]'.δε.β[   ]ν γυναίκων   κυαν[
   ]...οιcαν μ[   ]. ζάεισαι   ἀργ[
   ]. ιν ὄρχης.[...]εcc' Ἀβανθι. χρυ[c

fr. 10 (*a*) easdem columnas atque fr. 10 (*b*) repraesentare indicant fibrae;
intervallum incertum. fr. 11 prob. versuum initia offert ex eadem columna
atque fr. 10 (*a*) et (*b*) col. ii, sed utrum sup. an inf. fr. 10 (*a*) steterit incertum
10 (*a*) col. ii 5 .[: apex
10 (*b*) col. i 2 ῑτ: supra τ, accentus circumflexus ablutus, in litura ˅ scr.
ἀφρό]διτ[α suppl. veri sim.   3 post φα, litterarum bases: prima fort.
ι, υ, pars inf.; secunda ut vid. α sive λ, quamquam vix ad normam scripta;
tertia in hamum paulo supra lineam dextrorsum spectantem desinit; quarta
α vel fort. λ   5 μαλ]οπάρανε suppl. veri sim.   ε·coì   6 ante β, h.v.
pars inf.   7 λο sive χο   ζά   inter columnas schol. obscurum : ¹ cαν
η αντιcτρο(φοc) |² εν διδ αλλοȢ   8 .[: in linea, h. curvatae dextrorsum
asc. pars inf.   ὄρχηcθ' [ἐρό]εcc' suppl. veri sim.   ἀβανθι·

col. ii   4 .[: c, φ, simm., pars sin.; vel fort. ita cum anteced. ι coniungendum ut αγλαοκ[legas   7 αργ[υρ- veri sim.   8 suppl. e.p.
   fr. 11.   1]. : punctulum summis litteris adaequatum, infra in linea punctulum alterum : non c, fort. κ, sed non κυμα   3 .[: punctulum summis litteris
adaequatum   4 κ non ad normam scr. sed nihil melius invenimus

63

2299 fr. 12

M 12

· ·

]..[

]φονε.[

]αρμ᾽ερο̣[

]..ο̣ϲϲϊμαγ̣[

5   ].᾽αϊθεροϲον[

]εωϲδενα[

θα]υμαϲιονμεν.[

]..πεφυκεδ.[

].εκαλοϲ[

10   ]εφ̇α̇ντ[

].αϲδελ[.

]λω̣ϊο̣ϊνν[

]λοϲ·αμφι[

1 .[: fort. β   4 ante o, h.v. pes; fort.]λ̣ι vel]α̣τ possis   primi c (cui
deest apex) partem sin. inf. tangit ut vid. divisionis signi (ὑποδιαϲτολῆc)
vestigium, quod ante alterum c stare debuerit   5]. : fo̅rt. κ ramorum
apices   7 suppl. e.p.   υμ ex υc corr. ut vid.   .[: a, λ, μ, primae hastae
pars inf.   8] .. : fort. δ basis, tum ε hamus inf.   .[: a apex veri sim.
9]. : h. apice hamato ad lineam a sin. dextrorsum desc., χ credideris sed
rami dext. sup. vestigium nullum   supra lineam inter ε et κ punctulum :
si atramentum est, ἄνω ϲτιγμή; sed sunt alia huiusmodi punctula, fort. non
atramenti   11]. : h.h. summis litteris adaequata; γ, τ, vel ligatura
12 ante ϝ inter lineas, h.v. pes

264   M 13   **265**   M 14

2299 fr. 13   **2299 fr. 14**

. . .   . . .

].ϛηδ.[   ].․[
]αοιδᾶιθ[   ]αριεϲ.[
   ‘
].υλευψε̣[   ]ε[

. . .   . . .

1]. : o vel ω   .[: punctulum
infra lineam   3]. : hamulus similis
litt. ϲ arcus inf. partis extremae;
a]πυ, v.l. ε]πι, possis

1]. : fort. a, λ, simm., hastae
secundae pars inf.   .[: uncus velut
pedis litt. ι, π, τ, simm.   2 .[:
ϲ possis

266   M 15   **267**   M 16

2299 fr. 15   **2299 fr. 16**

. . .   . . .

].ɣοϛ.[   ]ε̣ɣαϲ[
]υνοργαι[   ]υιδοϲ[
]κύδρ.[εϲειδ[
]ανει..[   ]υɣα[[ρ]]
   ].νκά̣.[
. . .   5].νφ[
1]. : in linea h. a sin. desc. pars   ]ηδ[
extrema   pro ɣ fort. τ   .[: in   ]χη.[
linea h. dextrorsum asc. initium   ]ην.[
4 ..[: θ sive o, tum punctulum sum-   ]ει .[
mis litteris adaequatum   10].αρ.[
   ].α̣.[

   . . .

2 sive]η   4 .[: a, λ, simm.,
apex   5]. : o sive ω   6 sive
]ν   10]. : h.h. velut ɣ sive ligaturae   .[: litt. rotundae arcus sin.
11 litt. a tantum angulus sup.

268 **M 17** 269 **M 18**

2299 fr. 17   **2299 fr. 18**

```
        •   •   •                        •   •   •
        ]μητ[                            ].κα..[
        ]ʼλβι.[                          ]ν.α.[
        ]ξοιϲ.[                          ]ερω[
        ]παιδ.[                          ].[.]..[
  5     ]ῶμω[                      5     ]παιδ[
        ].όλλα[                          ]πα[
          ]τ[
```

2]όλβιο[possis   6]τ possis
7 h.h. et h.v., sed fort. litt. duarum
vestigia

1 ..[: fort. τ sive υ, tum ε sive ϲ
(etiam θ, ο, ω, possis)   2 inter ν
et α, h.v. altior, fort. κ   .[: ϲ,
simm.   4].[: h.h., cuius ad partem dext. extremam circuli exigui
arcus sin.   .[: α, λ, μ, χ, possis

270 **M 19** 271 **M 20** 272 **M 21**

2299 fr. 19   **2299 fr. 20**   **2299 fr. 21**

```
     •   •   •         •   •   •         •   •   •
     ].ϲϲιν[           ]...[            ].αικ[
     ]..[              ]νγα[            ]καϊ [
     •   •   •                          •   •   •
```

frr. 19, 20, 21 fort.   1]. : h.h. sive liga-
fragmento 7 vicina   turae pars dext.
1]. : ε possis   2]. : φ
sive ψ   .[: α, simm.

273 **M 22** 274 **M 23** 275 **M 24**

2299 fr. 22   **2299 fr. 23**   **2299 fr. 24**

```
     •   •   •         ].εδοϲ [          ]μεν[
     ].[               ].μέν[            ]να.[
     ].οι[             ]ματω[
     ]ϲῦρ[               •   •   •
     ].ν[
     •   •   •
```

1 litt. rotundae arcus sin. inf.
2]. : vestigia in μ quadrant   4
]. : θ sive ο

276   M 25

2299 fr. 25

.   .   .

].α.[
].ιγ[

.   .   .

1]. : h.v. pes   .[: h. dextrorsum asc. initium   2]. : punctula
duo, unum supra alterum, prope
lineam ; supra, accentus pars extrema
dext.   litterae γ h.v. duplex

---

277   M 26

2299 fr. 26 (a) et (b)

(a)   .   .   .

].[

]   [(b)   .   .

]αcυ..[   ]cακ[

.   .   .

frr. (a), (b) opposita ut exhibuimus,
intervallo incerto ; prob. fragmentis
1, 2 vicina

(a) 3 supra ǫc et supra υ atramentum inter lineas   ..[: h.v. pars inf.,
tum circuli arcus sin. inf., e.g. ιο, sed
pro his etiam κ possis

---

278   M 27

2299 fr. 27

.   .   .

]...θο.[
].αιcδ..[
]μ[

.   .   .

fort. fr. 2 vicinum   2 inter δ et
litt. sequentem vestigia inter lineas

---

279   M 28

2299 fr. 28

.   .   .

]λλ[

.   .   .

vel]μ   vel μ[

---

280   M 29

2299 fr. 29

.   .   .

]'θυ.[
].cω[

.   .   .

1]. : circuli arcus sup.
dext., fort. ο   prope
accentus apicem atram.
cuius ratio non red-
dita   .[: h. a linea
dextrorsum asc., e.g. λ,
μ   2]. : h. curva-
tae velut litt. ε summae
pars dext., sed ceteras
litt. supereminens

---

281   M 30

2299 fr. 30

.   .   .

].εμ[
]ομǫ[

.   .   .

1]. : h.v. infra lineam
desc. caudae pars   2
ǫ[: etiam ω[possis

---

282   M 31

2299 fr. 31

.   .   .

]φ[
]ιcλ[

.   .   .

2300 fr. 1

καιν[.]ων.νγ[   ]ν[

2 ωνενον.ππ.[   ]

κάλέναc ἐν cτήθ[ε]cιν [ἐ]πτ[όαιc-
θῦμον Ἀργείαc Τροΐω δ[.].αν[
ἐκμάνειcα ξ[ε.]ναπάτα πιπ[

6 ἔcπετο ναῖ,

παῖδά τ' ἐν δόμ[ο]ιcι λίποιc[
κἄνδροc εὔcτρῳτον [λ]έχοc.[
πεῖθ' ἔρωι θῦμο[

10 ___]δαδ[.]cτε

]πιε..μανι[
κ]αcιγνήτων πόλεαc.[
].έχει Τρώων πεδίω δα[

14 ἔν]νεκα κήναc,

πόλ]λα δ' ἄρματ' ἐν κονίαιcι[
].εν, πό[λ]λοι δ' ἐλίκωπε[c
]οι..[ ]νοντο φόνω δ.[

18 ___].. [..]ευc·

]...[....]υc.[
.   .   .

omnia suppl. e.p.
1 inter ν et υ, litt. ε vel c partes sup. et inf.   2 post o omnia incerta :
ante ππ, punctulum paulo infra litterarum apices, ι possis; litt. ππ desunt
hastae transversae, pro singulis fort. duarum litt. vestigia (tum fuerit primum
.ε vel .c); post alterum π, vestigia in linea fort. litt. duarum   3 -αιcε(ν)
vel -αιcαc supplendum   4 γεϊ   τρωϊ, o supra ω scr. m.2   δ' [ὐ]π'
ἀν[dρoc vel δ' [ἐ]π' ἀν[δρι suppl. veri sim.   5 ξ[ει]ν an ξ[εν]ν incertum   'πὶ π[όντον suppl. veri sim.   6 ναϊ· 10 παῖ]δα Δ[ίο]c τε suppl.
veri sim.   11 post ε, punctula duo in linea ; tum circuli arcus sin. inf., tum
spatiolo relicto vestigium summis litteris adaequatum, ω veri sim. si una
tantum littera   12 .[: h. paulo dextrorsum inclinatae pars inf.   13]. :
h.v. pars inf., pede leviter dextrorsum hamato   ι supra ωω scr. m.1   fort.
πεδίωι interpretandum   δα[μεντ- suppl. veri sim.   14 vac·   16 ']. :
punctulum summis litteris adaequatum   εν·   ηρι]πεν possis   inter δ et
λ in apicem potius ι quam ε vestigia quadrant   17 ..[: h.v. pars inf.,
fort. leviter concava, tum h.h. velut litt. γ, fort. una tantum littera   in
lacuna [ ] una littera latior vel duae angustiores   β supra]ν scr. m.2 :
cτ[ει]νοντο in cτ[ει]βοντο corr. ut vid.   .[: h.v., ε non minus veri sim. quam ι
18]..[: punctulum summas litteras supereminens, tum h.v. pars sup.   ευc·
19]...[: h. pars sup., quae paulo supra cett. litt. apices incipit, dextrorsum
descendit; tum hh.vv. duarum partes sup. (fort. μ); tum aut ε vel c pars
sup. aut ω arcus sin.   .[: h. leviter dextrorsum inclinatae pars med.

284

2300 fr. 2

N 2

]ᾳρτοcαλ[.] [

]

] οπεc..c   [

]νδρε.[]   [

5   ].εν[   ]   [

]   [

]   [

]   [

.   .   .

3 ante o illaesa papyro atramenti nihil nisi h.h. paulo supra lineae basim
pars extrema dext.   inter c et c h. dextrorsum asc., e.g. δ, non λ, tum post
spatiolum h.v. (si ι, inter hoc et praeced. δ postules unam litt. angustiorem,
e.g. δ[o]ιc)   4 .[: c possis, sed alia tam bene

285

2300 fr. 3

N 3

(a)   ].νοcχ[

].ετ̣ιν.[

3   ]..[

.   .   .

(b)   ]μακ.[

]ρυτο.[

]ωcτ[

].κ.[

5   ]ωτ[

]κρ[

.   .   .

fort. ita coniungenda (a) 3, (b) 1, ut huius litt. ακ apices illud suppeditet.
(a) 1]. : h.v. capite truncato, pede leviter dextrorsum hamato   2]. :
fort. litt. ζ basis : est in linea hasta accentui circumflexo similis, cuius a parte
sin. hastula tenuis dextrorsum asc.   .[: h.v. pes hamatus, fort. ε vel c
(b) 2 supra]ρ, vestigium cuius ratio non reddita   .[: h.v.   4]. : fort.
o vel ρ arcus dext. sup. (in una tantum fibra disiecta vestigium)   .[: h.
leviter dextrorsum inclinatae pars sup.

226

66

O 1

2301 fr. 1 (a) et (b)

. . .

(a)

    ].ανᾳω[
    πο]λυανθέμῳ[
    κρ]ῠερος πάγος·
    ]. ὑποτάρταρον·

5   ]ι νῶτ' ἔχει·
    ].coϊαιc.ὑχοιc
    ]....[

. . .

(b)

    ]..νουδ.[.]..[
    ].ηcδ'ἀδαμα.[
    ].ον φῆρα κατέκτ[αν-
    .χ.
    ]'[.].[.].ων μεγ[

5   ].όcυνα.[
    [[.]]..]μ'[

. . .

veri simile est fr. (a) supra fr. (b) ita ut exhibuimus stetisse; fort. ita
coniungenda ut (a) 7 in (b) 1 post litt. § inseratur   (a) 1]. : h.v. altior
sinuosior; tum ut vid. α, quod nunc partim operit hastula crassior accentui
similis a sin. dextrorsum desc., nec non atramentum aliud   2 suppl. e.p.
3 suppl. e.p. πάγος· schol. m.2 marg. dext. ¹φηοχλαι[ ]ται | ²τα του χειμων[ος]
φη(cι) διαλυετ(αι): init.¹ φη litterae ceteris maiores; si γλαι[verum, αγλαι[
legendum credideris (supra litt. ο fracta est papyrus)   4]. : in linea
angulus, δ possis ὑπα debuit (ὑπὰ T. sive ὑπατάρταρον) ρον· 5 νωτ' schol.
m.2 marg. dext. αν(τι του) γαληνη (εcτι) κ(ατα) την θαλαccαν : unde γελάνα δὲ
θαλάccαc ἐπ]ὶ νῶτ' ἔχει in textu stetisse veri sim.   6]. : υ, sed etiam alia
possis οϊ ὑχ litteram, quae inter c et υ stetit, gravis delevit atramenti
gutta ε]ὐcοϊαc τύχοιc conieceris (schol. τηc εϛ[coιαc] suppleto), sed]υ, τ, confirmari nequeunt, et scriptum est -coϊαιc non -coϊαc schol. ¹τηcεϛ.[....]
τοιαυτηι γ(αρ) ουcα τηι | ²].[7 vestigia in una fibra disiecta, sed
tertiae litt. nihil deest, fort. ο   (b) 1].. : litt. bases, e.g. λι   ].. [: ut
vid. litt. rotundarum partes 2]. : litt. κ ramus dext. sup. veri sim. cδ'
.[: litteram gravis operit atramenti gutta : suprascripta est littera usque in
versum praecedentem asc.   3]. : h.v. pars inf. vel med., cuius pedi
propinqua h.h. brevior φῆ ἐκ, supra έ ut vid. ε scr.   4 ante ω,
h.v. apex 5 .[: h.v. altior sinuosior, fort. ι possis; apicem dextra tangit
litt. suprascripta 6 μ'

227

287   O 2   **288**   O 3

2301 frr. 2 et 3   2301 fr. 4

     .   .   .   .   .   .

(*a*)   κạ[   ].μακ̣.[

       π̅ρ̅[β]ạθόην[

       πε[.].ἄτταιδέ[   ].κάω[

       cύcτ.ν̣ἄιμ᾽επέ[   ]μην ·[

5   ουγάρκ᾽ὦδ᾽αμά.[5   ̣].[

     ]ḟ cτ̈ι[.]..ικακκ.[

       .   .   .

(*b*)   ]⁻   ουδεν[

       ]⁻   καιμη[

       ]   μεcδ[

           ·x·

       ]   ἐκθρ.[

5   ]   ἴξετ.[

       ] ωcτ᾽εξ.[

       ]   ἐνθαδ᾽.[

       ]   π̅αϊc[

1]. : fort. ι basis   2 suppl. e.p.
3]. : fort. ε vel c basis   4 ante
]μ, atramentum inter lineas, fort.
accentus, sim., vestigium   5
hamus, in apicem ρ vel β quadrat

(*a*) et (*b*) fort. eiusdem columnae fragmenta; fort. etiam eiusdem coronidis vestigia (*a*) 6, (*b*) 1 : sic defuerit unus tantum versus

(*a*) 3]. : punctula duo, alterum alteri suppositum, fort. β vel χ ex parte extrema dext.   4 litt. τ tantum h.v. pars inf., tum litt. o basis veri sim. 5 .[: χ veri sim., sed etiam λ possis   6 post [.] fort. litt. ω magna, sed magis veri sim. litt. μα apices; cτ̈ι[χ]μα possis, sed non adeo veri sim.   supra ι punctum, fort. deletionis indicii pars

(*b*) 1-2 marg. sin. ut vid. coronidis partes inf.   5 .[: in linea punctulum   7 .[: circuli arcus sin. vestigia

289   O 4   **290**   O 5

2301 fr. 5 (a) et (b)   2301 fr. 6

. . .   . . .

     ]όυϲ[   ]δη[
     ].'άμμ[   ]πὰϲπρ[
     ].λα.[   ]ρᾰττιχ[
     κρετοϲδ[   ]νων'ᾳ[
5   κήναϲᾳ[5   ].μεχρι[
  ]ᵞ]. β∴|λήϲ.[   ].τονατ[
     ]αδίῳ[   ].[

. . .   . . .

2].: γ vel τ   3 .[: h.v., ad   3 vel]β possis; infra fort. hyphen
dextram atramenti vestigia, fort. ν   pars dext.   5].: in linea h. a sin.
6 post β, circuli arcus sup., tum h.v.   desc. pars extrema, e.g. α   6].:
apex: βολ non excludendum .[:   in linea vestigium, alterum hastam
litt. rotundae pars sin.   transversam litt. τ tangens, vix κ vel
                               ϲ ut vid.

291   O 6   **292**   O 7

2301 fr. 7   2301 fr. 8

. . .   . . .

    ]   ]νοημμ[
                    ]μήνῠνι[
    ]ϲινβρ[   ].λω[..]'[
. . .   ]ϲν[

293   O 8   **294**   O 9

2301 fr. 9   2301 fr. 10

. . .   . . .

    κ[   ].ω[
    μ[   ]λ.[
    ]το[   ]ηδ'ᾳ[
                   ].μϛ[

. . .   . . .

229

295   P I

2302 frr. 1, 2, 3 tanquam ex eadem fere papyri parte oriunda una collocata

(*a*) = fr. 1   (*b*) = fr. 2

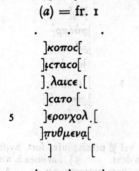

.   .   .   ] [

]κοποc[   ]   [

]ιcτακο[1   ]εραθ . . [

] . λαιcε . [   ] . [.] . ερ[

]cατο [   ] . . [

5   ]ερουχολ . [.   .   .

]πυθμενα[vicinum ut vid. fragmentis P 1 (*a*)

]   [et 2

.   .   .   1 post θ, fort. ο pars inf.   2] . [:

vicinum sinistra ut vid. fragmento   h. apex summis litteris adaequa-

P 2, fort. ex praecedente columna   tus] . : α vel δ vel λ hasta dext.   3

3] . : h. a sin. desc. pars inf., α vel   ] . : vestigia in litt. ε hastarum sup. et

λ   5 . [: in linea, circuli arcus   med. (hoc dubium) partes extremas

sin. inf., ο vel ω   dext. quadrant   . [: circuli arcus

                                            sin. sup.

(*c*) = fr. 3

.   .

] . [

]αντ[

] . . [

.   .

fragmento P 1 (*a*) similis species

1 h.v. longius infra lineam desc. cauda   3 h.v. paulo sinistrorsum

hamatae apex, tum h.h. pars extrema sin., prob. τ

296

2302 fr. 4

P 2

(a) = vv. 1–8

```
  ].νότατον τόδ[.........ἐ]νόηϲεν[
  ]λαϲθ' ἔρον ἀλ[.......].[..].νταπέδ[
  ]δη πόλιϲ ὠ[......Κρο]νίδα βαϲίλη[οϲ
4 ]μω..[..]υ..[.......].δε θάν[ον]τε[ϲ
  ]εἰϲ Ἄϊδα δόμο[ν....]άνευθα δ[ὲ] τουτ[
  ]δειϲ πόνοϲ ὠ[.......]λλαταπα[ν]τ' ἀπ[
  ].εν καλα.ε..[........]δε τᾶϲλα κακϙ[
8 ].άξιοϲ ἀντιλε[.]ντ[...]' ἧϲ ἀπυδέρθη.[
```

omnia suppl. e.p.

(a) 1]. : h.v. pes τόδ 2 θ' ε λ[: tantum pars sup.; δ, fort. etiam μ, ν, possis].[: in linea vestigia, fort. litt. duarum]. : vestigium litterarum apicibus paulo inferius, fort. in ο, vix in ε, quadrat δ[: tantum anguli sin. pars extrema; α, fort. alia, possis 3 δα[[ι]]β 4 post ω, ϲ ut vid., tum punctula duo summis litteris adaequata : si litt. unius latioris vestigia, fort. inter hoc et υ deest una tantum litt. ..[: δ sive λ pars sup., tum vestigium mediis litteris adaequatum, supra quod accentus acuti vel syll. long. signi pars extrema sin.]. : h.v. altior, potius η vel ν quam ι, fracturae proxima 5 αἴδ δόμο[ν ἦλθον suppl. veri sim. 6 ου]δειϲ suppl. veri sim., mox ἀ]λλὰ τὰ πά[ν]τ']τ'ἀπ[7]. : in linea circuli parvuli arcus dext., fort. ο vel ω, non β vel φ inter α et ε, litt. θ vel ϲ partes sup. et inf.; post ε, h.v. pes, tum vestigia summis litteris adaequata (in stratum papyri inferius permanaverunt); fort. ε.[scribendum potius]δ quam]λ, quamquam basis evanuit τᾶϲλ κάκο[ιϲι(ν) suppl. veri sim. 8]. : h. brevis paene horiz. paulo supra lineae basim, e.g. κ [ο] veri sim., nam si in linea scripta fuisset littera, relictum esset vestigium litt. τ tantum cauda, sed spatii ratione habita τ veri sim.]' : vestigium aliquatenus in litt. ρ arculum quadrat, sed solito altius ἧϲ,απυδέρ .[: h.v. fracturae proxima post hunc versum carmen alterum incipere testatur numerorum mutatio

(b) = vv. 9–26

K]υπρογένη᾽, ἔν ϲε κάλωι Δαμοανακτίδ[

  ] πὰρ ἐλάαιϲ ἐροεϲϲα[. .] καταήϲϲατο

  ]ϲύναιϲ· ὡϲ γὰρ ὀΐ[γ]ρντ᾽ ἔαροϲ πύλ[αι

4 ἀμβ]ροϲίαϲ ὀϲδόμενοι[.]αιϲ ὑπαμε[

  ]κήλαδε []ν[

  ]οιδε…[ ]᾽[   ]…[

  ]ρὺκ ο [….]θ᾽· α[. .]αν[. .]νεαν [

8] ξιακ[…]ω ϲτεφανωμενοι[

  <duorum versuum spatium vacuum>

  ] α γὰρ δὴ διε[….]μα[

  ] ρὔπω διε [….].. [

  ] ϲ ἐπάερρον [

12]ωδ᾽ [ἐ]ράταϲ εἰϲα [

  ]ξέφυγον πολλ [

  ]ν ν [ ]νεμωλ[

  ]αϲ[ ]δοϲ[ ]ϲ πυθμ[εν

16]ον[ ]ῆϲμα [

  ] έαϲ[ ] υχ[

  ]ρρ[. .] [

· · ·

(b) 1 νη·έν   fin. δ[αιϲ vel δ[α supplendum   2]. : vestigium litt.
ceteris paulo superius   ελά   potius ἐροέϲϲα[ιϲ] quam ἐρόεϲϲα[ν] suppl.
αή   3 αιϲ·ω οἱ[ ]ρ : circuli arcus dext., multo melius in ω quam ο
quadret, sed spat. vix sufficere vid.   ντ᾽   λ[: h. dextrorsum inclinatae
vel curvatae pars sup.   4]ρ : vestigium in arculi partem extremam
dext. quadrat, sed etiam alia possis   δόμ   ]αἱϲϋ   5 litt. κ tantum
rami sup. pars extrema, fort. etiam χ (cuius litt. in hac p. exemplum nullum)
possis ήλ [: h.v. apex   6 post ε, h. infra lineam incipit, dextrorsum paulo inclinata asc., fort. π : quae sequuntur vestigia partim in strato
papyri inferiore sunt, fort. unius tantum litterae   ]…[: h.v. pars inf.,
tum h.v. longius infra lineam desc. pars inf., tum h. dextrorsum asc. initium
7 κ᾽ο post ο, h.v.   ]θ᾽·   inter υ et ν sufficiat una tantum littera latior
post αν, h.v. pes   νεάνι[αι vel [αιϲ suppl. veri sim.   8 ξἴα spatio vacuo
relicto versus omissos, non carminis finem, indicare consuescunt   9]. :
h.v. pes ut vid.   10]. : vestigia disiecta paulo supra lineam, fort. litt.
duarum, e.g. οϲ   [: ut vid. litt. δ angulus sin. inf.   ]. : h.h. velut γ pars
dext., tum punctulum eidem adaequatum   11]. : punctulum paulo
supra lineam, fort. α   πά   12 litt. δ tantum angulus sin., ρ tantum
cauda   [: h.v. pes paulo infra lineam   13 ἐ]ξ, sim., suppl. veri sim.
[: ut vid. h.v. pes   14 inter]ν et ν, h. dextrorsum asc. pars med.
16 ῆϲ litt. μ tantum h.v. dext., ad sinistram vestigium minimum   [: in
linea punctulum   17]. : h.v., ν veri sim., quamquam laesa papyro
hastae transversae vestigium nullum   ἐ   litt. ạ tantum caudae pars
extrema   ] : punctulum summis litteris adaequatum : si e.g. ψ, fort. inter
hoc et ϲ nihil deerit   18].[: ut vid. litt. υ ramus sin., sed non
excludenda litterae triangulae h. dext. pars sup.

P 3

97

2302 fr. 5

```
      ·        ·      ·
    ]νθε.[
    ]αγκυρρα[
    ].ε·κυ.[
    ]τ'εροc[
      ·        ·      ·
```

1 .[: h.v., fort. ι   2 supra]a atramentum, sed non ut vid. ά   3]. :
ut vid. litt. c arcus sup.   .[: π ut vid., sed trita est papyri superficies

Q 1

98

2303 fr. 1 (a) et (b)

(a)

```
              ·      ·      ·
    — ].......χε[
       ]ν[.]ανηαθοα.[.]έχων
       ]..[..].. Πάλλα[δ]ọς, ἀ θέω[ν
       ]cι θεοcύλαιcι πάντων
  5    ]τα μακάρων πέφυκε·
    — ].ι δ' ἄμφοιν παρθενίκαν ἔλων
       ]παρεcτάκοιcαν ἀγάλματι
       ]ὸ Λ[ό]κροc οὐδ' ἔδειcε          (b)
  9 — ].οc πολέμω δότε[ρ]ραν        ·   ·
          ]δε δεῖνον ὑπ' [ὄ]φρυcιν    ]ν· ā[
       πε]λ[ι]δνώθειcα κὰτ οἴνοπα     ].[
          ] ἐκ δ' ἀφάντοι[c           ]..[
 13 — ]..εκύκα θυέλλαιc·            ·   ·
            ]φ[        ]'[
              ·      ·      ·
```

elisionis et cetera huiusmodi signa atramento alia magis alia minus nigro,
alia tenui alia crassiore stylo, addita : fort. manus tres distinguendae. omnia
suppl. e.p.

(a) 1 ante χε[, litt. fere septem bases   2 medio fere inter ạ et έ loco,
h.v. apex   fort. potius ạ[.].έ scribendum   3 ante π, fort. δε sive
ac   πά   āθ (supra ā punctulum cuius ratio non reddita, non ut vid. ᵈ)
4 cύλ   πάν   5 κάρ   6 δ'   ἰκᾶν   7 τάκ   γάλ   8 δ' έδ   9
λέμ   δό   inter τ et a si litterae tres (quod vix credideris), spatio fort. ειρ
aptius quam ερρ   11 τ'όι   marg. dext. schol. vestigia in lineis
tribus scr.   12 δ'αφά   13 κὔκ   έλλαιc·

(b) fort. ita fr. (a) vv. 10-12 adiungendum ut legas   10]ν· ἀ δὲ δεῖνον,
11]π[ε]λ[ι]δνώ-,   12 πόν]το[ν] ἐκ δ' ἀφάντ.

233

299 Q 2   **300** Q 3

2303 fr. 2   2303 fr. 3

. . .   . . .

   μητα[   ]υϲτροτ[

2 ϲανκα[   ]λετο

   α̅βαϲαν[   ]

4 φοιτάι̣[4 ΄]λλοι·

   καυτα.[   ]κτίδαιϲ[

6 χ̅ωρον[   ]ξέτω·

   παντα[   ]ϲ

8 πορνα.[8]ανδρα

   . . .   ]βραχη[

5 .[: arculus summis litteris adae-   ].ϲαγων[
quatus, fort. τ

            . . .

                 3 marg. dext. schol.   ¹οτ[| ²κο[
                 10]. : h.v. paulo (prope apicem
                 multo magis) dextrorsum inclinata,
                 ι veri sim.; supra in margine fra-
                 cturae atramenti vestigium (manus
                 ut vid. eadem)

301

2303 fr. 4   Q 4

              ]πι̣ο̣[

         ].κτ·εϲθετάυ[

         ]υϲύνεντε[

             . . .

1 litt. ι tantum h.v.; ρ, τ, fort. etiam alia possis   pro o, fort. ϲ, ω, possis   2]. : h. a sin. desc., pede sursum hamato   supra τ·εϲ scr. θη manus
altera   υ[: tantum rami sin. hamus, fort. χ possis   3 inter υ et ν hastula
obliqua cuius ratio non reddita   supra litt. ε priorem atramenti vestigia
altera manu scr.

R 1

col. i

· · · ·

]αccαι

]c.[

]

]αρχον

5].εναυταιc

]οτ['.]υ.αν

]

]ετεντων

].ην

10].αυτοιc

]

]

]

]

]

15]

]

]

]ⁿγα
].λο´

]cιλου'

20]

]

col. ii

· · ·

πένθι[

ἀικιζᾳ[

..τον[

.[]

χ['..]ρεc[

cαμφο[

λᾱ[.]δεχ[

ϛτοιcτύρᾳ[
⸗

                μ
τάρβημι[

ἀμμανχ[

γέν´ητα.[
[[—]]

μύθονέ.[

νέφοcκα[

πύργω.[

γένοιτοτ[

κάρτερον.[

ειεπεcενοιφιλοιγ.[

col. i 1 seqq. fort. strophae sapphicae   2 .[: litt. rotundae basis,:
vel ω veri sim. (vix c, nam post hanc litt. ut vid. nihil scriptum)   5].
h.v.; deest h.h., sed π magis veri sim. quam γ, τ   6 ante α, punctulum
summis litteris adaequatum   10]. : h.v. pars inf.   19 schol. Μυρ]ϛιλου
possis, non ut vid. Πεν]θιλου

col. ii 5 litterae ε tantum hastae transversae pars extrema   Πένθι[λ-
possis   6 pro ζα[etiam ξα[possis   7 h.v. pars inf., tum in linea
punctulum   sub hoc versu parágraphus non est scripta   7–8 marg.
circuli parvuli arcus sin.   8 fort. χ[έρ]ρεc[11 τύρα[νν- veri sim.
12 seqq. fort. strophae alcaicae   12 μ suprascr. m.2   14 ut vid.
γένητ' debuit   .[: litt. caudatae infra lineam pars inf., μ possis   15 .[:
spatiolo post ε relicto, h.v. apex, μ vel ν possis   17 .[: h.v. cuius apex
crassior, ν veri sim.   19 .[: in linea h. dextrorsum asc. vestigia, α possis

303

2305

S 1

]μβαλακαιτεϲϲε.α[

]υμαριγαϲβαιϲαπο[

].ιμε.η.ιϝτοναϝ[

].ϲεχητ'αμφοτερ[

5]δοκιμοιϲφαρμακ[

].ε.αλαντ..[

]..[.]ϲυμπαϲαφ[

]αϲουπω[

]θαϲτα[

10].ϲελεφ[

· · ·

1 inter ε et α, h.v. paulo inclinatae pars inf., spatii ratione habita litt. τ
veri sim.; supra locum in quo h.h. partem extremam dext. stetisse credideris,
hastula brevis eadem manu scr., fort. ', sed signo in v. 4 post εχητ scripto
dissimilis; fort. καίτ(οι) ἔϲϲετ' ἁ[interpretandum 2 γ, in parte laesa
(scilicet frustulorum duorum iunctura), nullo modo satisfacit, sed nihil
hoc magis veri sim.; δ (ε]υμαριδαϲ) non credas scriptum 3]. : fort.
h.v. apex inter ε et η ut vid. λ, sed laesa papyro non eadem est species
atque alibi inter η et ι tantum vestigia disiecta 4]. : vestigia
evanida in litt. ο quadrant 6]μεγ possis, sed litt. μ superest tantum
h.v. dext. apex, supra litt. γ h.h. partem extremam dext. est vestigium cuius
ratio non reddita post τ fort. litt. ω apices sin. et dext. 7]..[: hastae
duae angulum sup. efficiunt, velut θ, sequitur arculus velut β vel ρ 10]. :
h. a sin. desc. pars inf., α veri sim. fort. ἦλθεϲ ἐκ περάτων γ]ᾶϲ ἐλεφ[αντίναν
κτλ. ex Alc. Z 27 infra supplendum

304

T I

P. Fouad 239

col. i   col. ii

```
        ]cανορες..[
  ]μαι τὸν ἔτικτε Κόω .[
  Κρ]ονίδαι μεγαλωνύμω⟨ι⟩              εμμ[
  ]μέγαν ὅρκον ἀπώμοσε                 και.[
5 ]λαν· ἄϊ πάρθενος ἔссομαι         5  ρ.ε.[
  ].ων ὀρέων κορύφαιс' ἔπι             ω...[
  ]δε νεῦcον ἔμαν χάριν·               μοιcαν ἀγλα[
  ].ε θέων μακάρων πάτηρ·              πόει καὶ χαρίτω.[
  ]ολον ἀγροτέραν θέρι                 βραδίνοιс ἐπεβ.[
10 ].cιν ἐπωνύμιον μέγα·           10  ὄργας μὴ 'πιλάθε.[
  ]ερος οὐδάμα πίλναται·               θνάτοιcιν· πεδ'.χ[
  ].[.]....αφόβε[..]'.ω·               ]δαλίω[
```

Vid. *Class. Quart.* N.S. 2 (= xlvi) 1952 pp. 1 seqq.

col. i 2]μ : tantum h.v. dext. cum pede dextrorsum hamato   κόω, supra quod κο..[scr. .[: punctulum summis litteris adaequatum; neque infra nec dextra (ubi rasa ut vid. superficies) apparet atramentum; κ[όρα sive π[άιс veri sim. ,   2–3 marg. schol. ¹.[ ]....[ ].. | ²....ρ...[]ωκαλλι : ²init. οc possis; post ρ, ι vel fort. τ; tum η veri sim. sed fort. ει possis; tum fort. μ[]ω   3 suppl. Guéraud   ύμ   μω⟨ι⟩ : μ et ω litterae ut vid. interplicatae 5 ν·ά[[ε]]ϊ. cf. *A.O.* Cramer i 71. 19 ἀεὶ παρθένοc ἔcομαι, *A.P.* Cramer iii 321 ἀειπάρθενοc, sine auctoris nomine   6]. : λ sive δ angulus sup.   ρέω ύφ ἐπ 7]δ : sive fort.]λ   ἐμ   ιν·   marg. schol. vestigia   8]. : vestig. velut litt. c arcus sup. pars extrema dext.   θέ ηρ·   9 ἐρ   θέ   marg. schol. vestigia   10 ύμ   γα·   11 άμ   ίλ   αι·   marg. schol. προcπελαζει   12].[: apex summas litteras supereminens, a sin. dextrorsum asc., in accentum non ut vid. quadrat   ante ϙ, hh.vv. partes sup., inter quas hastae sive arcus vestigium, μ veri sim.   όβ   '.. : arcus sup. velut ε pars extrema dext., tum circulus (velut ρ, sed solito maior),]έρ veri sim.

col. ii 3 supra ϛ, vestigium fort. scholiorum inter columnas scr.   7 fort. μοιcᾶν   8 πό   litt. ε in altum surgit, έ scriptum credideris   ίτ   .[: vestigium in litt. ν h.v. sin. pedem quadrat   9 ίν   ραδινουc suprascr. 10 όρ   ήπιλᾶ   .[: vestigium summis litteris adaequatum; c, alia, possis 11 litt. θ arcus sup., etiam o possis   litt. ν tantum h.v. dext. et h. transversae pars extrema inf.   άτ   ν·π   supra πεδ, με. (μετ conieceris) scr. 12 ίω

305

2306

V I

col. i   col. ii

```
                    ]τιν              ]ρημε.[
                  ].ιρος            ].ηϲαλλ[
                  ]νε[    ]         χ[...]ιμεν[
      ]ε καὶ αὐτọ[    ]             τ..πιτọ[
5     ]ενοϲ αἰκ[...]..             γε[.]ηδενα.[
      ].ν καὶ κα[....]πηιϲ          ωϲαριϲτ.[
   γεγ[..].[.]εινο ἐκτ.[..]ται τὰ   θενκυλ.[
   .πο[.]ου κεκεραϲ.[..]α, τοῦ-     μυ.[..]λουκạ[
      τ' ἐϲτιν, οὐδέποτε.[..λ]είψει  νᶜạ[
10 ὁ ἐξ ἡμῶν πόλεμος. ὡϲ ἄλοϲ       ‾οπο[
   ἐ⟨κ⟩ πολίαϲ ἀρυτήμεν[οι· ] ὡϲ    ταιλ[
   ἐκ θαλάϲϲηϲ ἀντλο[ῦ]ντεϲ      ÷ ‾διε[
   ἀνέκλειπτον πόλε[μο]ν ἔ-         λημ[
   ‑ξετε        ε[..].αμοι          χạλα[
15 ‑πόλεμοϲ μήτε γένοιτ[ο]· γέγρα-  ϲυν[
   πται πρόϲ τινα ὀνόματι κα-    ÷ τ.ν.[
   λούμενον Μνήμονα ὃϲ ἀ-          δοκ[
   κάτιον παρέϲτηϲεν εἰϲ τὴν       τογ.[
÷  Μυρϲίλου κάθοδον. φηϲὶν οὖν   .. ϲι χ[
20 ὅτι οὐκ αἰτιᾶται αὐτọ̀[ν] οὐδὲ   ταδοή[
   διαφέρεται περὶ το[ύ]του.       ενοπ[
   ὅϲτιϲ δ' ἄμμε διαϲτα[..]. θέλει· ÷ ται.[
   ἤτοι καθόλου λ[......].των       ηεϲ.[
   περὶ Φιττακὸν [......].των.      τοιϲ.[
25 ὦ Μνᾶμον κ[.......] τιν( )       ελκο[
   .].κύριον ὄνομ[α..M]νημο-     ÷ ϲιβο.[
   ν-   ].κατα.[    ].ακου          νειϲ.[
              τ]υτθὸν              ‑εν  [
              ].αρτον              [ ]ἐμβιμ[
30            ]πωικα                τωαγ[
              ]ạ                    ταϲυγ[
              . . .                 νιακ[
                                    ρουϲχ.[
```

CARMINUM ALCAICORUM FRAGMENTA

καιτοτ[
35   υδωρ[
]δα.[
]αντ[

. . .

omnia suppl. e.p.
col. i 2]. :]προc non est scriptum   6]. : fort. a   7].[: litt.
rotunda   7 seq. τὰ | ὑπὸ [c]οῦ κεκεραcμ[έν]α suppl. veri simill.   9
ἐ[πιλ]είψει suppl. veri simill.   14]. : litt. velut κ, χ partis dext. apices
sup. et inf.   19 marg. sin. hic et col. ii quattuor locis signi ÷ interpretatio obscura   22 ὅττιc debuit   ]c possis   23]. : fort. c sive κ pars
dext., sed neutrum satisfacit; etiam υ possis   25 μναμων legi potest, sed
ut vid. μναμον voluit, apice superfluo inter a et μ scripto   27]ᾳκα
possis   post τα, fort. litt. duarum apices, ιτ[possis   ]ν possis   29]. :
γ sive τ
col. ii ad Alc. Z 2+K 5 ut vid. spectat   1 .[: h.v. ut vid.   2]. :
γ sive τ   5 post a, λ sive ν basis veri sim.   6-7 ἐν]||θεν κυλιψ[δ-
supplere possis, sed ιψ confirmari nequit   8 μυρ[cί]λου suppl. veri sim.
14 χαλα[ad χόλαιcι Alc. Z 2. 9 spectare credideris   20 ὀή[ϊα supplere possis
22 .[: h.v. apex   27 .[: circuli exigui pars sin., o vel fort. c   29 ἐν
βιμ[βλίδεccι supplendum, cf. Alc. K 5 (a) ii 6   33 cχο[ινια; etiam 31 seq.
cχοι]νια possis   36 litt. rotundae pars sin.

306 X

2307 frr. 1–82 (vacant num. 60, 66)

(1) = fr. 1   (2) = fr. 2

. . .   . . .

```
         .ε[                              ].θοδ.[
         βρ.[                             ]νεως.[
         φερ.[                            ]ενεπι[
         μοντω[                           ]αθηκο.[
  5      [                         5      ]δος του[
         ὁ εν.[                           ]αφερο[
         νο.[                             ]υς του[
         νωγ[                             ]εδεμοι[
         νος εν[                          ]νησεω[
  10     τον κ ͨ η[                 10     ]ι προς[
         η.ν.[                            ].π[.].[
         νος ομ[                          . . .
         κλεωνα[
       ⌣͞                          1 ].: litt. α cauda veri sim.,
         αισχυν[                   κ]αθοδο[ suppl. possis      4 .[: h.
  15   ]? μαανα.[                  dextrorsum asc. pars inf., κ]αθηκοι[
       ]   κον τωι.[               suppl. possis     5 καθο]δος suppl.
       ]   ψευσται[                possis     11 ].: α, λ, μ, cauda
       ]   Ζεῦ πάτερ [ Λύδοι μὲν ἀ-
       ]   πεσχαλάς[αντες· ἀλγοῦν-
  20   ]   τες ἐπὶ τ[αῖς συμφοραῖς ἡ-
       ]   μῶν οἱ Λυ[δοὶ
```

. . .

1 init. h.h. in linea, ζ vel fort. ξ   2 .[: litt. λ partes inf. vel litt. μ
dimidium prius veri sim., sed etiam κ possis   3 .[: potius ω quam ν
7 .[: h.v.   10 quomodo explicandum sit κ ͨ incertum   11 ante ν,
arculus paulo supra lineam, post ν alter arculus maior in linea   13 Κλεωνα[ξ
(sive -α[κτ-) veri sim.   15 marg. sin. coronidis pars sup.   16 .[: h.v.
pars inf.   18 ff. ad Alc. D 11. 1–2 spectant : suppl. ex grat. e.p. : ἀ]‖πεσχ-
pro ἐ]‖πασχ- ut vid.

(3) = fr. 3
col. i

. . .

  ]. ηϲ
  ]του   col. ii
  ].[...]ταϲ   . . .
  ]. ϲ ἐπὶ μὲν   ].[
5]ηϲ φυ[.]ηϲ   .]ναρ[
  ]. ϲεϲθ[.]ιτο   νον μ[
  ] τῶι Β[ύ]κχι-   φιλε.[
[δι]νδεδιε-   κεπ....[
  ].[ταυτ[
10 . . .   φηϲι[
        ϲ..[
       . . .

col. i 1]. : h.v. apice sinistrorsum leviter hamato, ι possis 3].[: fort.
τ pars inf. 4]. : hamulus in linea, velut ε sive ϲ, nisi sequenti litt. nimis
propinquus 6]. : punctulum summis litteris adaequatum, ε, υ, possis
7 seq. suppl. e.p. 9 ε vel fort. ϲ
 col. ii 7 post π, ϲ exiguum potissimum credideris; sin ϲ, sequetur fort.
γ vel π

(4) = fr. 4

. . .

  ]. εϲυθ[
  ]ω πίναξ δ.[
  ]νεωϲ ὡϲ ἀποι[
  ]ενουτο.αλκ[
5]γεγονότα κα.[
  πι]νακίδοϲ ἀναγκ[
  ]λομένου κελ.[
  ]ϲαϲ' ἔωϲ 'χαλαλ[
  ] καὶ αὕτη γέγραπ[ται
10]...ϲυμη[
    . . .

1]. : γ sive τ 2 .[: h.v. pars inf. 4 post o, h.v. pars inf. : τοῦ
ἀλκ[αίου supplere possis 5 .[: litt. duarum velut ιϲ sive unius velut π
basis 6 suppl. e.p. 7 .[: punctulum cett. litt. supereminens
9 γρ magis π litt. sim. suppl. e.p. 10 fort. litt. quattuor apices,
tertia et quarta fort. ρα

(5) = fr. 5

. . .

].ϲαι[
]οιοϲ μ.να.[
]δε πρὸϲ οτ[
]πται ουκε.[
5]οναζουϲι[
]ιτωι γενε[
].νιδην κ[
]..[.]...[

. . .

1].: h. curvae a sin. desc. pars inf., ϲ possis   2 post μ, fort. ο pars dext. inf.   4 .[: h.h. pars sin., τ possis   7 ιδ in litura ut vid.

(6) = fr. 6

. . .

].λομ.[
]ν ὄρν[ι]ν τ[
].απι.[.]τ[
].οηκ.τ[
5]...γω[
]ηϲε[
].[

. . .

1].: α sive λ cauda arculus, α vel ε veri sim. secundae cauda longior credideris   .[: in linea 5 litt. hamata, ρ

(7) = fr. 7

].cει.[

].μαδ[

].ιφηνε̣.[

].ιον δεκ[

5]λες οὐ γὰρ [

  ]αιρει αλ[

  ] κοὐκ[

  ].ντωι [

  ]ες ποτε.[

10]ε̣δαν π̣.ι̣.[

  ]ηνοτ[.] c

  ]τ[.]υδιε-

  ]ν παῖδα

  ]ον μὲν

15]λο παλαι

  ].των παι-

  ].ον πε-

  ].ν επο-

  ].αι μεcι-

20]οδ.τη[

(8) = fr. 8   ].προς

. . .]ηc

τ[   ].

ρη[   ]κο-

.   .   .

(7) 1 .[: in linea h. dextrorsum asc. pars inf.   2].: infra lineam h. hamatae pars inf., fort. ρ sive υ   3].: in α, λ, quadrat vestigium .[: h. a linea asc. pars inf.   4].: h.h. pars dext.   6 cf. (14) i 12 unde χ]αιρει αλ[ληγορων supplere possis   8 εν sive ον   9 .[: ut vid. ι longius desc., sed etiam ρ possis   16 h. brevis a sin. dextrorsum desc., litt. cett. supereminens   18].: punctula duo, in h.v. partem sup. quadrant   19].: h.h. pars dext., γ sive τ veri sim.   μεcί-[[τ]ν suppl. veri sim.   21].: apices in αι vel ν quadrant   23 h.v.

(8) fr. 8 vicinum fuisse fragmenti 7 parti inf. indicat papyri species

(9) = fr. 9

. . .

       ]

    ].[.].τοδε

κελ[   ]του ἀγαθη

νῦν δεια[   ] ἀγαθῆ⟨ι⟩ χρη-

caμένου[c   ] ἐνθορεῖν

5   καὶ ἐνορμ[ῆcαι τ]ρῖc τ[ο]ῦ Φιτ-

τάκ[ο]ν νώτ[οιc   ] κα-

κῆc ὕβρεωc [τὸ]ν τύραννον

παῦcαι. ἐπίδ[..]ι Διόc υῖοc

Κρονίδα. καὶ α[ὖτ]η κατὰ

10 Φιττάκου γέγ[ρα]πται πε-

ρὶ τῶν ὄρκων [τῶν γ]ε[γ]ε-

νημένων ἐν [   ].

πολ[......]ρ[   ].

omnia suppl. e.p.   1 sive fort.]..., e.g. και   2 fort.]χ possis
4 e.g. τύχηι]]ενειεθρειν in]ενθορειν corr.

(10) = fr. 10

. . .

    ].ε.[

    ].λε.ντο[

    ]ελευθεραι[

    ]ρχονοουρ[

5   ]ερωcαλλα[

    ].ο.[.]..[

. . .

1]. : η sive π   .[: h.v. pes   2]. : in ε h. transversam quadrat
vestigium   ειν credideris, non εον   6]. : circuli arcus dext. sup., litt.
cett. supereminens   post o, h.v. pars sup., cuius apex dextra crassior

(11) = fr. 11 (*a*), (*b*)

. . .

]..[

.]οιτ.[

] ἠθικῶς..β[

]δρα τοῦτον α.[

5   ]νạ[.] ạ̓γαθὸν [.].[

].[.]οιϲα.ε.α[

...]αυτον κ[

].ι[|].λογων μ[

]βα[|]ϲυνιϲτ[

10   ]..[|]χοϲε[.].τ[

]κέκ[ρ|]υπται[

]τ[[ο]]ρ|οπο.κ[

]ἐνεδ|ρẹυτ.[

]ν μ|.ν φ..[

. . .

2 si *o*, superest atramentum ad arcum dext. sup. cuius ratio non reddita, sed θ minus veri sim.   .[: h.v. pars inf., tum h. paulo curvatae hamataeque pars inf., η sive ιϲ, simm.   3 inter ϲ et β h. paulo curvatae hamataeque pars inf., tum h.v., tum h.v. hamata, e.g. οιϲ, αιϲ, vix ϲη vel θη   4 .[: ι, ν, simm., possis   5].[: h.h. in linea, punctulum supra, fort. ξ   6].[: h.v. pars sup., fort. φο, ψο tantum   inter α et ε, punctulum litteras supereminens, fort. ἄνω ϲτιγμή   post ε ut vid. ι, sed spatii ratione habita potius γ credideris, abrasa papyro   8 ante ι, litt. ε pars med. sive ψ ramus dext.   10]..[: in linea cauda velut α, tum fort. ο arcus sin.   ]. : h.v. apex, fort. εγ tantum   11 litt. ν tantum rami dext. pars extrema   suppl. e.p.   12 ante κ in linea vestigium   13 litt. ρ tantum cauda infra lineam   .[: paulo supra lineam circuli exigui dimidium   14 inter μ et ν apex velut litt. ε   pro φ fort. ψ, tum vestigia in η quadrant   de iunctura frr. (*a*) et (*b*) vid. e.p.

(12) = fr. 12

.   .   .
            ]ρ......[
          ]ϲει αιδετ[
    ──
    ἔως μέτωπον   [
    γεινώϲκἐι αφ[
5   ἐκπλήϲϲοιτο[
    ἐναβρυνομ[
    καὶ κατὰ κεφ[αλ-
    μενον μ[
          ]ϛωϲ[
10   ].[
    .   .   .

ex eadem vicinitate orta esse frr. 12, 13 (*a*), (*b*), (*c*), arguit papyri species 1 post o, h.v. pars inf. paulo hamata infra lineam desc., tum in linea hamus ut vid. hastae dextrorsum inclinatae, tum h.v. in linea pars extrema, tum h. dextrorsum asc. pars inf., tum h.v. pars inf. et h. curvatae cauda sursum flexa, fort. eiusdem litt. vestigia

(13) = frr. 13 (a), (b), (c)

. . .

(a)   ]...[
]βριχαα[
].νουτ[
].[

. . .

(b)   . . .

].γει
]ωϲ7
]..[

. . .

(c)   . . .

]ν
]ι
]ϲ

. . .

(a) 1 litt. bases in αειδ quadrant,
sed pro αε fort. una tantum litt.

(14) = fr. 14

col. ii

⟨ ⟩π' ἀλλ[
ἑcτάναι ψόμμοc [
ἕωc ὀ{ν}cτείχει· τὸ ọ [με-
ταλαμβάνουcιν ἐ[πὶ τὸ
ā οἱ Αἰολεῖc· καὶ νῦν [τὴν
ψάμμον ψόμμον εἴ{.}ρ[η-
κε· cημ⟨αί⟩νει δὲ τὴν ἀκα-
θαρcίαν. θλιβομένηc αὐ-
τῆc καὶ περαινομένηc
πολλὴ ἀκαθαρcία ἀνα-
πορεύεται καὶ λεύκη· εἴρη
ται δὲ τὸ λευκόc διὰ τὸ ἔ-
παρμα. οἷα δὲ cκέλη ἤ-
δη κεχώρηκε αὗται· καὶ
τὰ̣ cκέλη αὐτῆc πεπαλαί-
ωτα[ι· . . . .]α τε καὶ θαμα[
δρο.[. . . . . . . ἐ]πὶ τῆc ἀλ-
ληγορίạ[c . . .] πεπλευ-
κυίαι αὐτῆ⟨ι⟩ διὰ τοὺc πολ
λοὺc πλοῦc καὶ πυκνοὺc ἤ-
δη π[α]λαιὰ γέγονε̣[ν·] ἀ̣λ-
λ' οὺ̣c .[. .]τ̣ων ἔνεκ[α
ται . . .[. .] οὐ διὰ το[
λαιωc.[. . . . .]. . .[κα-
θορμιcθῆναι η[
cυνουcι[. .]πεπλ[
η ναῦc π[α]λαιὰ̣ του[.].[
πλεῖν κ̣[α]τ̣ίcχει τουτι[
π[. . . . . .]γαc πορεύεται[ι
τ[. . . . . .]ομένουc πε[
κι]νειc πάντα λί[θον
]τ̣άγεται ω[
].[
.   .   .

5

10

15

20

25

30

col. i

.   .   .
]α.[
]. ἐπιφέρει ὑπὸ
ἔρμα]τοc διερρηγυῖαν
].ωc θάλαccαν
] ὕφαλοι τόποι
] οὐκ ὄντεc μὲν
]μη φαι[ν]ομε-
]δια το[. .]. .[   ]
] θάλαccαν [   ]
ὑ]πὲρ ἑρμάτω[ν   ]
Ἀ]νακρέων
ἀλ]ληγορῶν χαί-
ρει   ].αι. . .τ. .
]π. .η. . .
].
]
.   .   .

5

10

15

omnia suppl. e.p.
col. i 1 .[: litt. caudatae longe infra lineam desc. pars inf.   2]. : h.h.
summis litteris adaequatae pars dext. extrema .   3 seqq. ad Alc. D 15
spectant   4]. : h.h. velut ε vestigium   7 seq. φαινόμε‖[νοι δὲ suppl.
veri sim.   8 [..]ϲ possis, sed pro ϲ fort. π hasta dext., tum [.]π spatio
satisfaceret   10 seq. Anacr. 38 Bergk, 31 Diehl   13 seq. laesa
papyri superficie vestigiorum interpretatio incerta   15 vestigia in η
quadrant
     col. ii 1 ποτουτωνπαλλ[, ποτουτων punctis supra positis deletum   3 seq.
secundum Joann. compend. iii § 1 suppleta   6 post ε, h.v. pede hamato
pars inf., tum in linea hamulus, tum h. infra lineam desc. pars inf. : ειρ[η]κε
non est scriptum, sed ει.ρ[η]κε possis   7 ϲημηνει, corr. e.p.   10 λη-
αναϰ, αν punctis supra positis deletum   17 .[: h.v., ab apice ut vid.
a sin. dextrorsum descendit hasta; μ, ν, parum veri sim.; si ι.[, nimis
propinqua primae litt. secunda   18]. : in linea punctulum   22 post
ου, vestigia in ϲ partem sup. ut vid. quadrant, tum h.v. in linea pes
hamatus   vel fort.]χω   23 post ται, hh.vv. duae, tum ut vid. litt. α
angulus sin. inf. paulo supra lineam   24 post ω, litt. ε, ϲ, simm., basis,
tum arcus similis sed angustior, fort. α sive θ   25 prius θ ex τ corr. m. 1
etiam π[possis   29]τ minus veri sim., quamquam ad sinistram apicis
apparet atramenti vestigium   30 τ[οὺϲ λεγ]ομένουϲ πε[ϲ-|ϲοὺϲ] suppl.
veri sim.

(15) = fr. 15   (16) = fr. 16

. . . .

```
           ].. [
         ]υτινο .[
         ]ηταιϲπ[
         ]ουκα[
  5      ]ϲαν π[
         ]υνδε .[
         ]ετε [
```

. . .

](16 right column)

```
]ϲ . ου λελάθων [
cύ]μ τ' ὔμμι τερπ .[
].βαιϲ καὶ πεδὰ [ Βύκχιδοϲ
```

ad Alc. D 15. 8–10 spectat   fr. 14
columnae primae pedem fuisse credideris, sed male congruit huius col.
versus ultimus cum sequentis col.
primo
     1 post ϲ, h.v. pede crasso pars inf.,
potius τ quam ι   νό]ϲτου suppl. veri
sim., unde fort. νόϲτω λελάθων Alc.
D 15. 8 legendum   2 ε[possis τέρπε[ϲθαι suppl. veri sim.   3
]. : α sive λ cauda   procul dubio
]άβαιϲ sive ϲυν]άβαιϲ

fort. fr. 3 col. ii vicinum   3 sive
χο[

(17) = fr. 17

```
           ]νγα[
           ]ςμα[
           ]ννγ[
           ]ταβ[
```

fort. vicinum fr. 14 col. i
2 ς valde dubium   3 litt. ν
tantum h.v. dext., υ tantum ramorum vestigia, γ tantum h.v. et
h.h. pars extrema sin.

(18) = fr. 18

```
           ]εϲγ[
```

fr. 9 in media columna reponendum
esse indicat papyri species
fort. ϡ[

(19) = fr. 19

```
        ]δανδρα
        ] . τον
        ]ευγε
        ]δειμη
  5     ]αλλε
```

(20) = fr. 20

```
     ] . ιαλλανι
     ]παιζον
     ]ιϲκα
     ]πεϲϲονει
  5  ]ωι λι
     ]πεποιητο
     ]
```

1]. : h.h. in linea pars extrema
4 cf. (14) col. ii 30

(21) = fr. 21

```
     ] . ειβα . [
     ]θην
     ] . λη7
     ] . αε
```

1]. : basis velut κ   .[: cauda
infra lineam desc., ρ, simm.

(22) = fr. 22

. . .

]. αν[

. . .

].: caudae pars extrema, λ, μ,
simm.

(23) = fr. 23

]προc[

]. [

]αν [

]κλε [

5   ].[

. . .

(24) = fr. 24

. . .

]αφου[

]υιcαιτ[

]αυτου[

].οcετ.[

. . .

4].: h.v.   .[: punctulum litt. τ
supereminens, υ veri sim.

(25) = fr. 25

. . .

].ητερη[

]καιτερη[

].δη.[

. . .

3].: h.v. uncatae apex   .[: c,
simm., uncus sup.

(26) = fr. 26

. . .

γυμνᾳ[

μαρναν[

.ετοινυ[

1 litt. γ tantum h.v., litt. α tantum
angulus sin. inf.   3 γε sive fort.
cε

(27) = fr. 27

. . .

]...[

]λεγουcι

]τονιcτον

1]..: h.v. pars inf. hamata, e.g.
τ sive υ, tum ε sive c basis   .[: in
linea punctulum, ut vid. h.v. pes

(28) = fr. 28

. . .

]θα.[

]ετ[

]cκ[

. . .

1 .[: h.v. pars inf.

(29) = fr. 29

. . .

].εροφ[

].ραυ.[

. . .

1].: α sive λ cauda   2].:
hamulus in linea, velut ε sive c   pro
ρ fort. υ possis

(30) = fr. 30

. . .

]ατ[
]ϲιε[
].λε[
]παρ[
5   ]εν[
]νω[
]υν[

. . .

2 fort.]ϝ possis   3]. : h.v. pes

(31) = fr. 31

. . .

].[
].τ[
]υν[
[ ]
5   ]γ[
].ον[
]...[

. . .

2]. : vestigia velut ϲ partis dextrae, paulo supra lineam   6 fort.
]χ   7 bases, μεγ, alia, possis

(32) = fr. 32

col. i

.

]νϲε
].ιου   col. ii
].ε
]αι   ε.[
5   ]ιζον   ..[
]γη   .[
]η   [
]η   [
]ου   [
10].   β[
]λα   π[
]α
]ο
]ιν

. . .

col. i 1 sive]ω   2]. : h. infra
lineam desc. pars inf., h.h. pars extrema dext., litt. ι mediae adaequata,
fort. ψ   3 fort.]υ   10]α sive
]λ
col. ii 6 ε, simm., pars sin. sup.

(33) = fr. 33

. . .

]ϲουλ[
]νοι..[
]ηϲφευ[

. . . .

2 quarta litt. λ ex ρ factum ut vid.

(34) = fr. 34

. . .

]ντο.[
]εατον[
]νϲω[
]μα.[

. . .

1 .[: h.v., ad apicem dextra vestigium

252

(35) = fr. 35

· · ·

]νγαρ [
].ροc [
].μη [
]νεν [

· · ·

2]. : in linea punctulum
3]. : h.v. apice crasso, fort. η

(36) = fr. 36

· · ·

]λαβ[
]νδ.[

2 .[: h. paulo dextrorsum inclinata infra lineam incipit, ρ possis

(37) = fr. 37

· · ·

]...[
]δεοcδ[
]φοβω.[

· · ·

1 litt. bases, prima fort. π.
3 .[: h.v.

(38) = fr. 38

· · ·

]νϝ[
]ξονπρ[
]υτηcτ[
]τ[.]λ.[
5]οπο[
]α..cπ[
]βηκεν[

· · ·

2 ν, ρ, desunt apices   4 .[:
h.v. apex, e.g. η   6 inter α et
c una tantum litt. si latior, velut
μ pro c, ε, et pro π, ιc possis

(39) = fr. 39

· · ·

].ν.ποιη[
]ηπλεινμ[
]ιτονεχθ[

· · ·

1 επ vel οπ possis

(40) = fr. 40

· · ·

].[
].αιρ[
].ιε [
]ωιτα.[
5]ναϝ[
]ωγα[
].ρα[

· · ·

2]. : in linea, h. a sin. venientis
cauda   3]. : α sive λ cauda
4 .[: vestigium cett. litt. supereminens

(41) = fr. 41

· · ·

].[
]ουcκ[
]οcφ[
]του[
5]γα[
]c[

· · ·

1 cauda infra lineam desc., velut
ρ, φ, simm.

(42) = fr. 42　　　　　　　　　　(43) = fr. 43

```
  .   .   .                          .   .   .
  ].ν[                               ]..[
  ]..[                               ].τολ[
  ].τει.[                            ]ουγαca[
  ]νκλ[                              ].ενμυ[
5 ]αποδ[                          5 ]ουcκα[
  ]ρειον[                            ].π...[
  ]ακονο[                            ]ν...[
  ]φυγα[                             ]το...[
  ]ωνοτα[                            ].τ..ψ.[
  .   .   .                          .   .   .
```

1]ᾳ possis　　　3]. : fort. c arcus
sup.　　.[: in linea punctulum

superficies laesa　　4]. : h.v.
pars inf.　　7 litt. ultima fort. λ
sive μ, praeced. χ; ναιχμ possis
8 sive]χο　　..[: ac possis　　9
τερψι possis sed non admodum veri
sim.

(44) = fr. 44　　　(45) = fr. 45　　　(46) = fr. 46

```
  .  .  .               .  .  .                .  .  .
  ]...[                  ]...[                  ].ε[
  ]αιᾳ[                  ]ειχη[                 ]γωτ[
  ]ταη.[                 ]λειτ[                 ]υμπ[
  ]ηιοψι[                ]νοι[              2 sive ]τ
5 ]υcθ.[                 .  .  .
  ].ς[
  .  .  .
```

1 litt. bases, ε sive c,
η sive π, ι, alia possis

1]..: litt. bases, οι,
οκ, alia possis　　3 .[:
h. a linea asc. dextror-
sum inclinata

(47) = fr. 47   (48) = fr. 48   (49) = fr. 49

.   .   .   .

]υ.[   ]ενς..[.   ]cθε..[
]ου.[·   ]ιcπου[   ]εριτω[
]γαρπρε[   ]ερωι [   ].cκαγ.[
]ω.[   ].εν[   ]ωνπ[

.   .   .   .   .

1 ..[: h.v. pars inf.,
velut τ, υ, tum in linea
punctulum   4]. :
punctulum superemi-
nens, fort. υ sive χ

1 post ε, h.v. hama-
tae pars inf., e.g. υ,
tum h.v. in linea pes
3]. : vestigia fort. h.v.
.[: si γ, fort. χο[, vix π[

(50) = fr. 50   (51) = fr. 51   (52) = fr. 52

.   .   .   .

]ζειν[   ]..[   ]ου.[
]νπα[   ]θη.[   ]ρο.[
]ημμ[   ]ηε[   ]λετοκ[
]τιθε[   ].αθ[   ]κρου[

.   .   .   5].κακ[5].[
                    ].ηκα[.   .   .

2 .[: circuli exigui
paulo supra lineam ar-
cus sin. inf., e.g. ο   4
]. : fort. β, sed laesa
superficies   5]. :
h.v. apice uncato, ν sive
ω veri sim.   6]. :
vestigia disiecta in θ
quadrant

1 .[: h.h. pars, fort.
τ   2 .[: h. a linea
asc. paulo dextrorsum
inclinatae pars inf., ad
dextram vestigia, fort.
κ sive μ

(53) = fr. 53   (54) = fr. 54   (55) = fr. 55

· · ·	· · ·	· · ·

(53)
```
   ]κ..[
   ]προϲ[
   ]μιλ[
   ].μου[
5  ]υκα[
   ]ιᾳ[
   ].[
```
· · · ·

1 ..[: h.v. hamatae pars inf., tum h. a sin. dextrorsum paulo curvatae pars inf. 4].: h. curvatae dextrorsum desc. pars inf.

(54)
```
   ].[
   ου[
   πρ[
   μα[
   ϲμ[
   ..[
```
· · · ·

1 h.h. duae angulum efficiunt, velut λ, μ, χ

(55)
```
   ].εφ[
   ]οϲ.[
```
· · ·

(56) = fr. 56   (57) = fr. 57   (58) = fr. 58

(56)
```
   ]νν[
   ]ναμ[
   ]παρ[
   ]...[
```
· · · ·

(57)
```
   ]νκαλ[
   ]νομε[
   ]εδα[
```
· · · ·

(58)
```
   ]νν[
   ]πε[
   ].ελ[
```
· · · ·

3].: κ sive χ

(59) = fr. 59   (60) = fr. 61   (61) = fr. 62

(59)
```
   ]μιπ.[
   ] αυ[
   ]νυν[
   ]τοκ[
5  ].ατε[
   ]νωι[
   ]α..[
```
· · ·

(60)
```
   ].[
   .[
   πρ[
   ποικ[
5  .]τε[
```
· · ·

(61)
```
   ]δι.[
   ]υτωϲ[
   ].θεκ[
   ].[
```
· · ·

3].: fort. ϲ pars dext. sup. 4 h.v. apex uncatus

5].: γ sive τ 7 ..[: hh. vv. apices, secundus supereminens

(62) = fr. 63   (63) = fr. 64   (64) = fr. 65

.   .   .   .

]δηϲ.[   ]ν.[   ].[
ιλ[   ]ιϲ[   ]βημ..[
]⟦η⟧.[   ]ενπ[

.   .   .   1 .[: litt. rotundae   .   .   .

1 .[: h.v. pes hama-   pars sin.   2 fort. μι
tus paulo supra lineam

(65) = fr. 67   (66) = fr. 68

.   .   .   .   .   .

].η.[   ]ιτη[
]μεϲφα[   ]χυθη[
]ντουϲ[   ]επιτο[

.   .   .   .   .   .

1 .[: h.v. paulo dextrorsum inclinatae pars inf.

(67) = fr. 69   (68) = fr. 70

.   .   .   .   .   .

]...[   ]..[
]νθυμ[   ].πατ[

.   .   .   ].τ.[

.   .   .

3]. : fort. ν sive ω   .[: fort. α

(69) = fr. 71

]..[
]ε.[
]μοι.[
]τουπ[
5]ποιει.[
].οϲγε[
]βοήθε[
]ωϲαγ[
]πινε[
10]θελ[
].έϲθ.[
]πε[

(70) = fr. 72

].λ.ο[
]νηθ[
]εμπ[
]ωϲτει[

1]. : h. a sin. desc. curvatae cauda,
e.g. α   inter λ et o, h.v. pede hamato pars inf. αλγο sive αλτο possis

(69), (70) aliquatenus (praesertim
in litt. μ) diverse scripta, sed pro
certo eadem manu   1]. : h. desc.,
pede sursum hamato, pars, e.g. ϲ .[:
arculi vestigia paulo supra lineam,
o veri sim.   2 .[: h. dextrorsum
asc. pars inf., e.g. λ   5 .[: h.
asc. paulo dextrorsum inclinatae pars
inf.   6]. : τ vel fort. γ   11
]. : ramorum dext. κ sive χ partes
extremae   .[: h. asc. paulo dextrorsum inclinatae pars inf.

(71) = fr. 73

].[.].[
]νιϲμ[
]..cαν[

litteris paulo crassioribus scriptum
1]. : o veri sim.   3]πι possis

(72) = fr. 74

].ω.[
]..[

1]. : θ, γ, simm.   2
apex velut α, μ, tum
circuli apex

(73) = fr. 75

].ων.[

]. : h.h. pars extrema
dext.

(74) = fr. 76

]..[
]του[

1 h. hamatae velut ϲ
pars inf., tum h.v. pes
in linea

(75) = fr. 77   (76) = fr. 78   (77) = fr. 79

```
]ω [            ]ν...[            ]λια[
].τ.[           ]ντεϲ [
]...ε[          ]ωι [
```

2]. : h.v.   3 litt.
secunda fort. ρ, tertia ο
sive ϲ

1 post ν, hamulus in
linea   .[: h.v. infra
lineam desc. cauda

(78) = fr. 80   (79) = fr. 81   (80) = fr. 82

```
ε.[             ].              ]ν... [
ϲε[             ]π
.               ].              vicinum fuisse frr.
                                12–13 (c) arguit papyri
1 .[ : h.v.     ].ι            species
                                litt. bases velut ναυϲ,
                                νοτε, simm.
```

1 h.v.   pede   crasso
3]. : fort. hastula lineae
supplendae causa in fine
addita   4].. : litt.
apices velut]νο,].ιο,
simm.

ΑΛΚΑΙΟΥ ΜΕΛΩΝ Ā

1 (a)

ὦναξ Ἄπολλον, παῖ μεγάλω Δίος, ...

(i) Heph. *Ench.* xiv 3 (p. 45 Consbr.); (ii) Schol. A in Heph. *π. ποιημ.* (p. 169 Consbr.); (iii) Atil. Fort. *Art.* 28 (vi 297 Keil). ἔϲτι τῆϲ..πρώτηϲ ᾠδῆϲ (ἐν τῷ πρώτῳ Ἀλκαίου) ἀρχή (ii).

potius fort. ἄναξ

1 (b)

οὐ μόνη δὲ κιθάρα Ἀπόλλωνος, ἀλλὰ καὶ αὐλητικῆς καὶ κιθαριϲτικῆϲ εὑρετὴϲ ὁ θεόϲ. δῆλον δ' ἐκ τῶν χορῶν καὶ τῶν θυϲιῶν, ἃϲ προϲῆγον μετ' αὐλῶν τῷ θεῷ, καθάπερ ἄλλοι τε καὶ Ἀλκαῖος ἔν τινι τῶν ὕμνων ἱϲτορεῖ.

Plut. *de mus.* 14 (vi 500 Bernardakis).

1 (c)

ἐθέλω δὲ ὑμῖν καὶ Ἀλκαίου τινὰ λόγον εἰπεῖν, ὃν ἐκεῖνος ᾖcεν ἐν μέλεϲι παιᾶνα γράφων Ἀπόλλωνι . . . ὅτε Ἀπόλλων ἐγένετο, κοϲμήϲαϲ αὐτὸν ὁ Ζεὺϲ μίτρᾳ τε χρυϲῇ καὶ λύρᾳ δούϲ τε ἐπὶ τούτοιϲ ἅρμα ἐλαύνειν· κύκνοι δὲ ᾖϲαν τὸ ἅρμα· εἰϲ Δελφοὺϲ πέμπει ⟨καὶ⟩ Καϲταλίαϲ νάματα, ἐκεῖθεν προφητεύ⟨ϲ⟩οντα δίκην καὶ θέμιν τοῖϲ Ἕλληϲιν. ὁ δὲ ἐπιβὰϲ ἐπὶ τῶν ἁρμάτων ἐφῆκε τοὺϲ κύκνουϲ ἐϲ Ὑπερβορέουϲ πέτεϲθαι. Δελφοὶ μὲν οὖν, ὡϲ ᾖϲθοντο, παιᾶνα ϲυνθέντεϲ καὶ μέλοϲ καὶ χοροὺϲ ἠϊθέων περὶ τὸν τρίποδα ϲτήϲαντεϲ, ἐκάλουν τὸν θεὸν ἐξ Ὑπερβορέων ἐλθεῖν· ὁ δὲ ἔτοϲ ὅλον παρὰ τοῖϲ ἐκεῖ θεμιϲτεύϲαϲ ἀνθρώποιϲ, ἐπειδὴ καιρὸν ἐνόμιζε καὶ τοὺϲ Δελφικοὺϲ ἠχῆϲαι τρίποδαϲ, αὖθιϲ κελεύει τοῖϲ κύκνοιϲ ἐξ Ὑπερβορέων ἀφίπταϲθαι. ἦν μὲν οὖν θέροϲ καὶ τοῦ θέρουϲ τὸ μέϲον αὐτὸ ὅτε ἐξ Ὑπερβορέων Ἀλκαῖοϲ ἄγει τὸν Ἀπόλλωνα. ὅθεν δὴ θέρουϲ ἐκλάμποντοϲ καὶ ἐπιδημοῦντοϲ Ἀπόλλωνοϲ θερινόν τι καὶ ἡ λύρα περὶ τὸν θεὸν ἁβρύνεται· ᾄδουϲι μὲν ἀηδόνεϲ αὐτῷ ὁποῖον εἰκὸϲ ᾆϲαι παρ' Ἀλκαίῳ τὰϲ ὄρνιθαϲ, ᾄδουϲι δὲ καὶ χελιδόνεϲ καὶ τέττιγεϲ οὐ τὴν ἑαυτῶν τύχην τὴν ἐν ἀνθρώποιϲ ἀγγέλλουϲαι ἀλλὰ πάντα τὰ μέλη κατὰ θεοῦ φθεγγόμεναι. ῥεῖ καὶ ἀργυροῖϲ ἡ Καϲταλία κατὰ ποίηϲιν νάμαϲι καὶ Κηφιϲϲὸϲ μέγαϲ αἴρεται πορφύρων τοῖϲ κύμαϲι, τὸν Ἐνιπέα τοῦ Ὁμήρου μιμούμενοϲ. βιάζεται μὲν γὰρ Ἀλκαῖοϲ ὁμοίωϲ Ὁμήρῳ ποιῆϲαι καὶ ὕδωρ θεῶν ἐπιδημίαν αἰϲθέϲθαι δυνάμενον.

Himer. *Or.* xiv 10–11 (=xlviii 10–11 Colonna), ubi init. ἀναγκαῖον cod., Ἀλκαίου edd.

1 (d)

γάνοϲ Τριτάαϲ

Strabo viii 7. 5 (ii 206 Kramer) supplevit Aly (*SB Heidelb.*, Phil.-Hist. Kl., 1931/2, Abh. 1 p. 10) ex cod. Vat. Gr. 2306 f.216 rescripto: ἦν δὲ καὶ ἐν Φ[ω]κίδι ὁμώνυμοϲ ταύτηι (sc. Τριταίαι) πόλιϲ. [οὔτ]ω Καϲταλία κρήνη [παρ'] Ἀλ[καί]ω(ι) ἐν Δε[λφοῖϲ κ]α[λ]ε[ῖ]ται μ[αντι]κ[όν] ἔχουϲα [ὕδωρ· γ]άνοϲ Τριτᾳία[ϲ, ubi [δ]άνοϲ suppleverat Aly

ἤκουϲα δὲ καὶ ἄλλο τοιόνδε, τὸ ὕδωρ τῇ Καϲταλίᾳ ποταμοῦ δῶρον εἶναι τοῦ Κηφιϲοῦ. τοῦτο ἐποίηϲε καὶ Ἀλκαῖοϲ ἐν προοιμίῳ τῷ ἐϲ Ἀπόλλωνα.

Paus. x 8. 10 (iii 121 Spiro).

2 (a)

. . . Ἀλκαῖος Ἡφαίστου καὶ πάλιν Ἑρμοῦ (γονὰς ὕμνησεν).

Menand. s. Genethl. διαίρ. τ. ἐπιδεικτ. (p. 39 Bursian).

2 (b)

χαῖρε, Κυλλάνας ὁ μέδεις, σὲ γάρ μοι
θῦμος ὕμνην, τὸν κορύφαισιν † αὐγαῖς †
Μαῖα γέννατο Κρονίδαι μίγεισα
παμβασίληϊ

(i) Heph. *Ench.* xiv 1 (p. 44 Consbr.); (ii) Choerob. in Heph. *Ench.* xiv 1
(p. 252 Consbr.); (iii) Id. (p. 253 Consbr.); (iv) Schol. A in Heph. π. ποιημ.
(p. 170 Consbr.); (v) Ap. Dysc. π. συντ. 92b (ii 124–5 Uhlig). Cf. Philostr. Mai.
Imagg. i 26 (p. 50 Sod. Vindob.). (ἔστι) τῆς . δευτέρας (ᾠδῆς ἐν τῷ πρώτῳ
Ἀλκαίου ἀρχή) (iv).
    2 κορυφαῖσιν ἀγναῖς (ii) cod. U, κορυφᾶσιν αὐγαῖς (ii) cod. K. nondum
expeditum. Philostratus, l.c., dicit : τίκτεται μὲν (ὁ Ἑρμῆς) ἐν κορυφαῖς τοῦ
Ὀλύμπου; cf. eiusd. *Vit. Apoll.* v 15 (i 176 Kayser)   3 γέννα τῷ (ii) codd.
U, K, corr. Bergk   μέγιστα (ii) cod. U, μαιεία (ii) cod. K, corr. Bergk

2 (c)

βουσὶ γὰρ χαίρειν μάλιστα Ἀπόλλωνα Ἀλκαῖός τε ἐδήλωσεν
ἐν ὕμνῳ τῷ ἐς Ἑρμῆν γράψας ὡς ὁ Ἑρμῆς βοῦς ὑφέλοιτο τοῦ
Ἀπόλλωνος, κτλ.

Paus. vii 20. 4 (ii 229 Spiro).
Cf. Porphyr. in Hor. *Carm.* i 10. 1 (i 16 Holder)

2 (d)

Te, boves olim nisi reddidisses
. . . . . . puerum minaci
voce dum terret, viduus pharetra
risit Apollo.

Hor. *Carm.* i 10. 9 seqq.
Ad v. 9 Porphyr. schol.:—Fabula haec . . . ab Alcaeo ficta

3

τὸ γὰρ θέων ἰότατι ὕμμε λαχόντων †αφυτον θήσει γέρας

Ap. Dysc. π. ἀντ. 127 b (i 100 Schn.) Ἀ. πρώτῳ.
Ordinem verborum qui est in cod. A exhibuimus

310

4

τὸ δ' ἔργον ἀγήςαιτο τέα κόρα

Ap. Dysc. π. ἀντ. 135a (i 106 Schn.) *Α. ἐν πρώτῳ.*
ἀγήςατο cod. A, corr. Bast

Incerti Libri (fort. primi)

311

5

οἴκω τε πὲρ cῶ καὶ πὲρ ἀτιμίαc

Ap. Dysc. π. ἀντ. 135a (i 106 Schn.).
οἴκῳ...cῶ cod. A, corr. Bast   καίπερ cod. A, dist. Bergk

ΑΛΚΑΙΟΥ ΜΕΛΩΝ B̄

312

1

κύπροc

(i) Pollux iv 169 (i 251 Bethe); (ii) Id. x 113 (ii 224 Bethe) *παρ' Α. ἐν*
δευτέρῳ μελῶν.
Hesych. *μέτρον cιτηρόν.* Cf. Cyrill. *κύπροc· μέτρον παρὰ Ποντικοῖc κτλ.* et
Hesych. in *ἡμίκυπρον· ἡμιcυ μεδίμνου*

313

2

ὅτ' ἄcφ' ἀπολλυμένοιc cάωιc

Ap. Dysc. π. ἀντ. 128b (i 101 Schn.) *Ἀλκαῖοc δευτέρῳ.*
ὅτ' ἄcφ' non ὅτα cφ' dividendum est, teste Apoll.   cάωc cod. A, de ortho-
graphia nondum constat

ΑΛΚΑΙΟΥ ΜΕΛΩΝ Γ̄

314

1

ἄμμιν ἀθάνατοι θέοι
νίκαν

Ap. Dysc. π. ἀντ. 124b (i 97 Schn.) *Α. τρίτῳ.*
υμμιν cod. A, corr. Ahrens   αθανατοιο εοι- cod. A, corr. Hermann

ΑΛΚΑΙΟΥ ΜΕΛΩΝ Δ̄

315

1

ἄμμεcιν πεδάορον

Ap. Dysc. π. ἀντ. 123c (i 97 Schn.) *τὸ . . . ἐν τετάρτῳ Ἀλκαίου.*
παιδα ορον cod. A, corr. Valckenaer

16

2

οἴνω ταγγε[　　　]α δεκοίατο

P. Bouriant 8. 57 Ἀλκαῖος ἐν δεκάτω[ι] . . . κἀν τε̨[τάρ]τωι (fort. κἀν τῷ[ι αὐ]τῶι) κἀν ἔκτωι.

ΑΛΚΑΙΟΥ ΜΕΛΩΝ Ζ

17

1

cὺ δὲ cαύτωι τομίαις †εcη
ἀλλὰ cαύτωι †μετέχων†ἄβαc†πρὸc πόcιν†

Ap. Dysc. π. ἀντ. 103b (i 80 Schn.) παρὰ . . . Ἀ. ἐν ἑβδόμῳ. 1 το. μαιc (ut videatur ταμαιc fuisse) εcη cod. A, τομίαιc v.l. ap. Bekker, ἔccηι corr. Ahrens　2 μετέχων cod. A, πεδέχων corr. Ahrens, sed corruptela altius videtur haerere

ΑΛΚΑΙΟΥ ΜΕΛΩΝ Η

18

1

καὶ Σκυθίκαιc ὑπαδηcάμενοc

(i) Harpocrat. in Σκυθικαί (p. 168 Bekker = i 277 Dindorf); (ii) Phot. in Σκυθικαί; (iii) Suid. in Σκυθικαί (iv 389. 23 Adler). Ἀλκαῖος ἐν ῆ (i) codd. pler., (ii), (iii), ἐν κ̄ (i) cod. D. καὶ om. (i) codd. B, C, G, D, (ii), (iii)

ΑΛΚΑΙΟΥ ΜΕΛΩΝ Θ

19

1

. . . βλήχρων ἀνέμων ἀχείμαντοι πνόαι

(i) Schol. Il. Θ 178; (ii) Cr. A.O. i 95; (iii) Eust. 705. 61. Cf. Suid. in βληχρόν, Zonar. in βληχρόν, Et. Mag. 200. 13. Ἀλκαῖος θ (i). Cf. Hippocr. π. ἀέρ. ὑδ. τόπ. 15 (i 57 Kuehlewein) ὁ δὲ βορέης . . . ὁκόταν . . . πνέῃ, ἀcθενὴc καὶ βληχρόc

20

2

καί κ' οὐδὲν ἐκ δενὸc γένοιτο

(i) Et. Gen. B p. 230 Miller, Et. Mag. 639.34; (ii) Schol. Marc. in art. Dionys. Thrac. § 12 (p. 381 Hilgard). παρὰ Ἀ. ἐν τῷ ἐνάτῳ (i), ἐν ἐνάτῳ μέλει (ii). καί κ' οὐδὲν (i) codd. D, P, M, B, om. καί (i) ed. Kallierg., (ii) cod. N, om. καί κ' (ii) cod. V　ἐκ δενὸc (i) codd., (ii) cod. V, οὐδενὸc (ii) cod. N

321

3

[. .]. λιε[.]τ' ἀλίϲκονται [

P. Bouriant 8. 94 Ἀλκαῖοϲ ἐν ἐνάτωι..

ΑΛΚΑΙΟΥ ΜΕΛΩΝ Ι

322

I

λάταγεϲ ποτέονται κυλίχναν ἀπὺ Τηίαν

Athen. xi 481a (iii 58 Kaibel) (Ἀ.) . . . ἐν τῶι δεκάτωι.
De forma ποτέονται vid. Ἀμ. pp. xii n., li

323

2

]. ϲαίατο καὶ λάβοιεν

P. Bouriant 8. 56 Ἀλκαῖοϲ ἐν δεκάτω[ι.

324

3

οὔ κε γένο⟨ι⟩ντο

P. Bouriant 8. 60 π[α]ρᾳθετέον δ' ὡϲ ϲπανίωϲ †χρωντ[.]ιϲ καθ' ἡμᾶϲ. ἐν δεκάτωι ' οὔ κε γένο⟨ι⟩ντο ' †. αγυιοιϲπερ ὤφειλεν κατ' Αἰολεῖϲ ε. . .ιν γενοίατο, ubi χρῆται (sive χρῶνται) ταῖϲ (sive τῆι), mox καὶ οὐχ ὥϲπερ ὤφειλεν et (post Αἰολεῖϲ) εἰπεῖν sive ἐκφέρειν coni. possis.

INCERTI LIBRI

325

Z 1

ἄναϲϲ' Ἀθανάα πολε[. . . . . . .]
ἅ ποι Κορωνήαϲ †ἐπιδεω-†
ναύω πάροιθεν ἀμφι[. . . . . . .]
Κωραλίω ποτάμω πὰρ ὄχθαιϲ

Strabo ix 411 (ii 256 Kramer). Vid. Z 102 infra.
Vv. 1–4 om. codd. B, k, l, vv. 1–3 om. codd. n, o
1 ἀϲϲ' ἀθάνα ἀπολε codd., post ε c. 7 litt. cum marg. perierunt in cod. A, ἄναϲϲ' corr. Friedemann   2 ἀπὸ codd., corr. Welcker (ἄ που)   κοιρωνίαϲ codd., corr. Bergk praeeunte Stange   2–3 ἐπιδεων αυω codd. A, c (-δέων αύω), ἐπιδεύων ἄνω cod. g, ἐπιδέων αὐτῷ codd. h, i, dist. Welcker, qui v. 2 ἐπὶ λαίω propos., sed nobis, coll. Strab. verbis ἐν τῷ πρὸ αὐτῆϲ (sc. τῆϲ Κορωνείαϲ) πεδίῳ, cum voc. πάροιθεν construitur Κορωνήαϲ   3 post αμφι sex septemve litt. interciderunt in cod. A, spat. vac. in codd. c, g, h, i   4 ὄχθαιϲ codd., sed ὄχθοιϲ Sappho 23. 11, 95. 13

26

Z 2

ἀcυννέτημμι τῶν ἀνέμων cτάcιν,
τὸ μὲν γὰρ ἔνθεν κῦμα κυλώⳳδεται,
τὸ δ' ἔνθεν, ἄμμες δ' ὂν τὸ μέccον

4 ναῖ φορήμμεθα cὺν μελαίναι
χείμωνι μόχθεντες μεγάλωι μάλα·
πὲρ μὲν γὰρ ἄντλος ἰcτοπέδαν ἔχει,
λαῖφος δὲ πὰν ζάδηλον ἤδη,

8 καὶ λάκιδες μέγαλαι κὰτ αὖτο,
χόλαιcι δ' ἄγκυρραι

(i) Heracl. *Qu. Hom.* 5 (p. 6 Oelmann, all.); (ii) Ap. Dysc. π. ἀντ. 119 b
(i p. 93 Schn.); (iii) Cocond. π. τρόπ. θ (iii 234–5 Spengel).
1 ἀcυνέτην νὴ (i) codd. A, B, G, Ald., ἀcυνετῆ ἐκὶ cod. O, cυνίημι (iii), ἀcυνέ
τημι corr. Ahrens coll. Theodos. καν. (i 83 Hilgard), Choerob. *in Ps.* (iii 26
Gaisford). fort. τὰν (Dindorf) ἀνέμω corrigendum est   3 ἂν τὸ μέcον
(i) codd. omnes, (ii) cod. A, om. ἂν (iii)   5 μοχθεῦντες μεγάλωι καλὰ
(i) codd. A, B, G, Ald., O (-θεῦτες), μογέοντες μάλα (iii)   6 περὰ (i) codd.
A, B, O, παρὰ (i) cod. G, Ald., corr. Hermann   ἰcτοπέδαν (i) codd. A, G,
Ald., ἰcοπέδαν (i) codd. B, O   7 ζάδηλον suspectum, fort. non iniuria,
sed frustra adhuc tentatum   9 χολαῖcι (i) codd. omnes, sed χαλάccομεν
D 12. 10, cf. χαλα[in lemmate V 1 ii 14 supra   ἄγκυραι (i) codd. omnes
(ἄγκυρρ- Lesb., cf. P 3. 2 supra)
huc spectant ut vid. commentarii fragmenta V 1 ii 6–8 supra, εν]θεν κυλιν[δ-,
Μυρ[cι]λου κα[, quocum cf. Heracl. l.c. Μυρcίλος ὁ δηλούμενός ἐcτι κτλ.; v. 14
incipit lemma χαλα[, quocum cf. Z 2. 9 χόλαιcι; V 1 ii 1 etiam φο]ρήμεθ[α, = Z 2. 4,
possis. in eodem commentario lemma χαλα[breve post intervallum altero
lemmate ταδοή[excipitur: fort. haec ex eodem (χάλαιcι δ' ἄγκυρραι τὰ δ'
ὀή[ϊα) sive proximo versu (χ. δ' ἄγκυρραι ◡◡—◡— | – —◡— – – τα δ' ὀήϊα) desumpta sunt. porro ibidem est lemma εμ̃ βιμ[βλιδεccι, quod voc. cχοι]νια,
cχο[ινι- explicari videtur: quod ad K 5 (a) ii 6 εμ(ιν ν corr.)βιμβλιδεccι, sscr.
cχοινιοιc, spectare posse manifestum est. spatiorum ratione habita, quae
lemmata in commentario dividunt, potest fieri ut K 5 (a) ii 5, -τοι πόδες κτλ.,
eiusdem strophae ultimus sit versus, cuius χάλαιcι κτλ. fuerit initium

327

Z 3

. . . δεινότατον θέων,
⟨τὸν⟩ γέννατ' εὐπέδιλλος *Ἶρις
χρυcοκόμαι Ζεφύρωι μίγειcα

Plut. *Amat.* c. 20 (iv p. 380 Hubert) sine nomine poetae, quod ex Schol.
Theocr. xiii 2 (p. 258 Wendel), Et. Mag. *470. 268 = Et. Gud. 278. 17 (*Gesch.
Et.* p. 161 Reitzenstein) patet. Cf. etiam Eust. 391. 25 et 555. 30, Schol. in
Parthen. *Aret., Class. Quart.* xxxvii 1943 p. 25 (Pfeiffer).
1 sc. Ἔρον, v. locos citatos   θειῶν codd., corr. Bergk   2 γείνατο
codd., ⟨τὸν⟩ suppl. Bergk   3 μιχθεῖcα codd., corr. Porson

328

Z 4

καί τις ἐπ' ἐςχατίαιςιν οἴκεις

(i) Heph. *Ench.* vii 8 (p. 24 Consbr.); (ii) Schol. A in Heph. *Ench.* vii
(p. 130 Consbr.); (iii) Schol. B in Heph. *Ench.* γ̄ ix (p. 275 Consbr.); (iv)
Cr. *A.O.* i 327. nusquam nomen auctoris.

329

Z 5

καὶ χρυcοπάcταν τὰν κυνίαν ἔχων
ἔλαφρα π[

Schol. Il. *B* 816 (P. Oxy. viii 1086, 113).

330

Z 6

μείξαντες ἀλλάλοις' Ἄρενα

(i) Choerob. in Theod. καν. ἀρc. ῑ (i 214 Hilgard); (ii) Cr. *A.O.* iii 237. nullum
nomen auctoris.
μίξαντες ἀλλήλοιςιν (i) codd. N, C, V, P, μίξαν δὲ ἀλλήλοιc (ii) cod. Ἄρενα
(i) codd. N, C, (ii) cod., Ἄρενι (i) cod. V, χαρενεν (i) cod. P

331

Z 7

Μέλαγχρος αἴδως ἄξιος ἐc πόλιν . . .

(i) Heph. *Ench.* xiv 3 (p. 45 Consbr.); (ii) Cr. *A.O.* i 208. nullum nomen
auctoris.
ἐc (i) codd. A, C, I, εἰc (i) cod. P

332

Z 8

νῦν χρῆ μεθύcθην καί τινα πὲρ βίαν
πώνην, ἐπεὶ δὴ κάτθανε Μύρcιλος, . . .

Athen. x 430c (ii 436 Kaibel). num conferend. schol. ad D 2(a)₅ scriptum?
1 μεθύcκειν cod. A, corr. Buttmann   πρὸc βίαν cod. A, corr. Ἄμ.   2
πονεῖν cod. A, corr. Ahrens

333

Z 9

οἶνος γὰρ ἀνθρώπω δίοπτρον

Tzetz. in Lycoph. *Alex.* 212 (ii 100 Scheer).
ἀνθρώποιc codd., corr. Ἄμ. coll. Theog. 500, Aesch. fr. 393 N.

334

Z 10

οὐδέπω Ποcείδαν
ἄλμυρον ἐcτυφέλιξε πόντον

Herodian. π. μ. λ. ᾱ 10. 25 (ii 916 Lentz).
1 sive οὐδέ πω

35

Z 11

οὐ χρῆ κάκοιϲι θῦμον ἐπιτρέπην,
προκόψομεν γὰρ οὐδὲν ἀϲάμενοι,
ὦ Βύκχι, φαρμάκων δ' ἄριϲτον
οἶνον ἐνεικαμένοιϲ μεθύϲθην

Athen. x 430 b, c (ii 436 Kaibel).
1 μῦθον cod. A, corr. Estienne   3 φάρμακον cod. A, corr. Ἄμ. introd.
p. lxxx n. 1

36

Z 12

πάμπαν δ' ἐτύφωϲ' ἐκ δ' ἕλετο φρέναϲ

(i) Harpocrat. in τετύφωμαι (i 288 Dindorf); (ii) Photius in τετύφωμαι
(p. 582 Dobree); (iii) Suidas in τετύφωμαι; (iv) Schol. Demosth. *Timocr.*
158 (p. 121 Baiter-Sauppe).
δὲ τυφῶϲ codd., corr. Porson, ἐκδελέγετο codd. (varr. div. et accent.), corr.
Porson, sed fort. ne illud quidem, quod δὲ τυφῶϲ retento Schneidewin ci.,
ἐκ ϝ' ἕλετο, prorsus improbandum. cf. Hom. *Il.* Z 234 Γλαύκωι Κρονίδηϲ
φρέναϲ ἐξέλετο Ζεύϲ

37

Z 13

πρῶτα μὲν Ἄντανδροϲ Λελέγων πόλιϲ

Strabo xiii 606 (iii 46 Kramer).
πρῶτα codd., corr. Friedemann

38

Z 14

ὔει μὲν ὁ Ζεῦϲ, ἐκ δ' ὀράνω μέγαϲ
χείμων, πεπάγαιϲιν δ' ὑδάτων ῥόαι . . .
⟨   ἔνθεν   ⟩
4   ⟨   ⟩
κάββαλλε τὸν χείμων', ἐπὶ μὲν τίθειϲ
πῦρ ἐν δὲ κέρναιϲ οἶνον ἀφειδέωϲ
μέλιχρον, αὐτὰρ ἀμφὶ κόρϲαι
8   μόλθακον ἀμφι⟨   ⟩ γνόφαλλον

(i) Athen. x 430 a, b (ii 435 Kaibel); (ii) P. Bouriant 8. 20.
1 ὠρανῶ (i) codd. A, C, corr. cod. Farnes.; cf. Herodian. π. μ. λ. 7, 25
3 ex (ii) addit.   5 κάββαλε (i) codd. A, C, corr. dett.   6 κίρναιϲ (i) cod. A,
κιρνὰϲ (i) cod. C, corr. Meister   8 ἀμφιγνόφαλλον (i) codd. A, C, quod
ἀμφιβάλων s. ἀμφιτίθειϲ corrigunt

339   Z 15

ὡc λόγοc ἐκ πατέρων ὅρωρε

(i) Anon. ii Isag. 1 in Arat. (*Comm. in Arat. reliq.* p. 126 Maass); (ii) *Transl. lat. eiusd. (ibid.).
'hoc verbum a patribus terminatur' (ii) pessime

340   Z 16

αἰ γάρ κ' ἄλλοθεν ἔλθηι, cὺ δὲ †φαι† κήνοθεν ἔμμεναι . . .

Herodian. π. μ. λ. ā 27, 7 (ii 933 Lentz).
κ' ἀλλόθ. cod. H, κἄλλοθ. cod. V   ἔλθη δὲ φοικήνοθεν cod. H, ἔλθη δὲ . cὺ δὲ
φαικήνοθεν cod. V. fort. φαῖc (φαῖc Egenolff)   κήνοθεν cf. Et. Gen. B p. 181
Miller, Et. Mag. 508. 23, Et. Gud. in κεῖθεν (Cr. *A.P.* iv 69; 309. 23 Sturz)

341   Z 17

αἴ κ' εἴπηιc τὰ θέληιc ⟨καί κεν⟩ ἀκούcαιc τά κεν οὐ θέλοιc

Procl. in Hes. Ἔργ. 719 (iii 322 Gaisford).
Conferunt Hes. Ἔργ. 721 εἰ δὲ κακὸν εἴποιc τάχα κ' αὐτὸc μεῖζον ἀκούcαιc et
Hom. *Il.* Υ 250 ὁπποῖόν κ' εἴπηιcθα ἔποc τοῖόν κ' ἐπακούcαιc   εἴποιc corr.
Blomfield (?)   καί κεν suppl. Ἄμ., praeeunte ἢ κεν Meineke; alii alia   κ' οὐ
θέλειc corr. Meineke

342   Z 18

μηδ'ἐν ἄλλο φυτεύcηιc πρότερον δένδριον ἀμπέλω

(i) Athen. x 430c (ii 436 Kaibel); (ii) Eust. 1163. 10; (iii) *Hor. Carm.
i 18. 1.
δένδρον (i) codd. A, C, (ii), corr. Ahrens

343   Z 19

Νύμφαιc ταὶc Δίοc ἐξ αἰγιόχω φαῖcι τετυχμέναιc

(i) Heph. *Ench.* x 6 (p. 34 Consbr.); (ii) Atil. Fort. *Art.* 28 (vi 302 Keil).

344   Z 20

οἶδ' ἦ μὰν χέραδοc μὴ βεβάωc ἐργάcιμον λίθον
κίνειc καί κεν ἴcωc τὰν κεφάλαν ἀργαλέαν ἔχοι

Schol. Gen. *Il.* Φ 319 (i 203 Nicole).
1 οἴδημαν cod., dist. Ἄμ.   2 κενὶc ὡc cod., dist. Crusius

45

Z 21

ὄρνιθες τίνες οἴδ' 'Ωκεάνω γᾶς ἀπὺ πειράτων
ἦλθον πανέλοπες ποικιλόδειροι τανυσίπτεροι;

(i) Aristoph. *Av.* 1410; (ii) Schol. Aristoph. *Av.* 1410; (iii) Schol. Aristoph. *Thesmoph.* 162. fort. σκόλιον erat (cf. *Av.* 1416).

1 τίνες (i) codd. R, V, all., (ii) codd. R, V, all. (quod ex verbis τινὲς παρὰ τὸ Ἀλκαίου patet, tametsi pergunt V, all. : ὄρνιθες τινες, quod om. R), τινες (iii) cod. R (ὄρνιθες τινες), in quo cetera graviter corrupta οἴδε (i) codd. R, V, all., (ii) cod. V, οἴδε (i) codd. A, B, all., οἴδ' fort. praeferendum.   post γᾶς perperam τ' add. Hecker   πειράτων (ii) codd., πειράτων Bentley, περράτων Seidler   2 ποικιλόδειροι (ii) codd., -λόδερροι Schneidewin. πειράτων et ποικιλόδειροι in text. recepimus, quamquam plane ignoratur quas formas (in loco vere Aeolicarum) veri simile sit usurpasse nostrum

46

Z 22

πώνωμεν· τί τὰ λύχν' ὀμμένομεν; δάκτυλος ἀμέρα·
2 κὰδ †δ' ἄερρε κυλίχναις μεγάλαις †αιταποικιλλις†·
οἶνον γὰρ Σεμέλας καὶ Δίος υἶος λαθικάδεον
4 ἀνθρώποισιν ἔδωκ'. ἔγχεε κέρναις ἔνα καὶ δύο
πλήαις κὰκ κεφάλας, ⟨ἀ⟩ δ' ἀτέρα τὰν ἀτέραν κύλιξ
6 ὠθήτω

(i) Athen. x 430c, d (ii 436 Kaibel); (ii) Athen. xi 480f, 481a (iii 58 Kaibel); (iii) Athen. x 429f, 430a (ii 435 Kaibel).

1 τὸν λύχνον σβέννυμεν (i) codd. A, C, τὸν λύχνον ἀμμένομεν (ii) cod. A, τὰ λύχν' corr. Porson   δάκτυλος ἀμέρα: huc spectant Suid. in δάκτυλοι, Hesych. in Δατύλλου ἡμέρα, Zenob. in Δατύλου ἡμέρα (iii 10), Diogen. in δακτύλου ἡμέρα (iv 13), Apostol. in δακτύλου ἡμέρα (v 86), Arsen. in δακτύλιος ἡμέρα (xviii 2), necnon *Anth. Pal.* xii 50   2 κὰδ δ' ἄειρε (i) cod. A, κὰδ δ' ἀνάειρε (i) cod. A; valde displicet δ', nisi pro δὴ accipiatur, et fort. δἄερρε scriptura melior est (ΑΝ = ΔΗ)   αιταποικιλλις (ii) cod. A, -κιλα (i) cod. A, αἶψ' ἀπὺ ci. Ahrens probabiliter, tum πασσάλων vel sim. quid exspectaris, coll. v.c. Hermipp. ἐν Στρατιώταις: Χία δὲ κύλιξ ὑψοῦ κρέμαται περὶ πασσαλόφιν (i 240 Kock) et βερβινί]ων τὰς ληκύθους κατη[ρ- (P. Oxy. xv 1801. 58)   3 οἶνος (i) cod. A, corr. (ii) cod. A   υἶος om. (ii) cod. A   λαθικαδέα (i) cod. A, -κηδέα (ii) cod. A, metro dialectoque postulantibus corr. Ἄμ.   4 κιρναις (i) cod. A, κέρνα εἰς (iii) cod. A   δύο om. (ii) cod. A   5 πλέαις (i) cod. A, πλείους (ii) cod. A, corr. Fick   κὰκ κεφάλας suspect., post ἀτέραν trai. Hecker   ἀ suppl. Porson (ἀ)

347

Z 23

(a)

τέγγε πλεύμονας οἴνωι, τὸ γὰρ ἄστρον περιτέλλεται,

2   ἀ δ' ὤρα χαλέπα, πάντα δὲ δίψαισ' ὐπὰ καύματος,

ᾱ̓́χει δ' ἐκ πετάλων ἄδεα τέττιξ . . .

ἄνθει δὲ σκόλυμος, νῦν δὲ γύναικες μιαρώταται

λέπτοι δ' ἄνδρες, ἐπεὶ ⟨   ⟩ κεφάλαν καὶ γόνα Σείριος

6   ἄσδει

(i) Procl. in Hes. Ἔργ. 584 (iii 281 Gaisford); (ii) Athen. i 22 e (i 50 Kaibel); (iii) Athen. x 430 b (ii 435 Kaibel); (iv) Plut. Qu. conv. vii 1. 1 (iv p. 211 Hubert); (v) Aul. Gell. xvii 11. 1 (ii 211 Hosius); (vi) Macrob. Sat. vii 15. 13 (p. 466 Eyssenhardt); (vii) Eust. 693. 5; (viii) Eust. 890. 47; (ix) Eust. 1612. 14. cf. etiam Plut. de Stoic. repug. 29 (vi 253 Bernardakis), Plin. H.N. xxii 43 (iii 466 Mayhoff), Hes. Ἔργ. 582 seqq., Ἀσπ. 393 seqq.

1 οἴνωι πνεύμονα τέγγε (i), (ii), (vi), (ix), corr. (iii), (iv), (vii), (viii), (v) (πνεύμονα) πλεύμονας (iii), (iv), πνεύ- rell. cf. Suid. in τέγγε 2 δ' ἐδίψουν (ii) cod. C, διψᾷ (iii) cod. C, διψαις (iii) cod. A, unde veram lect. restit. Seidler 3 τάδε ἀντέττιξ (i) cod. A, simm. cett., corr. Graeve (ἀδέα). de hoc v. explend. vid. (b) 4 ἀνθεῖ δὲ καί (i), corr. Schneidewin μιαρώταται γυναῖκες (i), corr. Blomfield 5 δέ τοι ἄνδρες ἐπεὶ κεφάλην (i), δ' ἄνδρες corr. Mehlhorn

(b)

πτερύγων δ' ὔπα

κακχέει λιγύραν ἀοίδαν, ὄπποτα φλόγιον †καθέταν ἐπιπτά-
μενον καταυδείη†

Demetr. π. ἑρμ. 142 (p. 33 Radermacher) ἐπὶ τοῦ τέττιγος. nullum nomen auctoris. frag. Sapphoni post all. vindicat v. Wilamowitz-Moellendorff, Bergk eidem carm. atque (a) attribuit, nostro quidem arbitratu rectissime tametsi singularum vocum restitutio parum placet.

ὑποκακχέει cod. P, corr. diversi   inter λιγύραν et ἀοίδαν adiecit πύκνον Bergk, coll. Hes. Ἔργ. 583 λιγυρὴν καταχεύετ' ἀοιδὴν πυκνὸν ὑπὸ πτερύγων. idem inter ἀοίδαν et ὄπποτα (corr. Ahrens, ὅτι ποτ' ἂν cod. P) θέρος ex Hes. Ἔργ. 584 θέρεος καματώδεος ὥρηι; σέλας maluit Crusius   καθέταν nondum sanat.; κατὰ γᾶν ci. Bergk, sed ne Aeolicum quidem est κατά, κατ' ἔλαν ci. v. Wilamowitz-Moellendorff, vix recte   πεπτάμενον ci. Hartung, πάντα inseruit Bergk, καταυλέηι ci. Ahrens (et καταυλεῖ. ἦ iam Finckh), quod de calore non de cicada accipiendum erat. quarum emendatt. ratione habita haec vel sim. quid fort. legendum erit :

ᾱ̓́χει δ' ἐκ πετάλων ἄδεα τέττιξ, πτερύγων δ' ὔπα
κακχέει λιγύραν ⟨πύκνον⟩ ἀοίδαν, ⟨θέρος⟩ ὄπποτα
φλόγιον κὰτ ⟨   ⟩ πεπτάμενον ⟨   ⟩ καταυλέηι, . . .

Z 24

... τὸν κακοπατρίδαν
Φίττακον πόλιος τὰς ἀχόλω καὶ βαρυδαίμονος
ἐστάσαντο τύραννον, μέγ᾽ ἐπαίνεντες ἀόλλεες

(i) Aristot. *Polit.* 1284ᵃ 39 (p. 106 Immisch); (ii) *Transl. lat. eiusd. G. de Moerbeka (p. 216 Susemihl); (iii) *Transl. lat. eiusd. L. Aretini (p. 46, ed. Ven. 1595); (iv) Plut. *Amat.* c. 18 (iv p. 375 Hubert). Ἀλκαῖος ... ἔν τινι τῶν σκολιῶν μελῶν (i), *(ii).

1 κακοπάτριδα (i) codd., corr. Blass   2 ἀχόλω (i) codd. praeter Hᵃ, *(ii), *(iii), quod quid significet ex Eubulo ap. Athen. iii 108a (i 247 Kaibel) discas   3 ἀθρόαι φωναὶ μέγ᾽ ἐπαινέοντες (iv), memoria ut vid. falsus, si quidem illud pro ἀθρόαι φώναι (dat.) accipiendum

Z 25 (fort. primi)

... Ἀλκαῖος Ἡφαίστου (γονὰς ὕμνησεν) ...

Menand. s. Genethl. διαίρ. τ. ἐπιδεικτ. (p. 39 Bursian).

(a)

... ὥστε θέων μηδ᾽ ἔν᾽ Ὀλυμπίων
λῦς᾽ ἄτερ ϝέθεν ...

Ap. Dysc. π. ἀντ. 98b (i 76–77 Schn.).
2 λυσεατερ γεθεν cod. A, corr. Bekker (λῦσαι)

(b)

... ὁ δ᾽ Ἄρευς φαῖσί κεν Ἄφαιστον ἄγην βίαι

Priscian. *Inst. Gramm.* vi 92 (ii 277 Keil), qui v. Sapphoni attribuit. nostro reddidit v. Wilamowitz-Moellendorff.
φαισει, simm., codd., corr. Bergk   Ἀφεστον, simm., codd., corr. Hermann

CARMINUM ALCAICORUM FRAGMENTA

(c)

. . . εἰς τῶν δυοκαιδέκων

Et. Gen. B p. 94 Miller, Et. Mag. 290. 49.
εἰς τὸν Et. Mag. codd. D, V, ὡς τὸν cod. P, εἰς τῶν Et. Gen.   δυοκαίδεκα
Et. Mag. cod. V, δυοκαίδεκον cod. P, δυοκαίδεκ⁻ cod. D, δυοκαιδέκων Et. Gen.
'In duodecim deos relatus.'
(a) et (b) ex uno eodemque carmine proficisci vidit v. Wilamowitz-Moellendorff, (c) Ἄμ. p. 53 subiunctum, coll. [Liban.] προγυμνασμ. διηγήμ. ζ cod.
Vat. 305 (viii 38 Foerster) :
ρίπτει τὸν Ἥφαιστον Ἥρα ἐξ οὐρανοῦ τῇ τοῦ παιδὸς αἰσχυνομένη χωλείᾳ, ὁ δὲ
τῇ τέχνῃ ἐχρῆτο . . . ποιεῖ δὲ . . . θρόνον τῇ μητρὶ δῶρον ἀφανεῖς ἔχοντα δεσμοὺς
καὶ πέμπει. καὶ ἡ μάλα τε ἤσθη τῷ δώρῳ καὶ καθιζάνει καὶ ἐδέθη καὶ ὁ λύσων οὐκ
ἦν. βουλὴ δὲ γίνεται θεῶν περὶ τῆς εἰς οὐρανὸν ἀναβάσεως Ἡφαίστου. μόνον
γὰρ ἂν ἐκεῖνον καὶ λῦσαι. σιγώντων οὖν τῶν ἄλλων καὶ ἀπορούντων Ἄρης ὑπισχνεῖται
καὶ ἐλθὼν πράττει μὲν οὐδέν, αἰσχρῶς δὲ ἀπαλλάττεται πυρσοῖς αὐτὸν δειματώσαντος
Ἡφαίστου. ταλαιπωρουμένης δὲ τῆς Ἥρας ἤρχετο μετὰ οἴνου Διόνυσος καὶ διὰ
μέθης εἶχεν Ἥφαιστον ἑπόμενον. ὁ δὲ ἐλθὼν καὶ τὴν μητέρα λύσας ποιεῖ τῆς
Ἥρας εὐεργέτην τὸν Διόνυσον. ἡ δὲ αὐτὸν ἀμειβομένη πείθει τοὺς οὐρανίους θεοὺς
ἕνα τῶν οὐρανίων θεῶν καὶ Διόνυσον εἶναι.

349ᴬ   Z 26

ἀχνάσδημι κάκως, οὔτε γὰρ οἱ φίλοι . . .

Et. Gen. B p. 57 Miller, Et. Mag. 181. 44.

350   Z 27

ἦλθες ἐκ περάτων γᾶς ἐλεφαντίναν
λάβαν τὼ ξίφεος χρυσοδέταν ἔχων . . .

τὸν ἀδελφὸν Ἀντιμενίδαν . . . φησιν Ἀλκαῖος Βαβυλωνίοις
συμμαχοῦντα τελέσαι

ἄεθλον μέγαν, εὐρύσαο δ' ἐκ πόνων,
5   κτένναις ἄνδρα μαχαίταν βασιληίων
παλάσταν ἀπυλείποντα μόναν ἴαν
παχέων ἀπὺ πέμπων . . .

(i) Heph. Ench. x 3 (p. 33 Consbr.); (ii) Liban. Or. xiii 5 (ii 64 Foerster);
(iii) Strabo xiii 617 (iii 65 Kramer).
1 cf. fr. S 1. 10 supra.   3 de his verbis in versus redigendis nondum constat
4 μέγαν ἄθλον (iii), unde textum Hoffmann, praeeunte Ahrens   καὶ ἐκ
πόνων αὐτοὺς ῥύσασθαι (iii), unde textum Hoffmann (ἐρρ., sed cf. H 41. 2)
5 κτείναντα (iii), unde textum O. Müller   βασιλήων (iii) codd., corr. Bergk
6 ἀπολιπόντα (iii) codd., corr. O. Müller   μόνον ἀνίαν (iii) codd., corr.
Ahrens   7 ἀποπέμπων (iii) cod. F, ἀποπέμπων (iii) rell., dist. O. Müller

Z 28

νῦν δ' οὖτος ἐπικρέτει
κινήcαιc τὸν ἀπ' ἴραc †πύκινον λίθον

(i) Eust. 633. 61; (ii) Eust. 1397. 31.

1 ἐπικρέκει (ii), corr. Bergk   2 πήραc (i), ubi dicitur Alcaeus κωμι-
κευcάμενοc ... ἀντὶ τοῦ ἱερᾶc ... (γράψαι) τὸ πήραc, πείραc (ii)   corr. Bergk
πύματον ci. Bergk, πυκίνωc Crusius; neutrum placet

Z 29

πώνωμεν, τὸ γὰρ ἄcτρον περιτέλλεται ...

Athen. i 22 f (i 50 Kaibel).

Z 30

... μηδ' ὀνίαιc τοὶc πέλαc ἀμμέων
παρέχην ...

Ap. Dysc. π. ἀντ. 121 c (i 95 Schn.).
1 τοι cπλεαc cod. A, corr. Hase   ὑμεων cod. A, corr. Giese

Z 31

... Ἀχίλλευc ὁ τὰc Σκυθίκαc μέδειc

Eust. in Dion. Perieg. 306 (Geog. Gr. Min. ii 271).
Ἀχιλλεὺc ὃc codd. C, E, all., Ἀχιλλεῦ ὃc codd. D, all.   ταc Σκυθικαc
var. accent. codd. praeter E, N, d (τοῖc Σκυθικοῖc)   γᾶc Bergk, fort.
recte   μεδέειc codd.   ὁ ... μέδειc corr. Seidler (ὁ)

Z 32

... γαίαc καὶ νιφόεντοc ὠράνω μέcοι

Ap. Dysc. π. ἐπιρρ. 610 (i 197 Schn.) sine nomine auctoris, sed idem π. ἐπιρρ.
588–9 (i 177 Schn.) τοῖc περὶ τὸν Ἀλκαῖον formam μέccοι adtribuit.
De forma ὠράνω cf. Hdn. π. μ. λ. ᾱ 7. 25 (ii 912 Lentz)

Z 33

καὶ πλείcτοιc' ἐάναccε λάοιc'

(i) Cr. A.O. i 169; (ii) Et. Gud. in εἰαμενή (p. 405 de Stefani)

357

Z 34

[   ]...[   ]

μαρμ‿αίρει δὲ‿‿ μέγας δόμος χάλκωι, π‿αῖca δ' †ἄ‿ρηι κεκόcμηται cτέγα
λάμ‿πραιcιν‿ κυνίαιcι, κὰτ τᾶν λεῦ‿κοι κατέπ‿ερθεν ἵπποι λόφοι
4   νε‿ύοιcιν, κεφ‿άλαιcιν ἄνδρων ἀγά‿λματα· χ‿ά‿λκ‿ι‿αι‿ δὲ παc-
cάλοιc
κρύ‿πτοιcιν‿ π‿ερικεί‿μεναι λάμπραι κνάμιδ‿εc, ἄρκ‿οc ἰcχύρω
βέλεοc,
θόρρακέc τε νέω λίνω κόιλαί τε κὰτ ἄcπιδεc βεβλήμεναι·
πὰρ δὲ Χαλκίδικαι cπάθαι, πὰρ δὲ ζώματα πόλλα καὶ
κυπάccιδεc.
8   τῶν οὐκ ἔcτι λάθεcθ' ἐπεὶ δὴ †πρώτιcθ' ὑπὸ† ἔργον ἔcταμεν
τόδε.

(i) Athen. xiv 627a, b (iii 383 Kaibel); (ii) Eust. 1320. 1; (iii) Alc. H 1 = P.
Oxy. xxi 2295 fr. 1; (iv) Alc. I 4 = P. Oxy. xxi 2296 fr. 4. uncis dimidiatis
includuntur quae in papyris exstant.
   2 δρόμος (ii)   Ἄρηι (i) cod. A, spreta dialecto, π]αῖcαδᾱ[(iii)   3 κατέπ[
(iii), κατεπ[(iv) (cf. K 5 (= P. Oxy. 2297) 5 ii (a) 8 ἔπερθα), καθύπερθεν (i)
cod. A   5 ερκ[(iv), ἄρκος (i) cod. A   βέλευς (i) cod. A, corr. Fick   6 νέωι
(i) cod. A, corr. Casaubon, sed fort. aliud quid latet.   νέοι λίνω coni.
Bergk   7 κυππαττιδες (i) cod. A, corr. Blomfield, Ahrens   8 πρώτιστ'
ὑπὰ τώργον, πρώτιστον ὑπ' έργον, sim. quid scribendum

358

Z 35

]οιδ' ἀριc|[.....]νμεναιτ[..]ονω[.|..]δε κενη[.....] πε[δάcει]
                                              φρέναc οἶνοc οὐ †δι‿ωτεοc.
κάτω γὰρ κεφάλαν κατίcχε[ι] τὸν ϝὸν θάμα θῦμον αἰτιάμενοc,
πεδαλευόμενοc τά κ' εἴπηι· τὸ δ' οὐκέτι|[....]λεν πε[.]αγ[.]||τω

Demetr. Lac. π. ποιημ. β col. 64 (p. 93 de Falco). cf. ibid. col. 66 (p. 95 de
Falco). lectiones olim benevolentissime communicatas a v.d. A. Vogliano
plerumque praetulimus; denuo edidit idem, Acme I 1948, 262. nullum auctoris nomen.
   1 [δάcει] e col. 66 suppl. Ἄμ.: εἰ φηcι φρέ[ναc οἶν]οc πεδήcαι μη[......]μενον
ἐαθῆνα[ι]· ὁ γὰρ οὐ διώκων ἀντὶ τοῦ ὁ μὴ φευγόμεν[οc ε]ίληπται   διωτϝεοc (s. -τιος)
agnoscere sibi visus est Vogliano   2 cf. col. 66 καὶ τὸ κά[τ]ω δὲ κε[φ]άλαν
κατίcχει κατ' ⟨ἀ⟩ντ[ο]νομ[α]cίαν [εἴλ]ηπται   3 πεδαλευομέναc corr. Vogliano.
cf. col. 66 τότε φη[cὶν ἐφ'] οἶc λέγουcι μετα[μελ]οῦνται   vel]ϝεν

59

Z 36

πέτρας καὶ πολίας θαλάccας τέκνον . . .

. . . ἐκ δὲ παίδων χαύνωιc φρέναc, ἀ θαλαccία χέλυc

Athen. iii 85 f (i 198 Kaibel).

2 λεπάδων cod. A, δὲ παίδων ci. Ahrens   χαύνοιc cod. A, vix recte   χέλυc
cum Dicaearcho (qui pro λέπαc accipiebat) et Aristophane Byzantio post
v. Wilamowitz-Moellendorff reposuimus; λέπαc (cod. A) Callias, quem vulgo
sequuntur

60

Z 37

ὡc γὰρ δήποτ' Ἀριcτόδαμον φαῖc' οὐκ ἀπάλαμνον ἐν Σπάρται λόγον
εἴπην, χρήματ' ἀνήρ, πένιχρος δ' οὐδ'εἶc πέλετ' ἔcλοc οὐδὲ τίμιοc

(i) Diog. Laert. i 31 (*Vorsokr.*[6] i 70 Diels-Kranz ; (ii) Suid. in χρήματα κτλ. ;
(iii) Schol. Pind. *Isthm.* ii 17 (iii p. 215 Drachm.); (iv) Zenob. vi 43 (i 173
Leutsch-Schneidewin = Athous ii 97). cf. Greg. Cypr. iii 98; Greg. Cypr.
Mosq. v 15; Macar. viii 85; Apostol. xviii 32 (i 377, ii 129, 226, 725 Leutsch-
Schneidewin).

1 Ἀ. φαcιν ἐν Σπάρται οὐκ ἀπάλαμνον λόγον (ii), φαcιν Ἀ. ἐν Σπάρται λόγον
οὐκ ἀπάλαμνον (iii), verum verborum ordinem praebet (i) sed hic quoque
φαcὶν; corr. Schneidewin   2 οὐδὲ τίμιοc (iii), om. cett.

61

Z 38

αἰ δέ κ' ἄμμι Ζεὺc τελέcει νόημμα

Ap. Dysc. π. ἀντ. 124b (i 97 Schn.).
τελεccη cod. A, τελέcηι Bekker

62

Z 39

ἀλλ' ἀνήτω μὲν περὶ ταῖc δέραιcι
περθέτω πλέκταιc ὑπαθύμιδάc τιc
κὰδ δὲ χενάτω μύρον ἆδυ κὰτ τὼ
cτήθεοc †ἄμμι

Athen. xv 674 c, d cum xv 687 d (iii 490, 520 Kaibel) a Bergk coniunctum.
1 δέραιc cod. A, corr. Jacobs (teste Michelangeli)   3 καδδ' ἐχεύcατο
cod. A, καδδεχεύατο cod. E, corr. Bergk   3-4 ἄμμι insolito loco; fort.
ἆδυ et ἄμμι transponenda sunt

363

Z 40

†νόω δ' ἑαύτωι
πάμπαν ἀέρρει

Ap. Dysc. π. ἀντ. 103 a (i 80 Schn.).
1 νόω cod. A, νόον ci. Bast, fort. νῶν (ex νῶον), nisi fort. ὄνω agnoscend. δ'
ἑαύτω cod. A, ϝαύτω corr. Ahrens; credideris apud Ap. Dysc. ἅπερ ἀcύνηθεc ἐν
ἁπλότητι μὴ οὐχὶ τὸ ϝ̄ προcλαμβάνειν scribend., ut monet Bergk, nam sic luce
clarius omnia evadunt

364

Z 41

ἀργάλεον Πενία κάκον ἄσχετον, ἀ μέγαν
δάμναι λᾶον Ἀμαχανίαι cὺν ἀδελφέαι

Stob. ἐκλ. δ xxxii 35 (v 792 Wachsmuth-Hense).
2 δάμνηcι codd. S, M, A, corr. Blomfield (-νᾷ)   ἀδελφεα var. accent.
codd. S, M, A

365

Z 42

κεῖται πὲρ κεφάλαc μέγαc, ὦ Αἰcιμίδα, λίθοc

Schol. Pind. Ol. i 91 a (i 37–38 Drachmann), qui dicit : . . . Ἀλκαῖοc δὲ καὶ
Ἀλκμᾶν λίθον φαcὶν ἐπαιωρεῖcθαι τῷ Ταντάλῳ, ⟨ὁ μὲν Ἀλκαῖοc⟩ κεῖcθαι π. κ. μ., κτλ.
κεῖcθαι codd., corr. Gerhard   πὰρ codd. A, H, περὶ cod. E, παρὰ cod.
Q, corr. Ahrens   ὠαιcιμίδα codd. H, Q, ωα ex corr. Q¹, ὤαc cιμίδα cod. A,
. . .μίδα cod. E

366

Z 43

οἶνοc, ὦ φίλε παῖ, καὶ ἀλάθεα

(i) Schol. Plat. Symp. 217 e (vi 261 C. F. Hermann); (ii)* Theocr. xxix 1.
ἅcματοc. . .ἀρχή (i).
λέγεται καὶ (ii), et credibile est λέγεται ap. Alcaeum quoque stetisse, cum
et metro satisfaciat et consuetudini Graecorum in proverb. laudand. magis
congruens videatur   ἀλήθεια (i), corr. e (ii)

367

Z 44

ἦροc ἀνθεμόεντοc †ἐπάιον ἐρχομένοιο . . .
ἐν δὲ κέρνατε τὼ μελιάδεοc ὄττι τάχιcτα
κράτηρα . . .

Athen. x 430 b (ii 435 Kaibel).
1 aut ἐπ' ἄιον ἐρχ., coll. Stesich. 37. 3, Arist. Nub. 311, al., scribend., aut
ἐπάιον ἀρχομ.   2 κιρνᾶτε cod. A, corr. Meister

INCERTI LIBRI

Z 45

κέλομαί τινα τὸν χαρίεντα Μένωνα κάλεσσαι,
αἰ χρῆ cυμποcίαc ἐπόναcιν ἔμοιγε γένεcθαι

(i) Heph. *Ench.* vii 6 (p. 23 Consbr.); (ii) Schol. B in Heph. *Ench.* ȳ ix
(p. 274 Consbr.); (iii) Epit. Heph. 3 (p. 359 Consbr.). nullum nomen auctoris.
nostro dedit Bergk, fort. recte.
  2 ἐπ ὄν. (i) cod. A, ἐπ' ὄν. (i) codd. D, I, corr. dett.   ἔμοι γεγενῆcθαι (i)
codd., em. Fick

Z 46

ἄλλοτα μὲν μελιάδεοc, ἄλλοτα
    δ' ὀξυτέρω τριβόλων ἀρυτήμενοι . . .

(i) Athen. ii 38 e (i 89 Kaibel); (ii) Eust. 1910. 18.
ἀρητυμενοι (i) codd. C, E, em. Bergk

Z 47

ἀμμετέρων ἀχέων

Ap. Dysc. π. ἀντ. 121 c (i 95 Schn.).
αχαιῶν cod. A, corr. Bekker

Z 48

ἄπ πατέρων μάθοc

Herodian. π. μ. λ. β 36. 16 (ii 941 Lentz). cf. A 6 (b) 1 supra.

Z 49

Ἄρευοc cτροτιωτέροιc

Choerob. in Theod. καν. ἀρc. ῑ (i 214 Hilgard) sine nomine auctoris.

Z 50

γᾶc γὰρ πέλεται cέοc

Et. Gen. AB in cείω (A p. 14 Reitzenstein, B pp. 264, 463 Miller).
cείω· ἔcτι γὰρ cέοc (cod. A, cέω cod. B) ὡc [aut delendum aut ὡc ⟨   ⟩,
velut ὡc ⟨δέοc⟩, scribendum] παρ' Ἀλκαίῳ, οἷον· γᾶc γὰρ πέλεται cέοc (cέωι
cod. A, cέωc cod. B, em. Hoffmann), καὶ ἐκ τούτου γίνεται cέω καὶ cείω . . .
sin autem ὡc παρ' Ἀ. retinueris, οἷον γὰρ . . . γᾶc πέλεται cέοc, vel sim. quid,
scribendum

277

374

Z 51

δέξαι με κωμάςδοντα, δέξαι, λίccoμαί ce, λίccoμαι

(i) Heph. *Ench.* v 2 (p. 16 Consbr.); (ii) Schol. B in Heph. *Ench.* ȳ vii (p. 268 Consbr.); (iii) Schol. Aristoph. *Plut.* 302; (iv) Arsen. = Apostol. v 98 d (ii 363 Leutsch–Schneidewin).

375

Z 52

ἔγω μὲν οὐ δέω ταῦτα μαρτύρεντας

(i) Et. Gen. A B p. 14 Reitzenstein; (ii) Et. Mag. 264. 19.
μὲν οὐ (i), (ii) cod. V, μέν κ' οὐ (ii) codd. praeter V   ταῦτα (i) cod. B
(ii) codd. praeter V (qui ταύτας exhibet), τάδε (i) cod. A, fort. recte

376

Z 53

ἐκ δὲ ποτήριον πώνηις Διννομένηι παρίσδων

Athen. xi 460 d (iii 2 Kaibel).
ποτηρίων cod. A, corr. Bergk   πώνης cod. A   διννομενη cod. A

377

Z 54

ἔκ μ' ἔλαcαc ἀλγέων

Heph. *Ench.* i 8 (p. 6 Consbr.).
ἐλάcαc cod. A, corr. Bergk

378

Z 55

ἔμ' αὔτωι παλαμάcoμαι

Ap. Dysc. π. ἀντ. 103 a (i 80 Schn.).

379

Z 56

ἔνδυς cιcύρναν

Et. Gen. A p. 16 Reitzenstein, Et. Mag. 118. 54.
Cf. Long. β 3. 1   fort. -δυιc rectius scribend.

380

Z 57

ἔπετον Κυπρογενήας παλάμαιcιν

(i) Cr. *A.O.* i 144; (ii) Et. Mag. 666. 51.
παλαμΐης(ιν) (i) cod. Coll. Nov. 298, corr. Schneidewin

Z 58

'Ερραφέωτ', οὐ γὰρ ἄναξ...

Schol. *Il.* A 39 (Cr. *A.P.* iii 121; Matranga, *Anecd.* 389).
'Ερραφεώτου codd., divisim scribend. docuit Hoffmann

Z 59

ἦ ποι cύναγ' ἄνδρων †δάcμενον
cτρότον, νόμιcμ' ἐπιπνέοιcα

Hesych. in ἐπιπνεύων.
ἐπιπνεύων· ἐπιβλέπων Αἰολικῶc. καὶ Ἀλκαίωc ἤπουcυναγανδρωνδάcμενον
cτρατόν νομιcμένοι πνέοιcα cod. 1 ἄ ci. Crusius, quod fort. praeferend. num κεκεδάcμ.? nam cum
δεδάcμενον adverb. velut δίχα postules 2 ex lemm. corr. Hartung, sed
notandum est ἐπιπνέοιcα iam non ad ἐπιπνεύων· ἐπιβλέπων quadrare

Z 60

ἦρ' ἔτι Διννομένη τὼ Τυρρακήω
τάρμενα λάμπρα κέοντ' ἐν Μυρcινήωι;

Heph. *Ench.* xv 10 (p. 50 Consbr.). carminis initium.
1 διννομένη τῶ τυρρακήω codd. immutare noluimus (quamvis de genit. Διννομένη cogitare vix audeamus), vulgo -νηι (s. -νει) τῶι -ωι legunt 2 τάρμ.
codd. praeter I (τάρ) κέατ' codd., corr. Seidler μυρcίννωι cod. A, ut vid.,
ί ex η corr. A¹, μυρcιννήω cod. I

Z 61

ἰόπλοκ' ἄγνα μελλιχόμειδε Cάπφοι

Heph. *Ench.* xiv 4 (p. 45 Consbr.) sine nomine auctoris.
Cf. Hesych. in μειλιχομετίδηc· πραΰγελωc, ἡδύγελωc, ἡδεῖα, πραΰνοοc. μελλιχόμειδε cod. A (a 1 m. corr. e μελλιχόμειδεc), μελλιχόμειδεc codd. C, P -μειδεc
ἄπφα possis coll. Eust. 565. 23

Z 62

κἀπιπλεύcαιc νάεccιν

Cr. *A.O.* i 298.
Αἰολεῖc νάεccι· κἀπιπλεύc(αιc, compendio) νάεcc(ιν, compendio) cod. Coll.
Nov. 298. cf. Et. Mag. 605. 27

Z 63

κόλπωι c' ἐδέξαντ' ἄγναι Χάριτεc Κρόνωι

Heph. *Ench.* x 3 (p. 33 Consbr.) sine nomine auctoris.

387

Z 64

Κρονίδα βαςίληος γένος Αἴαν τὸν ἄριςτον πεδ᾽ Ἀχίλλεα

(i) Heph. *Ench.* x 7 (p. 34 Consbr.); (ii) Choerob. in Heph. *Ench.* x 7 (p. 241 Consbr.); (iii) Choerob. in Theod. καν. ἀρc. ā (i 123 Hilgard). cf. Athen. xv 695 c (iii 539 Kaibel), Eust. 285. 4.
Αἴαν (i) cod. H, (ii) cod. K (in interpretat. codd. K, U), (iii) codd. C, V, P, Αἴαν (i) codd. A, I, (iii) cod. N, fort. Αἴαν, τὸν (= ὅν)   παῖδ᾽ (-δα) (i) codd. (ii) codd., corr. Casaubon

388

Z 65

λόφον τε cείων Κάρικον

(i) Strab. xiv 661 (iii 140 Kramer); (ii) Eust. 367. 25.
τε om. (ii)

389

Z 66

μὴ μέγαν περὶ κνάφον †περιςτείχειν ἔνα κύκλον†

(i) Et. Gen. B p. 190 Miller; (ii) Et. Mag. 521. 35; (iii) Et. Gud. in κνάμψω (330. 15 Sturz).
περιςτείχειν (ii) cod. M, περιςτείχει (ii) cod. D, περιςτίχειν (iii) cod. l, παραcτίχειν (iii) cod. w, ἐπιςύρειν (i)   num latet ἐνάκυκλον?

390

Z 67

μὴ φόνος κέχυται γυναίκων

Schol. Gen. *Il.* Φ 483 (i 210 Nicole) ἐπὶ τῶν βελῶν τῆς Ἀρτέμιδος.
μὴ fort. corrupt.

391

Z 68

ὄττινες ἔςλοι ὑμμέων τε καὶ ἀμμέων

Ap. Dysc. π. ἀντ. 122 b (i 96 Schn.).

392

Z 69

οὐδέ τι μυνάμενος ἄλλοι τὸ νόημμα . . .

(i) Schol. *Od.* φ 71; (ii) Eust. 1901. 52; (iii) Et. Mag. 594. 55.
οὐδέ τι (i), (ii), om. τι (iii); fort. οὐδ᾽ ἔτι   ἄλλα τὸ ν. (i), ἄλλο ν. (ii), corr. Seidler (-λυι)

Z 70

πάλιν ἀ cῦc παρορίνει

(i) Simplic. in lib. *de Cael.* i 4 (p. 156 Heiberg); (ii) Mantissa *proverb.*
ii 46 (ii 765 Leutsch–Schneidewin). cf. Diogen. viii 64, Apostol. xvii 74 =
Arsen. 460 (i 318, ii 705 Leutsch-Schneidewin).
ῦc codd., corr. nescio quis   -ορίννει (i) codd. A, E, sed cf. -ώρῖνε D 14. 9

Z 71

πατέρων ἄμμων

Ap. Dysc. π. ἀντ. 121 c (i 95 Schn.).

Z 72

cτενω .[. .] Ξάνθω ῥο̦‖[. .] ἐc θάλαccαν ἵκανε

Schol. *Il.* Φ 219 (P. Oxy. ii **221**, xi 9).
prima c litt. ex ξ facta   μ[. .], δ[. .], simm., legas   ῥό[οc] suppl. e.p.

Z 73

†ταχαλιτινὸν† ἄρκοc ἔccηι

Et. Gud. in ἄρκτοc (p. 198 de Stefani).
ταχαλιτινὸν . . . ἔccη cod. d², τὸν χαλινὸν . . . ἔcη cod. q (Cr. *A.P.* iv 61), τὸ
χαλινὸν . . . ἔcη cod. w (78. 1 Sturz)

Z 74

τερέναc ἄνθοc ὀπώραc

Cr. *A.O.* i 413 (bis).

Z 75

τετραβαρήων πλίνθων καὶ τάγματα

Hesych. in v.
(τετραβαρή)ων compendio. locus nondum emendatus. monendum est :—
τετρα- non videri Aeolicam esse formam; e τετραβάρηc (qua voce nihil
significari possit) vel τετραμάρηc (quod ci. Bergk) gen. -ρέων proficisci debere,
itaque fort. divisim †τετρα βαρήαν scribendum esse; pro καὶ τ. non κατὰ τ.
legi posse, cum κατά non sit Aeolicum, sed fort. κατάγματα (vel potius κατά-
χματα; Herwerden καυάγματα)

399

Z 76

τετράδων· ὄρνεόν τι. Ἀλκαῖος

τετράδυσιν· ἀηδόνας

Hesych. in v.
sicut exhibet Schmidt reposuimus, sed haec monenda esse videntur:—
ex ipso ord. litterarum apparere, verba τετράδυσιν ἀηδόνας Alcaeo tribui;
sed cum τετραδόνεσσιν a τετράδων dat. dicend. esset, τέτραδον (s. τετράδω?)
et τετράδοισιν ut vid. emendand.,

τετράδοισιν ἀηδονας

Alcaeo vindicand. esse. alioqui τέταροι, τετράων, τετραῖον, τέτραξ, avium
nomina, inveniuntur

400

Z 77

τὸ γὰρ Ἄρευι κατθάνην κάλον

Choerob. in Theod. καν. ἀρc. ι̅ (i 214 Hilgard) sine nomine auctoris.
τὸ codd. N, C, τῷ codd. V, P

401

Z 78

(a)

χαῖρε καὶ πῶ τάνδε

Et. Gen. B p. 258 Miller, Et. Mag. 698. 52, sine nomine auctoris.

(b)

δεῦρο cύμπωθι

Et. Gen. B p. 258 Miller, Et. Mag. 698. 52, sine nomine auctoris.

402

Z 79

ἀγέρωχος

Eust. 314. 43.
Ἀλκαῖος δὲ . . . ἀγέρωχον τὸν ἄκοσμον καὶ ἀλαζόνα οἶδε. cf. Et. Gud. in
ἀγέρωχον (p. 10 de Stefani), Sueton. (p. 419 Miller). fort. eiusdem Alcaei
est ἀλαζών (ἀλάcδων) ὁ ἀλώμενος (Anecd. Gr. i 65 Bachmann; Suid. in v.),
quod vulgo comico tribuunt

403

Z 80

ἄγωνος

Phot. in ἄγωνος (p. 28 Reitzenstein).
cf. Hesych. ἄγωνον· τὸν ἄγωνα Αἰολεῖc et Euripid. ἐν Αἰγεῖ ap. P. Oxy. viii
1807, ii 59

Z 81

ἀμάνδαλον

Et. Gen. A p. 20 Reitzenstein (cf. *Gesch. Etym.* 226), Et. Mag. 76. 51.
τὸ ἀφανὲς παρ' Ἀλκαίῳ. cf. Hesych. in ἀμανδαλοῖ

Z 82

ἔον, 'fui'

Eust. 1759. 26 (= Favor. ἐκλ. ap. Thes. Corn. p. 69).

Z 83

ἔτι προσθετέον καὶ ὡς τὸ ἐκεῖ ῥηθὲν πάθος ἤγουν τὸν ἐφιάλτην
ἐπιάλτην κατὰ παλαιὰν παρασημείωσιν ὁ Ἀλκαῖος λέγει....

Eust. 1687. 52.

ἠπίαλος καὶ ἠπιάλης καὶ ἠπιόλης. Σημαίνει τὸν ῥιγοπύρετον
καὶ δαίμονα τοῖς κοιμωμένοις ἐπερχόμενον. καὶ Ὅμηρος καὶ οἱ
πλείους ἠπιόλης λέγουσι διὰ τοῦ ῆ· τὸ δὲ διὰ τοῦ ος ἕτερόν τι
cημαίνει, τὸν ῥιγοπύρετον... ὁ δὲ Ἀλκαῖος ἐπίαλον αὐτὸν ἔφη.
Ἀπολλόδωρος δέ φησι τὸν ἐπιάλτην αὐτὸν ἠπιάλην καλεῖσθαι καὶ
τροπῇ τοῦ ᾱ εἰς ο ἠπιόλην

Et. Mag. 434. 6 (cf. Et. Gen. B p. 151 Miller).
porro notand. est Hesych. in ἐπιαλής formam ἐφέλην Aeolensibus attribuere.
quam formam quove sensu usurpaverit noster non liquet

Z 84

ἔρρεντι

Et. Gen. B p. 127 Miller, Et. Mag. 377. 19.
ἔρρεντί codd.

Z 85

ἐςύνηκε

Et. Mag. 385. 9.

409

Z 86

εὐρυδάμαν

Choerob. in Theod. καν. ἀρc. ā (i 131 Hilgard), qui dicit : παραφυλαττόμεθα δὲ ἐν τῷ νῦν εἰρημένῳ κανόνι . . . τὸ ὦ Εὐρυδάμαν παρὰ τῷ Ἀλκαίῳ . . . καὶ παρὰ Πινδάρῳ τὸ ὦ ἀκαμαντοχάρμαν, οἷον " ὑπερμενὲc ἀκαμαντοχάρμαν Αἴαν ", unde liquet ὦ non continuo Alcaei esse.
ap. Constant. Lasc. *de nom. et verb.* p. 120ᵛ (Aldus, c. 1502) ὦ Πολυδάμαν nostro attribuitur, quod saltem Πωλ- corrigendum erat, sed manifesto cum praecedenti exempl. confudit Constantinus

410

Z 87

ϝρῆξιc

Excerpt. π. παθ. 11 (p. 6 Schneider) ἅπαξ . . . παρ' Ἀλκαίῳ τὸ ῥῆξιc ϝρῆξιc εἴρηται. ϝ mirum in modum corruptum praebent codd. praeter L, qui haec verba omittit

411

Z 88

κάλιον

(i) Excerpt. π. παθ. 26 (p. 12 Schneider); (ii) Cr. *A.P.* iii 278.
quasi exemplum παρελλείψεωc, i.e. ὅταν τῶν διπλαcιαζομένων cυμφώϝων ἐν παραλείπηται, affertur, vix recte

412

Z 89

(ἄνεμοc) κατώρηc

(i) Schol. B² in Hom. *Il. B* 447 (Porphyr. *Qu. Hom.* p. 41 Schrader); (ii) Eust. 603. 40. vid. S. fr. 183.
κατάρηc (ii)   cf. etiam Hesych. καταριcτήν· ὀρθὴν δουριcτήν. παρὰ Καλλιμάχῳ τὴν χάλαζαν? (fr. 566 Pf.)

413

Z 90

Κήτειοc

Schol. *Od.* λ 521 (ii 517 Dindorf) . . . Ἀλκαῖοc δέ φηcι τὸν Κήτειον ἀντὶ τοῦ Μυcόν.
fort. Κητέϊοc s. Κήτηοc scribendum

414

Z 91

Κίκιc

(i) Cyrill. lex. (Cr. *A.P.* iv 185); (ii) Suid. in v.; (iii) Et. Mag. 513. 32; (iv) Et. Gud. 322. 5 (= Cr. *A.P.* iv 35)   ὁ ἀδελφὸc Ἀλκαίου (i), (ii), simm. (iii), (iv). porro praebet (iv) ὁ . . Ἀλκαῖοc ὁμοίωc ' Ομήρῳ τὸν ἰcχυρὸν κίκυν καλεῖ.
genit. Κίκιδοc erat, cf. Serg. Emes. ἐπιτ. ὀνομ. καν. (p. 9 Hilgard = Cr. *A.O.* iv 337)

284

15

Z 92

κίνδυνι

Choerob. in Theod. καν. ἀρc. κ̄γ̄ (i 270 Hilgard). vid. S. fr. 184.
ὁ γοῦν Ἀλκαῖος τὴν δοτικὴν ἔφη τῷ κίνδυνι (cod. V, κινδύνῳ codd. N, C)

16

Z 93

κόκκυγος

P. Oxy. viii 1087, ii 52.
nominative usurpavit Alcaeus

17

Z 94

κότυλοι

Athen. xi 478 b (iii 51 Kaibel).
τὰ μόνωτα ποτήρια κότυλοι, ὧν καὶ Ἀλκαῖος μνημονεύει

18

Z 95

μετρῆcαι ἐπὶ τοῦ ἀριθμῆcαι

Phot. in v. (i 420 Naber).

19

Z 96

...[in foemininis etiam] Alcaeus *NEPH* pro *NEPHΣ* posuit
et Theopompus Chare pro Chares.

Priscian. *Inst. Gramm.* vii 7 (ii 289 Keil) de vocat. cas. primae declin.
in foemininis etiam secl. Hertz Νήρη pro Νήρηc corr. Hertz, sed *NEPH*
et *NEPHΣ* exhibet cod. B, reliqui e (*E*) in utraq. syll.

20

Z 97

οἱ..περὶ Ἀλκαῖον οἶδα λέγουcι τρισυλλάβωc

Herodian. π. μ. λ. ā 24. 6 (ii 930 Lentz).
cf. eund. ap. Steph. Byz. in Καρία (p. 359 Meineke) (Κάιρα) διὰ τοῦ ῑ μακροῦ·
ἔcτι γὰρ ὅτε μετὰ τὴν διαίρεcιν ἔκταcιc γίγνεται, οἴομαι οἴγον (Alc. P 2 (*b*) 3)
οἶδα παρ' Αἰολεῦcιν ἀντὶ τοῦ οἶδα

21

Z 98

πεφύγγων

(i) Cr. *A.O.* i 366; (ii) Eust. 1596. 7 (= Favor. ἐκλ. ap. Thes. Corn. p. 132ᵛ).
cf. etiam Cr. *A.O.* i 325.
πεφύγγω (ii)

422

Z 99

πιέϲδω

Herodian. π. μ. λ. β 44. 3 (ii 949 Lentz).

hoc loco dicit Herodianus : τὰ εἰϲ ζω λήγοντα ῥήματα ὑπὲρ δύο ϲυλλαβὰϲ βαρύτονα οὐδέποτε τῷ ε̄ παραλήγεϲθαι θέλει . . . ϲημειῶδεϲ ἄρα παρ' Ἀττικοῖϲ καὶ τοῖϲ Ἴωϲι λεγόμενον διὰ τοῦ ε̄ τὸ πιέζω, ὥϲπερ καὶ παρὰ τῷ ποιητῇ. προϲέθηκα δὲ καὶ τὰϲ διαλέκτουϲ, ἐπεὶ παρ' Ἀλκαίῳ διχῶϲ λέγεται, παρὰ δὲ Ἀλκμᾶνι διὰ τοῦ ᾱ, κτλ. inde vulgo concluditur Alcaeum duabus formis πιέζω et πιάζω usu esse, quod manifesto falsum est. quo modo accipiendum corrigendumve sit διχῶϲ λέγεται nescimus; quam solam credimus proprie Aeolicam esse formam eam exhibuimus

423

Z 100

τεμένηοϲ

Cr. A.O. i 342.

424

Z 101

τερέων

(i) Cr. A.P. iv 192; (ii) Eust. 1155. 44.
ἀλκεόϲαι ῥεῶν (i) cod., corr. (ii)

425

Z 102

οὐκ εὖ δ' ὁ Ἀλκαῖοϲ ὥϲπερ τὸ τοῦ ποταμοῦ ὄνομα παρέτρεψε
τοῦ Κουαρίου οὕτω καὶ τοῦ Ὀγχηϲτοῦ κατέψευϲται πρὸϲ ταῖϲ
ἐϲχατιαῖϲ τοῦ Ἑλικῶνοϲ αὐτὸν τιθείϲ· ὁ δ' ἐϲτὶν ἄπωθεν ἱκανῶϲ
τούτου τοῦ ὄρουϲ

Strab. ix 412 (ii 259 Kramer).
fort. ad ᾱ 2 referendum coll. Hom. hymn. Herm. 87 (v 46 Allen). Bergk ad Z 1 trahit

426

Z 103

τὸν λόγον ὃν πάλαι μὲν Ἀλκαῖοϲ ὁ ποιητὴϲ εἶπεν . . . ὡϲ ἄρα
οὐ λίθοι οὐδὲ ξύλα οὐδὲ τέχνη τεκτόνων αἱ πόλειϲ εἶεν ἀλλ' ὅπου
ποτ' ἂν ὦϲιν ἄνδρεϲ αὑτοὺϲ ϲῴζειν εἰδότεϲ ἐνταῦθα καὶ τείχη καὶ
πόλειϲ

Ael. Arist. ὑ. τ. τεττ. 207 (ii 273 Dindorf) = Phot. Biblioth. p. 430 a Bekker;
indidem ut vid. Nicol. Progymn. i 277 Walz. cf. Ael. Arist. π. ὁμον. 68 (ii 50
Keil); Anon. Ῥοδιακ. 64 (ii 89 Keil); Philoth. Selymbr. (Patrol. Gr. 154 col.
1234 Migne). cf. E 1. 10 supra.

Z 104

οὐδ' ἑλκοποιὰ γίγνεται τὰ cήματα. ταῦτα παρὰ Ἀλκαίου. οὐ
τιτρώϲκει τὰ ἐπίϲημα ὅπλα οὐδὲ αὐτὰ καθ' ἑαυτὰ δύναμιν ἔχει,
εἰ μὴ ἄρα ὁ φέρων αὐτὰ ἐὰν ᾖ ⟦ὁ⟧ γενναῖος

Schol. M in Aesch. Ἑπτά 398 (385) (i 148 Wecklein).

Z 105

(a)

Πιττακὸϲ δ' ὁ Μιτυληναῖοϲ . . . πλεύϲαϲ ἐπὶ τὸν Φρύνωνα . . .
διεπολέμει τέωϲ διατιθεὶϲ καὶ πάϲχων κακῶϲ (ὅτε καὶ Ἀλκαῖόϲ
φηϲιν ὁ ποιητὴϲ ἑαυτὸν ἔν τινι ἀγῶνι κακῶϲ φερόμενον τὰ ὅπλα
ῥίψαντα φυγεῖν· λέγει δὲ πρόϲ τινα κήρυκα, κελεύϲαϲ ἀγγεῖλαι
τοῖϲ ἐν οἴκῳ·
Ἄλκαοϲ cάοϲ †αροι ἐνθαδ' οὐκυτὸν ἀληκτορὶν† ἐϲ Γλαυκώπιον
ἷρον ὀνεκρέμαϲϲαν Ἄττικοι), κτλ.

Strab. xiii 600 (iii 34 Kramer).
Ἀλκαῖοϲ codd., corr. Ahrens   cάοϲ codd. C, D, h (add. 2 m.), coϲ cod.
F, cῶοϲ codd. r, w, x (?), om. cod. i, corr. Ahrens   ἄροι codd. praeter F
(αροι cum coϲ coniunct.) et h, ο (ἄρει)   ἐνθαδ' codd. var. accent., var.
distinct., ἔντεα δ' ci. Wesseling coll. Hdt. (v. infr.)   οὐκυτὸν codd. F, D
(ubi tamen forma κ litt. ad χ prope accedit), οὐκ αὐτὸν codd. C (sed αυ parum
cert.), m, o, z, οὐχυτον codd. h, i (οὐχυ τὸν), οὐ κεῖται codd. r, w, οὐκ—Ἄττικοι
om. cod. x   ἀληκτορὶν codd. praeter o, z (ἀλυκτορὴν)   γλαυκωπον codd.,
em. Ahrens, alii   ὃν ἐκρέμαϲαν codd., corr. Ahrens

(b)

ἐπολέμεον γὰρ ἔκ τε Ἀχιλλήιου πόλιοϲ ὁρμώμενοι καὶ Σιγείου
. . . Μυτιληναῖοί τε καὶ Ἀθηναῖοι . . . πολεμεόντων δέ ϲφεων
παντοῖα καὶ ἄλλα ἐγένετο ἐν τῆιϲι μάχηιϲι, ἐν δὲ δὴ καὶ Ἀλκαῖος
ὁ ποιητὴϲ ϲυμβολῆϲ γενομένηϲ καὶ νικώντων Ἀθηναίων αὐτὸϲ
μὲν φεύγων ἐκφεύγει, τὰ δέ οἱ ὅπλα ἴϲχουϲι Ἀθηναῖοι καί ϲφεα
ἀνεκρέμαϲαν πρὸϲ τὸ Ἀθήναιον τὸ ἐν Σιγείωι. ταῦτα δὲ Ἀλκαῖοϲ
ἐν μέλεϊ ποιήϲαϲ ἐπιτιθεῖ ἐϲ Μυτιλήνην ἐξαγγελλόμενοϲ τὸ
ἑωυτοῦ πάθοϲ Μελανίππωι ἀνδρὶ ἑταίρωι

Hdt. v 94–95.

CARMINUM ALCAICORUM FRAGMENTA

429

Z 106

τοῦτον (SC. τὸν Πιττακὸν) Ἀλκαῖος cαράποδα μὲν καὶ
cάραπον ἀποκαλεῖ διὰ τὸ πλατύπουν εἶναι καὶ ἐπιcύρειν τὼ
πόδε· χειροπόδην δὲ διὰ τὰc ἐν τοῖc ποcὶ ῥαγάδαc, ἃc χειράδαc
ἐκάλουν· γαύρηκα δὲ ὡc εἰκῆ γαυριῶντα· φύcκωνα δὲ καὶ
γάcτρωνα ὅτι παχὺc ἦν· ἀλλὰ μὴν καὶ ζοφοδορπίδαν ὡc
ἄλυχνον· ἀγάcυρτον δὲ ὡc ἐπιcεcυρμένον καὶ ῥυπαρόν

(i) Diog. Laert. i 81 (p. 20 Cobet); (ii) Suid. in cαράπουc; (iii) Plut. *Qu.*
conv. viii 6. 3 (iv p. 280 Hubert); (iv) Pollux ii 175 (i 137 Bethe).
cαράποδα καὶ cάραπον cf. Galen. gloss. Hippocr. in cαράπουc (xix 136 Kühn)
ἡ διαcεcηρότας καὶ διεcτῶταc ἔχουcα τοὺc δακτύλουc τῶν ποδῶν et fort. Hesych.
in cάραπιc (v. adn. Schmidt)
χειροπόδην l. χιροπόδαν. formam χειροποδεc (var. accent.) interpretantur
ῥαγόποδεc, οἱ τοὺc πόδαc κατερρωγότεc, simm., Pollux ii 153 (i 130 Bethe),
Et. Mag. 810. 27, Hesych. in v. φύcκωνα: cf. G 1. 21 supra.
ζοφοδορπίδαν (i), (iii), -πίδα (ii). de forma non constat ; ζοφοδορπίαc praebent
Theognost. καν. ρ̄ῑγ (Cr. *A.O.* ii 20), Zonaras in v. (= λαθροφάγοc, cκοτόδειπνοc),
ζοφοδερκίαc autem Hesych. in v. (idem etiam ζοπαδαcπίδαc· λαθροφάγουc),
Suid. in v., Cyrill. ap. Tittmann Zon. cv, cod. Vat. gr. 23 ap. Reitzenstein
Ind. lect. Rost. iv. 10 (= λαθροφάγοc, cκοτόδειπνοc). ζοφοδορπίδαν interpret.
Plut. (qui ζοφοδορπιδαc, acc. plur., ibid. § 1 praebet) οὐχ ὡc ὀψὲ δειπνοῦντα ...
ἀλλ' ὡc ἀδόξοιc ... ἡδόμενον cυμπόταιc
ἀγάcυρτον cf. Zonaras in v. (= ἀκάθαρτοc)

430

Z 107

Canebat (Alcaeus)

... Lycum nigris oculis nigroque crine decorum

Hor. *Carm.* i 32. 10.
huc non spectat Schol. Pind. *Ol.* xi 15 (i 346 Drachmann), quod recte
perspexit Blass Alcmanis esse

431

Z 108

Naevus in articulo pueri delectat Alcaeum. At est corporis
macula naevus. Illi tamen hoc lumen videbatur

Cic. *de Nat. Deor.* i 28 (i 27 Mayor).

432

Z 109

τὸ δὲ πλείοcι cτόμαcιν ἐκδιδόναι (SC. ὥcπερ ὁ Νεῖλοc) κοινὸν καὶ
πλειόνων, ὥcτ' οὐκ ἄξιον μνήμηc ὑπέλαβε ... καθάπερ οὐδ'
Ἀλκαῖοc, καίτοι φήcαc ἀφῖχθαι καὶ αὐτὸc εἰc Αἴγυπτον

Strab. i 37 (i 55 Kramer).

33

Z 110

Ἀλκαῖος . . . ὁ μελοποιὸς μετέωρόν φησι . . . νήχεϲθαι (τὸν
λάβρακα)

Athen. vii 311 a (ii 184 Kaibel).

34

Z 111

χαρίεν γὰρ ἅμα ταῖς ἡδοναῖς ϲυνεκλιπεῖν τὰς ἐπιθυμίας, ἃϲ
μήτε ἄνδρα φηϲὶν Ἀλκαῖος διαφυγεῖν μήτε γυναῖκα

Plut. de divit. am. 5 (iii p. 337 Paton-Pohl.–Siev.).

35

Z 112

Αἶξ Ϲκυρία· Χρύϲιππός φηϲιν ἐπὶ τῶν τὰς εὐεργεϲίας ἀνα-
τρεπόντων τετάχθαι τὴν παροιμίαν, ἐπειδὴ πολλάκιϲ τὰ ἀγγεῖα
ἀνατρέπει ἡ αἶξ. ἄλλοι δέ φαϲιν ἐπὶ τῶν ὀνηϲιφόρων λέγεϲθαι
διὰ τὸ πολὺ γάλα φέρειν τὰς Ϲκυρίας αἶγας. μέμνηται Πίνδαρος
καὶ Ἀλκαῖος

Zenob. ii 18 (i 36 Leutsch–Schneidewin).
cum Pindarus proverb. ἐπὶ τῶν ὀνηϲιφόρων usurpet (Ϲκύριαι δ' ἐϲ ἄμελξιν
γλάγεος αἶγες ἐξοχώταται, fr. 106 Schroeder), aliquantulum veri similius
videtur, nostrum quoque hoc sensu usurpasse. cf. praeter paroemiographos
et Suid. etiam Athen. xii 540 d, Aelian. H.A. iii 34

36

Z 113

Ἀνακρέων δὲ . . . ϲτεφανοῦϲθαί φηϲι . . . καὶ ἀνήτῳ, ὡς καὶ
Ϲαπφὼ καὶ Ἀλκαῖος. οὗτοι δὲ ἄρα καὶ ϲελίνοις

Pollux vi 107 (ii p. 31 Bethe).

Alcaeus frequenter se dicit apio coronari

Acro in Hor. Carm. iv 11. 3 (i 361 Keller).

37

Z 114

εἰ δέ τινες καὶ ἄλλοι παραβῶντες ῥητορικὴν ψέγουϲι, μᾶλλον
δὲ τονθορύζοντες, ἐκ τοῦ †ψόφου τοξεύοντες ϲατὰ Ἀλκαῖον, κτλ.

Ael. Arist. xlv ad fin. (ii 155 Dindorf).
pro ψόφου ϲκότου cod. E. ψέφουϲ corr. Lobeck, probabilissime, sed fort.
etiam ζόφου (Jacobs) possis. cf. Sophron. ap. Ap. Dysc. π. ἀντ. 122 c (i 96
Schn.) ὁ δ' ἐκ τῶ ϲκότεος τοξεύων αἰὲν ἕνα τινὰ ὧν ζυγαϲτροφεῖ. alio sensu ἐν
ϲκότῳ τοξεύοντες Ael. Arist. xxxvi 100 (ii 295 Keil)

289

438

Z 115

(τοῦ Δ.) . . . γελοῖον φήcαντος εἶναι ἀπὸ μικρῶν πραγμάτων
οὕτω μεγάλα θηρᾶν, οὐ κατ' Ἀλκαῖον ἐξ ὄνυχος τὸν λέοντα
γράφοντας, ἀλλὰ κτλ.

Plut. *de def. or.* 3 (iii p. 60 Paton–Pohl.–Siev.).
cf. Sophron. ap. Dem. π. ἑρμ. 156 (p. 36 Radermacher) ἐκ τοῦ ὄνυχος γὰρ
τὸν λέοντα ἔγραφεν. simm. ad Diogenian. v 15 ap. Leutsch–Schneidewin i 252
collecta

439

Z 116

Πιτάνα

Πιτάνη εἰμί· αὕτη παρ' Ἀλκαίῳ κεῖται. λέγεται δὲ κατὰ τῶν
πυκναῖc cυμφοραῖc χρωμένων ἅμα καὶ εὐπραξίαιc, παρ' ὅcον καὶ τῇ
Πιτάνῃ τοιαῦτα cυνέβη πράγματα ὧν καὶ Ἑλλάνικοc μέμνηται.
φηcὶ γὰρ αὐτὴν ὑπὸ Πελαcγῶν ἀνδραποδιcθῆναι καὶ πάλιν ὑπὸ
Ἐρυθραίων ἐλευθερωθῆναι

Photius in Πιτάνη εἰμί; Suid. in Πιτνάνη εἰμί; Zenob. v 61 (i 145 Leutsch–
Schneidewin). cf. Plutarch. i 55 (i 329 Leutsch–Schneidewin), cod. Paris.
supp. gr. 676 (Cohn, *Breslauer Abhandl.* ii 2, p. 63).

440

Z 117

Ἀρτακία κρήνη περὶ Κύζικον, ἧc καὶ Ἀλκαῖοc μέμνηται καὶ
Καλλίμαχοc, ὅτι τῆc Δολιονίαc ἐcτίν

Schol. Ap. Rhod. i 957 (p. 83 Wendel)

441

Z 118

καὶ Ἀλκαῖοc δὲ λέγει τοὺc Φαίακαc ἔχειν τὸ γένοc ἐκ τῶν
cταγόνων τοῦ Οὐρανοῦ

Schol. Ap. Rhod. iv 992 (p. 302 Wendel)

442

Z 119

τοῦτο δὲ καὶ παροιμιακῶc λέγεται, ὅτι ὁ θυμὸc ἔcχατον
γηράcκει. λέγεται δὲ διὰ τοὺc πρεcβυτέρουc. ὅcῳ γὰρ γηράcκουcι
τὸν θυμὸν ἐρρωμενέcτερον ἔχουcι. καὶ Ἀλκαῖοc ὡc λεγομένου
κατὰ τὸ κοινὸν αὐτοῦ μιμνήcκεται

(i) Schol. Soph. *O.C.* 954 (p. 442 Papageorgius); (ii) Suid. in θυμὸc ἑπταβόειοc.
cf. Greg. Cypr. Leid. ii 23, Mosq. iii 67 (Leutsch–Schneidewin ii 71 et 117),
Apostol. viii 93 (Leutsch–Schneidewin ii 459 = Arsen. p. 290 Walz)

43

Z 120

τὴν Ὕδραν δὲ Ἀλκαῖος μὲν ἐννεακέφαλόν φησι, Σιμωνίδης δὲ πεντηκοντακέφαλον

Schol. Hes. *Theogon*. 313 (p. 245 Flach).

44

Z 121

καὶ ἐν Λέςβῳ δὲ ὁ Ἀπόλλων μυρίκης κλάδον ἔχει· ὅθεν καὶ μυρικαῖος καλεῖται. καὶ Ἀλκαῖός φηcιν †ἐν† τοῖς περὶ Ἀρχεανακτίδην κατὰ τὸν πρὸς Ἐρυθραίους πόλεμον φανῆναι τὸν Ἀπόλλωνα καθ᾽ ὕπνους ἔχοντα μυρίκης κλῶνα

Schol. Nicand. *Ther*. 613 (p. 48 Keil).
ἀλκαῖος cod. G, ἀρχαῖος codd. K, P, A, V   ἐν τοῖς codd., ἐν del. Welcker,
ἐν ⁻ (v. c. πρώτῳ) ci. Bergk   καὶ τὸν πρὸς Ἐρυθραῖον codd., κατὰ em. Welcker,
Ἐρυθραίους em. Bergk

45

Z 122

. . . τῷ διαβάλλεται χρῶνται ἐπὶ τοῦ ἐξαπατᾶν . . . παρόμοιον δὲ καὶ τὸ Ὁμηρικόν· παραβλήδην ἀγορεύων, καὶ παρ᾽ Ἀλκαίῳ· παραβάλλεταί ϲε

Schol. Aristoph. *Av*. 1648 (p. 291 White).
si ad lyricum spectat, παρβάλλεται scribendum

46

Z 123

Ἀττικοὶ μὲν οὖν ἀεὶ τρισυλλάβως (cίκυος), Ἀλκαῖος δὲ δάκηι, φηcί, τῶν cικύων, ἀπὸ εὐθείας τῆς cίκυς, ὡς cτάχυς cτάχυος

Athen. iii 73 e (i 172 Kaibel). cf. Eust. 291. 37.
quaerendum est quomodo nomin. agnoverit Athenaeus nisi ap. Alcaeum
cίκυν s. τὼ cίκυος invenerit, et praestat alioqui singularis

47

Z 124

Ἀλκαῖος δὲ καὶ τὸν Ἑρμῆν εἰσάγει αὐτῶν (sc. τῶν θεῶν) οἰνοχόον, ὡς καὶ Σαπφώ . . .

Athen. x 425 c (ii 425 Kaibel).
αὐτὸν cod. A, corr. Casaubon

48

Z 125

καὶ Ἀλκαῖος ἐν ᾠδαῖς εἶχε Θαλῆν ὅτε καὶ Λέϲβος πανήγυριν ⟨   ⟩

Himer. Excerpt. Napol. (*Hermes* 46. 421 Schenkl = *or*. xxviii 2 Colonna).
num οἶδε?   Θαλλῆν cod., corr. Schenkl

INCERTUM UTRIUS AUCTORIS
FRAGMENTA

1

αἰνοπάθην πάτριδ' ἐπόψομαι

Schol. Hom. *Od.* μ 33 (ii p. 550 Dindorf, = Herodian. i 60. 1 Lentz, cf. ibid. ii 154. 24): ἔδει χωρὶς τοῦ ῡ ζαῆ, ὡς ἀκραῆ Ζέφυρον· ἔστιν οὖν Αἰολικὸν τὸ μετὰ τοῦ ῡ, καὶ ἔδει αὐτὸ Αἰολικῶς βαρύνεσθαι, ὡς τὸ αἰνοπαθῆ πατρίδ' ἐπόψομαι παρὰ Ἀνακρέοντι, ubi αἰνοπάθην restituit Ahrens, Ἀνακρ. in Ἀλκαίωι corr. Wilamowitz.

2

†αἰτιάο† τὰ μέτερρα

Et. Mag. 587. 13.

3

ἀλλά τις ἄμμι δαίμων

Ap. Dysc. π. ἀντ. 383 b (i 97 Schn.).

4

ἀλλ' ὦ πάντ' ἐπόρεις Ἀέλιε...

Cr. *A.O.* i 327, sine nomine auctoris.
ὦ πάντ' ἐφορεῖς· ἄλιε ex εϲοραϲ αλα ab ipso scr. factum   ἀέλιε corr. Σμ. p. 71

5

ἐφυλαξάμην δὲ διαλέκτους διὰ τὸ
†δ' ἀλλ' ἄν μοι† μεγαλύννεο δακτυλίωι πέρι
ἄλλαν †μὴ καμετέραν† φρένα
ἄβρα· †δεῦτε πάσχης πάλαι† ἀλλόμαν

Herodian. π. μ. λ. ᾱ 26 (ii 932 Lentz), de -ᾱλλ- pro -ηλλ- apud dialectos posito. nullum nomen auctoris. vulgo Sapph., tertium a quibusdam Alc. tributum.

1 διὰ τὸ δ' cod. V, διὰ τόδ' cod. H   2 ita cod. V; μὴ καμέϲτέραν cod. H (τι add. m. recentior) 3 ἄβρα· δεῦτε cod. H, ἄβρα- (extrem. lin.) δ' εὖτε cod. V

INCERTUM UTRIUS AUCTORIS FRAGMENTA

6

Ἄρευ †ό φόβος διακτὴρ

Cr. *A.O.* iii 237, sine nomine auctoris.
Ἄρευ δι ὁ primitus cod., sed statim δι, tanquam dittographema, transversa linea, duobus punctis superpositis 1 m. delevit. δαίκτηρ coni. Cramer

7

αυεουλλαι· ἄελλαι. παρὰ ἄκλ^ω

Hesych. in v.
vulgo αὔελλαι (contra litterarum ordinem) corrigunt, debebant ἄυελλαι (ubi ου pro υ = ϝ accipi poterat). sed in re et auctore incert. nihil tentandum

8

γέλαν δ' ἀθάνατοι θέοι

Et. Mag. 225. 8, sine nomine auctoris. pergit : κατὰ cυcτολὴν λαμβάνεται, ὡc ἡ μετοχὴ δηλοῖ. γέλαντοc γὰρ ἡ γενικὴ κατὰ cυcτολὴν τοῦ ᾱ. τὰ δὲ ἐνδέοντα cυλλαβῇ τρίτα πρόcωπα τῶν πληθυντικῶν καταλήγουcιν εἰc τὴν παραλήγουcαν τῆc γενικῆc τῶν μετοχῶν. οὕτω Ζηνόδοτοc.
ex eodem carmine atque Alc. fr. Z 25 esse coniecit Diehl

9

[vacat]

10

ἔπταζον ὠc ὄρνιθεc ὦκυν
αἴετον ἐξαπίναc φάνεντα

Herodian. π. μ. λ. ᾱ 23. 12 (ii 929 Lentz), sine nomine auctoris. Alcaeo vulgo tributum.
1, 2 ἔπταζον· ὠc τὸ, ὄρνιθεc . . . ἐξαπτήναc . . . codd. H, V, corr. Bergk, nisi quod ὠc pro ὤcτ' *Σμ.* p. 42

11

Ἤρων ἐξεδίδαξε Γυάρων τὰν ἀνυόδρομον

Aldi Thes. Corn. Cop. 268 b = cod. Voss. gr. 20 ap. Reitzenstein, *Gesch. Et.* 367, nullo auctoris nomine. Sapph. vulgo ascribitur sed vid. infr.
γύρων . . . γυάρων τὴν . . . cod. Voss., ἡρὼν . . . γυάρων ※ τὴν . . . ed.   ἐκ Γ.
Bergk (post Fick) ut e Sapph. ῡ proveniat. sed quamvis dicat grammaticus : αἰτιατικῶc (-κῆc cod. Voss.) γάρ ἐcτιν ἀπὸ εὐθείαc τῆc ἡρώ, non possumus facere quin suspicemur de Aiace Oilei referri qui et ἥρωc τανύδρομοc (sive τανυcί-δρομοc) erat (nam quid sit ἀνυόδρομοc nemo facile dicet) et prope Gyras, quae et loco et litteris a Gyaris vix distinguuntur, mortem obiit

293

INCERTUM UTRIUS AUCTORIS FRAGMENTA

12

Cr. *A.O.* i 208.
ἴδρως gen.

ἴδρως †ἀμφότερα

13

κἀπιλείψω τοι

Ap. Dysc. π. ἀντ. 364 c (i 81 Schn.) Sapph. vulgo tributum, fort. recte.
κ' απιλειψώ τοι cod. A

14

κὰτ ἰψήλων ὀρέων

Cr. *A.O.* i 63 et 418.
sive καὶ κὰτ κτλ., nam altero loco καιτ' praebet cod.

15

ὁ Κρὴς τὴν θάλατταν ἐπὶ τῶν ἐν οἷς διαφέρουσι ταῦτα φεύγειν
προσποιουμένων ἡ παροιμία ἐστίν· ἐπειδὴ ναυτικώτατοι οἱ Κρῆτες
ἐγένοντο. μέμνηται ταύτης Ἀλκαῖος.

Zenob. v 30 (i 131 Leutsch–Schneidewin).

ὁ Κρὴς δὴ τὸν πόντον . . . παροιμία ἐπὶ τῶν εἰδότων μὲν
προσποιουμένων δ' ἀγνοεῖν . . . Ἀλκμὰν δὲ ὁ λυρικὸς μέμνηται
τῆς παροιμίας.

Schol. in Ael. Aristid. ὑπὲρ τ. τεττ. 138. 4 (iii 490 Dindorf).

16

Κρῆσσαί νύ ποτ' ὦδ' ἐμμελέως πόδεσσιν
ὤρχηντ' ἀπάλοισ' ἀμφ' ἐρόεντα βῶμον
πόας τέρεν ἄνθος μάλακον μάτεισαι

Heph. *Ench.* xi 3 et 5 (p. 36 Consbr.), sine nomine auctoris. cf. Philostr.
Mai. *Imagg.* ii 1 (p. 62 S. Vind. Soc.).
   1 οὐδ' cod. A (in ωδ fort. a manu prima corr.)   2 fort. ὤρχεντ' scribendum   3 fort. ποίας scribendum

INCERTUM UTRIUS AUCTORIS FRAGMENTA

17

Μᾶλις μὲν ἔννη λέπτον ἔχοις' ἐπ' ἀτράκτωι λίνον

(i) Heph. *Ench.* xiv 5 (p. 45 Consbr.); (ii) Et. Mag. 603. 34 (Et. Sym.); cf. 344. 1. nullum nomen auctoris.
μᾶλιc (i) cod. C, μάλιc (i) cod. A, μάλιcτα (ii) cod. V

18

⟨   ⟩ ὀνίαν τε κύγιείαν . . .
⟨   ⟩ca φύγοιμι, παῖδες, ἄβα . . .

P. Oxy. ii 220 ix (Heph. p. 405 Consbr.), sine nomine auctoris.
optimo iure dubitare possis utrum haec includenda sint. sed quoniam una cum Sapphico fr. 154 reperiuntur et alterum ονιαν, vocabulum Aeolicum, exhibet—nam εὐδαιμονίαν, similia, ευδαι-μονιαν non ευδαιμ-ονιαν dividenda erant—ambo, dialecto Aeolica hactenus restituta, fragmentorum numero inserere praetulimus

19

ὄψι γὰρ ἄρξατο

(i) Ap. Dysc. π. ἐπιρρ. 573 (i 163 Schn.); (ii) Herodian. π. μ. λ. ā 26 (ii 932 Lentz), sine nomine auctoris.
ἀρξάτω (ii) codd. H, V, sed cf. Schol. Soph. *Ai.* 257 (p. 26 Papageorgius)

20

πάντας ὀείγων θαλάμοις

Zonar. in ἀνέῳγε (i 224 Tittmann).
οἴγων quam orthographiam praetulit Herodian., v. Steph. Byz. in Καρία (p. 359 Meineke). cf. Alc. P 2 (b)3

21

τέουτος ἐc Θήβαις πάιc ἀρμάτεсс' ὀχήμενος

Heph. *Ench.* xiv 5 (p. 45 Consbr.), sine nomine auctoris.
τοιοῦτος codd. praeter A   ἀρμάτεссι ὀχημένος cod. M m. alt., χημένος codd. A, I, M pr. m., H, corr. Bentley

22

τριβώλετερ· οὐ γὰρ Ἀρκάδεссι λώβα . . .

Heph. *Ench.* xi 3 (p. 36 Consbr.), sine nomine auctoris.
τριβώλετερ· (cod. A, -λέτερ' cod. I) cf. Sophron. excerpt. Charac. in Theod. καν. (ii 394 Hilgard), Choerob. in Theod. π. τ. ἐν τ. πτώс. τόν. (i 262, i 387 Hilgard), ubi τριβόλετερ Aeolensibus tribuitur. Alcaeo vulgo adsignatur

295

23

χρυcοφάην θερ[άπαιν]αν Ἀφροδίτ[αc

Philodem. π. εὐcεβ. (p. 42 Gomperz). Sapphus nomen suppl. Bergk, fort.
recte. in pap. sic legitur :]φωι δε τη[| χρυcοφαη θερ[|]αν Αφροδειτ[
(Herc. Voll. Coll. II, ii 91).

24

†   † ὑμήναον
ὦ τὸν Ἀδώνιον

Mar. Plot. Sacerd. iii 3 (vi 517 Keil).
1-2 νεcζερυμηνιον των αδωνιον (litt. uncial.) cod. A, νεccερυιαηνιονωτον
αδονιον (litt. uncial.) cod. B, corr. Bergk. ϝέcπερ' coni. Buecheler

25

ὠc δὲ πάιc πεδὰ μάτερα πεπτερύγωμαι

(i) Schol. Theocr. i 55 b (p. 50 Wendel); (ii) Et. Mag. 662. 32 (Et. Gen.);
(iii) Zonaras in πέπταμαι. nusquam nomen auctoris. Sapph. vulgo tribuitur,
fort. recte. metrum incertum.
πεπτερύγωμαι (ii) codd. (in nonnullis deest v.); cf. Et. Mag. 308. 33, (iii)
codd. A, D, Canon. gr. 65, deest in K   πεπτέρυγμαι (i) cod. K   πτερύccεcθαι
huic loco minime aptum. πεπτέρωμαι sensui satisfaciat

26

P. Oxy. xxi 2308

. . .

]ρηον θαλάμω τωδεc[

]ιc εὔποδα νύμφαν ἀβ[

].νυνδ[

]ν μοι·[

5   ]αc γε.[

. . .

1 τ : deest caput   ϛ[: ε et fort. β possis   2 νύ   3] . : h.v. apex
5 .[: circuli arcus sin. sup.

27

P. Graec. Vindob. 29777

(1) = fr. i (a) recto

κ]α̣δδέκεται μέλαινα̣[
]ων ἀχέων ἐπαύϲθη[
]...ἴ̣δαι.λεεοι.[

supra v. 1 et infra v. 3 spatia vacua, unde metrum esse sapphicum coni. e.p.
1 suppl. e.p.   μέ   2 χέ   αύ   3 prima litt., α, δ, λ pars sup.;
supra secundam (fort. π) hastae vestigia continuatae infra in tertiae litt.
(fort. ε vel ν) arculo; quinta litt. potius δ quam λ; octavae litt. pars inf.
sinistrorsum obliquata, pars sup. dextrorsum et sinistrorsum usque ad proxi-
mas litt. extenta, τ, ψ, κ, possis, sed cum dextra spatium amplius supersit et
ante sinistram litt. λ hastam hamulus appareat, de αιτϝλ cogitat e.p. (an potius
αιπλε, -αι πλε{(ε)}οι.[, scribendum?)
Addit e.p. sequentia, quae an aeolica sint necne omnino obscurum est:

(2) = fr. i (b) verso

]ικω
]ων
].co⁻

de marginibus sup. et inf. nihil adnotat e.p.
fr. 1 (a) et (b) eadem manu scripta sunt: in altero fragmento altera manu
sequentia:

(3) = fr. ii

]α̣ιϲοεμα.ϲθ.τερυ[
]τονοημα
]μ̇ενάφικέτα[
].ουϲ.ε[

v. 2 in adonium cadit, reliqua non intelliguntur. de marginibus sup. et inf.
nihil adnotat e.p.

1 primae litt. pars inf. arcuatilis non in linea sed multo superior; secundae
hasta infra dextrorsum sursumque flexa, litt. ρ caudae similis; post μα,
hastam eiusdem generis mediam secat hastula horiz.; ante θ, vix ε; post θ,
fort. η   2]τ: h.h. vestigia   3 μ̇   supra litt. α punctulum   κέ
4 tantum cacumina

Haec inter inc. auct. fragmenta in priore editione inclusa hodie omittimus,
cum nihil causae sit cur Aeolica esse censeantur: Σμ. inc. auct. 6, 18, 19, Ἀμ.
inc. auct. 4, 5, etiam 7 (Alcmani potius tribuendum).
Nec non exclusimus P. Mediol. 7 (ed. Vogliano, Pap. d.R. Univ. di Milano
I 1937 pp. 10 seq.), cum causam videremus nullam esse idoneam cur poetae
Lesbio tribueretur.

VERBORUM SAPPHICORUM INDEX

ἀα[70_{10}
ἄβα: -αν 87 $(13)_4$
ἀβάκην 120_2, poss. 68 $(a)_{12}$
Ἄβ]ανθι coni. 22_{10}
ἀβλάβην 5_1
ἄβροc 140_1, -αν acc. 44_7, -αι nom. 128,
    -οιc' 100, -ωc adv. 2_{14}, cf. 25_4]βρα,
    84_5]άβροιc
ἀβροcύναν 58_{25}
ἀγα[95_{10}
ἄγαθοc 50_2
ἄγαν dub. 122
ἀγάναc 96_{15}, ἀγανα[62_{10}
ἀγαπάτα 132_2, -άτα vel -άταc 62_8
ἀγαύαc 21_{10}
ἀγγ[fort. 90 (1) col. ii$_{12}$
ἄγγελοc 44_3, 136
ἀγερωχία[7_4
ἀγέρωχοc: acc. pl. fem., ut vid., 90
    (1) col. iii 12_{-13}
ἄγην[dub. 1_{19}
ἄγκωνα[99 col. ii$_{12}$
ἄγνον 2_2, $44_{22, 26}$, -αι nom. 53, 103_8,
    -α neut. pl. 17_{13}
ἄγνυμι: ἔαγε dub. 31_9
ἄγρει 31_{14}; vid. etiam s.v. ἦλον
ἀγροῖωτιc 57_1, -τιν 57_2
ἄγχι 43_9
ἄγω: ἄγι 27_5, 118, ἄγιτ(ε) 43_8, ἄγοιc(ι)
    44_5, ἄγον 1_9, 44_{14}, ἀγαγοίην 169,
    ἄγην dub. 1_{19}, cf. 58_6 fort. ἄχθην
ἀδελφέαν 99 col. i$_{20}$
ἀδικήει 1_{20}
ἀδοκή[τ- 16_{32}
ἄδολον 68 $(a)_{11}$, -ωc adv. 94_1
ἄδομ(αι) 95_{10}
ἄ]δρα dub. 27_7
ἀδύλογοι 73 $(a)_4$
ἀδυμέλης 44_{24}, -μελεcτέρα 156
ἄδυc: ἄδυ 31_3, ἄδιον 62_3, 88 $(a)_9$
ἀδύφωνον 153
Ἄδωνιc 140_1, -ιν 168, cf. 140 (b), 211
ἀείδοιεν sive -οιcιν 30_4, ἀείcω 160,
    ἄειδον 44_{26}, ἄειcον 21_{12}
ἄει]κεc fort. 23_6
ἀέκοιc(α) 94_5
ἀελίω 58_{26}, 96_7; ἀλίω dub. 56_1
ἀέρρετε 111_3

ἀήδων 136
ἄηται 2_{10}, -αι[c 20_9, cf. 71_7 fort. ἄη[ται
ἀθανάτα 11, -ωι 11_4
ἀθύρματα 44_9, 63_8
αἰ $1_{5, 21, 22, 23}$, 86_5, 94_9, 98 $(a)_3$ et
    prob. $(b)_6$, 99 ii$_{17}$ prob., 137_3, αἴθ'
    331
Αἴγα 170
αἰγιόχω 86_2
Ἄιδα 55_3
αἴδωc $137_{2, 5}$
αἴθ' 331
αἴθεροc 11_{1-12}, αἴθ[ερα prob. 44_{26}
αἰθυccομένων 2_7
αἰμιόνοιc 44_{14}
αἰμιτύβιον 119
αἶνα neut. pl. 98 $(b)_9$
αἴ]ν⟨ν⟩άω dub. 44_6
αἴξ: αἶγα 104 $(a)_2$, -οc 40
αἰcχρ[64 $(a)_{12}$
αἴτιον 67 $(a)_6$
αἴψα 1_{13}, 60_5
ἀίω: ἀίοιcα 1_6, cf. 103_{10};].ειcαΐων 51_3
ἀίων: ἀιόνων 143
ἄκακοc 171
ἀκάλαν dub. 68 $(a)_{12}$, 86_1, ἄκαλα 43_5
ἄκαν prob. 31_9
ἄκοιτιν 58_{22}
ἄκουαι 31_{12}
]ακούην 85 (a) col. i$_3$
ἄκρον 105 $(a)_2$, -ωι 105 $(a)_1$, ἄκρω 99
    col. ii$_6$, -οτάτωι 105 $(a)_2$, τὸ ἄκρον
    148_2
ἀλ[88 $(b)_{16}$
ἀλγεcίδωροc 172
ἄλγοc: vid. 22_7].οιcαναλγεα.[
ἀλεμάτ[26_5
ἀλικίαc 98 $(a)_2$
ἄλιξ: α]λίκεccι 64 $(a)_4$, cf. 76_7]ἀλίκ[
ἄλιοc: vid. ἀέλ-
ἀλίτρα[68 $(a)_4$, 69_2
ἀλκύων 195
ἀλλά $1_{5, 22}$, 16_{11}, 27_9, 30_6, $31_{9, 17}$ ut vid.,
    43_8, 55_3, 58_{17}, 71_2 fort., 77 $(b)_4$ fort.,
    94_9, 98 $(a)_6$, $(b)_3$, 105 $(a)_3$, $120_{1, 2}$,
    121_1, $137_{1, 6}$
ἀλλοδάποιcιν 106
ἄλλον 129_2, -αc 44_4

299

ἀλλονία[88 $(a)_{11}$
ἄλμυρον 44_7, -αν 96_{10} acc.
ἄλcoc 2_2, 94_{27}
ἄμα 44_{15}, ἄμ' 66 $(a)_2$ (ubi ἄ μ' possis),
  cf. 78_4 ἄμα[, 87 $(2)_6$ ἄμα[
ἀμαμάξυδ(oc, -εc) 173
[ἀμάρα] 174
ἀμαρτάνω: ἄμβροτε 5_5, prob. 15 $(b)_5$
ἀμάρυχμα 16_{18}
ἀμαύρων 55_4
ἀμάχανον 130_2
ἀμβροcίαc 141_1
ἀμειβόμαν 94_6
ἀμέρα 43_9
ἀμέργοιcαν 122
ἀμεc[77 $(a)_6$
ἄμμεc 94_{26}, cf. 24 $(a)_3$, ἄμμε 38, cf.
  96_{18}, ἀμμέων 147, ἄμμι 5_7, 21_{12},
  ἄμμ(ι) 27_6, 96_{21} dub., 121_1, 150_2, cf.
  90 (1) col. ii$_{12}$
ἄμμοc: ἄμμα[71_4
ἀμοίβαν 133_1
ἀμφί 34_1, 94_{16}, 100, cf. 67 $(b)_5$ ἀμφ[,
  171_5 ἀ]μφι.[
ἀμφιβάcκει 21_7
ἀμφιπόταται 22_{12}
ἀμφοτέρων 148_2
Ἀνακτορίαc 16_{15}
ἀνάριθμα 44_{10}
ἀνδά[29 (25) $(b)_4$
Ἀνδρομάχαν $44_{7,\,34}$
Ἀνδρομέδα 133_1, -αν 131_2, 68 (a)5, cf.
  57 testim. et 90 (1) col. iii 25 seqq.
ἄνεμοc 47_2, -οι 37_2
ἄνευ dub. 148_1
ἄνηρ 31_2, fort. 99 col. ii$_3$, ἄνδρα 16_7,
  -οc 111_6, -ι 18_5, -εc $44_{17,\,32}$, 105 $(c)_1$,
  111_3, cf. 29 $(22)_4$]ανδραcβ[
ἀνήτω 81 $(b)_2$
ἀνθέμοιcιν 132_1
ἀνθεμώδηc 96_{14}
ἄνθοc 105 $(c)_2$, ἄνθε(α) 122, -έων 94_{17},
  98 $(a)_9$, -εcιν 2_{10}, cf. 78_5].ανθοc·[
ἄνθρυcκα 96_{13-14}
ἀνθρώπων 16_7, 129_2, ἀνθρωπ[16_{22},
  ]ανθρώπ[87 $(2)_7$, ἀ]νθρω[π 27_{13}, cf.
  24 $(b)_7$]ανθρω[
ἀνίοχοι 44_{19}
ἀνόρουcε 44_{11}
ἄντα dub. 138_1
ἀντί 132_3
ἀντ[ίαον fort. 17_9

ἀντιδ[23_9
ἀντιλάμπην dub. 4_6
ἀοιδαι dub. cas. 103_9, ἀοί]δαν dub.
  cas. 103_{10}
ἄοιδοc 106, -ον fort. 58_{12}
ἀολ[λε- 44_{22}
ἀπαίcᾱν obscurum 60_2
ἀπάλαν acc. 122, -αc 82 (a), 126, -αι
  dat. 94_{18}, -αν dub. cas. 94_{22}, -αιcι
  81 $(b)_2$, -a neut. pl. 96_{13}
ἄπεμμι: ἀπέcκομεν 94_{26}
ἀπήχθετο 131_1
ἀπικε[17_{20}
[Ἀπόλλων: cf. 208]
ἀπορμάθεν[τεc 17_7
ἄπ[π]εμπε 27_{10}
ἀπύ 27_6, 68 $(a)_1$, 96_{27}, 98 $(a)_{11}$, 101_3,
  coni. 104 $(a)_2$, ἀπ' 1_{11}, prob. 44_6
]ἀπύθεcθ[fort. 81 $(a)_1$
ἀπυθυc[70_8
ἀπυκρύπτοιcι 34_2
ἀπυλιμπάνω 94_5
ἀπυcτρέφονται 81 $(b)_4$
ἀρᾶ 44_{25}, 141_5
ἀρα: ἄραc 86_5
ἄραμα[ι 22_{17}, ἄραcθαι 16_{22}, ἄραο $112_{1,\,2}$,
  ἀράcαντο 141_{7-8}
ἀράταν 17_3
ἀργυρία 34, ἀργύρα neut. pl. 44_{10}
ἀρέταc 148_1
Ἄρευι 111_5
ἀριγνώτα(ι) 96_{4-5}
ἄρ]ιcτον sive πανάρ]ιcτον prob. 16_8
ἄρμα 1_9, ἄρματα 16_{19}, prob. 44_{17}, cf.
  ·194
]αρμονίαc 70_9
ἄρνυcο forma suspecta 121_2
ἀρούραιc 96_{11}
Ἄρτεμι[84_6
ἀρτίωc 98 $(a)_{10}$, 123
Ἀρχεάναccα 213_{2-3}
ἆc 22_{11}, 45, 88 $(a)_{15}$, cf. 9_6]..ᾶc, ubi
  schol. ἕωc
ἄcα: ἄcαιcι 1_3; ἄcα(ι) maxime dub.
  96_{17}, ἄcαν poss. 68$(a)_4$
ἄcαιο 3_7
ἄcαροι 103_{11}, -οτέραc 91
Ἀcίαc 44_4
ἀcίνηc 148_1
ἀcτεφανώτοιcι 81 $(b)_4$
ἀcτηρ: ἀcτερεc 34_1, -ων 104 (b)
ἄcτρα 96_9

άсφι 149
ἀτ[88 (a)$_{18}$
ἀτέραιс 3$_{14}$, ἀτέρα[80$_4$, cf. 113, ἕτερον corruptum 147
ἀτέρωτα 1$_5$
Ἄτθι 49$_1$, 131$_1$, prob. 8$_3$, -ιδοс 96$_{16}$, cf. 90 (10ᴀ)$_{15}$
Ἀτ[ρέιδαι 17$_3$
ἀτρι[6$_3$
αὔ[69$_3$
αὖ 44$_{16}$
αὖα 175
ἀνάδην (= ἀηδεῖν sive ἀηδῆ) 22$_5$, ἄναδεс 99 col. ii$_{22}$
αὔδαс 1$_6$
αὖθι 83$_{24}$
αὖλοс 44$_{24}$
αὐταόρα corruptum 125
αὖτε vid. δηῦτε; αὖτ(ε) 5$_{15}$ possis
αὔτικα 31$_{10}$, 44$_{13}$, 50$_2$
αὐτ[με]να 44$_9$, cf. 101$_2$
αὖτον 79$_4$, -ᾱ 1$_{27}$, 22$_{15}$, 88 (a)$_{10}$, 124, -αν acc. 16$_{11}$, -α sive -αν 22$_{13}$, -αι dat. 26$_{11}$, αὖτ(ο) fort. 5$_{15}$,].αυταν 29 (24)$_4$,]αύταν 85 (a) col. i$_4$, cf. 99 col. ii$_{11}$
αὖωс 103$_{13}$, 104 (a)$_1$, 123, 157, -ων 58$_{19}$
ἀφάνηс 55$_3$
ἄφθιτον 44$_4$
Ἀφροδίτα 96$_{26}$, 112$_5$, -όδιτα 1$_1$, 33$_1$, -οδίταν 102$_2$, 133$_2$, Ἀφροδι[τα 73 (a)$_3$, cf. 90 (1) col. ii$_7$, 101 testim., 194, 198, 200, 211
ἄχαριс 49$_2$
[Ἀχέλωιοс 212 dub.]
Ἀχερ[οντ- vel sim., 65$_{10}$, 95$_{13}$
ἀχεύων 5$_{11}$
[Ἀχίλλευс 105 (b)]
ἄχω 44$_{27}$
ἄψ 34$_2$, prob. 1$_{19}$
ἄψερον coni. 55$_2$ et 147
ἄωροс 151

β]άθυ fort. 29 (2)$_3$
βαίνω: ἔβα 16$_9$, βαιсα[19$_6$
βαῖο[ν fort. 99 col. i$_1$
]βάλλοι dub. 73 (a)$_5$
βᾶμα 16$_{17}$
βάρβιτοс, βάρμοс, βάρωμοс, 176
βαсίληεс 17$_4$, 161, β[α]сίλ[65$_6$ (= 87 (16)$_2$?)
βαсιληῖωι 94$_{20}$

βελέω[ν 88 (a)$_{27}$
βεῦδοс 177
β]όλλομα[ι 22$_{19}$, βολλοίμαν 16$_{17}$, βόλλε[82 (b)$_4$
βοργιαν ut vid. 99 col. i$_{11}$ (cf. $_{17}$)
βόρηται 96$_{17}$
βραδίναν acc. 102$_2$, -ωι 115$_2$
βράκε(α) 57$_3$
βρενθείωι 94$_{19}$
βροδοδάκτυλοс 96$_8$
βρόδον: βρόδα 96$_{13}$, -ων 55$_2$, 94$_{13}$, -οιсι 2$_6$,]βροδο[74 (a)$_4$
βροδόπαχυν 58$_{19}$, -πάχεεс 53
βρόχε(α) adv. 31$_7$
βῶμον 154$_2$, -οι 2$_3$

γᾶ: γᾶν 6$_{13}$ dub., 16$_2$, 34$_4$, 44$_4$ dub., γᾶс 1$_{10}$, 58$_{20}$, cf. 198
γάμβροс 111$_5$, 117, -ε 112$_1$, 113, 115$_1$, 116, -ον 103$_{11}$, -ωι 141$_9$, -οι 161
γάμοс 112$_1$, -ον 27$_8$
γάνοс 20$_2$
γάρ 3$_7$, 7$_2$ prob., 16$_6$, $_{13}$, 19$_7$, 22$_{13}$, 26$_2$, 27$_8$, 31$_7$, 43$_9$, 60$_9$, 68 (a)$_1$, 70$_7$, 81 (b)$_3$, 83$_6$, 88 (a)$_{14}$, $_{26}$, 90 (1) col. iii$_{18}$ fort., 90 (3)$_{20}$ fort., 94$_8$, 98 (a)$_1$, (b)$_9$, 103$_4$, 11 καὶ γὰρ δή fort. 27$_4$; καὶ γάρ 1$_{21}$, 22$_{15}$, prob. 29 (25) (a)$_2$; μὲν γάρ fort. 24 (a)$_5$, 50$_1$; οὐ γάρ 55$_2$, 61$_2$, 63$_7$, 113, 121$_3$, 150$_1$; οὐ μὰ γάρ 95$_9$
γαρύει 96$_{20}$
γ(ε) 77 (a)$_7$ εὖ γ', 95$_7$ s.v.l
γελ[44$_{27}$
γελαίсαс 31$_5$
Γέλλωс 178
γεν[29 (21)$_4$
γέννα[το prob. 98 (a)$_1$
Γεραίсτιον 96$_{33}$
γεραιτέρα 121$_4$
γη[29 (30)$_2$
γῆραс 21$_6$, 58$_{13}$
γίνομαι: γένεсθαι 1$_{17}$, 53, 6, 16$_{21}$, 58$_{18}$, 75 (b)$_3$ prob., 88 (a)$_{17}$, γένοιο vel γίνεο dub. 118, γένοιτο 57, 63$_9$, ἔγεντο 42$_1$, 61$_1$, ἔγεν[το 68 (a)$_2$, ἐγένο]ντο fort. 58$_{14}$
γλύκερον 71$_5$
γλυκύμαλον 105 (a)$_1$
γλυκύπικρον 130$_2$
γλύκυс 63$_3$, -ηα 102$_1$
γλῶссα 18$_3$, 31$_9$, 137$_4$, -αν acc. 158$_2$

Γογγυλα.[95_4, cf. 22_{10} fort. Γο]γγυ-
λα.[; fit Γογγύλης mentio 213_6
γόνα 58_{15}, -ων dub. $101_{1,4}$
γονωμ[dub. 26_6
Γόργως 144, -οι fort. 29 (6) $(a)_9$,
  Γόργω(ι) sive -οι 213_3 seqq.
γρύτα 179
γύναικες 44_{31}, -ων 44_{15}, -εσσιν 96_{6-7}
Γυρίννως 82 (a), Γ]ύριννοι 29 $(24)_3$,
  Γυρινν[90 (1) col. iii_{15}

δαίμων 67 $(a)_3$, cf. 90 (1) col. ii_{13}
δάις: δάιδος 98 $(a)_7$, cf. 194
δάμεισα 102_2
δάμνα 1_3
δαύοις sive -οις(α) 126
δάφνας 62_2
δέ 1_7, $_9$, $_{13}$ bis, 22, 23, 25, 26, 27, 2_3. $_5$, $_6$,
  7, 10, 55 prob., $_7$ fort. bis, 9, 10, 15, 18,
  16_1, $_2$, $_3$, $_5$, 22, 17_{11}, 19_6, 20_2, 22_6, $_{14}$,
  23_5, $_7$, $_9$, 26_{11}, 27_8, 31_{9-10}, $_{11}$, $_{12}$, $_{13}$
  (fort. bis), 14, 15, 37_2, 39_1, 40, 42_2,
  44_8, $_{11}$, $_{12}$, $_{14}$, $_{16}$, $_{17}$, $_{24}$, $_{25}$, $_{26}$, $_{28}$, $_{31}$,
  32, 34, 46_1, 47_1, 48_1, $_2$, 50_2, 52, 55_1,
  57_1, 58_{15}, $_{25}$, 60_9, 62_3, $_7$, $_8$, $_9$, 67 $(a)_5$,
  $_6$, 68 $(a)_2$, $_7$, 70_3, 71_7, 73 $(a)_4$, 78_4,
  80_4 dub., 81 $(b)_1$, $_4$, 82 $(b)_3$, 88 $(a)_9$,
  $_{19}$, $_{22}$, 94_1, $_6$, $_9$, 95_{11}, 96_5, $_6$, $_9$, $_{12}$, $_{13}$,
  15, 18, 97_{17}, 98 $(a)_{10}$, $(b)_1$, 99 $(i)_9$ fort.,
  100, 101_1, 105 $(a)_2$, $(c)_2$, 110 $(a)_2$, $_3$,
  112_2, $_3$, $_4$, 117, 124, 129_1, 131_1, $_2$,
  137_3, 141_1, $_{3-4}$, $_5$, $_{7-8}$, 143, 148_2, 151,
  154_2
δείνα 63_3, 94_4
δείχνυς[99 col. i_{23}
δέκ(α) 110 $(a)_3$
δέκετ(αι) 1_{22}
δέραι dat. 94_{16}
δέσποτ(α) 95_8
δεύρο 127, δεύρ' sive δεύρυ 2_1
δεύτε 53, 128
δεύτερον 15 $(b)_{11}$
δή 2_{13}, 17_1, 111_1, 112_1, 144; δηύτε
  $1_{15, 16, 18}$, 22_{11}, 83_4, 99 col. i_{23}, 127,
  130_1; δή ποτα 22_{15}, 166_1; καὶ γὰρ δή
  fort. 27_4
δηρατ[95_3
διά 1_{12}, 2_5, 102_2
δία 118
διάκηται 3_9
διακρέκην prob. 99 col. i_4
διαλέγομαι vid. ζά

διάμειπτον 41_2
διαρρ-: διέρρυεν 98 $(b)_9$
δίδωμι: δώσει 1_{22},]δώσην 3_1, δώσομεν
  109, δότε 5_2, δοῖσαι 32_2, δοῖς[nisi
  ἴδοις[77 (a) 5
Δίκα voc. 81 $(b)_1$, cf. 82 (a)
δικαίω suspectum 137_6, fort. ἐδικαίως
δίννεντες 1_{11}
δίχα coni. 51
διώκων 21_8, -ώξει 1_{21}
δοκίμωμι 52, 56_1; δοκιμ[22_3
δολόπλοκε 1_2
δόλοφυν 21_3, vid. ὀλ-
δόμον 1_7, -ωι 55_3, coni. 150_1
δόνει 130_1, ἐδόνη[29 $(20)_2$
δροσόεσσα[71_8, -όεντας 95_{12}
δρύσιν 47_2
δύναμαι 102_1, δύναμαι 4_3, ἐδύναντο 17_8,
  105 $(a)_3$
δυναμ[63_4
δύνατον 16_{21}, 58_{18}
δύο 51 suspectum
†δυσπαχέα 52
δύω: δύντος 96_8
δώ.[87 $(6)_3$
Δ]ωρίχα 15 $(b)_{11}$, Δωρί]χας prob. 7_1,
  cf. 202
δώρον: δώρα 1_{22}, 58_{11}, 101_4

ἐάσω 71_2
ἐγέρθεις 30_6
ἐγλ-: vid. ἐκλ-
ἔγω 16_3, 22_{14}, 26_{11}, 33_1, 40, 46_1, 48_1,
  49_1, 58_{25}, 71_2, 88 $(a)_{14}$, 90 (1)
  col. iii_{16-17}, 94_6, $_9$, 98 $(b)_1$, 121_3, 132_3
ἔμε fort. 16_{15}
  με 1_3, 34 dub., 23_8, 26_3, 31_7, 32_1,
  63_5, 94_2, 95_{11} suppl., 98 $(a)_1$, 114_1,
  130_1, 135, 137_1
ἔμεθεν 94_7, $129_{1, 2}$, 131_1
ἔμοι 60_7 (nisi -ε μοι), 94_{14}
  μοι $1_{17, 25, 26}$, 4_5, 51 suppl., 31_1,
  47_1 coni., 49_2, 51, 58_{25}, 63_9 fort.,
  90 (1) col. iii_{22} fort., 118 fort., 132_1,
  146, 155
  μ(οι) 2_1 fort., 31_5, 31_{13} prob., 86_5;
  ὤιμ(οι) 94_4
  μ(ε) an μ(οι) incertum 68 $(a)_1$,
  88 $(a)_{13}$
  ἔμ' αὔται 26_{11}, cf. 29 $(8)_1$]δέμαυ[
ἔέρσα 96_{12}, -ας 73 $(a)_9$
ἐθέλοισα suspectum 1_{24}

ἔθες[95_5

εἶδον : ἴδην 16_{18}, 50_1, 95_{13}, ἴδοιcαν 22_{14},
cf. 77 (a)$_5$ fort. ἴδοιc[, ἴδω 31_7,
ἴ]δωμεν 30_9, ἴδω[6_8

εἶδοc 34_2, 112_3

εἴκ[20_{13}

εἰκάcδω $115_{1,2}$

εἴκει 31_8

εἶμ(ι) 70_3, ἰοίην 182

εἶπον 95_8, εἶπ(ε) 44_{11}, ἔειπε.[94_3, εἴπην
$137_{1,4}$, εἴπη[191_2, εἴποι 88 (a)$_{13}$

Εἴρανα voc. 91, 135

εἰc, ante vocalem, $15(b)_{12}$, suppl.
27_{12}, 56_2, 88 (a)$_9$
ἐc, ante cons., 1_{19}, 16_9 ('c), 27_8,
31_7
ἐc ante voc. $44_{23,26}$

εἴc vid. οὐδέ et μηδέ. fem. ἴαν 56_1

].ειcαῖων 5_{13}, εἰcάιον 62_7

εἰcειδον : εἰcίδωc[23_3, ἔc c' ἴδω 31_7

εἰcηλθ(ε) 95_7, εἰcέρχεται suspectum
111_5

εἴcκην 23_5

ἐκ 1_{26}, 2_1 coni., 55_3, 58_{14}, 99 col. ii$_{13}$,
ἐξ 16_{32}, 44_6, 54

ἔκα[74 (a)$_1$

ἐκά[83_6

ἐκάβολον 44_{33}

ἐ]κλάθαν' 25_5 (ἐ]γλ-)

ἐκλελάθοντ' 105 (a)$_3$

ἐκπον- : ἐξεπόναιcάν 110 (a)$_3$

ἐκποτ- : ἐκπεποταμένα 55_4

ἐκτελέccαντεc 17_5, ἐκτετέλεcτ' 112_2

Ἔκτωρ 44_5, -ορα 44_{34}; quasi Iovis
titulus 180

ἐλάccω suppl. 30_7

ἐλελίcδεται fort. 99 col. i$_7$

ἐλέλυcδον var. lect. 44_{31}

Ἐλένα 16_7, -αι dat. 23_5

ἐλέφαιc 44_{10}, cf. 97_{26}

ἐλί]γματα 44_8

ἐλικώπιδα 44_5

ἔλκην 57_3

ἐλο[62_4

ἔλπιc 63_5

ἔλπομαι : ἤλπ[23_1

ἐμ[88 (b)$_9$

ἐμαυτ- vid. ἔγω

ἔμματα 44_8, 62_{12}

ἔμμι 31_{15}, 120_1
ἔcτι 132_1
ἔμμεναι 16_3, 17_{19}, 98 (a)$_5$, ἔμμεν(αι)

(ἔμμι)
7_5 fort., 31_2, 49_2, 150_2
ἔων 121_1
ἔοιcα 121_4, -αν 29 (24)$_6$
ἔccο imptv. 1_{28}
ἔccεται 50_2, 98 (b)$_2$, ἔccετ(αι) 55_2
ἔccεcθαι 56_2
ἔον 1 pers. impf. 63_7
ἦc 3 pers. impf. 29 (20)$_4$ fort.,
44_{28}
ἦcαν 142
ἦι subi. 4_5, cf. 88 (a)$_{15}$ ἔνηι

ἔμοc 159, -ον 37_1, 41_1, 163, -ᾱ 213_2
prob., -αν acc. 48_2, 86_7, -αc 1_6, -αιc(ι)
160

ἐμπέτων 47_2

ἐμπρέπεται 96_6

ἐμφέρην 132_2

ἐν ante cons. 2_{14}, 5_{13} dub., 19_3, 24 (a)$_3$,
31_6, 126, 150_1, 158_1; κἀν 16_{19} dub.,
55_3; ἐνν ante voc. 65_{10}; ἐνί 44_7; ἐν
105 (c)$_1$; ἐν adv., ante cons., $2_{5,9}$

ἐνάντιοc 31_2, cf. 23_3 ἐνάν]τιον sive
ἄν]τιον prob.

[Ἐνδυμίων 199]

ἔνηι 3 pers. subi. ἐν-έμμεναι 88 (a)$_{15}$

ἔνθα 2_{13}

ἐννε[161

ἔννεκα 67 (a)$_5$

⟨ἐ⟩ννέπην 18_2, ἐννέ[ποιcα 15 (b)$_{10}$, ἐννε-
πε[103_4

ἐξ vid. ἐκ

ἔξα[66 (a)$_2$

ἐξαλείψαο 94_{20}

ἐξίηc 94_{23}

ἐξίκοντο 1_{13}

ἐξίcωcθαι 96_{22-23}

ἔξοχα 112_5

ἐόρταν 9_3

ἐπ[3_2

ἐπ.[$95_{7,8}$

].επαβοληc[21_2

ἐπαγ[ορί]αι fort. 5_{14}

ἔπαρθ(αι) 95_{10}

ἐπαρτια[98 (a)$_8$

ἐπαυ[70_7

ἐπεί 20_{14}, 31_{17}

ἐπεμμένα 57_2

ἐπεύρ[οι 15 (b)$_9$

ἐπήρατον 44_{32}, 96_{22}

ἐπί 2_1 coni., 3_6 dub., 16_2, 20_1 fort.,
20_{10}, 44_7, 46_1, 57_3, 83_4 fort., 94_{21},

96₁₀, 98 (a)₂, 99 col. i₁₁, 105 (a)₁, ₂,
112₄, 131₂, 138₂, 143
ἐπιβαίνω : ἐπέβαινε 44₁₄
ἐπιβάλλομαι 107
ἐπιδεύςην sive -δεύην, -δεύης, 31₁₅
†ἐπιδωμον 40
ἐπιθυμιάμενοι dub. coni. 2₃₋₄
ἐπῖκε[67 (a)₂
ἐπίκεςθαι 105 (a)₃
]ἀπικυδ[19₁₁
ἐπιμνάςθεις(α) 96₁₅₋₁₆
ἐπιπλάζοντ(α) 37₂
ἐπιρρόμβεισι 31₁₁₋₁₂
ἐπισταμένα 57₃
ἐπίςχει 96₉₋₁₀
ἐπιτ[83₄
ἐπιτίθημι :]επιθες μα[fort. 20₁
ἐπιχ[?]ημ[84₅
ἐπτορόγυιοι 110 (a)₁
ἐρ[73 (a)₄
ἔραμαι : ἔραται subi. 16₄, ἠράμαν 49₁
ἐράνναν 132₃
ἔρατον 16₁₇, -οις 81 (b)₁
ἔργον 39₃, -α 20₂₀, 32₁, -ων 19₈,]εργον
    22₂
ἐρέβινθοι 143
ἐρεύθεται 105 (a)₁
ἐριθαλέων 98 (a)₉
Ἔρμαις sive -ας 141₃₋₄ ; Ἔρ]μας fort.
    95₆₋₇
Ἐρμιόνα 23₄
ἔρομαι : ἦρε(ο) 1₁₅
Ἔρος 47₁, 54 testim., 130₁, 159, cf.
    198 ; Ἔρ[ωτες fort. 73 (a)₄, cf. 194,
    195
ἔρος 58₂₆, 112₄, ἔρον 15 (b)₁₂ ; ἔρωτος
    sive Ἔρωτος 23₁
ἔρπιν var. lect. 141₃₋₄
ἔρχεο 94₇, ἔλθην 96₁₈, ἔλθε 1₅, ₂₅, ἔλ-
    θοντ(α) 54, ἦλθες 1₈, 48₁, ἦλθε 15
    (b)₁₂, 44₂, ₁₂, cf. 29 (11)₃
ἐς vid. εἰς
ἐςλᾶι 20₄, -ᾶ 141₇₋₈, -ων 3₃, 137₃, ἔςλ[
    19₄,]ςλον 90 (3)₁₀
Ἔςπερε 104 (a)₁
ἐςτ.[88(b)₁₇
ἔςχατα 58₂₀
ἐτ.[6₉
ἔταιραι 142, -αις 160, ἐτάρας suspectum
    126
ἔτι 31₈, 107 ; vid. οὐκέτι et μηκέτι
εὖ[3₁₅

εὖ 19₇, fort., 26₃, 27₈, 48₁ coni., 60₉,
    100, cf. 15 (b)₂
εὐάνθεα 81 (b)₃
εὐδαιμονίας 148₂
εὔκ]αμπτον dub. suppl. 16₁₃
εὐλύραν 44₃₃
εὔμαρες 16₅, 96₂₁
εὐμορφοτέρα 82 (a), cf. 82 (b)₅
ἐυ]ν(ν)άω dub. suppl. 44₆
εὐο[.]δα.[99 ii₂₁
εὔπλο[15 (b)₂
εὔποδα 103₅
εὔρην 166₂
εὐρύχορον 44₁₂
ἐυτρόχοις 44₁₃
[εὐφήμειςθα[90 (1) col. iii₂₁, non ut
    vid. ex poetria sumptum]
ε]ὔχαι poss. 15 (a)₃
εὔχομ[prob. 86₃
ἔ]χθροιςι 5₇
ἐχύρα 88 (a)₁₇
ἔχω 93₄, 98 (b)₂, 120₂, ἔχηις 112₂,
    ἔχη(ι)ςθα 96₂₃, 129₁, ἔχει 63₅, 95₁₁
    suppl., 98 (b)₈, 133₁, 148₂, ἔχην 63₄,
    cf. 76₅, 98 (b)₅, ἔχοιςα 73 (a)₆, 86₄,
    96₂, 132₂, ἔχοιςαν 19₄, ἔχηι 98 (a)₃,
    ἔχοιεν 27₁₁, ἦχες 137₃, ἦχεν 137₅,
    ἦχον 141₆, cf. 9₂ ουκεχη[, 98 (a)₆
    ἔχη[, prob. -ην sive -ηι

ϝ(ε) coni. 100, ϝοι 165 et fort. 5₃
ϝός : ϝόν 164, ϝοῖςι 5₆ ; ϝάν dub. coni. 1₁₉
ϝ..πα[99 col. ii₂
ϝρ- vid. βρ-

ζα : 63₄ ζὰ ... ἔχην, 134 ζὰ ... ἐλεξάμαν,
    cf. 87 (1) col. ii₇ ζα[, 87 (18)₂]ζα.[,
    66 (a)₁ ζαταν[, 29 (20)₆ ζαφ[, 74 (c)₃
    ].υζάδ.[
ζάβατον 181
ζάλεξαι 27₆, cf. 134
ζαφοίταις' 96₁₅
Ζεύς : Δί(α) 17₉, -ος 1₂, 53, cf. 99
    col. i₁₀ ; 204
ζεφύρω 90 (1) col. iii₂₂
ζω[inter lineas 9₆, ζ]ωομ[24 (b)₂,
    ]ζώομεν v. dub. 96₃

ἤ 'quam' 16₁₉, 30₈ ἤ περ; 'vel' 35 bis,
    137₃, cf. 62₄, 129₂
ἤ 63₃, 95₅ ; ἤ μάν 31₅, 94₅, 99 col. ii₂₅ ;
    ἦρα 95₂, 107

ἤδη 21₆, 58₁₃
ἠίθεοι 44₁₈, ἠιθ[ε- 30₆
ἥκω: ἥξω 114₂ bis
ἦλθον vid. ἔρχομαι
ἦλον: ἔλων 141₃₋₄,]έλοιcα 2₁₃, ἤλεο 71₃
ἠμί: ἦcι 109
ἤνεμ[90 (1) iii₁₈, sed incert. utrum
  ad carmen an ad comment. referendum
ἦρ: ἦρος 136, cf. 195
Ἥρα voc. 17₂
ἠρίνοιcιν coni. 2₁₀

θααc[c 73 (a)₇
θαλα[25₇ (nisi]νυνθα λα[divid.)
θάλαccαν 96₁₀
θαλίαιcι 2₁₅
θάλλω: τέθαλε 2₉, τεθάλαιcι 96₁₂₋₁₃
]θαμέω[26₁
θε[44₂
θέαι dat. 96₄ dub., -αιcι 96₂₁
θέλγει 57₁
θέλω 1₁₇, 94₁. ₉, 99 col. i₂₄, 137₁, θέλω[
  26₉, 76₄, θέλετ’ 45, θέλ’ 60₂, θέληι
  5₃, θέλη[99 col. i₂₂, θέλοιc 88 (a)₅,
  θέλοι 5₉, θέλοιcα fort. 1₂₄, 90 (1)
  col. ii₁₀, θελήcη[ιc 60₆. vid. ἐθελ-
θέμιc 150₁
θεοεικέλο[ιc 44₃₄
θέοc 63₃, -οι 139₁, -οιcιν 31₁, 68 (a)₃,
  -οιc’ 141₃₋₄, -οι[c dat. 44₂₁, cf. 27₁₀
  θέοι[, 58₇ θ[.]οι[, 64 (a)₁₁]. θέοιc[(ubi
  etiam ἠ]ιθ- poss.)
θεράπων 159
θεcπεcία 44₂₇
Θήβαc 44₆
[Θήcευc 206]
θναίcκω: τεθνάκην 31₁₅, 94₁
θνάταιc 23₇
θρῆνον 150₂
θρίξ: τρίχεc 58₁₄
θυγατρεc[44₁₆
τεθυμιάμενοι prob. 2₃₋₄
θῦμοc 1₂₇, 42₁, -ον ᵼ₄, 41, 60₅, 86₄, -ωι
  1₁₈, 53
θύοιcι[19₃
θύρα.[68 (b)₂
θυρώρω sive -ωι 110 (a)₁
θυccομένων 2₇ possis
Θυώναc 17₁₀

ἴαν 56₁
ἴαχον 44₃₂

Ἴδαοc 44₃
ἴδρω[74 (c)₂
ἴδρωc 31₁₃, cf. 74 (c)₂
ἱέραc 44₆, vid. ἴρον
ἵημι: πάρ . . . ἴειcι 42₂
ἱκά]νε prob. 44₂₆
ἱ]κάνην fort. 7₄
ἵκελοι 44₂₁, ἱκέλαν 96₄
ἵκεcθαι 5₂, ἵκεcθ’ 62₁₀, ἱξο[μ- fort. 96₃₆
Ἰλίαδαι 44₁₃
Ἴλιον 44₂₃
ἱμέροεν adv. 31₅, ἱμε[ρόεντα prob. 17₁₀
ἵμεροc 95₁₁, -ον 137₃, -ωι 96₁₆, ἵμερ[78₃
ἱμερόφωνοc 136
ἱμέρρει 1₂₇
ἱμέρτωι 112₄
ἱξο[96₃₆
ἰόκολποc 103₇, -ον 21₁₃, 103₆, -ω 30₅
ἴοc: ἴων ‘violarum’ 94₁₂
ἴππ[fort. 87 (17)₅
ἱππήων 16₁
ἱππόβοτοc 2₉
ἴππ[οιc 44₁₇
Ἴρανα sive Εἴρανα voc. 91, 135
ἴρον 94₂₅, vid. ἱέραc
ἰcδάνει 31₃
ἴcοc 31₁, 111₅ suspectum, -αν acc. 68
  (a)₃, -α neut. pl. 58₁₆, ἴcωc 96₁₁
ἵcτημι: cτᾶθι 138₁, ἐcτάθηcαν 154₂
ἴcτον 102₁
ἴψοι 111₁, cf. 29 (8)₂]νίψοι[
ἰώ[- 86₇

κα[15 (b)₃
†καγγόνων 101₁. ₄
καί 1₁₅. ₁₇, 3₃, 5₁ suppl., ₃. ₆ suppl.,
  15 (b)₉, 16₁₀. ₁₈. ₁₉ dub., 17₉. ₁₀. ₁₃,
  18₅, 20₁₀, 24 (a)₅, 27₆. ₉, 30₄ suppl.,
  31₃. ₅, 35 coni., 37₃, 44₅. ₈. ₁₀. ₂₅. ₃₀,
  34, 49₂, 58₂₅. ₂₆, 62₅, 65₁₀, 67 (a)₂,
  68 (a)₁₀ fort., 81 (b)₃, 87 (2)₉, 88
  (b)₁₆ fort., 92₆, 94₃. ₇. ₁₁. ₁₃, ₁₄ fort.,
  15, 18, 20, 21, 24, 95₁₁ suppl., 96₁₁. ₁₃.
  14. ₂₆, 99 col. i₁₀ fort., ii₄, 137₄, 138₁.
  2, 140₂, 141₇₋₈, 142, 147, 159, 213₂
    καί . . . καί (‘both’ . . . ‘and’) 36
    καί = ‘etiam’ 1₅. ₂₄. ₂₅, 27₉, 50₂
  bis, 55₃, 88 (a)₁₀, fort. 147
    καὶ γάρ vid. γάρ
    καί τοι 65₇, καίτ(οι) 82 (b)₁
καιομέναν 48₂
κάκον 137₄, -αν 51₉

305

X

κακότατος 3_{12}
κα[κό]τροπ' 71_4
κὰκ ππ[99 ii$_{23}$
κακχέεται 31_{13}
κάλημμι 1_{16}, 60_4, κάλει 164
καλλείπω: καλλ[ίποι]c(α) 16_9
καλλίκομοι 128
καλλιμπάνω: κατελίμπανεν 94_2
Καλλιόπα voc. 124
κάλλος 16_7, 90 (1) col. iii$_{17}$, dub. 92_{11}
κάλος 50_1 bis, $_2$, -οι 1_9, -ᾱ 96_{12}, 108, 132_1, -αν 22_{13}, 34_1, 133_1, cf. 62_{11} κάλαν[, -αιcιν 41_1, -ον neut. 39_3, 58_{26} τὸ κάλον, -ᾱ 58_{11}, 94_{11}, -ων 3_3, 137_3, κάλωc 115_1, 160, κάλλιcτοc 104 (b), -ον 16_3, cf. 11_3 κάλ.[, 86_1].ακάλα.[
ἐκάλυπτε 39_2
κάματος 43_6
κάππο[6_{12}
κάρα.[6_{14}
καρδίαν 31_6
κάρυξ 44_2
καρχάcι(α) 141_6
καcία 44_{30}
καcί]γνητον 5_2, καcιγ]νήταν 5_9
καcπολέω 46_2
κάτ 17_{12}, 31_{13} κάδ coni., 37_1, 44_9, $_{28}$, 47_2, 101_2 dub., cf. 87 (6)$_1$ κατ[, cf. 6_2 κακκ[, 99ii$_{23}$ κἀκππ[, 6_{12} καππο[; κατά 44_{12}, cf. 105 (c)$_2$
καταγνυμι: κὰτ . . . ἔαγε dub. 31_9
καταγρει 149, fort. 2_8
καταγωγιc 22_{13}
καταίρει coni. 2_8
κατάπτω: καταψαμένα coni. 101_2
καταcτείβοιcι 105 (c)$_2$
κατελιξαμε[ν- 98 (a)$_4$
κατερείκεcθε 140_2
κατθναίcκει 140_1, -θάνην 95_{11}, -θάνοιcα 55_1
κατιου[2_1ᵃ
κατιc.ε.[68 (a)$_8$
κατιcδάνει 43_7
καττύπτεcθε 140_2
κατώρης sive -άρης 183
καυχάcαιτο 15 (b)$_{10}$
κε 5_3, 9_2 dub., 16_{17} coni., 18_1 dub., 23_8, 140_1; κ' 63_7, 70_8, 98 (b)$_6$ dub., 150_2 dub., 5_{13} fort.; κέν 45, 88 (a)$_{15}$; κέν 58_{17}, cf. 137_5
κέγχρω 5_{13}, nisi κ' ἐγ χρ- divid.

κείcηι 55_1
κελάδει 2_5
κ]έλομαι 22_9, κέλετ' fort. 7_2
ἐκέκρατ' 141_2
κεχη[9_2 dub.
κῆ (= ἐκεῖ) 141_1
κη[15 (b)$_5$
κῆθι 96_{18}
κῆνος 31_1, 165, -ον 62_4, -οι 26_3, 141_5, -ο 16_3
κίθωναc 140_2
κίνδυν 184
κίνη 145
κλ[15 (b)$_7$, 98 (a)$_{10}$
Κλεανακτίδα[98 (b)$_7$
]κληηδον[87 (2)$_4$
Κλέιc 132_2, Κλέι 98 (b)$_1$
κλέος 44_4, 65_9
κλόνει 43_5
ἔκλυεc 1_7, κλ]ῦθι 86_5
κόμαιc 98 (a)$_7$
κόραι 53, 140_2
κεκορημένοιc 144
]κορον 68 (a)$_8$
κόcμον 98 (a)$_3$
κούφωc 16_{14}
κρᾶcιc 148_2
κράτηρ 141_2, -ηρεc 44_{29}
κρέκην 102_1, vid. διακρέκην
κρέccον prob. 90 (3)$_{20}$
κρέτηcαι 20_5
Κρήταc coni. 2_1
κροκοεντα[92_7
Κρονίδα 103_6
κ]ροτάλ[ων 44_{25}
κτα.[6_4
κυ[29 (30)$_5$
Κυθέρη(α) 86_3, 140_1, -ηαc 90 (1) col. ii$_5$
ἐκύκα 137_4
κυλίκεccιν 2_{14}
Κύπρι 2_{13}, 5_1 suppl., $_{18}$, 15 (b)$_9$; κυπ[29 (12)$_3$
Κυπρογένηα sive -ήαι 22_{16}, 134
Κύπρος 35, -ωι 65_6, cf. 44_1 Κύπρο[
κωλύει 137_1
κῶμα 2_8

λαγχάνω: -οίην 33_2, λέλογχε 58_{26}
λάθαν 129_1, cf. 193
λαμβάνω: λάβοιcα 21_{11}, 22_{10}
λάμπρον 16_{18}, 58_{26}
λάμπω: λάμπηι 34_3, -ην 4_6

λανθάνω: λέ]λαθ' 88(a)₁₁, λελάθοντο
  105 (a)₂, cf. 76₃]ἰηλελα[
[Λάριχος 203]
λασίοις' 100
Λάτω 142
ἔλεγες 137₆, ἐλεξάμαν 134
ἔλειβον 141₇₋₈
λείμων 2₉
λείπω: λίπων 99 col. i₁₂ dub., -οισα 1₇,
  114₁, -οισαι 127
λέπτον 31₉, -αν 96₁₇
λ]επτοφών[24 (c)₆
Λέσβιος 106
λεύκας 40, -ότερον 167
λέχος 121₂
Λήδαν 166₁
λίβανος 44₃₀
λιβανώτωι 2₄
λιγύραν 58₁₂, 103₁₀, -αι nom. 71₇
λίγυς: λίγηα.[70₁₁, λιγέ]ως fort. 44₂₅
λιγύφω[νος 30₈
λί]μενος fort. 20₅, cf. 15 (a)₃+(b)₇
λίσσομαι 1₂
λο[88 (a)₂₅
λύγραν 5₁₀
Λυδίαν 132₃
Λύδιον 39₂₋₃
Λῦδος: Λύδαισιν 96₆, -ων 16₁₉
λύπηις 3₄
λύρα.[103₁₂
λυσιμέλης 130₁
λῦσον 1₂₅, λῦσαι 5₅
λωτίνοις 95₁₂

μά 95₉
μα.[67 (a)₁
μαινόλαι dat. 1₁₈
μάκαιρα 1₁₃, 15 (b)₁ fort., 68 (a)₆ fort.,
  -αν 95₉, -αι 81 (b)₃, μακάρων 63₆,
  μακα[ρ- fort. 31₆
μά]κρω fort. 51₆
μάλα 98 (a)₅, 142, 144; μᾶλλον 81 (b)₄;
  μάλιστα 1₁₇, 21₁₄, 26₃, 34₃, 95₆, 96₅,
  115₂
μαλί[αν 2₃
μαλίνων 2₆
μαλοδρόπηες 105 (a)₂
μάν: ἦ μάν, vid. s.y.; οὐ μάν 67 (a)₄,
  105 (a)₃,] μάν 70₈
μάομαι 36, ἐμαιόμαν 48₁
μάργον 99 col. i₂₄
ἔμαρψε 58₂₁

μάσλης 39₂
μᾶτερ 102₁, μάτερι 104 (a)₂
μ]άχεντας 16₂₀
μάχεσθαι 60₇
μαψυλάκαν 158₂
με[3₁₄
μεγάλωστι 44₁₈
]Μεγαρα[puellae nomen fort. 68 (a)₁₂
μέγας: μέγαν 27₁₂, 98 (a)₂ fort.,
  μεγάλω 111₆, μεγάλαις 20₉, μέγα 65₇
  (= 87 (16)₃), μέζων 111₆, μεσδον[
  18₆, μέζον 90 (1) col. iii₁₈
μειδιαίσαις(α) 1₁₄, μει]δίαισα[fort. 77
  (b)₃
μείχνυμι: μεμειχμένα 152, -μεμεί-
  χμενον 2₁₅
μέλαθρον 111₁
μέλαις 151, μέλαιναν 16₂, -αίνας 1₁₀,
  20₆, -αίναν 58₁₄, μελαινα[63₁
μελέδωναι 37₃
μέλημα 163
μελήσην 88 (a)₁₆
μέλι 146
μελίλωτος 96₁₄
μέλισσα 146
μελίφωνος 185
μέλλιχα 2₁₁, 112₄
μελλιχόφων[71₆
μέλος 44₂₆, 71₅
μέλπεσθ' 27₅
ἐμεμφ[22₁₅
μέν, 2₂, 11₂ fort., 16₁, 17₆, 31₉, 34₁,
  42₁, 49₁, 62₅, 96₂₁, 112₁, ₃, 123, 131₁,
  133₁, 141₁, 142, 154₁
    μὲν γάρ 24 (a)₅ prob., 50₁; μὲν
    δή 112₁; μέντ(οι) 3₂
]μενοισα[19₂
μερίμναν 12₆, 23₈, μ]εριμνα[87 (8)₁
μέσσον 96₂₀, -ω 112
]μετριακα[29 (2)₂
μή 1₃, ₂₂, ₂₃, 22₆, 63₅, 82 (b)₄, 87 (6)₂,
  94₉, 137₄, 145; μηδέ 1₃, 15 (b)₁₀;
  μηδ' εἴς 5₈; μηδέν 63₆, cf. 82 (b)₂
  μηδεν[; μηκέτι 68 (a)₁₁; μήτε 146
  bis, cf. 77 (b)₂
Μήδεϊα 186
μήνα falsum 96₈
μήτι..[95₁₆
Μίκα 71₁
μιμνάσκομαι: μνάσασθαι 147, μέμναις(ο)
  94₈, ἐμνάσθη 16₁₁,]εμνάσεσθ' 24 (a)₂
[Μινώταυρος 206]

307

μιτράναν 98 $(a)_{10}$, coni. $(b)_3$

μνάματ(α) 98 $(b)_9$

μναμοсύνα 55₁

Μνασιδίκα 82 (a)

Μνᾶсιс coni. 101₃, -cι coni. 82 (a)

μοῖ[64₁₄

Μοῖcαι 103₈, 127, 128, -άων 187; cf. 193, 208

μοιсοπόλων 150₁

μολθάκαν 46₁, 94₂₁

μόλπᾱι 96₅

μόρφαν 96₂₁₋₂₂, 132₂

μύγιс 62₇

μυθολογη[18₄

μυθόπλοκοс 188

μύρον: μύρωι 94₁₈

μύρρα 44₃₀

Μυτιληνάωι 98 $(b)_3$

[Ναύκρατιс 202]

ναῦον 2₁

ναῦс: νάων 162, ναῦcιν 44₇

ναῦται 20₈

νεβρίοιсιν 58₁₆

νέκταρ 2₁₅, 96₂₇

νεκύων 55₄

νεμε[fort. 65₄

νέοс: νέοιсι[7₅, νεώτερον 121₂

νεό[τατι fort. 24 $(a)_3$

Νηρήιδεс 5₁

Νιόβα 142, cf. 205

νίτρον 189

νόημμα 41₁, 60₃, 90 $(4)_4$, -ατα 51, cf. 12₄]νοημ[ut vid.

νόημμι: νόειcαι 28 $(a)_3$

νομίсδει 58₂₃

νόοс: νῶν 96₂, cf. 19, νόον 57₁

νύμφα 117, -ᾶ voc. 116, -αс 30₄₋₅, -αν 103₅

νῦν 1₂₅, 16₁₅, 17₁₁, 62₉, 67 $(a)_5$, 82 $(b)_3$, 96₈, 113, 160, fort. alia velut 25₇

νῦν 128

νύξ: νύκτοс 151, νύκτ[30₁, cf. 197

ξα[87 (1) col. ii₃

ξάνθᾱι 23₅, -οτέραιс 98 $(a)_6$

ξύcα[99 col. ii₁₀

ὀ, ἀ, τό

def. art.: ὀ 2₆, 31₂, 42₁, 50₁,₂, 85 $(b)_2$, 99 col. ii₃ fort., 104 (b), 106, 117, 130₁, 148₁; τόν 5₂ prob., 16₇,₈, 33₂, 37₂, 99 col. i₂₄, 102₁, 164, 168;

τώι 98 $(b)_3$, dub. 141₉; τοίс (dat. vel acc.) 63₁₀

ἀ 16₆, 22₁₃, 30₈, 31₁₃ dub., 96₈,₁₂, 117, 123, 132₂, 148₂, 154₁; τάν 5₉ suppl., 21₁₃, 22₁₃, 58₉ fort., 103₅,₆, 105 $(c)_1$, 120₂, 133₂, 138₂, 155; τάс 1₆, 44₄, 68 $(a)_1$, 82 (a), fort. 98 $(b)_7$, etiam 9₁, 21₁₀ poss.; τάι 23₇; αἰ 2₁₀; ταίс acc. 98 $(a)_7$; τάν gen. 23₈; ταίс dat. 41₁, 160

τό 15 $(b)_{11}$, 17₁₂, 41₁, 58₂₆ ter, 67 $(a)_6$, 90 (1) col. iii₁₇, 96₃₃, 105 $(a)_1$, 111₁, 148₂, 163; τώ dub. 58₂₆ et 137₆; τά 16₁₉, 32₂, 42₂, 51, 57₃, 62₁₂, 110 $(a)_2$; τών 55₃, 57₃

rel. pron. ἀ 98 $(a)_1$ (nisi dem.), fort. 6; τάν 17₃, fort. 103₇, ἄν suspectum 112₂; τᾶс 16₁₇ fort., 132₃; αἰ coni. 32₁; τό 31₅, cf. 5₁₃ τό, 101₃ τά coni.; τοίcι prob. 5₁₁

dem. pron. οἰ 16₁ bis, 2; ἀ 94₂ (nisi rel.); τάν 94₆; τᾶс 16₁₇ (nisi rel.) αἰ 154₂; ταίcι 42₁, 62₅; τό 103₄ prob.

miscell. dub. 3₇, 6₉, 13, 22₁₈, 63₄, 90 (1) iii₂₅, 96₁₈, 99 ii₅, 137₆, alia

ὅαν fort. = οἴαν 7₅

ὀγκ- vid. ὀνκ-

ὅδε, ἄδε, τόδε

τόνδε 33₂; τάνδε fort. 161; οἴδε sive αἴδε dub. 98 $(b)_9$; τόδε 15 $(b)_{10}$, 19₁₂ fort., 23₇, 88 $(a)_{22}$, 94₃; τάδε 44₃ fort., 94₆, 150₂, 160; miscell. dub. 27₆, alia

ὀδοίπορος 62₆

ὅδος 27₁₂, -ο[ν sive -ο[ιс 44₂₈

οἶδα 51, οἶcθα 60₉, 88 $(a)_{10}$, 94₈, ἴδμεν 19₇, ἴс[θι 23₇, ἴс[θ- 88 $(a)_{22}$

]οιδήcαιс 3₆

†οἰκίαι 150₁

οἰνοχόαιcον 2₁₆, ὠινοχόαιcε 141₃₋₄; cf. 203

οἶον 105 $(a)_1$, -αν 105 $(c)_1$, vid. ὅαν

ὄιс: ὄιν 104 $(a)_2$

[Οἰτόλινος 140 (b)]

οἴχηι 114₁

ὀλ[68 $(b)_5$

ὄλβιε 112₁

ο]λβον 85 (a) col. i₂

ὀλίγω 31₁₅, ὀλίγα[88 $(a)_6$

ὀλιсβο- 99 col. i₅

ὀλόλυсδον var. lect. 44₃₁

ὄλοφυν 21$_3$, ὀλοφ.[67 (a)$_3$
ὄλπιν 141$_{3-4}$
"Ὄλ[υμπον 27$_{12}$
ὄμμειχν-: ὀνεμείχνυτο 44$_{30}$, -εμίγνυ[το 44$_{24}$, -μεμείχμενον coni. 2$_{15}$
ὄμμιμν-: ὀ]νέμναι[ς(ε) 16$_{15}$, ὄμναισαι 94$_{10}$
ὀμπέτασον 138$_2$
ὄν = ἀνά 48$_2$ in tmesi, vid. ψύχω
ὄναρ 134
ὄνδειξαι 99 col. i$_{24}$
ὄνειδος 3$_5$
ὀν]ίαν 5$_{10}$, -ας 63$_3$, -αισι I$_3$
ὀνιαρ[88 (a)$_{19}$
ὀνκαλέοντες 44$_{33}$
"Ὄνοιρε 63$_1$
ὀνόρουσε vid. ἀν-
ὄν . . . ψύχω vid. ψυχ-
ὀπάσδοι 58$_{24}$, 88 (a)$_6$ fort. ὀ]πάσδοις'
ὄπλοισι suspectum 16$_{19}$
ὄππα: ὄππατα 112$_3$, 137$_5$, -εσσι 31$_{11}$
ὄππ[αι 2$_2$
ὄππ[οθεν 94$_{26}$
ὄπποτα 34$_3$, 103$_9$
ὄπταις 38
ὀράνω 52, 54, ὠράνω I$_{11}$,].ράνοθεν 2$_1$a, cf. 198
ὄργαν 103$_7$, 120$_2$, -ας 158$_1$
ὄρημμα vel ὄρημμι (cf. εἶδον) 31$_{11}$
ὄρθιον 44$_{32}$
ὄρμαται 44$_{23}$
]ορμοις[29 (6) (a)$_2$
ὄρνις fort. supplend. 30$_8$
ὄρος 47$_2$, ὤρεσι 105 (c)$_1$
ὀρπακας 81 (b)$_2$, -κι 115$_2$
ὄρπετον 130$_2$
ὄσσοις = 'oculos' 138$_2$, fort. 65$_8$
ὄσσον 30$_8$, 50$_1$, -ᾱ I$_{26}$, 53, 5 suppl., 60$_6$, -οις (ubi 'oculos' poss.) 65$_8$, ὄσαι 44$_{31}$, ὄσα 104 (a)$_1$
ὄτα 63$_2$, 106, 149, cf. 62$_2$, ὄτα[
ὀτραλέως 44$_{11}$
ὄττις 31$_2$, ὄττινας 26$_2$, ὄττι I$_{15}$ bis, 17, 51, 88 (a)$_{23}$, ὄττω 16$_{3-4}$, ὄττι τάχιστα 27$_9$
οὐ 7$_2$ prob., 16$_{16}$ suppl., 21, 19$_7$ fort., 26$_7$, 41$_2$, 5$_2$, 55$_2$, 58$_{15}$, 18, 61$_2$, 63$_7$, 67 (a)$_4$, 88 (a)$_5$ fort., 95$_9$, 96$_{18}$, 105 (a)$_3$, 113, 121$_3$, 150$_{1, 2}$
    οὐκ I$_{24}$, 3$_8$, 9$_2$ dub., 17$_8$, 51, 57$_3$, 71$_2$, 94$_{27}$, 96$_{21}$, 98 (b)$_2$, 105 (a)$_3$, 120$_1$, 137$_5$, 148$_1$

οὐκί coni. I$_{24}$
οὐδάμα 91, cf. 87 (18)$_4$
οὐδέ 16$_{10}$ bis, 55$_{1, 2}$, 56$_1$, 94$_{25}$, 132$_3$ bis
    οὐδ' εἶς: οὐδένα 56$_2$, οὐδενο[96$_{35}$, οὐδ' ἕν 31$_8$, 11, 67 (a)$_7$, 95$_{10}$, οὐδ' ἴαν 56$_1$
οὐκέτι 114$_2$ bis
οὔτε 94$_{24}$
οὔτοι 102$_1$
miscell. ambigua 5$_{15}$ ου[, 29 (30)$_4$ ουκ[, 67 (a)$_6$ ουτ[, 67 (b)$_1$ ουδε[, 68 (a)$_8$, 78$_2$, 87 (5)$_1$, 88 (a)$_5$, 99 ii$_{14}$
οὗτος: τοῦτο 16$_6$, 22$_{18}$, 26$_{12}$, 27$_9$, fort. 29 (12)$_4$, 58$_{25}$, 67 (a)$_2$, 98 (a)$_5$, ταῦτα 27$_5$, 98 (b)$_7$, ταυτ' 29 (25) (a)$_3$, cf. 67 (b)$_2$, τούτοισι fort. 99 col, i$_6$
οὕτω 3$_8$, 63$_7$
ὀφθάλμοις 151, -οισι(ν) 162
ὄχθοις 23$_{11}$, 95$_{12-13}$
ὄχλος 44$_{14}$

πα.[94$_{22}$
πά]γχυ 16$_5$
πᾱι 99 col. ii$_{13}$
παι[99 col. i$_{21}$
παιδοφιλωτέρα 178
παῖς 2$_6$, 44$_{14}$, πάντα 58$_{13}$ fort., πάντι 16$_6$, -τες 44$_{32}$, 141$_5$, -των 26$_3$, 104 (b), παῖσαν 31$_{14}$, 132$_3$, παίσαν 23$_8$, πάν 18$_1$ prob., 31$_{17}$, 62$_3$, cf. 9$_2$]πᾶν, fort. πάμ]παν, πάντα neut. pl. 5$_4$ coni., 5, 96$_9$, 104 (a)$_1$, cf. 63$_{10}$ πάντα[, 80$_3$]παντα[, 70$_{13}$]παντεσσι[, alia. vid. etiam πάντᾱι.
παῖς 27$_4$, 49$_2$, 99 col. i$_{10}$ prob., 113, 132$_1$, παῖ I$_2$, παῖδα 103$_6$, 104 (a)$_2$, 122, 155, 164, παῖδος 16$_{10}$, 102$_2$, παῖδες 58$_{11}$,]παῖδων 64 (a)$_6$, cf. 90 (I) iii$_{25}$ πᾱι, 99 col. ii$_{24}$ ωπαιδ[
]παισι (fort. -παις) 95$_8$
πάκτιδος 156, πᾱ]κτιν fort. 22$_{11}$
πάλαι 49$_1$
πάλ[αιον 17$_{12}$
παλιγκότων 120$_1$
πάλον 33$_2$
πάμπαν 4$_2$, prob. 16$_{11}$, 141$_{7-8}$, cf. 9$_2$
Πανδίονις 135
παννυχισδο.[.]α.[30$_3$, παν]νυχίς[δ]ην 23$_{13}$
πάννυχος 149
Πάνορμος 35

fort. 27_4 ποτ[(a), 86_5 π[οτα, 55_2 ποκα dub.
πόται 131_2
ποτήρια 44_{10}
πότνια 1_4, 17_2, 157, ποτνια[6_{10}, 29 $(5)_3$
πούς: πόδες 110 $(a)_1$, -ας 39_1, πόσσι 105 $(c)_2$
πρ[26_7
πρέποι 150_2
πρίν 17_9
προ[98 $(a)_7$
προ. .[88 $(a)_2$
προβ[103_4
προγενέστεραι 44_{31}
πρόκοψιν 58_{10}
προλίποισα 86_6, cf. 25_2]προλιπ[
[Προμάθευς 207]
πρός 88 $(a)_3$, 114_2, cf. 29 $(9)_1$; προς[16_{28}
πρ]όςθ' 55, fort. 15 $(a)_1$, cf. 85 $(c)_2$]προσθ.[
προσίδοισαν 56_1
πρόσωπον 47, -ω 16_{18}, -ωι 1_{14}, 112_4
προτανέως ut vid. 99 col. i_7
προτέρην dub. 81 $(b)_4$
προφέρην coni. 81 $(b)_4$
πρῶτα adv. 17_6
ἐπτάξατε 62_1
πτέρα 1_{11}, 42_2, 97_{25}; cf. 194
ἐπτόαις' 22_{14}, -αισεν 31_6
πτόλιν: vid. πόλις
ἐπύκασσε 100, πεπυκάδμενον 166_1
πύκνα 1_{11}
πυνθαν-: πύθεσθ[fort. 81 $(a)_1$
πῦρ 31_{10}, cf. 29 $(10)_2$ πυρ[
πω 56_2, 91
Πωλυανακτίδαις 99 col. i_2, -δαν 99 col. i_{23}
Πωλυάνακτις: -τιδα 155

ραδ[88 $(a)_{12}$
ρέθος 22_3
ραδιν-, ρακ-, ροδο- vid. βρ-

cᾶμ(a) 95_5
cάμβαλα 110 $(a)_2$
Σαμιας dub. 99 col. i_3
Σαρδίων 98 $(a)_{11}$, cf. 96_1]cαρδ[
cατίναις 44_{13}
cελάννα 154_1, coni. 96_8, -αν 34_1, cf. 199
cέλιννα 191
cίνονται 26_4
ἐςκέδας(ε) 104 $(a)_1$

ἐςκίαςτ(αι) 2_7
cκιδναμένας 158_1
[Σκύθικον ξύλον 210]
cμίκρα 49_2
cός: cά 17_2, cάν 1_{19}, 30_4, cᾶι 23_7, prob. 96_5, cοίς 30_7
cοφίαν 56_2
cπόλαν 57_2
cπόλεις fort. 98 $(a)_{12}$
cτάλασσον 119
cτάλαχμον (vel -υχμον) 37_1
cτείχομεν 27_8, cτεῖχε 30_7, cτεῖχ[6_7
cτέμ⟨ματ(a)⟩ 2_{13}
ἐcτεφαναπλόκην 125
cτέφανοι 92_{10}, -οις 81 $(b)_1$, fort. 94_{12}, -οισιν 98 $(a)_8$
cτήθεσιν 31_6, 126, 158_1
cτρότον 16_1
cτροῦθοι 1_{10}
cτρώμν[αν 94_{21}
cτ[ύ]μα[τι 58_{10}
cύ $1_{13, 27}$, 2_{13}, 5_{18}, $27_{4, 9}$, 60_9, 77 $(a)_7$, 81 $(b)_1$, 96_{23} fort., 97_{17}, 124, 159
cέ $1_{2, 9, 19}$ dub., 15 $(b)_9$, 17_9, 22_{11}, 23_5, 26_9, 31_7, 35, 48_1, 58_9, $65_{5, 10}$, 71_2, 87 $(5)_3$ fort., 88 $(a)_{23}$ (nisi c(οι)), $94_{5, 8, 9}$, 99 col. ii_{13} fort., 112_5, 114_2, $115_{1, 2}$, 137_5
cέθεν 49_1, 55_1, 91
cοί 40, 98 $(b)_1$, $112_{1, 3}$, 131_1, 29 $(30)_3$ fort., cf. 87 $(17)_3$
τοι 31_2, 101_3 coni., τ(οι) 63_2 fort., $137_{1, 4}$
cυ]γχροΐσθεις fort. 4_9
cύμμαχος 1_{28}
cύν 20_4, cυν[68 $(a)_{11}$
cυναέρραις' 81 $(b)_2$
cύνδυγος 213_3
cυνέταιροι 44_5
cύνετον 16_5
cυνίημ[3_{11}, ἐcύ]νηκε fort. 51_5
cυνοίδα 26_{12}
cυνοίκην 121_{3-4}
cύνοικος v.l. 148_1
cφά 32_2, cφ]ᾶς fort. 98 $(a)_2$
cφι[70_{12}
cφύρων 57_3

τανυπτέρυγ.[fort. 90 (1) col. ii_{24-25}
τάχυς 44_3, ταχέως $1_{21, 23}$, τάχιστα 27_9, 81 $(a)_2$ fort.
τε: AB τε $44_{6, 29}$, 103_8, 128; A τε B τε

44_{15}; Α τε καὶ Β 16_{17}, 159; ΑΒ τε
καὶ C 44_{24}; Α καὶ Β C τε 44_{30}, 94_{13};
Α καὶ Β C τε καὶ D 44_{8-10}; alia
miscell. 3_4 dub., 29 $(9)_1$, 44_4, 60_2,
62_{12}, 63_2, 85 $(b)_2$ ὦς τ', 87 $(2)_9$,
88 $(a)_{14}$, δέ τε 105 $(c)_2$
τέκτονες 111_3
τέλεσσαι 126, τέλεσον 127, τε]λέσθην 5_4,
fort. τελε[9_4
τέουτος: τεαῦτα 23_4, 113, -αν 56_3, -ᾶ
62_9, τεούτοισι fort. 99 col. i_6
τέρπνα 160, cf. 78_7]ετερπ[
τίθημι: θέω 26_3, 51, θεῖμεν 140_1, θῆται
58_{10}, θεμένα $103_{7, 12}$, cf. 5_{19}
τίμα: τίμας 5_{10}
τίμαμι: τετίμακ(ε) 112_5
τίμιε 116, -ίαν 32_1, -ιᾶ 101_4
ἐτίναξε 47_1
τίς interrog. 1_{19}, 57_1, τίνα 1_{18}, τίοισιν
162, τί 58_{17}, 88 $(a)_{8, 12}$ dub., 90 (1)
col. iii_{18} dub., 140_1, τίωι 115_1
τί = 'cur?' 133_2, 135
indef. (pron.) τις 16_4, 88 $(a)_{13}$
fort., 98 $(a)_3$, 120_1, τινα 129_2, 147,
τι $137_{1, 4}$; (adi.) τις 55_1 var. lect.,
94_{24} fort., 95_{11}, τι 71_5, 88 $(a)_{25}$, 94_{24},
95_5
τλάσομ(αι) 121_3
τοι: μέντ(οι) 3_2, καίτοι 65_7, καίτ(οι)
82 $(b)_1$, οὖτοι 102_1; vid. etiam s.v. cύ
τοκήων 16_{10}
τόλμ[87 $(11)_2$, τ]όλμᾱν[24 $(b)_6$
τόλματον 31_{17}
Τροΐαν 16_9
τρομέροις 21_4
τρόμος 31_{13}
τρόπον 68 $(a)_7$
τρόφος 90 (1) col. ii_{5-6}
τυγχάνω: τύχοισαν 91,]τύχοισα 60_1,
τύχην 60_6
τυίδε 1_5, 5_2, 17_7, 96_2
τύλαν 46_2
Τυνδαρίδαι˚c 68 $(a)_9$
τύχᾱι 20_4, cf. 15 $(a)_3$

†ὐακίνθινον 166_1
ὐάκινθον 105 $(c)_1$; cf. 194
ὔδωρ 2_5
ὔμ[90 (1) ii_{10}
ὐμάλικ˚ας 30_7, ὐμαλικ[103_{11}
ὐμήναον $111_{2, 4}$
ὔμμες 45, ὔμμι 41_1

ὔμνε[99 col. i_{19}
ὔμνην 44_{34}
ὔμοι 94_{13}
ὔμως 58_{21}, 68 $(a)_2$; cf. 88 $(a)_{20}$ ὔμ[
ὐπά $44_{13, 17}$; cf. 70_5 ὐπα[
ὔπαγον 44_{17}
ὐπαδεδρόμηκεν 31_{10}
ὐπα]θύμιδας 94_{15}
ὐπακούει 31_4
ὐπαςδεύξαιςα 1_9
ὐπίςςω 19_{10}
ὔπνος 63_2, -ον 30_9
ὔςδων 2_5, -ωι 105 $(a)_1$
ὔςτερον 55_2

φαέθων 65_8
φάεννον 34_2
φαῖμι 88 $(a)_{17}$, 147, φαῖςι 3 pl. 16_2, 166_1,
φαι.[99 col. ii_4
φαίνολις 104 $(a)_1$
φαίνομ(αι) 31_{16}, -εται 31_1, 165, ἐφαίνεο
49_2, ἐφαίνετ(ο) 154_1
φάμα 44_{12}
φάος 56_1, 96_9
[Φάων 211]
φέρεις 104 $(a)_2$ ter, -οιςι 58_{15}, -ων 104
$(a)_1$, -οιςα[58_{20}, -οιεν 37_2, -εςθαι 88
$(a)_7$
φεύγει 121
ἔφθᾱτε 62_{11}
φίαλαι 44_{29}, 192
φιλάοιδον fort. 58_{12}
φίλημμι 58_{25}, -ηιςθα 129_2, -ει 123, -ει[
59_2, -ήςω[88 $(a)_{24}$, -ήςει 123, ἐφίλης[
67 $(a)_4$, φιλη[88 $(b)_{15}$
φίλος 44_{11}, 121_1, 138_1, φίλε 115_1, -ων
16_{10}, -οιςι prob. 5_8, -οις dat. 44_{12},
-ᾶ 88 $(a)_{17}$, -αι 43_8, 96_{34}, 142, cf.
58_{12} fort. ˙φιλ'. incertum utrum ad
φίλημμι an ad φίλος referenda: 65_5
(= 87 $(16)_1$?) ςεφιλ[˙, 7_6 φ[ι]λ[
φιλότατα 1_{19}, prob. 30_4, 71_3
φιλοφρόνως 99 col. i_6
ἔφλεξας coni. 48_2
φόβαιςιν 81 $(b)_1$, 103_{12}, φόβα.[98 $(a)_3$
φοίταις 63_2, φοιται.[99 col. ii_7,
φοιτάςης 55_4
φόρτι(α) 20_{13}
φρένα 43_6, 4_{82}, 96_{17}, 120_2, -ας 31_8, 47_2,
φρέ[103_9
φροντίςδην 131_2
φρυ[92_{12}

VERBORUM ALCAICORUM INDEX

ἄβα: ἄβαc in loco corrupto ζ 1₂; cf.
B 1 (a)₄ ἀβαc[, Q 2₃ ἀβαcαν[
ἄβαμι: ἀβάcομεν prob. B 6^11;
cυν]ἀβαιc suppl. D 15₉
Ἀβανθι M 10 (b) i₈
ἄβραν B 10₈, ἄβρω[B 9₂
ἀγ[B 12₁
ἀγαθοc F 3 (b)₁₂
ἀγάλματι Q 1₇, -ατα Z 34₄
ἀγαπά]τω B 12₈
ἀγάcυρτοc Z 106
ἀγγε[δ 2 ut vid.
ἀγέρωχοc Z 79
Ἀγεcιλαῖδα G 2₁₉
ἀγήcαιτο ā 4
ἀγκ[D 10₃
ἀγκυρρα[P 3₂, ἄγκυρ⟨ρ⟩αι Z 2₉
ἀγλαοι.[M 10 (b) ii₄, ἀγλα[T 1 ii₇; cf.
O 1 (a)₃ schol.
ἄγνα voc. Z 61, -αι nom. Z 63, cas.
incert. B 9₇, ἄγναιc corrupt. ā 2
(b)₂; ἄγνοc sive -οιc G 2₁₆ fort. ad
ἄγνοc (= agnus castus) referendum
ἀγόραc G 2₁₈
ἀγροϊωτίκαν G 2₁₇ (ex corr.)
ἀγροτέραν T 1 i₉
ἄγω: ἄγι B 6^4,10, C 1₂₅, K 5 (a) i₂,
H 37₅ fort., ἄ[γι]τ' G 1₉,]λαγιτω[
dub. A 4 (b)₁, ἀ]γόντον ex schol.
A 30₃, ἄγην Z 25 (b), ἄγων D 12₁₂,
cf. Q 3₁₀]. cαγων[, ἄγε F 8₃, ἄγετ(ο)
B 10₇
ἄγωνοc nom. = ἀγών Z 80
ἀδαμα.[O 1 (b)₂
ἀδελφέαι Z 41₂, -έων D 40₂
ἀδεc]πότω ex schol. K 4₃
ἀδυ Z 39₃, ἄδεα Z 23 (a)₃,]ἀδιον[F 9₄
ἄε]θλον poss. E 1₇, ἄεθλον restit. Z 27₄
ἀείδω: ἀείcηιc C 1₁₂
ἀείκεα A 5₁₀
ἀελίω B 6^3, E 1₂₂
ἀέξ[F 1 (b)₅
ἀέρρει Z 40₂, κὰδ . . . ἄερρε Z 22₂,
]οναέρραι.[F 2₆
ἀήδων M 2₅, -οναc fort. Z 76, cf. ā 1 (c)
ἀήταιc L 1₅
Ἀθανάα Z 1₁

ἀθάνατοι ȳ 1₁, -ων G 1₄, -οιcι suppl.
H 9₈
ἀθύρει D 12₃
αἰ: vid. imprimis B 6^11, D 11₃,
F 5₈, L 1₇, Z 16, 17, 38, 45₂; saepius
ignoto penitus contextu, B 1 (a)₇,
D 15₁₂, E 2₄, F 42₁ fort., F 6₆ fort.,
F 8₄, O 2 (a)₄, R 1 ii₈ fort., V 1 i₅
fort., X (12)₂
αἰ sive αἴ = ἀεί T 1 i₅
ἀϊ[A 17₂
αι. .[L 1₂
Αἰακίδαι[c B 10₅
Αἴαν vel Αἶαν Z 64
αἰγιβό[τ- F 1 (a)₁₈
αἰγιόχω Z 19
[Αἴγυπτοc Z 109]
Ἀΐδαο B 16₁₅, Ἀΐδα[D 2 (a)₅, Ἀΐδα
H 47₄, P 2 (a)₅, suppl. F 3 (b)₃₈
ἀιδρεία.[A 7₂
αἴδωc Z 7
ἄιετ[H 45₄ (vid. ἀίω)
αἰθεί.[F 42₁
αἴθεροc M 12₅
αἴθρον C 1₁₄,]αίθρω[G 6₁₁
αἰμιθέων B 10₁₃
Α[ἴνον vel -ωι suppl. B 13₁
α[ἴξ Cκυρία Z 112]
Αἰολ[A 7₈; αἰο[fort. F 42₂
Αἰολήαν G 1₆
Αἰολίδαιc B 6^5, Α]ίολίδαν prob. H 30₇
Αἰcιμίδα Z 42
α]ίcχοc D 17₅, F 3 (b)₃₁, αἴcχ[A 10^3
αἰcχυν[X (1)₁₄, fort. in lemmate
αιταποικιλλιc corruptum Z 22₂
αἰτιάμενοc Z 35₂
αἴψ(α) coni. Z 22₂
αἴω: ἄιον vel ἐπάιον Z 44₁, ἄιετ[H 45₄
ἀκ[B 12₂
ἀκατ[F 3 (b)₃₄
ἀκούcατ(ε) G 1₁₁, ἄκουcαι infin. G 2₁₈,
-cαιc opt. Z 17
ἀκράτω D 14₄
ἄκροc: ἄκρα neut. B 2 (a)₉, κὰτ ἄκραc
B 16₁₃, ἄκρον poss. E 1₉
ἀλάθεα Z 43
ἀλγέων Z 54
ἄλει[ππα B 13₇

δαι[D 18₁₆
δαίμων[I 1₄, δαίμον(α) F 5₄, δαιμ[D 6₇
δᾶϊςλ[H 21₆
δάκνην: vid. Z 123
δάκ[ρυςι]ν prob. F 3 (b)₃₅
δάκτυλος Z 22₁
δαμας.[H 4₂
δάμναι Z 41₂, δά[μεντας suppl. N 1₁₃
Δαμοανακτίδ[α sive -αις P 2 (b)₁
δᾶμον D 12₁₂, G 1₂₀
δάπτει G 1₂₃, δαπτέτω D 12₇
δάςμενον corruptum Z 59₁
δέ A 1₁, 6₂, ₈, 10ᴮ₅, B 1 (a)₇, fort.,
  B 2 (a)₇, 11, 10₉ prob., 12, 15, 11₅,
  12₇, 18₄, ₅, D 31₃ fort., 11₆, 12₂ fort.,
  6, 9, 10, 13, 14₃, 7, 10, 15₂, 6, 11, 17₁₁,
  F 3 (b)₆, 10, 25, 26, 35, 36, 37 prob.,
  fort. etiam 28, 5 11, G 1₃, 6, 7, 11, 13,
  2₂₄, 33, H 2₄, 46₄ dub., K 3₁, 6, 7,
  5 (a) ii₇, 13₂ fort., L 1₈, M 4₅, 8
  (a)₁₄, 12₆, N 1₄, 15, 16, 17, O 1 (b)₂
  fort., P 2 (a)₅, ₇ fort., 2 (b)₁₂, Q 1₆,
  10, 12, V 1 i₂₂, ii₂₀ prob., X (14) ii₁₃,
  ā 4, ζ 1₁, Z 2₃ bis, 7, 9, 11₃, 12 bis,
  14₁, 2, 6, 16, 22₅, 23 (a)₂ bis, 3, 4 bis,
  5, 23 (b)₁, 25 (b), 27₄, 28₁, 34₂ bis,
  4, 7 bis, 35₁, 3, 36₂, 37₂, 38, 39₃, 40₁,
  44₂, 46₂, 53
δ]εδ[(fort. δ' εδ[) G 1₂₄
δεῖ M 8 (a) ii₁₆
δείδω: ἔδεισε Q 1₈
δείλαν acc. A 10ᴮ₁, δ]είλας prob. H 2₂
δεῖνον Q 1₁₀, -ότατον Z 3₁, δείν[G 7₄
δείς: δενός (= οὐδενός) θ 2
δείχνυντε[D 15₁₃
δ]έκεςθαι C 1₄, δέκεται fort. F 14₈,
  δεκε[fort. B 1 (a)₇, δεκωμ[A 6₂₈,
  δεκοίατο δ 2, δέξαι Z 51 bis,
  ἐδέξαντ(ο) Z 63, cf. D 19ᴬ ii₇ δεξ.[
[Δέλφοι ᾱ 1 (c)]
δένδριον Z 18
δεξ[D 19ᴬ ii₇
δέραιςι Z 39₁
δέ]ρμα fort. M 4₇
δεῦρο Z 78 (b), δευρ[B 1 (a)₃
δεύω: δεύε[ι F 3 (b)₃₀, δεύοντος F 5₅
δέω Z 52
δή: D 14₁₁, F 8₃, G 2₃₆, K 3₄, P 2 (a)₃
  fort., P 2 (b)₉, Z 22₂ fort., Z 37₁,
  etiam δήπ[A 16ᴮ₂; ἐπεὶ δή D 14₈,
  Z 8₂, Z 34₈; δηρετ[E 2₄; δηὖτε dub.
  A 6₁, fort. δαυτε in δηὖτε corr. A 26₆

δηλ[H 4₇
δι'(ά) prep. E 1₁, H 40₆, δῖα[H 11₅
δίαιταν D 31₂
διαλεγ-: διελέξατο G 1₂₁, διε[λεξά]μα[ν
  poss. P 2 (b)₉
διαςτ[..]. V 1 i₂₂
δίδωμι: δίδ[ωι F 3 (b)₂₆, δίδοις D 12₁₃,
  ἔδωκ[D 5₄, ἔδωκ(ε) Z 22₄, ἔδωκαν
  D 11₃, ἔδοςαν B 18₄, δοῖε.[E 3₄,
  δ]όντες poss. B 7 (a)₁₁, H 40₁₁
διε[P 2 (b)₉, διε.[P 2 (b)₁₀
διήλ[H 21₇
δίκαν I 1₈
]δίκως A 4 (b)₄
διννάεντ(α) B 6ᴬ₂, ₈
Διννομένηι Z 53, -η Z 60₁
[Διόνυςος: vid. Z 25 (c)]
δίοπτρον Z 9
[δίς] suppl. B 6ᴬ₇ fin.
διςχελίοις D 11₂, cf. D 5₇
δίψαις(ι) Z 23 (a)₂
διωτεος obscurum Z 35₁
δμά.[F 41₉
[δε]δοκημ[fort. B 41₃
δόκιμος A 6₁₂,]δοκίμοις S 1₅
δόμος Z 34₂, -ον B 10₉, cf. A 10ᴮ₂
  ]δομονο[, P 2 (a)₅, -οις C 1₂, -οιςι
  N 1₇
δόξαν D 14₁₂
δότερραν Q 1₉
δραῖςιν D 18₁₁
δρό[μωμεν A 6₈, δρόμ[οιςα fort. X (14)
  ii₁₇
δρόμω F 3 (b)₆
δρόπωςιν F 5₁₅
δύναι F 5₈, δυνάμεθ(α) D 11₃, δύναται
  L 1₇
δύο Z 22₄
δυοκαιδέκων Z 25 (c)
δυ]ςβιότοις poss. G 2₁₆
δυςτάν[H 9₃, δυςτάνα.[K 12₂
δῶμα B 16₁₅

ἔαρος P 2 (b)₃, sed ἦρος Z 44₁
ἑαύτωι in loco dubio Z 40₁
Ἔβρε B 13₁
ἐγέρρην B 16₁₂,]έγερρε B 14₄
ἐγκέρναμι: ἐν . . . κέρναις Z 14₆, ἐν . . .
  κέρνατε Z 44₂
ἔγχεε Z 22₄
ἔγω A 11₄ fort., B 5₄, F 3 (b)₂₂, F 8₈
  fort., G 2₁₆, 23 fort., Z 5₂, ἔμε A 10ᴮ₁

εὐδα[M $6_6{}^a$
εὔδειλον G 1_2
εὐθύ dub. G 2_{13}
εὔκο.[dub. F 8_7
εὐμάρεα D 11_7
εὔνοον G 1_9
ὐπέδιλλος Z 3_2
Εὐρυδάμαν Z 86
εὔρυς : εὔρηαν B 2 $(a)_5$
εὐςδ[ύγ]ων B 2 $(a)_9$
ἐ]υςοίαις vel -ας O 1 $(a)_6$
εὔςτρωτον N 1_8
εὖτε : vid. B 7 $(a)_3$]ευτέ με γῆρας κτλ.
εὐώδες[F 1 $(a)_7$
εὐωχήμενος D 12_5, cf. B 1 $(a)_9$
   κανωχ[= καὶ εὐωχ[?
ἐφέλην vid. Z 83
ἐχέπ[..].[..]a (◡ – ◡ ◡) G 2_{15}
ἔχθρ.[post correctionem O 2 $(b)_4$
ἔχυρον A 6_8
ἔχω F 3 $(b)_{22}$, -ηις D 14_{11}, -ει I 1_{10},
   N 1_{13}, O 1 $(a)_5$, Z 2_6, A 3_4]υνέχει,
   ]ιςέχομε[H 35_1, ἔχην A 51_4, B $6^A{}_9$,
   D 31_2 prob., -ων B 11_3 fort., G 2_{17},
   $_{31}$, Q 1_2, Z 5_1, Z 27_2, -οντες G 2_{21},
   ἔχη[[ι]] A 5_6, ἔχηι L 1_7,]οςεχητ' S 1_4,
   ]ρέχοιςαγα[H 13_3, ἔχοι Z 20_2, ἔξει
   fort. K 11_4, ἦχες[M 8 (a) ii_{13},
   ςκέθοντες G 1_{10}, ἔχεται H 2_4. Cf.
   etiam H 48_2]ςχην[vel]εχην[, M 8
   $(a)_{15}$ ἐχ[

ϝ.[H 8_2
ϝε[D 19^B $(a)_4$
ϝέθεν Z 25 $(a)_2$
ϝόν Z 35_2
ϝρῆξις Z 87 : cf. etiam βραδίνοις,
   βραϊδίως, βροδ-

ζά B 13_3
ζάβαις B $6^A{}_3$
ζάδηλον Z 2_7
ζάεισαι M 10 (b) i_7
ζακρυόεντος B 2 $(a)_8$, ζ]ακρυόεν[τα
   prob. D 31_4, cf. B 16_{12}
ζαλλευόντο]ν ex schol. suppl. A 5_{10}
Ζεῦς K 3_6, Z 14_1, Z 38, I 1_{10} prob.,
   Ζεῦς sive Ζεῦ E 1_{14}, Z]εῦ dub. A 5_7,
   D 11_1 (= X $(1)_{18}$), Δία G 1_5, Δίος
   B 2 $(a)_2$ suppl., B 7 $(a)_{10}$, F 3 $(b)_{16}$,
   K 3_1, N 1_{10} prob., Q 1_9 fort., X
   $(9)_8$, ᾱ 1 (a), Z 19, Z 22_3. Cf. ᾱ 1 (c)

Ζεφύρωι Z 3_3
Ζόννυςςον G 1_9
ζοφοδορπίδας Z 106
ζῶμα B 10_{10}, -ατα Z 34_7
ζώω G 2_{17}, ζώην H 9_7

ἤ = 'vel' E 1_{24}, ἤ... ἤ = 'aut ... aut'
   G 1_{17-19}
ἤ H 4_5, ἤ μάν Z 20_1, ἤ ποι Z 59_1, ἤρ(α)
   M 6_6, Z 60_1
ἠδέ B 2 $(a)_2$
ἤδη D 18_{12} fort., F 5_9, X (14) ii 13-14,
   Z 2_7, cf. B 14_2]ηδη[
ἤλον : ἐκ ... ἔλε M 4_5, ἐκ ... ἔλετο
   Z 12, ἔλων B 10_7, Q 1_6, ἔλοντες C 11_6
ἠμενεπε.[E 11_3
ἠπιόλας vid. Z 83
ἤρ : ἤρος Z 44_1, sed ἔαρος P 2 $(b)_3$
ἤρ(α) vid. ἤ
['Ἥρα : vid. Z 25 (c)]
['Ἡρακλέης vid. Z 120]
ἤρινον F 1 $(a)_{10}$
ἤτορ fort. A 6_{20}

θα.[K 15_1
θαλ.[H 47_3
θάλαςςαν B 2 $(a)_5$, B 13_2, B 16_6, H 28_{19}
   fort., Z 72, -ας C 11_3 fort., Z 36_1,
   cf. O 1 $(a)_5$ schol.
θαλαςςία Z 36_2
[Θάλης vid. Z 125]
θάμα sive θάμ' D 14_6, Z 35_2, cf. X
   (14) ii_{16}
]θάμβ[M 8 $(b)_2$
θανάτω B 2 $(a)_7$, θά]νατ[ον prob. D 31_4
θᾶς κ(ε) D 12_8, K 3_6
θάςςει E 2_5
θαυμα.[M 11_3
θα]υμάςιον M 12_7
θε[K 2 ii_6
θεί.[F 42_1 fort.
ξθέλ[D 8_6
θέλγονται B 13_7
θέλης I 1_2, -ει V 1 i_{22}, θέλο.[F 14_8,
   θέληις Z 17, -ηι E 1_4, -ηι[D 40_3,
   -ως[B 5_7, -οις Z 17
θ]έος D 40_3, θέον K 14_3 fort., fem.
   G 1_6, -οι G 23_6, T 1 i_9, ȳ 1_1, -ων A 5_7,
   F 3 $(b)_{16}$ suppl., G 2_{28}, K 2 ii_6,
   K 5 $(c)_2$, Q 1_3, T 1 i_8, ᾱ 3, Z 3_1,
   Z 25 $(a)_1$, -οιςι B 5_7

θεοϲύλαιϲι Q $_{14}$; cf. schol. D 1 (b)$_2$
  ἀντὶ τοῦ ἱεροϲυ[λ-
θ[ερ]άπον[τ- M 5$_3$ fort.
θέρμαν H 4$_{10}$
θέροϲ fort. supplend. Z 23 (b)$_2$
θέρϲοϲ K 3$_2$
θέϲιϲ K 1$_6$
θεϲπεϲία G 2$_{34}$
θή[ῖο]ν B 13$_8$
θναίϲκω: θάνοντεϲ G 1$_{17}$, P 2 (a)$_4$
θνάτων E 2$_7$, -οιϲιν T 1 ii$_{11}$
θόρρακεϲ Z 34$_8$
Θραικ[ίαϲ prob. B 13$_3$
θρίξ: τρίχ[B 7 (a)$_{10}$; cf. schol. D 19^A
  ii$_8$ καν τριχοϲ
θρώιϲκοντ[εϲ B 2 (a)$_9$
θυ[F 2$_7$
θυ[γάτηρ K 3$_1$, θυγα[G 2$_7$
θυέλλαιϲ Q 1$_{13}$
θυμοβόρω D 12$_{10}$
θῦμοϲ ā 2 (b)$_2$, -ον G 1$_{10, 22}$, N 1$_4$, Z 11$_1$,
  Z 35$_2$, -ωι B 2 (a)$_3$, C 1$_{19}$; etiam
  A 6$_{18}$ θῦμ[, B 9$_{14}$ θυμ[, N 1$_9$ θῦμο[.

ἴαν = 'unam' Z 27$_6$
ἴ]θαροϲ fort. A 5$_8$, ἰθαρώτεροι C 1$_{18}$
ἴκανε (ἴκᾱν- ut vid.) Z 72
†ἴκνεῖται corruptum A 10$^B_4$
ἰκοίμεθα K 4$_8$, ἴξετ.[O 2 (b)$_5$
ἰλάομαι vid. ἐλλ-
Ἴλιον B 10$_4$
ἴλλαεν vel -άεντι C 1$_{19}$
ἰμ[F 4$_{20}$
ἰμέρρην D 15$_5$, -ων G 2$_{18}$
]ἴμερτον F 3 (b)$_5$
ἰόπλοκ(ε) Z 61
ἰότατι ā 3
ἴππιοι Z 34$_3$
ἴ]πποιϲ M 8 (a) ii$_{13}$, -ων B 2 (a)$_6$, -ο[ιϲι
  prob. B 2 (b)9, ἰππ[F 1 (a)$_5$
Ἴριϲ Z 3$_2$
ἴροϲ: ἴραν acc. B 1 (a)$_8$, B 9$_9$, B 10$_4$,
  ἴρ[αν sive Ἴρ[αϲ D 11$_3$, ἴραϲ B 16$_{10}$,
  G 2$_{35}$, Z 28$_2$, ἴρον Z 105 (a)
ἴϲα neut. F 3 (b)$_{27}$, ἴϲωϲ Z 20$_2$, cf.
  F 3 (b)$_{25}$ fort. ὑπ' ἴϲω[
ἴϲτημι: ἴϲταιϲ K 3$_3$, ἐϲτάϲαντο Z 24$_3$,
  ὑπὰ ... ἐϲταμεν Z 34$_8$
ἰϲτίω B 2 (c)$_{17}$
ἰϲτοπέδαν Z 2$_6$
ἴϲτοϲ: vid. X (27)$_3$]τονιϲτον

ἰϲχύρω Z 34$_6$
ἴχθυ[A 7$_{12}$

]καβάλω[H 27$_3$
κάββαλλε Z 14$_5$, κὰτ ... βεβλήμεναι
  Z 34$_6$
καγγ[ε]γήρᾱϲ(ι) dub. G 2$_{21}$
†καθέταν corruptum Z 23 (b)$_2$
καί sententias coniungit A 6$_{9, 13}$,
  B 13$_5$, F 5$_{10}$, G 1$_5$, L 1$_7$, Z 2$_8$, Z 78
  (a); voces coniungit B 2 (a)$_{4, 5}$,
  B 10$_{2, 11, 16}$ prob., B 18$_2$, D 13$_2$,
  D 14$_5$, D 15$_{10}$, F 3 (b)$_{16, 31}$, G 2$_{20}$
  bis, N 1$_8$, ā 5, Z 8$_1$, 22$_3$, 4, 23 (a)$_5$,
  24$_2$, 3$_2$, 34$_7$, 36$_1$, 43, 68; = 'etiam'
  vel sim. B 6^4$_7$, $_{11}$, D 12$_7$, D 13$_1$,
  D 15$_{12}$ (= X (16)$_3$), F 3 (b)$_{27}$, K 5 (a)
  i$_3$, ii$_6$, Z 17 suppl.; καὶ γάρ B 6^A$_5$,
  F 5$_5$; praeterea saepius ignoto
  contextu, A 4 (b)$_2$, A 19$_2$, B 1 (a)$_9$
  fort., B 4$_2$, B 7 (a)$_9$, B 11$_2$, B 16$_{14}$,
  C 1$_{18}$, D 6$_5$, D 10$_4$, D 15$_3$, D 18$_{10}$,
  E 2$_3$, F 3 (b)$_{24}$, F 13$_4$, G 2$_{13}$, G 4$_6$
  dub., H 21$_4$, 40$_3$, M 4$_4$, N 1$_1$ prob., $_3$,
  O 2 (b)$_2$, Q 2$_5$, S 1$_1$ fort. καίτ'(οι),
  T 1 ii$_4$ fort., $_8$, X (14) ii$_{16}$, $\bar{\eta}$ 1, θ 2,
  ī 2, Z 4, 51, 20$_2$, 33, 62, 75 dub.
κακκτάνοντεϲ G 1$_{19}$, κατέκτ[αν- O 1
  (b)$_3$
κακοπατρίδαν acc. Z 24$_1$, gen. pl. D 9$_4$,
  -πάτριδ[αι D 17$_{12}$, -πατρίδα[D 48$_3$
κάκοϲ: κάκον A 2 (a)$'_{12}$, Z 41$_1$, -ω B 12$_5$,
  κάκᾱ[B 18$_3$, κάκων B 10$_1$, F 3
  (b)$_{33}$, F 5$_7$, G 2$_{31}$, -οιϲι P 2 (a)$_7$ prob.,
  Z 11$_1$, κάκωϲ Z 26
κακότατα G 4$_4$, κα]κό[τα]τ(α) F 3
  (b)$_{31}$, κακοτάτων A 10$^B_1$
κακχέει Z 23 (b)$_2$, κ]άκχεε[.] B 4$_{14}$,
  κάδ ... χενάτω Z 39$_3$
κάλαμοϲ F 1 (a)$_9$
κάλην D 13$_1$, ἐκάλη B 12$_6$, κάλεϲϲαι
  Z 45$_1$
καλλίπηι K 4$_5$
κάλοϲ[fort. M 12$_9$, -ον neut. F 5$_{11}$,
  neut. (subaud. ἐϲτί) Z 77, -ωι P 2
  (b)$_1$, -αιϲ M 8 (a) ii$_2$, -α neut. prob.
  P 2 (a)$_7$, κάλιον Z 88, κ[άλ]λιϲτοϲ
  B 13$_1$
κ]αλυπτ[poss. D 25$_2$
καμάκων C 1$_{16}$
κάπνον supplendum ut vid. D 16$_7$

κόρcαι dat. Z 14₇
κορύφαν B 9₁₈, gen. pl. F 1 (a)₇, -αιc(ι)
  T 1 i₆, -αιcιν ᾱ 2 (b)₂
Κορωνήαc Z 1₂
κοc[B 1 (a)₂
κεκόcμηται Z 34₂
κόcμω M 8 (a) ii₁₅
κότυλοι Z 94
κούφω F 3 (b)₆
κρ.[....]. G 2₂₇
κράνναν H 11₅
κράτηρα Z 44₃, -ηραc K 3₃
]κρετεω[A 1₆, κρ]ετέντων poss. R 1 i₈
κρέτοc H 2₃, O 4₄
κριννόμεναι G 2₃₂, κεκρίμενοc A 5₁₁
Κρονίδαιc B 6ᴬ₉, I 1₁₀ prob., -δα gen.
  P 2 (a)₃, X (9)₉, Z 64, -δαι dat. T 1
  i₃, ᾱ 2 (b)₃, -δα[E 1₃
Κρόνω M 7₃, -ωι Z 63
κ]ρυ[έρα fort. D 3₁₀, κρ]ύεροc O 1 (a)₃
  -κρ]υόεντ(α) B 16₁₂
κρύπτω : -οιcιν Z 34₅
κτένναιc Z 27₅
κυαν[M 10 (b) ii₆
κυδαλίμαν G 1₆
κ]ύδναc H 13₄
κῦδοc D 12₁₃, M 8 (a) ii₁₅
κύδρ.[M 15₃
κύκαμι : ἐκ ... ἐκύκα Q 1₁₃
κύκλον dubio loco Z 66
[κύκνοι vid. ᾱ 1 (c)]
κυλίνδεται Z 2₂, cf. V 1 ii₇ κυλ..[
κύλιξ Z 22₅
κυλίχναιc Z 22₂, -αν gen. ῑ 1
Κυλλάναc ᾱ 2 (b)₁
κῦμα sive κῦμ' A 6₁, F 3 (b)27, prob.
  38, Z 2₂, κύματι D 15₃,]κύματ' fort.
  H 22₂
κύνειε.[ante E 2₁
κυνίαν Z 5₁, -αιcι Z 34₃
κυπ[P 3₃
κυπάccιδεc Z 34₇
Κυπρογένη(α) P 2 (b)₁, -ήαc Z 57
κύπροc β 1
]κυρβ[G 8₂
κυψ[έλαιcι ex schol. suppl. G 3₅
ἐκώ[H 21₃
κωμάcδοντα Z 51
Κωραλίω Z 1₄

λᾱ[.]δεχ[R 1 ii₁₀
λάβαν Z 27₂

λάβολον D 10₃
[λάβραξ Z 110]
λάβρωc D 14₃
λαγχάνω :]λάχην A 8 (a)₃, λαχόντων
  ᾱ 3, λαχοιc[α B 9₁₇, λάχηι A 6₁₀
λαθικάδεον Z 22₃
λαί]λαποc poss. B 2 (b)₁₂
λαῖφοc B 1 (c)₄, Z 2₇
λαιψήροιcι[H 10₂ (nisi,]λ' αἰψ.)
λάκιδεc Z 2₈
λαμβάνω : λάβηι v.l. A 6₁₀, λάβοιεν ῑ 2,
  λαβ[ο]ντα[fort. D 3₇, λάμψεται B 4₉
λάμπροι B 2 (a)₁₀, -ω H 40₅, -αι nom.
  Z 34₅, -αιcιν Z 34₃, -α neut. Z 60₂
λάμπω : λαμπο.[M 6₃
λανθάνω : λάcην D 11₈, ἐκ ... ἔλαcαc
  Z 54, λάθεcθ(αι) Z 34₈, λάθε[cθ]αι
  B 7 (a)₄, ἐκ ... λαθοίμεθα D 12₉,
  λελάθων D 15₈ (= X (16)₁)
λᾶον Z 41₂, -οιc H 4₃, -οις(ι) Z 33
λάταγεc ῑ 1
λάτ]αχθεν poss. D 14₅
Λατοῖδα D 9₃
λέγεται fort. Z 43
ἐ]λείβ[ετ]ο F 3 (b)₁₁
λείπω : λίποντεc B 2 (a)₁, B 2 (b)₁₀,
  λίποιc[α N 1₇
Λελέγων Z 13
[λέπαc vid. Z 36₂]
λέπτοι Z 23 (a)₅
Λ[εcβί]αδεc G 2₃₂
Λέcβιοι G 1₁
λεῦκοc nom. neut. X (14) ii₁₂
λεῦκοc adi. : -οι Z 34₃, cf. H 21₅ λευκ[
  sive λευρ[
λέχοc N 1₈
λέων : λέοντ[H 10₄, λέ[ο]ντ[οc fort. P 2
  (a)₈ ; cf. Z 115
Λήδαc B 2 (a)₂
λιγύραν Z 23 (b)₂
λίθοc Z 42, -ον X (14) ii₃₁, Z 20₁, Z 28₂,
  cf. Z 103
λίμενα A 6₈
λίμναc F 1 (a)₈
λίνω Z 34₆, cf. G 21₆ fort. λίνο- post
  correctionem
λίccομαι Z 51 bis ; cf. B 4₃]τονελιccομ[
λίτωc F 7₂
λόγοc B 10₁, Z 15, -ον Z 37₁
Λόκροc Q 1₈
λόφον Z 65, -οι Z 34₂
λυ.[H 4₃

324

dat. Z 39₁, omnia incerta B 25₁
τᾶιcμ.[, cf. I 1₅
  τό nom. Z 23 (a)₁, 29, cum infin.,
τὸ κατθάνην, Z 77; τό acc. F 5₁₁,
F 6₉, H 2₃, ā 4, Z 2₃, 69, multa
ambigua et incerta velut B 5₆,
B 7 (a)₄, ₇, D 8₄, D 10₅, D 16₆, M 6₅,
ā 3; τώ A 6₁, ₁₁, B 2 (c)₁₇, B 18₂,
F 3 (b)₃₀, Z 27₂, 39₃, 44₂; τώι L 1₉,
incert. gen. H 46₅; τά nom. Z 60₂,
acc. F 5₁₇, Z 22₁, ambigua A 8 (a)₁,
B 1 (c)₈, E 1₁₅, K 5 (a) ii₇, P 2 (a)₆,
₇, δ 2
  rel. pron.: ὅ]c fort. F 3 (b)₂₉, cf.
F 14₈; τόν T 1 i₂, ā 2 (b)₂, Z 3₂
suppl.; οἴ A 6₁₅ suppl., B 2 (a)₅,
G 1₁₈; τοίc B 7 (a)₈, H 4₄, (nisi def.),
R 1 ii₁₁ prob.; ἀ Q 1₃, Z 1₂, 41₁;
τάν (acc.) B 2 (b)₁₁ prob., D 12₁₁;
ταίc (acc.) Z 19; τᾶν Z 34₃; ὅ F 3
(b)₂₆; τά (acc.) G 22₀, Z 17 bis,
35₃; fort. etiam Z 64 τόν, A 62₀
ταί[c(ι) rel. sive dem., τ[οί]cιν D 9₅
rel. sive dem.
  dem. pron.: ὁ D 11₆, D 12₂ fort.,
D 17₁₁; οἱ B 10₁₅; ἀ B 12₇, F 3 (b)₃₅
fort., H 2₄, Q 1 (a)₁₀, ταί[cι fort.
A 62₀; τό Z 2₂, ₃, 35₃; τῶν K 3₄,
Z 34₈; incertum an dem. pron.
τώ D 15₁₁
ὀγκρεμ-: ὀνεκρέμαccαν Z 105 (a)
["Ογχηcτοc vid. Z 102]
ὅδε, ἅδε, τόδε
  ὅδε sive ὁ δέ D 16₂, τόνδ' sive
τὸν δ' M 5₆ fort., τάνδε G 1₈, τῶδε
D 12₉, τωδ[sive τω δ[H 11₁, cf. 46₅,
οἴδ' Z 21₁, τῶνδε G 1₁₁, τωνδέων
G 22₁; τάνδε F 1 (a)₆, τάνδε Z 78 (a),
τᾶcδε A 62₁, F 8₅, cf. A 6₁₅; τόδε
nom. dub. A 6₁, acc. G 1₁, Z 34₈,
P 2 (a)₁, τάδε D 12₂, E 1₁₈ ut vid.,
F 3 (b)₂₉, Z 52 fort., τῶνδε prob.
neut. B^A₁₂; alia multa dubia vel
ambigua, velut B 1 (c)₈, E 1₆, G 6₂,
H 46₅, M 12₁₁
ὀή[ῖα suppl. V 1 ii₂₀
οἴ.[K 34₁
ὀί[γ]οντ(αι) P 2 (b)₃
οἴδα D 17₉, cf. Z 20₁, ὄϊδ- Z 97, οἴδεν
F 3 (b)₂₈,]οίδαμεν dub. H 28₉
ἐοι[.....] G 22₉
οἴ]ζυρον poss. H 9₇

οἰκ[H 9₆
οἴκημ⟨μ⟩ι G 23₁, οἴκεις Z 4, ἐοίκηcα
  G 22₅
οἴκω ā 5
οἶνοc Z 9, 35₁, 43, -ον B 9₁₁, Z 11₄,
  14₆, 22₃, -ω δ 2, -ωι Z 23 (a)₁, οἰ[νο-
  B 7 (b)₂
οἴνοψ: -οπα Q 1₁₁
οἶοc = 'solus' G 22₅
οἶοc = 'qualis': οἴαν D 14₁₂, οἴα ut
  vid. X (14) ii₁₃
ὄκνοc A 6₉
ὄλβιοc H 9₂, -ον B 10₁₄,]όλβιο[prob.
  M 17₂
ὄλιγον B 7 (a)₆, -αιc F 5₁₂
ὄλλυμι: ὤλεcαν E 12₆
ὀλολύγαc G 23₅
'Ολύμπιοι G 23₆, -ων D 12₁₁, Z 25 (a)₁,
  cf. B 1 (c)₉, ubi ὀ]λυμπ- poss.
(κατ)όμ[H 47₆
ὀμάγυ[F 1 (a)₁₄
ὄμβρωι D 15₄
ὀμίλλει F 3 (b)₂₉
ὀμμένομεν Z 22₁
ὄμπαν[F 42₃
ὀμφ]ακαc F 51₆
ὄν = ἀνά H 41₁, Z 2₃, cf. F 1 (a)₁₀
ὀν[I 1₈
ὀνάρταιc C 1₂₁
ὀνείδεcιν B 4₆
ὄνεκτον D 18₉, ₁₂
ὀνελιccομ[fort. B 4₃
ὀνίαιc Z 30₁
ὀνίατον A 10^B₄
ὀνν.[D 6₄, ὀνν[M 12₁₂
ὀννέλην G 2₂₇
ὀ]ννέχει fort. A 3₄
ὀννώρινε D 14₉
ὀ]ν[ο]ρθώθημε[fort. D 18₁₄
ὀντρέψει H 2₄, ὀνέτροπε D 14₈
'Ονυμακλέηc G 22₄
ὠνύμαccαν G 1₈
[ὄνυξ vid. Z 115]
ὀξυτέρω Z 46₂
ὀπάcδω: ὤπαccε K 3₂
ὄππαι E 1₄, G 23₂, cf. H 10₅
ὄππόθεν F 1 (a)₇
ὄππόι M 8 (a) ii₈
]όππocεκ[B 19 (b)₇
ὄππotα A 5₁₇, Z 23 (b)₂
ὀπώραc Z 74
ὀράνω Z 14₁, sed ὠράνω Z 3₂; cf. Z 118

ὄργας T 1 ii$_{10}$, ὄργαι[M 15$_2$
ὄρες..[fort. T 1 i$_1$
ὄρημμι: ὀρημένα fort. F 3 (b)$_5$,
  ὄψεσθ(αι) B 6^$_4$
ο]ρθώθημε[D 18$_{14}$
ὀρκίοισι G 1$_{23}$, ὄρκια H 28$_1$; cf. X (9)$_{11}$
ὄρκον T 1 i$_4$
ὄρνιθες Z 21$_1$, -εσς(ι) F 1 (a)$_6$
ὄρνυμι: ὄρωρε Z 15
ὄρος: ὀρέων T 1 i$_6$, sed ὤρεος H 42$_3$
ὄρχησθ[(αι) M 10 (b) i$_8$
ὀςδόμενοι P 2 (b)$_4$
ὄσσος F 5$_{10}$
ὀστείχει X (14) ii$_3$
ὄστια M 4$_5$, ὀστίω poss. B 2 (c)$_{17}$
ὄτα B 6^$_2$ prob., β 2, M 6$_1$ fort.
ὀτρύνν[H 10$_3$
ὄττις F 3 (b)$_{37}$, V 1 i$_{22}$ (ὄστις, in lemmate), ὄττινες Z 68, ὄττινα B 6^$_{12}$,
  cf. M 7$_2$, ὄττι D 8$_7$, ὄττι μάλιστα
  D 15$_2$, ὄττι τάχιστα Z 44$_2$; ὅ κέ τις
  fort. = ὄςτις ἄν F 3 (b)$_{26}$
οὐ B 10$_5$, D 9$_1$, D 11$_5$, E 1$_5$, F 3 (b)$_{22}$,
  G 1$_{21, 25}$, O 2 (a)$_5$, X (14) ii$_{22}$, ι 3,
  Z 11$_1$, 17, 35$_1$, 52, 58; οὐκ B 1 (b)$_4$
  prob., D 10$_2$, D 14$_7$, F 3 (b)$_{28}$, F 5$_{12}$,
  G 2$_{27}$, L 1$_4$, M 8 (a) ii$_{11}$, P 2 (b)$_7$,
  Z 34$_8$, 37$_1$; cf. F 8$_7$ μηὔκο[
    οὐδέ A 12$_4$ fort., B 7 (a)$_{10}$, C 1$_5$,
  D 9$_2$, D 11$_6$, G 2$_3$, G 6$_7$, Q 1$_8$, Z 37$_2$,
  69, cf. Z 104
    οὐδ' εἴς Z 37$_2$, P 2 (a)$_6$ prob.,
  οὐδ' ἔν vel οὐδέν D 11$_5$, F 5$_5$, θ 2,
  Z 11$_2$, adv. D 15$_5$; ambigua B 5$_3$,
  cf. 16$_{20}$, O 2 (b)$_1$, οὐδεν[
    οὐδάμα D 11$_5$, T 1 i$_{11}$, οὐ] sive
  μη]δάμα F 3 (b)$_{13}$
    οὐδέπω Z 10$_1$
    οὐκέτι Z 35$_3$
    οὔπω P 2 (b)$_{10}$, cf. S 1$_8$
    οὔτε Z 26
  nonnulla ambigua, velut οὐ[B 7
  (a)$_7$, D 4 (a)$_3$, F 3 (b)$_{35}$, cf. E 3$_5$,
  G 2$_{11}$, H 8$_4$, 30$_3$; οὐκ[H 4$_4$; οὐδ[
  E 3$_1$, O 1 (b)$_1$, cf. F 5$_{18}$, alia
οὐκυτὸν corruptum Z 105 (a)
οὗτος H 2$_3$, Z 28$_1$, τ[α]ύταν fort. R 1 i$_6$,
  τοῦτο B 22$_2$, C 1$_{10}$, D 9$_3$, D 13$_2$,
  E 1$_5$ fort., F 1 (a)$_{13}$ fort., 3 (b)$_{28}$,
  F 8$_8$, K 5 (a) ii$_6$, M 8 (a) ii$_3$, ταῦτα
  B 16$_{18}$, C 1$_{25}$, Z 52, cf. G 6$_{10}$,
  τούτων D 14$_7$, D 15$_8$, G 2$_{23}$, τούτ[οισι

sive -ωι D 15$_7$; τουτ[P 2 (a)$_5$, prob.
  -ω sive -ων, cf. B 7 (a)$_2$
οὕτω D 13$_{13}$ fort., D 13$_2$, cf. E 3$_5$
ὄφρυσιν Q 1$_{10}$
ὄχθαις Z 1$_4$
ὄψεσθ(αι) B 6^$_4$
ὄ]ψ[ι suppl. F 5$_{13}$

πα[E 1$_2$
πεπάγαισιν Z 14$_2$
πάγος O 1 (a)$_3$
πᾶι D 18$_{16}$
πάις D 17$_7$, M 5$_6$, O 2 (b)$_8$, T 1 i$_2$ fort.,
  παῖ ᾶ 1 (a), Z 43, παῖδα B 10$_{13}$,
  G 1$_{13}$, N 1$_7$, prob. N 1$_{10}$, -ων Z 36$_2$,
  παῖς[ι B 10$_2$, παῖδ[H 20$_2$, cf. M 17$_4$,
  18$_5$
παῖς: masc. πάντα X (14) ii$_{31}$, πάντας
  B 10$_6$, πάντων Q 1$_4$, fem. παῖςα
  Z 34$_2$, παῖςαν B 2 (a)$_6$, παίςαις
  D 14$_9$, παίςαν A 10^$_1$, neut. πάν
  D 15$_1$, Z 2$_7$, πάντα B 16$_{18}$, D 9$_1$,
  F 7$_1$, P 2 (a)$_6$, Z 23 (a)$_2$, πάντων
  G 1$_7$; ambigua πάντα A 1$_1$, πάν[
  A 7$_3$, παντεπιχ[M 6$_4$, παντα[Q 2$_7$
πάκτιδι B 4$_5$
παλ[(nisi ἐπαλ]) A 6$_{21}$
πάλαος: παλάων H 30$_5$, παλαον delet.
  F 5$_{11}$
παλάμαν L 1$_7$, -αισιν Z 57,]σπαλαμ[
  B 19 (b)$_6$
παλαμάσομαι Z 55
παλάσταν Z 27$_6$
πάλιν Z 70
Πάλλαδος Q 1$_3$
]παλος K 17$_2$
παμβασίληϊ ᾶ 2 (b)$_4$
πάμπαν Z 12, Z 40$_2$
πανέλοπες Z 21$_2$
πᾶο[D 19^ ii$_3$
παόω: παώθεις D 12$_6$
πάρ B 13$_1$, H 28$_1$, P 2 (b)$_2$, Z 1$_4$, adv.
  Z 34$_7$ bis, cf. D 8$_2$ πάρα[; παρά
  B 7 (a)$_{10}$, etiam A 16^$_1$]παρμέν[,
  B 2 (b)$_6$]παρποτ[
παρβάλλεται Z 122 dub.
παρεβ..[M 8 (a) ii$_{14}$
πάρεμμι: παρέοντι L 1$_9$
παρέχην Z 30$_2$, παρεχε[F 5$_{20}$, παρέξει
  A 6$_2$, παρέσκεθ(ε) F 5$_3$
παρθενίκαν acc. Q 1$_6$, -αι nom. B 13$_5$
πάρθενος T 1 i$_5$, -ον B 10$_8$, -ω B 10$_{10}$

328

παρίσδων Z 53

παρίστημι: παρεστάκοισαν Q 1_7

]παρμέν[A $16^B{}_1$

πάρο G 2_{12}

παρο[M 8 (a) ii_{12}

πάροιθα A 6_{11}, -θεν E 1_{20}, Z 1_3

παρορίνει Z 70

πᾶρος A $10^B{}_4$

]παρποτ[B 2 (b)$_6$

πασσάλοις Z 34_4, coni. Z 22_2

πάςτ[M 6_8

πάςχω: πάθην B $6^A{}_{12}$, cf. F 11_3, πάθοντες D 11_5, -οίςας B 18_1; A 1_7 fort. πείςομαι, I 1_9 fort. πείςεςθαι

πατάγεςκ(ε) D 14_{10}

πάτηρ G 2_{20} bis, T 1 i_8, cf. D 19^A i_{11}, πάτερ D 11_1 (= X (1)$_{18}$), πάτερα prob. D 10_3, $_4$, πάτερος G 2_{20}, -ων A 6_{17}, H 28_{17} prob., Z 15, 48, 71

π]ατριδος[poss. D 23_5

παυρο[G 3_6

παυσαι F 5_7, ἔπαυσα fort. F 5_6

παφλάσδει D 14_5

παχέων Z 27_7

πε[.].άτταιδέ[O 2 (a)$_3$

πέδ[fort. P 2 (a)$_2$

πεδά sive πεδ' B 18_4, D 12_4, $_7$, D 15_{10} (= X (16)$_3$), G 2_{21}, Z 64, cf. P 2 (a)$_2$ πέδ[

πε[δ]αγ[ρέ]τω(ι) coni. Z 35_3

πεδαλευόμενος Z 35_3

πέδαμι: πε[δάςει] ex schol. suppl. Z 35_1

πεδάορον δ΄ ι

πεδατρέπω: πεδέτροπ[ε D 17_{11}

πεδελθέτω G 1_{13}

πεδέχων D 12_3, -οιςαν A $10^B{}_1$, cf. B $6^B{}_5$]ωπεδεχ[, T 1 ii_{11} πεδέχ[; μετέχων in loco corrupto ζ 1_2

πεδίω⟨ι⟩ N 1_{13}

πείθ(ε) N 1_9, πείςεςθαι poss. I 1_9

πέλας Z 30_1

Πελάςγων A 7_6

πελιδνώθεισα Q 1_{11}

πέλομαι: πέλετ(αι) Z 37_2, Z 50, πέλον·τ(αι) E 2_6, ?πέλτ' K 2 ii_3

Πέλοπος B 2 (a)$_1$

πέμπων = πέντε cas. gen. Z 27_7

πεγ[K 42

Πενθίλη..[D 17_{10}, Πένθι[λ- R 1 ii_5

Πενία Z 41_1

πένιχρος Z 37_2

].πέπα.[H 40_9

πέρ ᾱ 5 bis, Z 8_1,·Z 42, in tmesi Z 2_6; περί Z 39_1 et loco dubio Z 66, in tmesi G 2_{33};]περ partic. an praepos. incertum F 3 (b)$_{40}$

ἐπέραιςε B $6^A{}_8$

περάτων Z 27_1, πειρ- Z 21_1 (nisi περρ-)

περβαίνω: περβέβαται F 5_9

]πέρβαλ.[H 44_2

περέτε.[M 4_6

[Περίανδρος vid. X (7)$_{19}$]

περί ... βρέμει G 2_{33}

περικείμεναι Z 34_5

περιστείχειν sive -στίχειν loco dubio Z 66

περιστρόφιδ' H 4_8

περιτέλλεται Z 23 (a)$_1$, Z 29

περρ[B 12_5

Περράμωι B 10_2

περράτων vid. περ-

περρέχω: πὲρ ... ἔχει Z 2_6

περτίθημι: περθέτω Z 39_2

πέσδοις dub. N 2_3

[πέσσοι: vid. X (14) ii_{30} seqq., X (20)$_4$]

πετάλων Z 23 (a)$_3$

πετανν-: πεπτάμενον coni. Z 23 (b)$_2$

πέτρας Z 36_1

Πήλεος B 10_{11}

π]ηλεφάνην F 1 (a)$_{11}$

π]ήλοθεν B 2 (a)$_{10}$

πιέσδω Q 99

πίθημμι: πίθεις[B 11_4, π[ί]θην prob. F 3 (b)$_{28}$

πίθος: -ω D 14_{10}, cf. schol. K 4_3

πίκρον B 10_3

πίλναται T 1 i_{11}

πίμπλεισιν D 14_4

[πίναξ vid. X (4)$_2$, $_6$]

πίπτω: ἔπετον Z 57

]πίςτως I 1_7

Πιτάνα Z 116

πλά]σδομ(αι) poss. H 9_4

πλάσσω: πλάγεις[αν· D 15_3

πλάτυ D 16_2

πλείστα B $6^A{}_6$, -οις(ι) Z 33

πλέκταις Z 39_2

πλεύμονας Z 23 (a)$_1$

πλέω: πλέει scr. et del. H 28_{18}, πλήην[B 1 (a)$_6$

πλήαις Z 22_5

πλίνθων Z 75

πλό[ον L 1_6

πνόαι θ 1

ρα vid. ἦρα
ρήα B 2 (a)₇
ρήγνυμι : εὔρηξε H 40₂
ρόαι nom. Z 14₂
ρό[ος prob. Z 72
ρόπας H 2₄
ρύεσθαι G 1₂₀, ρύεσθε B 2 (a)₇, prob.
  G 1₁₂, εὐρύcαο restit. Z 27₄
  vid. etiam βραδίνοις, βραϊδίως,
  βροδ[, ϝρῆξις

cάλ[D 15₂
[cάματα vid. Z 104]
cά]μβαλα fort. S 1₁
cαμφο[R 1 ii₉, nisi c' ἀμφο[
cάος restit. Z 105 (a)
cάπεται fort. F 3 (b)₇
Σάπφοι Z 61
cαράπος, -πους Z 106
cαύτωι ζ 1₁, ₂
cάωμι : cάωις β 2, c[άοι prob. K 5 (a)
  ii₆
Σείριος Z 23 (a)₅
cείων Z 65
cέλιννον vid. Z 113
Σεμέλας Z 22₃
cέος Z 50
[Σιγεῖον Z 105 (b)]
cίδαρ[ο- H 40₁₂
cίκυς vid. Z 123
cι'μαν[ut vid. M 12₄
cιcύρναν Z 56
Σίσυφος B 6ᴬ₅, Σίcυφο[F 3 (b)₄₀
cκέλεα X (14) ii₁₃ ex corr.
cκόλυμος Z 23 (a)₄
cκοπιάμ[F 5₁₄
Σκυθίκας Z 31, -αις ῆ 1, cf. D 19ᴬ i₁₆
  ubi Σ]κύθ.[possis
[Σκυρία, αἴξ, vid. Z 112]
cκύρον H 28₃, H 35₂, fort. C 1₁₃
cμίκρος D 17₈, c]μίκρ.[B 25₂
cός : cόν prob. M 5₃, cῶ ᾱ 5, cᾶc F 5₆,
  cαν init. vers. Q 2₂ ; cf. τέος
cόφος B 7 (a)₉
cπάθαι Z 34₇
Σπάρται dat. Z 37₁
cποδ[H 41₀
cτάσιν G 2₂₆, Z 2₁
cτάτ[ηρας D 5₇, cτά[τηρας D 11₂
cταφύλαις F 5₁₂
cτέγα Z 34₂

cτεί[D 14₃
'cτ[εί]βοντο prob. post correctionem
  N 1₁₇
'cτ[εί]νοντο ut vid. ante correctionem
  N 1₁₇
cτείχει A 6₂
cτένω.[Z 72
cτ]εφανώματ(α) B 16₁₇
cτεφανωμενοί[P2 (b)₈
cτήθεος‚ B 18₂, Z 39₄, -εςι A 10ᴮ₅, -εςιν
  N 1₃
cτί[χ]μα dub. O 2 (a)₆
cτρόπτω : ἔ]cτροπτε poss. H 40₁₂
cτρωτιωτέροις Z 49
cτρότον Z 59₂, cτροτ[Q 3₁
ἐcτυφέλιξε Z 10₂
cύ D 14₁₁, ζ 1₁, Z 16, cέ B 13₅, G 1₆,
  P 2 (b)₁, ᾱ 2 (b)₁, Z 51, Z 122 fort.,
  c(έ) B 7 (a)₅, F 5₆, K 3₄, Z 63,
  cέθεν B 10₃, coί H 46₄, M 10 (b) i₅,
  τοι pron. an partic. incertum C 1₅,
  K 11₂, M 7₂, M 8 (a) ii₃, τ(οι) pron.
  F 5₁, cf. S 1₁ καίτ(οι) ignoto contextu ; cαύτωι ζ 1₁, ₂
cυ[K 25₂
cύλ[H 26₂
cυλλέγη[B 41₂
cυμ.[H 46₁
cύμμειξ[K 11₃
cυμπαιcαφ[S 1₇
cυμποcίας Z 45₂
cυμποcίω D 12₃
cύμπωθι Z 78 (b)
cυμφόραισι D 11₂, cυ]μφόραις prob.
  H 47₇
cύν ante cons. B 11₂, D 14₃ dub. (cῦν
  poss.), D 15₉ (= X (16)₂), Z 2₄ ;
  ante voc. M 7₂, M 15₂ prob., Z 41₂
cυν]άβαις = cυνηβῶν ex comment.
  X (16)₃ suppl. D 15₉
cυνα[γ]άγρετ[αι F 5₁₀
cύνάγ(ε) ut vid. Z 59₁
cυνήνημι : cύνεις C 1₁₀, cύ[νεις fort. F 5₆,
  cύνεντε[Q 4₃, ἐcύνηκε Z 85
cυ]ννέχει fort. A 3₄
cυνόδοιcι G 2₃₀
[cυνουcιάζοντες vid. schol. F 3 (b)₂₀]
cυντίθημι : c]υνθέμενοι B 4₁₁ fort.
cῦc Z 70, cῦν poss. D 14₃
cύcτον- obscurum O 2 (a)₄
cφ[A 6₁₈, B 7 (a)₆
ἐcφάλημεν D 18₁₃ prob.

34$_8$, cf. etiam E 1$_{14}$, F 3 (b)$_{10}$, 25,
P 2 (b)$_4$, schol. K 1$_{13}$; ὑπό O 1 (a)$_4$
ὑπαδησάμενος ἦ 1, ὑπεδησά]μαν fort.
ex schol. supplend. D 19^A i$_7$
ὑπαθύμιδας Z 39$_2$
ὑπατάρταρον fort. O 1 (a)$_4$
ὑπέξ G 1$_{20}$
['Υπερβόρεοι vid. ā 1 (c)]
ὑπίημι: ὑπίης F 3 (b)$_6$
ὑπίστημι: ὑπά ... ἔςταμεν Z 34$_8$
ὑπίςω[F 3 (b)$_{25}$, nisi ὑπ' ἴςω[
ὑποπ[A 6$_{30}$
ὑ]πωροφίων fort. B 6$^B_4$
Ὕρραον G 1$_{13}$
ὔω: ὔει Z 14$_1$

[Φαίακες Z 118]
φαῖμι: φαῖςθ' B 18$_6$, †φαι in loco
corrupto Z 16, φαῖςι 3 sg. Z 25 (b),
φαῖςι 3 pl. D 15$_5$ (nisi sg.), Z 19,
Z 37$_1$
φαίνω: πέφαννε K 3$_5$
Φάλ[ανθ- poss. A 7$_{11}$
φάνερ[..] D 9$_5$
φάος B 6$^A_3$, E 1$_{22}$, B 2 (a)$_{11}$ suppl.
φαρμάκων Z 11$_3$, φαρμακ[S 1$_5$
φαρξώμεθ(α) A 6$_7$
φειδόμεθ(α) C 1$_{13}$
φ[ερ]έςδυγον L 1$_3$
φερτ[H 46$_3$
φέρω: φ]έρει fort. F 3 (b)$_{28}$, φέρην
B 5$_5$, cf. D 48$_4$, φέ]ροντες B 2 (a)$_{11}$,
φέρεςθαι B 7 (a)$_{12}$, B 16$_7$, φέροιτο
B 16$_8$, G 4$_1$, φέρ[L 1$_{11}$; vid. ἐνείκην
φεύγων G 2$_{24}$, φευγον[G 3$_2$, πεφύγων
Z 98
φῆρα O 1 (b)$_3$, φῆρ[K 19$_2$
φθό[A 1$_{13}$
φίλος D 13$_1$, φίλε Z 43, φίλοι Z 26,
cf. H 9$_5$ φίλω[, M 4$_4$ φίλ.π.[
φιλό[τας prob. B 10$_{10}$
φιλώνων D 12$_4$
Φίττακον Z 24$_2$, -ωι D 12$_{13}$, Φίττ[ακ-
H 31 ii$_4$; cf. schol. E 1$_{24}$, H 18,
V 1 i$_{24}$, X (9)$_{6, 10}$, Z 105, 106
]φλαυροσυ[D 1 (a)$_3$
φλόγιον Z 23 (b)$_2$
φλ]οίςβω H 42$_5$
φοβέροισιν A 10$^B_5$
φόβημμι: vid. T 1 i$_{12}$, ubi φόβε[ις],
simm., poss., cf. etiam D 23$_6$
φοίταν H 4$_7$, φοίταις H 4$_{11}$, φοιταί[

Q 2$_4$, φοίταντες[H 11$_6$, cf. K 14$_4$
].αφοιτ[
φόνος Z 67, -ον ex schol. suppl. H 18
i$_3$, -ω sive -ωι N 1$_{17}$
φορήμ⟨μ⟩εθα Z 2$_4$, φόρηντ(αι) prob.
K 5 (a) ii$_8$, φόρης[H 19$_5$,]φόρεντες
B 9$_{10}$
φόρτιον D 15$_1$
].φρά[K 5 (d)$_3$
φράδαι[E 2$_2$
φρένας A 5$_5$ ex schol. suppl., Z 12,
35$_1$, 36$_2$, cf. H 10$_1$]αφρεν.[, φρέςι
B 7 (a)$_9$
Φρύνωνα H 28$_{17}$; cf. Z 105
φύαν G 2$_{32}$
φύγας G 1$_{12}$; cf. X (3) i$_4$ seqq.
φυίει sive φύcει A 10$^B_5$, πέφυκε M 12$_8$,
Q 1$_5$
φύλ.[D 19^A ii$_2$
ἐφύλαξα[D 9$_3$
φῦcαι sive φύcαι D 3$_{11}$
φύcγων G 1$_{21}$; cf. Z 106
φυτεύςηις Z 18
φώ.[G 7$_3$
φωναι[M 2$_7$

χαῖρε ā 2 (b)$_1$, Z 78 (a)
χαλ[K 15$_2$
χαλάccομεν D 12$_{10}$, sed χόλαιςι Z 2$_9$,
cf. V 1 ii$_{14}$ χαλα[, X (4)$_8$ χαλαλ[
χαλέπα Z 23 (a)$_2$
Χαλκίδικαι Z 34$_7$
χάλκιος: χάλκιαι Z 34$_4$. χά]λκιον fort.
D 2 (a)$_3$
χάλκωι Z 34$_2$
χαρίεντα Z 45$_1$, χ]αριεςς[fort. M 14$_2$
χάρικῡ[obscurum H 40$_{10}$
χάριν T 1 i$_7$, -ίτων T 1 ii$_8$, cf. B 7 (a)$_4$
prob. χ[α]ρ[ιτ-, F 3 (b)$_{24}$ χαρις[,
fort. χάρις; Χάριτες Z 63
χαύνωις (ἐκ ... χ$_1$) Z 36$_2$
χει.[G 7$_3$
χείμων Z 14$_2$, -ων(α) Z 14$_5$, -ωνι Z 2$_3$
χειροπόδης vid. Z 106
χέλυς Z 36$_2$
χέραδος Z 20$_1$
Χέρρωνος B 10$_9$
χέω: χέε fort. B 18$_1$, κέχυται Z 67; vid.
etiam κακχ-
χήρ: χέρρ[C 1$_{21}$, χ[έρ]ρες[R 1 ii$_8$
prob., χέρ[ςι B 13$_6$
χήρευε.[K 12$_1$ dub.

χ[θόνα] B 2 (a)₅, χθόνος B 6^10, G 2₂₉
χλαῖναν B 11₃
χλι.[G 2₃₀
χλῶρ[ο- F 1 (a)₉
χοῖρον D 13₂
χόλαισι Z 2₉, vid. χαλάσσομεν
χόλω D 12₉, χολο[sive -ω[P 1 (a)₅
χόρον L 1₂
χρ.[K 11₂
χρῆ L 1₆, Z 8₁, 111₁, 45₂
χρήματος F 3 (b)₃₀, -ατ(α) Z 37₂, cf.
    B 4₁₂
χρό[νος F 5₉, -ον E 1₂
χρυ[c- M 10 (b) ii₈
χρυσοδέταν Z 27₂
χρυσοκόμαι Z 3₃, T 1 i₂ suppl.
χρυσοπάσταν Z 5₁
κεχώρηκε X (14) ii₁₄
χῶρον[Q 2₆

ψεύδη sive -ηι dub. F 3 (b)₃₂
ψόμμος X (14) ii₂ seqq.
†ψόφος 'tenebrae' corrupt. Z 114
ψύχαν F 3 (b)₃₄
ψῦχρον F 1 (a)₈, F 3 (b)₃₈

ὦ c. voc. G 2₁₉, H 28₃, V 1 i₂₅, ᾱ 1 (a)
    codd., Z 11₃, 42, 43, cf. A 1₁₁ ὦ[,
    A 7₁ ὦφ.[, E 1₂ ὦ πα[, F 5₁ ὦ πον[,
    et fort. C 1₁₃, D 15₈
ὧδε B 11₅, ὦδ' O 2 (a)₅
ὠθήτω Z 22₆
ὠκεάνω Z 21₁
ὠκυ.[...]c H 28₂₀
ὠ[κυπό]δων B 2 (a)₆
ὤκυς: ὠκήαισι A 7₁₀, ὡς ὤκιστα A 6₇
ὠλομέν[αν F 3 (b)₃₁
ὠμήσταν G 1₉
ὠμοτέραις F 5₁₆, ὠμο[dub. F 6₇
ὦν = οὖν? B 16₈
ὦρα Z 23 (a)₂
ὠράνω Z 32, cf. ὀραν-
ὤρεος: vid. ὅρος
ὡς (a) adv. mod.: (i) demonstr. =
    οὕτως, Z 37₁ poss. sed potius relat.;
    (ii) relat. in imaginibus B 13₇,
    D 11₆, G 2₂₄, M 2₅ dub., V 1 i₁₀,
    sim. D 12₇; cum superlat. ὡς
    τάχιστα C 1₁₅, ὡς ὤκιστα A 6₇; ὡς
    λόγος B 10₁, ὡς λόγος ὄρωρε Z 15
    (b) coniunct.: c. indic., causal.,

G 1₁₄, temp. sive causal. P 2 (b)₃,
    c. κε+subiunct. B 5₇
    miscell. ignoto sive incerto con-
    textu: D 6₉, D 8₂, ₆, G 3₃, H 9₆,
    H 16₁, K 1₄, M 6₁, ₅, M 8 (a) ii₂, ₅,
    O 2 (b)₈ (ὥcτ')
ὥcτε c. infin. Z 25 (a)₁, cf. O 2 (b)₈
ὦτα[A 19₃
miscellanea notabiliora:
]ώννυμον A 3₅
]άρον A 3₈
]δίκως A 4 (b)₄
]ιμένην A 5₁₆
].νδιδηο B 1 (c)₅
.]ρπον B 4₁₀
](μ)ματα B 7 (a)₂
].άλιος B 20₁
]μητωξαυος C 1₁₁
]νοείδην C 1₁₄
]αccαμμ[D 1 (a)₁
].ιτόεργον D 3₃
]έντην D 16₁
]εφοβαμ[D 23₆
ημενεπε.[E 1₁₃
δηρετ[E 2₄
]λεξάνθιδος F 1 (a)₅
ὑπα[.]ώμματος F 3 (b)₈
]νύχοι. F 3 (b)₁₀
].].ωρέοντ[F 3(b)₃₉
ταναίο[F 4₂₂
]..]εcκ[ον] F 5₁₈
]μωιςμα[F 6₂
]τῶγᾶc F 6₈
].όλβῶνδρ[F 7₃
]εχάνιc.[F 13₂
].δερτ[F 14₆
κή[ ]τε..οcδε[F 14₇
].ρά.ὰ G 1₁
]ορδίαν G 2₄
]αππέναιc G 2₁₀
]οφρόνην G 2₁₁
.αμω[G 3₄
]ιcιδώ.ροι G 4₅
]αττα.[G 5₄
]κλωδεράᾳ[H 13₅
]τάτης H 18 i₂
]ιcλα H 28₂
]ροτάματα H 28₁₁
]αἴδαν H 28₁₅
]κέccᾱλ[H 29₁
].ἀράιο[H 29₂
]κο.δυλ.[H 30₁

334

INCERTI AUCTORIS VERBORUM
INDEX

FRAGMENTIS ADDENDA

(a) *Sapphicis*

117ᴬ anon. (saec. xii p.C.) in cod. Bodl. Barocc. 131 fol. 224
prim. ed. R. Browning, *C.R.*, n.s. x (1960), 192–3

ἐπιθαλάμιον ἄιδομεν, οὐχ οἷον Ἀπόλλων ἤχηϲεν ἐν γάμοιϲ τῆϲ
Ἀριάδνηϲ, οὐχ οἷον αἱ Μοῦϲαί ποτε ἀνεκρούϲαντο Πηλεῖ ϲυνερχο-
μένωι τῆι Θέτιδι [τῆϲ Θέτιδοϲ cod., corr. e.p.], οὐδ' οἷον ἄιδει
Ϲαπφὼ ἡ ποιήτρια μαλακοῖϲ τιϲι ῥυθμοῖϲ καὶ μέλεϲιν ἐκλελυμένοιϲ
τὰϲ ὠιδὰϲ διαπλέκουϲα [-κουϲι cod., corr. e.p.], καὶ ἵπποιϲ ἀθλο-
φόροιϲ ἀπεικάζουϲα τοὺϲ νυμφίουϲ, ῥόδων δ' ἁβρότητι παραβάλλουϲα
τὰϲ νυμφευομέναϲ [-μένουϲ e.p., correximus] παρθένουϲ, καὶ τὸ
φθέγμα πηκτίδοϲ ἐμμελέϲτερον [= fr. 156] ποιοῦϲα.

214 P. Oxy. 2357 (saec. ii p. post. p.C.)

Fr. 1   Fr. 2   Fr. 3

. . . .

]προλ[   ]..[   ]..[].[
]φερην[   ]. αιδεκό.[   ]επ' ιϲ[
]. ιδεθελ[   ].ʽπελ[.].[   ]ανεπ[
Ἀρ]χεάναϲϲα[   ].[   ].ν.[
5]δήποτ' ὀνα[5].[
]ναϲαμέν[. . .
]εν ἐπηρατ[
]ν[

. . .

Fr. 4   Fr. 5

. . .   . . .

]α.[   ]οη[
ἔ]κλυον ε[   ]νλ[
Κ]ρανίαδεϲ δ[ ]κα[
πα]ρθενικαιϲ.[ ]λν.[
5].μ[5]τ[
].[   ]μελ[

. . .   . . .

338

Sapph. fr. 29 (25) cum 24 (a) sic esse coniungendum
perspexit Eva M. Hamm

].[ ]ἀνάγᾳ[
].[ ]ἐμνάcεcθ᾽ ἀ[
κ]αὶ γὰρ ἄμμεc ἐν νεο[
ταῦτ᾽ ἐπόημμεν.

——

πόλλ[α μ]ὲν γὰρ καὶ κα[
]...η.[ ]μεν, πόλι[
.]μμε[.]ο[.]εἰαιcδ[
.]..[.]..[

(b) Alcaicis

120 = F 6 P. Oxy. xxiii Addenda p. 105: 1788 fr. nov.

opp. v. 4 (]χει[), marg. dext., κ̄, versus scilicet millensimus. alterius columnae vestigia minima (.[, κᾳ.[, α[, coronis, mox post duorum versuum spatium
initia versuum quatuor (tantum .[); hoc carmen dextrorsum magis insertum

128ᴬ = F 15 P. Oxy. xxiii Addenda p. 105: 1788 fr. nov.

. . .
καιτ[
<κήνὰ[.].[
>[.]δωκεκ[
4   αὐτον.[˙].[

——

cκ῀..[

2 fort. νᾱ voluit   ].[: ε possis, sed fort. litt. duae   5 ...[: laesa
superficies; post κ, ω possis, tum λ et fort. ο arcus sin. inf.

304ᴬ = Tᴬ P. Oxy. 2358 (saec. ii p.C.)

. . .
].·[
].ιτα.[
]νμε.[
]γαιγα[

versa papyro scriptum est Αλκαιο[| μελων .[, ubi α[vel minus veri sim.
δ[; scilicet liber primus (vel quartus).